找尋真實的蔣介石：

蔣介石及其日記解讀（五卷本）

II

內外政策與抗日戰爭

楊天石 著

① 廬山談話（1937 年 7 月 17 日）

② 蔣介石偕同宋慶齡、宋美齡主持成都陸軍軍官學校第 16 期畢業典
禮（1939 年）

③ 蔣介石就任國民政府主席與道賀外賓合照（1943 年 10 月 10 日）

① ② ③

① 蔣介石慶祝聯合國日檢閱遊行隊伍（1943 年 6 月 14 日）
② 美國駐華大使司徒雷登呈遞國書之後（1946 年 7 月 19 日）
③ 蔣介石與民眾合影（1945 年 6 月 13 日）

目錄

Contents

蔣介石兩次逼勒中國銀行 *

——讀張嘉璈手寫日記

* 本文係將《蔣介石逼勒中國銀行》與《蔣介石再逼中國銀行》二文合併而成，原刊《橫生斜長集》，天津百花文藝出版社 1998 年版。所據資料為《張嘉璈日記》手稿，藏於上海圖書館。

一、初逼

　　1927 年"四一二"政變後，蔣介石為了進攻武漢國民政府，對付退守長江北岸的軍閥孫傳芳，急需大量軍費，因此，於 4 月底決定發行國庫券 3,000 萬元，以江海關所收二五附加稅作抵，要求上海各銀行先行墊借。其中，有一段逼勒中國銀行的經過，頗為曲折生動。

　　中國銀行是舊中國的四大銀行之一，總行設於北京，上海等地設有分行，以資金雄厚著稱。蔣介石搜羅軍費，自然首先注目於該行。4 月 30 日，蔣介石的御用機構——江蘇兼上海財政委員會要求中國及交通兩行先行墊款 100 萬，於當日運往南京，並派代表坐索。中國銀行上海分行行長宋漢章只答應墊借 30 萬，與財政委員會委員錢新之言語衝突。這使蔣介石的表親、派到上海的財政專員俞飛鵬大為惱火。5 月 1 日，俞致電蔣介石云："查中行從前借與吳佩孚五百萬、張宗昌數百萬，現當我軍餉糈萬急之際，如此刁難，居心殊不可問，懇請總座定嚴屬對付之法。"3 日，再電蔣介石，提出步驟三項，準備置中國銀行於死地：1. 由蔣介石出面電令宋漢章預購國庫券 1,000 萬元；2. 如不履行，即通緝宋漢章；3. 如仍無效，即沒收各地中國銀行，改為中央銀行。對此，蔣介石當然言聽計從，當日即致電宋漢章，限兩天內預購國庫券 1,000 萬元，轉解南京。電報威脅說："聞貴行上年以大款接濟軍閥，反抗本軍，至今尚有助逆之謀。久聞先生素明大義，當不使貴行再助桀虐"。電報並稱，已派張靜江、俞飛鵬二人到滬提解。張靜江認為一時還不具備沒收中國銀行的條件，因此出面轉圜，要求中國銀行墊借 400 萬。

當時，中國銀行的決策人是在上海的副總裁張嘉璈。這是個長袖善舞、神通廣大的人物。他很快得知蔣介石將對中國銀行下毒手，決定接受張靜江的要求。5 月 5 日，張嘉璈訪問張靜江，表示"茲事總須解決"，"但四百萬之數恐難如期"。張靜江則稱："因對於武漢、長江擬一鼓撲滅，同時對於江北亦須解決，故亟須此數。"當晚，江蘇兼上海財政委員會會議，決定要中國銀行先行籌墊 200 萬，餘 200 萬，15 日以前交清。張嘉璈無奈，只好先交付 200 萬，餘款要求延期，由南京、浙江分行共同墊借。蔣介石仍不滿意，力謀進一步逼榨。19 日，以"該行毫無誠意"為理由，命令中國銀行於兩天內繳足 400 萬元，如僅補繳 200 萬，不予收受。這樣，中國銀行的墊款總數就增加到了 600 萬。20 日，蔣介石再電俞飛鵬，認為"此等商人毫無信義可言，何必客氣"，命令中國銀行補足 1,000 萬元，限 5 月 23 日以前繳清。這種不斷增長的粗暴逼榨連俞飛鵬也感到為難。21 日，俞致函江蘇兼上海財政委員會主任陳光甫，表示"深恐枝節橫生，愈難收拾"，要求他"立定具體辦法"，於本日 5 時以前復知，必須轉報蔣介石。陳光甫不敢怠慢，即約集財政委員顧馨一、秦潤卿二人共同對宋漢章施加壓力。宋擔心蔣介石會提出更加難以應付的要求，不得不表示，願意"合作到底"，除前繳 200 萬外，再墊繳 200 萬，其餘 600 萬，聲稱將代為勸銷國庫券，短期內如數繳清。宋並懇求說："中行目下已極疲憊"，以後對於墊款等事，請蔣介石"鑒原"。陳光甫對宋漢章的態度表示滿意，於 24 日致電蔣介石報告。

至此，中國銀行已經為蔣介石墊付了 400 萬元軍費。這個數字本不算很小，但仍然難以填平蔣介石的欲壑。因為武漢國民政府在 4 月份以命令提用了中國銀行漢口分行的幾百萬現金，蔣介石便於 5 月 25 日致電陳光甫、俞飛鵬、張靜江等人，指責中國銀行支持武漢國民政府。電稱："至今漢口中央幣概不通用，而且尚能支持者，全賴中國行幣；而我政府竭蹶如是，乃反吝惜至斯。雖其心可諒，如照法律而言，而謂其阻礙革命，有意附逆亦可，請諸公從嚴交涉，萬勿以私忘公。限本月內收足一千萬元，千祈勿徇私情為禱。"蔣介石慣於使用政治帽子壓人，"阻礙革命，有意附逆"八個字完全可以作為沒收中國銀行的理由。在此情況下，張嘉璈不得不央請錢新之、黃郛等人出面調停，張表示："若能有一徹底合作辦法，雖多墊若干未為不可。"黃郛當即親赴前線，勸蔣介石"不可逼中行太甚"。30日，張嘉璈又致函張群，請他在蔣介石面前疏通。與此同時，陳光甫也致函蔣介石，勸他不要"操之過急"。函稱："一旦金融界發生問題，勢必籌墊無門，險象環生，於軍事前途影響極大。"又稱："處置中行於其本身上所受之損失固大，惟於社會金融及政府前途上影響尤巨。"隨後，他又致電蔣介石，要求辭職。

蔣介石是靠江浙金融資產階級的支持，才得以發動"四一二"政變的，今後，他也仍將依靠江浙金融資產階級的支持，因此，陳光甫的話不能不考慮。6月7日，蔣介石復函陳光甫，對他的辭職表示挽留，關於中國銀行事，則聲稱："當不使吾兄獨為其難"。但蔣介石要錢心切，只作了一個小小的讓步：期限可以延長，數字不能減少，目前先交200萬元，7月10日、8月10日左右，分別再交200萬元。張靜江並稱，這是"最後辦法"。6月9日，張嘉璈通知俞飛鵬等人，決定接受張靜江的"最後辦法"。10日，中國銀行按"辦法"支付200萬元，作為第一期墊款。當日，張嘉璈在日記中痛苦地寫道："轟轟烈烈，鬧得全行天翻地覆，各方左右為難。實則庫券總是要銷，軍需總是要付，以堂堂當局，何必與中行鬧意氣耶？原因由於軍人不明財政，而處處干涉，政治前途悲觀在此。""四一二"政變前，江浙金融資產階級出於對共產黨人和武漢國民政府的恐懼，因此，慷慨解囊，支持蔣介石。他們當然想不到，換來的卻是這樣一個局面。

中國銀行接受了"最後辦法"，總計已墊款600萬元，餘下的400萬元蔣介石只要坐等就可以了。然而並不。7月4日，蔣介石因上海特別市政府成立之機到滬，要求提前支用餘款。張嘉璈雖然滿肚子不高興，也只得照付。至此，歷時兩個月的逼榨中國銀行事件才算是告一段落。

張嘉璈在這一年6月14日喪父。7月7日，蔣介石以弔唁為名來到張嘉璈宅，"略談數十分鐘"，算是表示了一點"殷勤"之意。

二、再逼

1927 年，蔣介石逼勒中國銀行，獲得了一筆鉅款。1928 年，故伎重演，再次發生逼勒中國銀行事件。

南京國民政府成立後，每月收入不足 300 萬元，而支出卻需 1,100 萬至 1,600 萬元左右，因此，不得不靠發行國庫券過日子。1927 年 5 月，發行第一次二五附稅國庫券 3,000 萬元。7 月，發行鹽餘國庫券 6,000 萬元。10 月，發行第二次二五附稅國庫券 2,400 萬元。1928 年 1 月，宋子文繼孫科之後出任財政部長。上任前一天，在上海張嘉璈宅宴請陳其采、李銘、貝祖詒等銀行家，計議發行第三次二五附稅國庫券 1,600 萬元。11 日，有關條例出籠。但是，推銷工作並不理想。為此，財政部勸募委員會硬性規定：1. 國民政府各機關及省政府、市政府、縣政府所屬職員，一律以薪俸一個月應募；2. 營業行號、店鋪及工廠所有職員，均以薪水一個月應募，由各行號、店鋪、工廠代為繳納。這些規定使推銷工作略有起色，但杯水車薪，無濟於事，因此，蔣介石仍然將主要希望寄託在江浙金融資產階級身上。

2 月 25 日，蔣介石致電上海總商會、銀行公會等團體，聲稱 "中正受命於最短期間完成北伐，大宗餉源全在推行二五庫券"，"無論如何為難，希務辦到，以應急需"。在此前後，蔣介石又兩次致電張嘉璈，要他偕中國、交通兩行行長前往南京，商量推銷國庫券一事。張嘉璈知道此事的難度，不願輕易介入，便復電蔣介石，要求派財政部次長張壽鏞到滬接洽，並要蔣 "電示意見"。區區一個銀行家居然如此抗命，蔣介石生氣了。28 日，蔣致電在上海的宋子文，以無限上綱的辦法痛斥張嘉璈拒不到寧即是 "阻撓北伐"，其中並有 "平日把持金融" 等語，限張一星期內承銷 1,000 萬元。宋子文接電後，以 "私人" 資格邀張談話，透露電報內容。張嘉璈意識到蔣介石故態復萌，又把去年的老辦法拿出來了，但他這次卻出奇地強硬，回答宋子文說：

> 此等電文，余無法承受。若轉與余，只好復電決裂。試問：國民軍自粵而湘而贛而浙而寧，中行幫助逾千萬；去年第一次庫券；中行允八九百萬；第二次庫券，中行允六百餘萬；龍潭之役，孫軍過江時，中行幫助幾

何？此次上台，中行助力幾何？去年過年，中行又借幾何？此謂把持何？北伐失敗之罪，繫於何人？非嚴重詰問不可。否則如此無信無義之人，何能當我輩首領！我輩犧牲為行，一生窮困，至於今日，所望事業有成，國家有神，若並此二者而絕望，則既無興趣，隨時可拋棄地位。

宋子文見張言詞激烈，動了肝火，便勸張商量辦法，對蔣電可暫不答復。張稱：辦法只有從增加關稅、鞏固國庫券信用兩方面著想。29 日，張嘉璈接到蔣介石限於星期六以前徵募庫券 1,000 萬元的電報，認為軍人"不知金融艱難"，宋子文又不敢"直言規勸"，長此以往，不可收拾，便決定以"感觸太深，精神不濟"為理由宣佈"暫時休息"。次日，即隱居不出。

張嘉璈這位財神爺一撂挑子，宋子文便慌了手腳，他要當時的中國銀行上海分行行長貝祖詒找到張嘉璈，表示"無論如何必須見面"。張嘉璈則稱：

> 無法見面，實因感觸太深。一則現在朋友均是買賣性質，有利則合，無利則分；二則以首領而不知財政之艱難，不知金融之重要，動以威權相逼，此後財政金融有何希望；三則在余四面應付，百孔千瘡，在人以為把持，精神上十分苦痛，不願再事周旋矣。

為了催逼上海銀行家認購國庫券，蔣介石於 3 月 4 日親自到滬召開會議。蔣稱：張嘉璈"阻撓北伐"，"勾通桂系、奉派"，又稱："中行庫中尚有數千萬，何以不能幫助政府？"張靜江甚至提出"不如接管中行"。陳其采、黃郛等為張嘉璈解說，但蔣聲稱："北伐費必須籌足，每月千萬始可進行。"會議商定增發國庫券 1,400 萬，下午又決定增發紙煙捐庫券 1,400 萬。當場通令中國銀行月墊五六百萬，或中國、交通兩銀行合墊 700 萬。參加會議的貝祖詒堅持不允，成為僵局。

張嘉璈此次態度雖然強硬，但終究不能對蔣介石的要求置之不理。3 月 6 日，張嘉璈召集中國銀行在滬董、監事討論應付方針，一致認為："一旦決裂，金融風潮即起，如在可能範圍內，仍以避免決裂為上"。會後，張嘉璈與宋漢章等人商量，決定墊款 600 萬，分三個月交清。9 日，蔣介石致函張嘉璈，表示"融洽諒解"，第二次逼勒中國銀行事件仍以蔣介石的勝利而告終。

濟案交涉與蔣介石對日妥協的開端 *

——讀黃郛檔之一

* 本文錄自《近代中國史事鉤沉——海外訪史錄》，社會科學文獻出版社 2001 年版；原載《近代史研究》1993 年第 1 期，略有修改。

黃郛檔藏於美國斯坦福大學胡佛研究院檔案館及哥倫比亞大學珍本和手稿圖書館。其中不少資料，沈雲龍的《黃膺白先生年譜長編》和沈亦雲的《亦雲回憶》已加利用。但是，還有不少資料，尚未為人們所見。本文將根據這批資料，參考上述二書，討論 1928 年的濟案交涉。

　　在很長時期內，以蔣介石為代表的南京國民政府實行對日妥協政策，其開端即是濟案交涉。

一、一面抗議，一面斡旋

　　蔣介石在南京建立國民政府後，中國北方仍為奉系軍閥所統治。1928 年 4 月 5 日，蔣介石在徐州誓師北伐，進展順利，但不久即遭到日本侵略者的阻撓。

　　4 月 16 日，日本駐濟南陸軍武官酒井隆少佐向參謀總長鈴木莊六建議，再次出兵山東。同時，青島總領事藤田榮介及代理濟南總領事西田畊一也向本國陳述：出兵時期，業已到來。4 月 17 日，日本內閣會議討論山東形勢，決定以魯軍自濟寧撤退及北伐軍中斷膠濟路為由，斷行出兵，由橫須賀派陸戰隊赴青島。4 月 18 日，日本外務省發表聲明，聲稱山東形勢急轉，內亂將波及日僑，出兵純屬自衛。19 日，日本首相田中義一、參謀總長鈴木莊六奏請天皇出兵山東。當日，內閣召集臨時會議，通過第二次出兵山東決議。鈴木旋即頒佈命令，加派第六師團長福田彥助率所部 5 千人從門司出發，向山東進兵；另以駐津之三個中隊增援。

日本侵略者一向把山東看成自己的勢力範圍。南京國民政府對日本政府的軍事干預早有估計，力求避免衝突。4 月 18 日，時任外交部長的黃郛致電蔣介石，請於軍事進行時，注意膠濟路沿線日本僑民利益。日本政府出兵山東後，南京國民政府採取一面抗議、一面斡旋的方針。

4 月 20 日，黃郛與譚延闓、吳稚暉、張靜江、葉楚傖等會商，決定向日方提出抗議。21 日，黃郛通過日本駐南京領事照會日本政府稱："不獨公法條約蹂躪殆盡，更恐因此釀成意外，責將誰歸？" 照會要求日本政府 "迅將所擬派赴山東之軍隊一律停止出發"。[1] 23 日，國民黨中央黨部召開臨時會議，討論對付日本出兵山東問題，通過《為日本出兵山東事致全體黨員訓令》。同日，國民政府委任蔡公時為戰地外交處主任。蔡隨即分函駐滬各國領事，聲明國民革命軍對戰地各友邦僑民將盡力保護。24 日，國民黨中常會就日本出兵山東，通過《告世界民眾書》及《告日本國民書》，呼籲世界民眾援助中國，要求日本民眾遏止田中內閣的侵略政策。26 日，黃郛訓令江蘇特派交涉員照會日本駐滬總領事，駁斥日方的 "保僑" 詭辯，要求迅將擬派山東之軍隊，一律停止出動。

在提出抗議的同時，蔣介石和南京國民政府都力圖通過外交途徑進行斡旋。當時，南京國民政府尚未與日本建交，在東京只有特派員殷汝耕一人，處理兩國間的必要交涉，黃郛遂指令殷汝耕與日方洽談。4 月 25 日，殷汝耕會見日本參謀本部第二部部長松井石根。松井稱：日僑集中濟南城西商埠區，遇有緊急情況，當撤至保護區內。松井並稱：如張宗昌、孫傳芳死守濟南，擬勸其開城；如負隅青島，擬勸其下野。他要求北伐軍注意 "勿與日軍衝突，免計劃成泡影。" 殷汝耕隨即將與松井會談情況電告黃郛，電稱："所議成否不敢必，惟力避衝突，杜彼藉口，似屬可能。"[2] 27 日，黃郛隨即將殷電內容轉告在兗州的蔣介石。

1　沈雲龍：《黃膺白先生年譜長編》上冊，台北聯經出版事業公司 1976 年版，第 332—333 頁。
2　黃郛：《致蔣介石電》，1928 年 4 月 27 日，黃郛檔，美國哥倫比亞大學珍本和手稿圖書館藏。以下凡未注出處者，均同。

殷汝耕資歷尚淺，蔣介石意欲派張群以他的個人代表的名義赴日，同時命黃郛到前方會商。4月27日，黃郛到上海，與張群商量，認為張群時任上海兵工廠廠長，日本之行可能被外界誤認為與購械或訂約有關，影響內政外交。同日，二人電邀松井石根來華洽談，但松井復電稱：待北伐軍佔領濟南後直接赴當地與蔣介石會見。松井表示，希望張群隨往，並稱：日本與山東關係密切，佔領濟南後，何人當局，望密示，最好由張群出任，否則亦盼由與蔣有密切關係的人出任。[1] 其間，黃郛還在上海與日本駐滬總領事矢田七太郎談話。矢田稱：根據他所得訓令及情報，在濟南的日兵決不袒奉。又稱：此次出兵，陸軍與外務省之間有嚴重約束，倘在魯日軍有挑戰或偏袒情形，請以事實見告，以便糾正云云。[2]

由於蔣介石堅持要張群赴日，張群遂於4月30日東行。

二、蔣介石軍前交涉的失敗

5月1日，國民革命軍克復濟南。次日，蔣介石、黃郛先後抵達濟南。日軍第六師團長福田彥助也於同日率兵600名抵達。

蔣介石抵達濟南後，委任方振武為濟南衛戍司令。方振武旋即會晤日軍旅團長齋藤，聲明負責保護外僑生命財產。5月3日，日軍製造了駭人聽聞的濟南慘案，殘殺國民政府駐山東外交特派員蔡公時等17人，燒毀黃郛辦公處，並用大炮轟擊北伐軍。當日，日本陸軍參謀本部決定向山東增兵。

濟南慘案發生的當日，蔣介石即嚴令部隊不得還擊，同時令城外的中國軍隊於下午5時以前撤離濟南，並將此事通知福田彥助，請其約束部下。4日，蔣介石應福田要求，派高級參謀熊式輝與日軍參謀長黑田周一舉行談判。據熊式輝後來回憶，"對方一種驕橫無人性的態度，並不是真心約來會商和解，似為故意對我加以激怒，求能擴大事態，阻礙我軍之渡河北進。"[3] 黑田提出：

1　黃郛：《致蔣介石電》，《黃膺白先生年譜長編》，第336頁。
2　《黃膺白先生年譜長編》，第336頁。
3　《熊式輝回憶錄》（打字本），哥倫比亞大學珍本和手稿圖書館藏。

1. 濟南商埠街道，不許中國官兵通過；2. 膠濟路與津浦路不許中國運兵；3. 中國軍隊一律退至濟南 20 里外。黑田並稱："你是蔣總司令代表，請予簽字。"熊式輝當答以須返後請示。同日，蔣介石將濟南慘案經過電告南京國民政府。當夜，蔣介石與第 1 集團軍前敵總指揮朱培德、總參謀長楊杰及熊式輝等會商，決定分兵渡過黃河，繞道北伐。5 日，蔣介石僅留少數部隊維持治安，本人偕黃郛退駐濟南城外党家莊，同時函告福田彥助，盼其停止特殊行動，維持兩國睦誼。6 日，蔣介石電飭北伐軍各部："舉凡有礙邦交之標語與宣傳，尤應隨時取締，勿以一朝之憤而亂大謀。"[1]

日本侵略者並不因蔣介石的退讓而稍戢兇鋒。5 月 7 日，福田彥助提出五項條件，要求蔣介石在 12 小時內答復。條件為：1. 有關騷擾及暴行之高級軍官，須嚴厲處刑；2. 對抗日軍之軍隊，須在日軍陣前解除武裝；3. 在南軍治下嚴禁一切反日之宣傳；4. 南軍撤至離濟南及膠濟路兩側沿線二十華里外；5. 為監視以上各項執行起見，在 24 小時以內，開放辛莊、張莊兵營。同日，蔣介石派熊式輝、羅家倫赴濟南，與福田彥助談判，接受了福田所提部分條件：1. 蔣介石同意，在"調查明確"後，按律處分"不服從本總司令命令，不能避免中日雙方誤會之本軍"。2. 本革命軍治下地方，早有明令禁止反日宣傳，且已切實取締。3. 膠濟路兩側 20 華里以內各軍，已令其一律出發北伐，暫不駐兵。4. 辛莊、張莊兵營，暫不駐兵。同日，蔣介石並下令免去賀耀祖的第三軍團總指揮兼第四十軍軍長職務，算是在履行福田所提要求。

蔣介石只在幾個問題上表達了和福田的不同意見。例如，蔣介石要求同樣"按律處分"日本軍隊；濟南及津浦路不得不駐紮相當軍隊，維持秩序等。此外，蔣介石要求交還前為日軍阻留的部隊及所繳的槍械。8 日，熊式輝、羅家倫到達濟南日軍司令部。福田和熊式輝是日本陸軍大學時的同學，但態度傲慢，言語橫蠻，"完全暴露出一種更無商量餘地之猙獰面貌"，[2] 聲稱已經逾期，拒不討論蔣介石所提對案。福田並提出最後通牒，聲稱"認定貴總司令並無解

---

1 《濟南日中軍事衝突面面觀》，《國聞週報》卷 5 第 18 期，第 5 頁。
2 《熊式輝回憶錄》。

決事件之誠意，為軍事之威信計，不得不採取斷然之處置，以貫徹要求"。[1] 事實上，此前福田已下令轟擊濟南，破壞黃河鐵橋，攻佔辛莊營房。

福田的蠻橫態度打碎了蔣介石以忍讓求妥協的幻想。5月8日，蔣介石致電譚延闓及黃郛稱："中正至此，雖欲對福田繼續談判，亦恐無從著手。應請鈞府立即向日本政府提出嚴重抗議，並以此事實宣告全世界。"[2] 此電表明，蔣介石準備改變單一的軍前交涉方式，企圖開闢新的途徑了。

三、爭取英、美出面干預

蔣介石企圖開闢的新途徑是以出讓 "優先經濟利益" 為條件，爭取英美出面干預。5月9日，蔣介石致電李濟深，告以和福田談判情況。電云："國尚未亡，已受亡國待遇。弟必與諸武裝同志服從中央訓令，含淚忍辱，節節退讓，並恐小不忍而亂大謀。但彼步步進逼，自江日起炮擊不輟，濟南一帶，死傷遍地。虞（7日）佔辛莊、張莊，庚（8日）逼党家莊，大有繼續侵迫之勢。萬一退無可退，其將奈何！" 蔣介石稱："能決此事，樞紐已不在軍事，而在外交；不在前方軍事，而在轉移能力之英國。" 他要求李濟深派遣曾任廣東省政府委員的朱兆莘赴港，與港督密談，考察英、日兩國是否協調，中國在不得已與日方破裂時，英國取何態度？有何法補救？同時和英方共籌監阻、制止日本行動的策略。電稱：'如能，則我方可與優先經濟利益。滬英領職微，不如港督之易轉移英內閣政策。總之，絕俄之後，必有與國。吾兄聘港，實具先見。如北伐成功，則對外自能次第解除縛束。"[3] 該電注明："百萬急，限即刻到"，可見當時蔣介石惶急萬分的狀況。

其後，蔣介石又曾要求黃郛將福田條件交美國駐滬領事，請美領從中調解。與此同時，時任南京國民政府主席的譚延闓也致電日內瓦國際聯盟秘書長德蘭孟及美國總統柯立芝，要求他們調查公斷，並以王寵惠、李石曾、伍朝樞

1　《黃膺白先生年譜長編》，第342頁。
2　蔣介石：《致譚延闓黃郛》，《黃膺白先生年譜長編》，第343頁。
3　蔣介石：《致李濟深電》，1928年6月9日。

為駐英、法、美代表，報告濟案真相，爭取國際支持。但是，這個時候，蔣介石還沒有放棄和福田談判的念頭。5月9日，蔣介石聽取熊式輝彙報後，再派何成濬與福田交涉，告以第40軍軍長賀耀祖"因不聽我令，未能避免衝突，業經免職"；同意濟南城內不駐兵，由武裝警察維持秩序。當日，蔣介石致電譚延闓、黃郛，要他們立電張群，轉請松井石根注意："倘福田仍進逼，則中已至無可再讓之地。"[1] 其間，張群致電蔣介石，報告與田中義一會談情況。田中稱：不祖奉，至北伐將完成時，彼當助統一中國；不妨害北伐之進行，但他又表示，護僑、護路問題屬於軍事，由福田負責。[2] 蔣介石得到張群傳遞的信息後，極為高興，於10日致電黃郛表示，如果日方能"不妨礙我津浦路交通，予以自由運輸，則對於反日運動，中正可以極嚴厲手段阻止之。如此，則向來關係依然繼續，且亦加厚。中正為增進睦誼計，亦可以向日軍道歉，表示真誠也。"[3] 隨後，蔣介石又致黃郛一電，要黃以自己的名義將上述意思轉告矢田或電告殷汝耕，不要用他的名義。[4] 在外敵面前是屄頭，在人民面前是惡煞，卻又不敢挺身負責。黃郛夫人在幫助譯電員翻譯這些電報時，曾懷疑文句錯了，"翻密本至再，此較外傳膺白所承允者為甚也"。[5] 胡漢民曾批評蔣介石"勇於對內，怯於對外"，[6] 誠然。

何成濬與福田會面後，福田堅持蔣介石必須完全接受他提出的五項條件，並須於日軍之前，將曾抵抗日軍的方振武、賀耀祖、陳調元三軍團全體解除武裝，並將肇事軍官處以嚴刑。這是極具挑戰性和羞辱性的條件。何成濬詢問濟南城內情形，福田稱："此非爾等所應問！"何成濬只能返回兗州，向蔣介石復命。5月11日，福田電蔣介石云："對本司令官之要求，不知是否全然承諾。請賜復，賜復以後再派遣貴代表。"[7] 蔣介石接電後，於13日致電譚延闓，要求"示以方針"。譚與何應欽商量，認為"遷延愈久，犧牲更愈大"，但不敢決定，

1　蔣介石：《致譚延闓、黃郛電》，《黃膺白先生年譜長編》，第345頁。
2　張群：《致蔣介石、黃郛電》，《黃膺白先生年譜長編》，第345頁。
3　蔣介石：《致黃郛電》，《黃膺白先生年譜長編》，第346頁。
4　《黃膺白先生年譜長編》，第346頁。
5　沈亦雲：《亦雲回憶》，台北傳記文學出版社1971年版，第393頁。
6　《胡漢民談話》，香港《遠東日報》，1932年3月4日。
7　譚延闓：《致黃郛、蔡元培、張靜江電及電未注文》，黃郛檔，1928年5月13日。

又致電黃郛、蔡元培、張靜江，要求三人速商密復。但蔡等也不敢決定，商量後，復電要蔣介石"斟酌前方情形，全力主持"，將皮球踢了回去。[1]

蔣介石寄希望於英、美。5月11日，參事李錦綸自紐約致電黃郛，告以"目下美國國會殊無助華之希望"。[2] 5月14日，李濟深復電蔣介石，告以英國駐廣州領事的意見云："宜繼續守鎮定態度，經濟絕交，足制日本死命。中日若決裂，英必守中立。"李濟深並稱："美領意見略同。初戰美必不參加。宜宣佈日兵橫暴證據，以博世界輿論之同情，最為上策。"[3] 至此，英、美明確表示了不介入的態度，蔣介石的希望落空了。後來，朱兆莘曾以私交關係致電英外長，請制止日本侵佔山東，以維持遠東和平。不久，得復電稱，英不便明白表示，但表同情並副期望云云。[4]

在一籌莫展之際，蔣介石遂決意甩開福田彥助和軍前交涉的方式，將這一棘手的問題踢回南京國民政府，完全通過外交途徑去處理。

四、東京交涉

還在5月12日，黃郛就曾致電殷汝耕，要他告訴日本政府，要求將濟案移歸後方辦理。14日，蔣介石致電譚延闓稱："日方利於以武力擴大，不利於以外交解決，故日政府避與我政府交涉，而陰使福田與軍事當局威逼。"因此，蔣介石要求南京政府正式通告日本政府，表示"願與日政府以外交方式解決之，總司令責專北伐之軍事，未便兼顧外交。"[5] 同日，蔣介石又致電黃郛，除重申致譚延闓電所提主張外，又提出與田中義一進行非正式談判，如懲辦高級長官以賀耀祖為限，解散軍隊亦以賀部為度，"則解散軍隊亦可允許，甚至中正道歉亦所不辭"。[6] 電末，蔣介石針對前此譚延闓等人的推宕，特別強調說："此事當以軍事移歸外交為主，不可再以'斟酌前方情形'了之也。"此後，濟案

1 譚延闓：《致黃郛、蔡元培、張靜江電及電末注文》，黃郛檔，1928年5月13日。
2 見黃郛檔。
3 《電蔣總司令》，黃郛檔，1928年5月14日。
4 李濟深：《電南京蔣總司令》，黃郛檔，1928年5月22日。
5 《黃膺白先生年譜長編》，第350—351頁。
6 《黃膺白先生年譜長編》，第351頁。

交涉遂轉入與田中義一的磋商為主。

濟南慘案發生後的第二天，殷汝耕曾會見田中，田中要殷轉告蔣介石，"極力消弭，勿使擴大"。殷稱："既雙方初無敵對意，將來自可和平了結。目下以撲救為主，不宜爭執是非。"據殷汝耕致黃郛電，田中對此"拍掌贊同"。[1] 5月13日，殷汝耕再次會見田中義一，田中稱：（一）對中國革命完成，抱負多年，惜不在位，且時未至，亦未發現中心人物。（二）認蔣為收拾時局的唯一人物，且時機已至。（三）內閣已安定，本人較其他首相更能支配陸、海軍，舉國一致。（四）決心幫助蔣座完成中國革命並鞏固之。（五）濟案已明了，乃共黨操縱一部分軍隊所計劃，使蔣瀕於困難，至為遺憾。（六）已電命前方收束，且派人往授意旨，今後日軍決無別項行動。（七）為促進北伐計，已囑前方速使中國軍隊利用津浦線，但須預先關照日軍，以免誤會。（八）已命將濟案歸外交交涉，將來雙方形式上之解決自不可少，但決無苛求。田中並稱，內閣解決濟案的方針為：決不以利權為交換條件；決不偏袒北方，妨礙革命；對中國決不採武力壓迫政策等。田中還表示：張作霖不久必處決，請注意勿使滿洲化為戰區；請猛進，勿躊躇，革軍下北京，不過統一初步，望蔣早定收拾時局，裁兵、建設之計劃，日本當協力貫徹。田中建議蔣介石派張群赴濟南，他同時派腹心前往，洽談使南軍迅速利用津浦路問題。田中還表示，他將另派腹心駐南京、上海，以為聯絡。殷汝耕當即將蔣介石的態度，特別是"抑制民眾激昂之苦心"詳細告訴了田中，同時提出：（一）除恢復津浦路交通外，希望速將"興奮部隊"調防。（二）暫時協定須顧雙方面子，如放還官兵，交還槍械。（三）種種聲明，須有具體表示，如勸張作霖下野，撤回顧問等，以釋中國民眾疑慮，緩和反感。田中表示：今後日軍決不致興奮；照顧面子云云，不難照辦；至於具體表示，不便明言，請拭目以俟。田中並答應殷汝耕，以後互相聯絡，囑咐他不必經外務省及軍部，可以隨時直接會晤。[2] 田中的上述甜言蜜語使黃郛有如釋重負之感。他立即將殷汝耕與田中會談情況電告蔣介石，並於15日復電

---

1 《殷特派員自東京來電》，黃郛檔，1928 年 5 月 5 日。
2 殷汝耕：《致蔣介石電》，黃郛檔，1928 年 5 月 14 日。

殷汝耕云:"兩國當局能如此苦心,吾人多年努力或不致全歸泡影。"[1] 他指示殷向田中交涉:一、電令停止福田向蔣直接交涉;二、另由田中派定人員與中國政府辦理。電稱:"至統一後裁兵、建設,具有用心,互助共榮之真精神,非此不足以實現也。"

為了保證交涉的成功,黃郛小心翼翼,避免一切可能刺激日方的舉動。15日,南京國民政府會議,決定徹底掃除奉軍,通令全軍迅速前進。黃郛得知後立即致電南京,要求"萬不可宣佈","如已見報,應宣傳至山海關止。值此形勢緊張之際,弟因國際上有所聞,關係太大,不敢不言"。[2]

田中對殷汝耕的一席話說得似乎頗為圓融動聽,然而,當時日本陸軍系統勢力膨脹,驕狂不可一世,日本政府並不能完全支配強硬派軍人。16日,殷汝耕將蔣介石的密電轉給田中義一,隨後會見松井石根,松井答稱:"全案固應歸外交辦理,然兩軍間必須有臨時協定",其要點為:蔣介石表示歉意;處罰肇事軍幹部。松井並稱:此事早了一日,北伐早進展一日,勿過拘泥。[3] 同日,矢田會見黃郛,稱得日外交部電:一、嚴懲賀、方、陳之條件,可不再提,但須蔣道歉;二、懲罰肇事軍隊之直接負責者;三、已令福田,對津浦運輸速予南軍以便利。黃答以無論條件如何,第一先當移歸後方交涉。[4]

南京國民政府成立後,蔣介石的權勢如日中天,炙手可熱,日本軍方則企圖給蔣一點顏色看,煞煞他的威風。17日,黃郛電殷汝耕稱:日本當局既對蔣個人及對中國統一抱有極大希望,"既責望其將來,宜先愛護於今日。在前方訂一臨時協定,對於希望蔣收拾時局一層不無影響"。[5] 他要求殷前往磋商,"通歸後方交涉"。同日,再電殷汝耕云:田中如果希望蔣成為"收拾時局之中心人物",則應免除蔣"現處地位之困難";應不傷蔣"對國內之威嚴"。[6] 18日,殷汝耕再次會見田中,田中稱:"日決定防止滿洲戰亂,已於本日正式向南北提出覺書,並於昨召集英、美、法、意各使,宣示內容,奉張如不放棄政權,與

1 黃郛:《電殷特派員》,黃郛檔,1928 年 5 月 15 日。
2 黃郛:《致譚延闓電》,黃郛檔,1928 年 5 月 15 日。
3 《殷特派員來電》,黃郛檔,1928 年 5 月 16 日。
4 黃郛:《致蔣介石電》,黃郛檔,1928 年 5 月 16 日。
5 黃郛:《電殷特派員》,黃郛檔,1928 年 5 月 17 日。
6 黃郛:《電殷特派員》(二),黃郛檔,1928 年 5 月 17 日。

南軍抗戰，則戰敗後思回滿而不能；肯和平接受，仍可退保關外。"殷根據黃郛 17 日電的要求與田中商量，田中正躊躇間，佐藤在旁言道：內閣不能一一抹殺福田主張。現軍事協定已電令縮小範圍，總須顧及福田面子，乃能圓滿。據此，殷汝耕電復黃郛，認為"濟案癥結，在我方欲避開福田，另覓交涉，而日方則礙於福田，故有先訂臨協之說。"殷建議："敷衍福田，使之軟化，我以表示遺憾形式代道歉。"[1] 18 日，殷汝耕再訪松井石根，松井仍不同意移交後方交涉，但表示道歉並不含十分嚴重意味。同日，殷汝耕又得到外務省方面消息，對道歉一點，願減輕程度，以期速了，但一筆抹殺，則難辦到。[2] 黃郛要顧全蔣介石的面子，日本政府則要維護以福田為代表的強硬派軍方的面子，雙方意見堅持不下。同日，福田催促蔣介石派代表到軍前商量，蔣介石死活不同意，他要求黃郛和福田商量，聲稱"濟南交涉已奉國民政府命令，移歸外交部辦理"，建議黃郛催松井石根速往青島，張群也去青島；如松井不來，則派張群赴東京談判。[3]

從 4 月下旬起，黃郛等就邀請松井石根來華，但松井遲遲不肯動身。18 日，蔣介石致電黃郛稱，"請注意，弟已認為絕望也。"[4] 黃郛與蔣介石有同感，19 日電復蔣介石稱："絕望一說，我早見及，恐增煩惱，不忍言耳！"[5]

五、日方圖窮匕首現與黃郛下台

日本長期垂涎我國東北。1927 年田中義一上台後，認為從蔣介石"撲滅共產黨並樹立與各國之關係"方面，"漸漸可以看清他的真正面目"，[6] 決定以支持蔣統一"中國本土"為代價，換取他承認日本在東北的特殊權益。日本出兵山東，主要目的就在於想對蔣介石施加壓力，以同意北伐軍通過為條件，換取蔣對日本在東北特殊權益的承認。果然，在對蔣介石的壓力施加到一定程度後，

1　《殷特派員來電》，黃郛檔，1928 年 5 月 18 日。
2　《殷特派員來電》，黃郛檔，1928 年 5 月 19 日。
3　《黃膺白先生年譜長編》，第 353 頁。
4　《殷特派員來電》，1928 年 5 月 19 日。
5　黃郛：《致蔣介石電》，黃郛檔，1928 年 5 月 19 日。
6　《帝國の對南方態度》，日本外務省檔案微卷，SP53，第 247 頁。

日方就圖窮匕首現了。5月18日，日本駐華使節分向南京國民政府及北京安國軍政府遞送覺書。其致南京國民政府覺書稱："滿洲治安之維持，在我國極為重要。如淆亂該地方治安，或者造成淆亂原因之事情發生，我國政府應須極力阻止之，故戰事進展至京、津地方，其禍亂或及滿洲之時，我國政府為維持滿洲治安起見，或將不得已有採取適當而且有效之處置。"[1] 同時，矢田並將日本政府對覺書的說明書出示黃郛，詢問南北和平談判有無可能，如不能，則對奉系採取三種辦法：一、不戰而退，准予出關，但不許南〔軍〕追；二、戰敗而退，須先向日軍繳械，始能出關，然仍不許南追；三、張（作霖）出，不准再進。總之，日本侵略者準備動用武力，阻止北伐軍和南京國民政府的力量進入東北。出兵山東，不過是牛刀小試，做一點樣子給蔣介石和南京國民政府看。黃郛致蔣介石電稱："昨送覺書，彼欲乘機解決滿蒙之心畢露。"[2] 這是正確的。

濟南慘案初起時，日人頭山滿等即出面調停，主張"雙方各自認其曲於理法之下"。[3] 5月20日，頭山滿又致電蔣介石稱："（日本）當局曾謂，不必由閣下直接，只須由適當之人表示歉意"，又稱："在救國救民大神〔伸〕之下，些微面子有何問題！只要於將來目的無大障礙，希望從速解決。"[4] 同日，張群電告蔣介石，松井石根的答復為：1.因滿蒙問題發生，難以來華，如必待其來居間調停，恐曠日過久，徒失事機，且近來日方論調，漸趨強硬，政府頗難處理，華方恐亦有同等困難，望速了結，免滋枝節。2.交涉統移後方，難以照辦。3.道歉一層，不含十分嚴重意味。松井石根建議：蔣介石直接與福田彥助一晤，口頭酌量表示。至於懲罰肇事長官一層，張群的意見是，賀耀祖已免職，僅處罰其下直接負責長官即可，但須寫進正式公文。張群藉頭山滿來電勸蔣介石說："可見日方主張不能再有讓步。"

張群同時表示，自己赴日與事無濟，應請蔣本人酌量辦法。[5]

頭山滿、張群、蔣介石之間函電磋商的同一天，譚延闓、張靜江、李烈

---

1 《黃膺白先生年譜長編》，第353頁。
2 黃郛：《致蔣介石電》，黃郛檔，1928年5月19日。
3 《黃膺白先生年譜長編》，第342頁。
4 張群：《致蔣介石轉頭山滿來電》，黃郛檔，1928年5月21日。
5 《黃膺白先生年譜長編》，第355頁。

鈞、于右任、蔡元培、何應欽、黃郛等召集外交委員會會議，會議決定：1. 前方臨時協定既經多次接洽，日方堅持不允免除，唯有由前方速派代表前往辦理，以便結束。2. 道歉以我方雖曾有令保護僑民，仍不能避免衝突，引以為歉為辭。3. 覺書因含有確定日本在滿特殊地位之關係，擬簡單答復，大意為連年用兵，為求統一，東省日僑，自當保護，同時以口頭表示，張作霖能下野，退出北京，自無用兵必要。[1] 這一決定，在締結前方臨時協定問題上接受了日方條件；在道歉問題上，有保留地接受了日方條件；在東北問題上則以迴避法婉轉地拒絕了日方的要求。會後，黃郛擬偕張靜江赴前線與蔣介石商量。

然而，就在此刻，形勢卻發生了戲劇性的變化。

自濟案交涉，黃郛就備受各方，包括國民黨內部的指責。5 月 16 日，黃郛致電譚延闓、李烈鈞、何應欽抱怨說："寒日（14 日）《國民革命軍日報》與真日（11 日）《京報》論調，備致譏訕，橫施責難。查該兩報均係政府或總部關係創辦，對外已困難萬分，若內部再不我諒，將何以振作勇氣？"[2] 日本提出覺書後，輿論指責更甚。5 月 19 日，蔣介石到鄭州，與馮玉祥會晤。蔣介石稱："膺白外交辦失敗了，一般老先生均不滿意。"[3] 馮建議任命王正廷為外長。1926 年，馮玉祥出潼關參加北伐，王正廷應聘參加馮幕。次年，又經馮推薦，出任隴海路督辦。因此，王正廷和馮關係較密。蔣介石同意馮的意見。5 月 20 日，蔣介石致電黃郛稱："昨去鄭州，與各方詳商大局，謂近日外交緊急，請兄暫行辭職，並望從速，否則，各國外交亦受影響，我軍到達京津，更難辦理也。"[4] 蔣介石要求黃郛"暫辭"外交部長，專任外交委員會委員職務。同時，蔣介石致電譚延闓、張靜江，說明變更理由："日本外交業已絕望，必須接近歐美。王正廷與歐美素洽，與日本亦接近。"[5] 5 月 22 日，黃郛致電南京國民政府，要求辭去本兼各職，電稱："受命三月，無補時艱，乃外交正切進行，而情志終難曲達"，要求"謹避賢路"。[6] 24 日，蔣介石致電黃郛稱："兄辭外長本職，對內

1　《黃膺白先生年譜長編》，第 354 頁。
2　黃郛：《致譚延闓電》，黃郛檔，1928 年 5 月 6 日。
3　《亦雲回憶》，第 425 頁。
4　蔣介石：《致黃郛電》，黃郛檔，1928 年 5 月 20 日。
5　《張家璈日記》（未刊稿），1928 年 6 月 28 日。
6　黃郛：《致南京國民政府電》，黃郛檔，1928 年 5 月 22 日。

對外，皆足表示態度，不可再辭兼職，以免外人猜測，如政府慰留，則觀察形勢，不必堅辭。"[1] 25 日，譚延闓致電黃郛慰留。同日，黃郛致電譚延闓："事理人情，餘勇已兩無可鼓；且去職既係應前線意旨之求，再來又何能收內外相維之效！"他要求"迅選賢能，立予接替"。[2] 6 月 10 日王正廷致電黃郛，引用黃過去所說"我輩視同一體，應為互助"，要求黃擔任外交委員會主席，為黃拒絕。[3] 同月 27 日，王正廷再次致電黃郛，要求他出任駐德大使，黃郛乾脆連信都不回了。[4]

此後，黃郛長期隱居於浙江莫干山，盡量疏遠當局，決心不再從政，多次辭卻南京政府的徵召。這種情況，一直保持到 1933 年華北危急時止。

1928 年 12 月，黃郛致張群函稱："濟案所受刺激，公私兩項皆為生平未有之傷心事。"又稱："此一段內外交迫之傷心史，實令我沒齒不能忘。"[5] 次年，蔣介石組織導淮委員會，自任委員長，意欲以黃郛為副委員長，黃郛仍然不就。蔣介石致黃電有"為三十年友誼勿卻"之語，黃郛復電則稱："欲保三十年友誼於不敝，故不必共事也。"[6] 字裏行間，顯然蘊含著對蔣介石的怨意。

六、結束語

1919 年，王正廷參加巴黎和會期間，拒絕在和約上簽字，獲得輿論好評。1921 年，被北洋政府任命為魯案善後督辦，在與日本談判收回青島及膠濟路方面，也做過一些有益的工作。他接任外交部長後，對福田彥助的各項無理要求置之不理，擬訂了一份《濟案交涉要點》，提出"原則上日本須首先撤兵，然後正式開始交涉"。其撤兵具體步驟則提出，"日本先不妨礙中國行政官吏到濟執行職務"；"由交通部計劃津浦路通車，日本不加阻撓"；"（日軍）由濟至青之

---

1 蔣介石：《致黃郛電》，黃郛檔，1928 年 5 月 25 日。
2 黃郛：《致譚延闓電》，黃郛檔，1928 年 5 月 25 日。
3 王正廷：《致黃郛電》，黃郛檔，1928 年 6 月 10 日。
4 王正廷：《快郵代電》，黃郛檔，1928 年 6 月 27 日。
5 《亦雲回憶》，第 445 頁。
6 《亦雲回憶》，第 444 頁。

間，分期撤兵，自開始日起，一個月以內，為終了之期限"等。[1] 這就較黃郛任外交部長時期強硬了。

　　儘管蔣介石在關鍵時刻撤換了黃郛，但是，濟案交涉的主角是蔣介石，基本方針是他確定的。黃郛夫人說："這次蔣先生自己在前哨，凡對方的要求，都先到蔣先生手，亦只有蔣先生能作決定。"[2] 在這一過程中，蔣介石的對日、對外妥協性格已經鬚眉畢現，後來南京國民政府的外交路線正是由此繼續發展的。

附記：1990 年，我訪問美國時，在哥倫比亞大學珍本和手稿圖書館讀到黃郛檔，很感興趣。當時曾確定以《二次世界大戰前中國政府的對日外交》為研究課題，本文為第一部分。現值本文發表之際，謹向支持該項研究的美國國際教育協會（Institute of International Education）和哥倫比亞大學東亞研究所的黎安友（Andrew J. Nathan）、曾小萍（Madeleine Zelin）教授致謝。

1　黃郛檔。
2　《亦雲回憶》，第 392 頁。

約法之爭與蔣介石軟禁胡漢民事件 *

* 本文錄自《蔣氏秘檔與蔣介石真相》，重慶出版社 2015 年版；原載《中國社會科學》
2000 年第 1 期。

一、南京政壇的一次強震

自1931年2月上旬起，蔣介石日記中逐漸出現對胡漢民的強烈不滿和攻擊之詞。

2月9日日記云："見人面目，即受刺激，小人不可與共事也。紀念週時欲發而又耐止，何人而知我痛苦至此耶！"[1] 這裏，蔣介石僅用了"小人"一詞，沒有點名，但是，這位"小人"在第二天的日記中就登場了。10日日記云："胡敬人為其傀儡而自出主張，感情用事，顛倒是非，欺罔民眾，圖謀不軌，破壞黨國，投機取巧，毀滅廉恥，誠小人之尤者也。余性暴氣躁，切齒胡某，幾戕其身矣，奈何弗戒！"從這一段日記可以看出，蔣介石認為，"胡某"也者，既惡極，他使得蔣介石"性暴氣躁"，"切齒"痛恨。

此後，蔣介石在日記中對"胡某"的攻擊就接連不斷；13日日記指責其"挑撥離間，詆毀政治，曲解遺教，欺惑民眾"。15日日記指責其"破壞黨國，阻礙統一"，"以'司大令'（斯大林）自居，而視人為'托爾斯基'（托洛茨基）"。25日日記則稱："今日之胡漢民，即昔日之鮑爾廷（鮑羅廷）。余前後遇此二大厄，生倒楣不盡。鮑爾廷使國民黨徒受惡名，而共產黨沾其實惠。今胡則使

[1]《蔣介石日記類抄·黨政》（未刊），中國第二歷史檔案館藏。以下所引，除個別地方根據日記原稿本外，恕不一一注明。

國民黨受害，而彼自取利。鮑爾廷使國民黨革命破壞而不能建設，胡則使國民黨革命阻礙而不能進取。"十幾天之中，由"小人"，而"胡某"，而直書"胡漢民"，標誌著蔣介石怨憤的迅速加深和增強。

這一時期，胡漢民問題使得蔣介石性情乖戾，難以自制。18日日記云："近日性躁異常，恐將僨事。"25日日記云："為胡事又發暴怒。"26日日記云："在湯山俱樂部痛述某之罪狀，幾為髮指。"當日中午，蔣介石與邵力子談起胡漢民的"罪狀"時，再次動情，日記云："心為之碎，自知失態。"

也就在25日，蔣介石制訂了一個處理胡漢民的14點計劃。前四項對胡本人：1. 請胡私邸；2. 派監視護兵；3. 令警察監視胡的寓所；4. 請孫科往見，在"公開審判"和"自行辭職"兩者中問胡自願，同時要胡保薦立法院正副院長，並要胡函慰立法院各委員，使其安心供職，最後將胡遷往中山陵。其他十項為善後，其內容為：明告中央委員；開國民黨中央臨時政治會議；開中央常務會議，推任立法院院長；由監察委員提起彈劾，令國府緊急處分，嚴重監視；監察院提起政治彈劾；通告各地黨部與各軍隊等。當然，蔣介石也沒有忘記控制新聞，"令各報不准登載中央未發表之消息"。其中還包括"請立法委員組長明午吃飯"一條，考慮得相當周密。

28日晚，蔣介石以宴客為名，邀請胡漢民到自己的住所晚餐。胡漢民到後，便從首都警廳長吳思豫手裏得到了一封蔣介石列數其"罪狀"並有其親筆修改手跡的信件，[1] 又從邵元沖口裏得知："蔣先生想請胡先生辭立法院院長。"胡漢民堅決要求蔣介石出面，蔣出面後，兩人激烈辯論到深夜。第二天，胡漢民具書"辭職"。當日，移送湯山軟禁。3月8日，移回南京，仍然處於軟禁狀態中。

這就是20世紀30年代初著名的胡漢民"被囚"事件。早在同盟會時期，胡漢民就追隨孫中山，獻身革命，長期充任孫的助手，堪稱"黨國元老"。他當時任國民黨中央常務委員、南京國民政府委員、立法院長。"事發以後，舉世駭然"。[2] 他的被軟禁無疑是南京政壇上的一次強震。

---

1 《蔣介石致胡展堂書》（原件），胡漢民全宗，中國第二歷史檔案館藏。以下行文，簡稱《蔣致胡函》或《致胡函》，不一一注明出處。
2 《第四次全國代表大會與中國國民黨之復興》，國民黨中央執監委員非常會議印行，1931年9月。

二、20 年代末期至 30 年代初期的
"黨治"與"法治"之爭

要了解蔣胡之爭，首先必須了解孫中山的有關思想和蔣胡之爭的歷史環境。

孫中山是偉大的民主主義革命家，他的目標一開始就定位在將中國建設為世界上的頭等民主國家。但是，他又認為，這個境界不可能一蹴而就，必須循序漸進。還在同盟會時期，孫中山和他的戰友們即將中國實現民主和法治的進程分為軍政、訓政、憲政三個階段。軍政時期適用於革命軍初起之時，軍民共同受治於軍法。訓政時期適用於三年之後，各縣軍政府將地方自治權歸之於當地人民，由人民選舉地方議會議員及地方行政官員，同時制訂約法，規定軍政府和人民之間各自的權利和義務。憲政時期適用於全國實行約法六年之後，其特徵為制定憲法，由國民公舉大總統，公舉議員，組織國會，一切國事，均依憲法而行。此後，孫中山對他的"三階段論"作過多次說明，其大原則雖始終如一，但也出現了某些相異或模糊之處。

辛亥革命後，南京臨時參議院迅速制定了相當於憲法的《臨時約法》，它規定了前此中國從未出現過的一系列民主原則。但是，曾幾何時，《臨時約法》即被袁世凱和北洋軍閥扔進了字紙簍。為了捍衛《臨時約法》，孫中山曾多次發起護法運動，但是，也均一無所成，護法的旗號反而為曹錕、吳佩孚輩所利用。這種情況，其主要原因在於，中國社會源遠流長和根深蒂固的專制傳統和當時社會中強大的專制勢力。但是，晚年的孫中山總結經驗，卻認為其原因在於人民沒有經過必要的訓練，"未經軍政、訓政兩期，而即入於憲政"，他說："不經訓政時代，則大多數之人民久經束縛，雖驟被解放，初不了知其活動之方式，非墨守其放棄責任之故習，即為人利用陷於反革命而不自知。"他甚至說："辛亥之役，汲汲於制訂《臨時約法》，以為可以奠民國之基礎，而不知乃適得其反。"[1]這一時期，他接受蘇俄經驗，比較多地強調"以黨治國"，即所謂"黨治"。1924 年 1 月，孫中山起草《建國大綱》時僅云："（訓政時期）得選舉縣

---

1 《制定建國大綱宣言》，《孫中山全集》卷 11，中華書局 1986 年版，第 102 頁。

官以執行一縣之事，得選舉議員以議立一縣之法律"，沒有出現 "約法" 二字。[1]
這就為後來滋生論爭留下了縫隙。

　　1928 年 6 月，蔣介石、馮玉祥、閻錫山等人所率領的國民革命軍和平佔
領北京和天津，奉系軍閥退出關外。至此，雖有東北和新疆的易幟問題有待解
決，但大體上完成了全國統一。1928 年 8 月，國民黨召開二屆五中全會，宣稱
軍事告終，訓政開始。會議決議，遵照孫中山 "遺教"，迅速起草並頒佈約法。[2]
10 月 3 日，國民黨中央常務會議通過胡漢民、孫科提出的《訓政綱領》。該綱
領規定：訓政期間，以中國國民黨全國代表大會為國家最高權力機關，代行國
民大會行使政權；平日則將政權付託國民黨中央執行委員會，由該委員會中央
政治會議指導國民政府施行重大國務。同日，通過胡漢民等提出的《中華民國
國民政府組織法》，規定國民政府設行政、立法、司法、考試、監察五院，其正
副院長均由國民黨中央執行委員會選任。這樣，國民黨就提出了一個完整的以
一黨專政為特徵的政治體制。胡漢民的《訓政大綱提案說明書》將這一點表述
得很清楚、很坦率："一切權力皆由黨集中，由黨發施。"[3] 次年的有關決議甚至
說："中國國民黨獨負全責。"[4]

　　1929 年 3 月 13 日，國民黨第三次全國代表大會召開。胡漢民在開幕詞中
聲稱："總理給我們的遺教，關於黨的，關於政的，已非常完全，而且事實上都
已條理畢具。我們只要去奉行，只要摸著綱領，遵循著做，不要在總理所給的
遺教之外，自己再有什麼創作。"[5] 在這一思想指導下，會議 "確定總理所著《三
民主義》、《五權憲法》、《建國方略》、《建國大綱》和《地方自治開始實行法》
為訓政時期中華民國最高之根本法"。[6] 這樣，孫中山思想就被凝固化、絕對化、
法律化，而不能允許有任何發展和匡正。會議並就此作出說明，聲稱民國元年
的《臨時約法》當時就 "不愜總理之本意"，所以後來總理即 "不復以約法為

1　《國民政府建國大綱》，《孫中山全集》卷 9，第 127 頁。
2　《中國國民黨歷次代表大會及中央全會資料》（上），第 534、543 頁。
3　胡漢民：《革命理論與革命工作》，上海民智印刷所 1932 年版，第 416 頁。
4　《革命文獻》第 76 輯，台北中國國民黨黨史會 1978 年版，第 82 頁。
5　《國聞週報》卷 6 第 11 期。
6　《中國國民黨歷次代表大會及中央全會資料》（上），第 654 頁。

言"，[1] 這就明確否定了訓政時期有制定"約法"的必要，也否定了二屆五中全會的決議。

胡漢民、蔣介石等推行的"黨治"受到了自由知識分子和國民黨內的非主流派以及部分地方實力派的反對。

早在 1928 年 8 月，上海 48 個商業團體就曾組織請願團，向國民黨中央黨部提出 10 項要求，其第一項即是"頒佈約法"。[2] 1929 年 5 月，胡適發表《人權與約法》，批評當時中國社會嚴重缺乏人權的現象：無論什麼人，只需貼上"反動分子"、"土豪劣紳"、"反革命"、"共黨嫌疑"等招牌，就可以任意侮辱其身體，剝奪自由，宰制其財產；無論什麼書報，只需貼上"反動刊物"的字樣，就可禁止。他要求制訂憲法，至少，也應該制訂訓政時期約法，用以"規定政府的權"和"人民的'身體、自由及財產'的保障"。[3] 7 月 20 日，胡適進一步發表《我們什麼時候才可有憲法》，對孫中山手擬的《建國大綱》提出疑問。他認為，民國 13 年（1924）的孫中山"簡直是完全取消他以前所主張的'約法之治'"。該文由此進一步地批評孫中山"根本不信任中國人民的參政能力"，結論中有"根本性大錯誤"。文稱："民國十幾年的政治失敗，不是驟行憲政之過，乃是始終不曾實行憲政之過；不是不經軍政、訓政兩時期而遽行憲政之過，乃是始終不曾脫離擾亂時期之過。"胡適明確地要求迅速制訂憲法。他說："我不相信無憲法可以訓政；無憲法的訓政只是專制。"[4]

他的呼籲受到他的朋友羅隆基、馬君武、張元濟等人的支持。羅隆基稱：破產是中國目前不可掩蓋的事實。"他尖銳地提出："明火打劫的強盜，殺人的綁匪"，其"蹂躪人權"的危害，"還不如某個人，某家庭，或某人佔了政府的地位，打著政府的招牌，同時不受任何法律的拘束的可怕"。12 月，胡適將他自己和朋友們的文章編輯為《人權論集》。

胡適、羅隆基等人的批評鋒芒直指國民黨的"黨治"，在當時的思想界掀起

《黨歷次代表大會及中央全會資料》（上），第 655 頁。
《團請願書》，上海錢業公會檔案，卷 66。
》，歐陽哲生編：《胡適文集》（5），北京大學出版社 1998 年版，第 529 頁。
時候才可有憲法》，《人權論集》，《胡適文集》（5），第 539 頁。
》，《胡適文集》（5），第 548 頁。

了要求民主、人權和法治的波瀾。繼胡適等人之後，國民黨內的非主流派和地方實力派相結合，進一步掀起批判獨裁，要求實行民主和法治的潮流。

國民黨三大之後，以蔣介石、胡漢民為代表的國民黨主流派掌握中樞，權傾一時，但是，以汪精衛為首的改組派和以鄒魯為代表的西山會議派則處於失勢地位。他們以反對蔣介石的"專制"、"獨裁"，要求"民主"、"法治"為名，積極進行反蔣活動。和他們站在一起的有晉系閻錫山、西北軍馮玉祥、桂系李宗仁等地方實力派。1929 年 1 月編遣會議後，他們的利益、權力、地盤受到損害，因此，力圖武力倒蔣。

1930 年 2 月 10 日，閻錫山首先發難，提出"禮讓為國"，要求蔣介石與自己同時下野。3 月 15 日，馮玉祥部鹿鍾麟等人通電，擁護閻錫山為陸海空軍總司令。自然，南京國民政府視此為叛逆，下令通緝閻錫山，並於 5 月 1 日發佈討伐令，持續六個月的中原大戰由此展開。同年 7 月 13 日，反蔣各派在北京聯合成立國民黨中央黨部擴大會議。汪精衛等在《聯名宣言》中指責蔣介石："背叛黨義，篡竊政權"，將民主集中制變為個人獨裁。宣言稱："本黨目的在扶植民主政治，蔣則託名訓政以行專制。人民公私權利剝奪無餘，甚至生命財產自由一無保障。"[1] 8 月 7 日，再次發表宣言，指責蔣介石藉黨治名義實行獨裁，"號稱訓政，於今三年，而約法一字亦未頒佈"。宣言稱："吾黨提出民主政治四十餘年，民國成立亦已十九年，而仍滯於極端專制之境，此誠吾黨之大恥，而國民之大不幸。"宣言表示，決於最短期內按照孫中山遺教籌備召集國民會議，制訂約法。[2] 汪精衛為此特別說明，孫中山晚年所批評的是民初制定的"實際即是憲法"的《臨時約法》，至於《孫文學說》中所說"訓政時期的約法"，其目的在於確定政府對人民的關係，限制政府對於人民的權利的干涉程度，仍為革命時代所必要。[3] 汪精衛不是胡適，他不敢對孫中山稍有批評，只能在其學說的範圍之內做文章。

9 月 1 日，"擴大會議"諸人在北平成立以閻錫山為主席的"國民政府"。

1　《聯名宣言》，《中國國民黨歷次代表大會及中央全會資料》（上），第 839 頁。
2　《中國國民黨歷次代表大會及中央全會資料》（上），第 843、844、845 頁。
3　《起草約法的意義》，《中國國民黨歷次代表大會及中央全會資料》（上），第 881 頁。

15 日，成立包括羅文幹、周鯁生等 6 名法學家在內的約法起草委員會，負責起草約法並向全國徵詢意見。其間，曾計劃聘請胡適為起草委員，胡也認真地和羅作過討論，意見"大致相投"。[1]

在南北兩個"國民政府"兵戎相見的關鍵時刻，張學良支持蔣介石，率兵入關。閻錫山被迫退回山西。汪精衛、鄒魯等眼看失敗在即，決定抓緊時間演出最後一幕，向南京政權作一次"悲壯"的宣傳戰。10 月 27 日，"擴大會議"在太原繼續開會，通過約法起草委員會所擬《中華民國約法草案》，用以作為"憲法未頒佈以前的根本大法"。該草案所規定的人民人身、財產、居住、集會、結社、言論等"私權"和選舉、罷官、創制、複決等"公權"，在相當程度上體現出現代民主思想，與胡適等人權派的觀點一致，而與南京國民政府一黨專政下的情況迥然相反。《大公報》曾評之為"從理論言，此項草案實有許多優點"，"極合人權法理"，"比較任何國家現行憲法為周密"。[2] 同日會議即將草案公佈，"徵求全國人民真實意見及正當評判"。[3] 次日，汪精衛等人離開太原，轉到天津、上海等地活動。

"擴大會議"的組成人員很複雜，其中大部分人員並不是民主派，其反蔣目的也並不都很純潔，但是，他們是非主流派或在野派，在和主流派鬥爭時，有可能看到主流派所不可能看到或不願意承認的現實，為爭取民心，他們所批判的，所用以作為旗幟的，也可能反映出人民的某些要求或願望。民主和法治是現代國家的基本特徵。應該承認，"擴大會議"諸人對南京國民政府以"黨治"為名而專制、獨裁為實的批判，對民主和法治的呼喊，以及太原"約法"的起草等，都在不同程度上曲折地反映出近代中國的歷史發展要求。

胡適等人權派的出現，中原大戰的爆發，"擴大會議"的召開，這一切表明，在當時的中國，要求制訂約法不僅已經形成一股思潮，而且形成了一股勢力，威脅著南京國民政府的統治地位。

1　《胡適的日記》，台北遠流出版公司影印本，1930 年 9 月 12 日、10 月 11 日。

2　《大公報》社評，1930 年 11 月 1 日。

3　《中國國民黨歷次代表大會及中央全會資料》（上），第 849 頁。

三、蔣、胡在制訂"約法"問題上的分歧與衝突

面對自由派知識分子和"擴大會議"派的"法治"要求，國民黨主流派內出現了兩種不同的態度。蔣介石企圖接過胡適等人的口號，召集國民會議，制訂約法，而胡漢民則堅持一貫主張，反對在當時召開國民會議，制訂約法。

胡適要求制訂憲法，批評孫中山的文章發表後，招來了國民黨對自己的一場頗具聲勢的"圍剿"，極端分子甚至要求將胡適逮捕法辦。但是，蔣介石特予"優容"，沒有採取任何措施。1930 年 10 月 3 日，蔣介石所率領的南京"討逆軍"克復開封，閻錫山、馮玉祥、汪精衛等人的失敗已成定局。同日，蔣介石致電南京國民政府，前所未有地首先作出自我批評，聲稱"中正自維涼德，誠信未孚，對人處事，每多過誤"。電報建議，在軍事大定之後，赦免陳炯明、閻錫山之外的所有軍事、政治上的"罪犯"，"取消通緝，復其自由"。電報甚至提出，共產黨員個人如能"悔過自新"，"得有切實保證人"，可以"暫予緩刑"，三年之後，實無"犯罪行為"時，得確定赦免之。[1] 同日另電國民黨中央，要求在最短期內召集四中全會，討論提前召開國民黨第四次全國代表大會，以便進一步討論召集國民會議，起草憲法，"準備以國家政權奉還於全國國民"等問題。蔣並提出，在憲法未頒佈以前，先行制訂訓政時期適用的約法，使《訓政綱領》所規定，與《第一次全國代表大會宣言》中之《政綱》，益能為全國人民所了解"。[2] 上述兩電，通常稱為"江電"。10 月 10 日，蔣介石發表文告，進一步作出革新姿態，聲稱"負責建國之中央，則尤必於討逆勝利之後，緊接之以政治之刷新"。[3]

蔣介石的"江電"受到部分輿論讚許，視為"制度上之重要改革"，"開政治的解決之端"。[4] 但是，卻遭到胡漢民的頑強抵制。胡面諭中央通訊社負責人，"要等到中央常委會討論決定後才能公開"。[5] 該電到 10 月 8 日方見之於《中央日報》。11 月 13 日，國民黨中央委員會三屆四中全會開幕，蔣介石的提議雖被

1　《中央日報》，1930 年 10 月 3 日。
2　《中央日報》，1930 年 10 月 8 日。
3　秦孝儀：《"總統"蔣公大事長編初稿》卷 2，台北中國國民黨黨史會 1978 年版，第 331 頁。
4　社評《蔣請開國民會議之江電》，胡適存剪報，見《胡適的日記》，1931 年 10 月 7 日。
5　程思遠：《政壇回憶》，廣西人民出版社 1983 年版，第 43 頁。

列為主席團提案，但在會前審查時，由於胡漢民力持異議，作了很多修改。15日，張群等人提案支持蔣介石，要求採納"擴大會議"等"反對者的意見"，立即召開國民會議，制訂約法。提案稱："今日通稱黨國，固非黨高於國，或黨即國之解釋；黨與國的機關，不能混合。"又稱：召開國民會議，可以密切國民黨和人民的關係，增進與人民的團結。該提案還對三全大會將孫中山遺教定為"最高之根本法"的有關決議明確地提出異議，認為孫中山的遺著"不含法律性質者亦復不少"。[1] 但是，該案遭到胡漢民的強烈反對，胡稱：該案已經三全大會決定，不討論。他並稱：孫中山所指約法，乃是軍政時期，對軍政府而言；民元時主張"約法"就是憲法，"非我們之約法"。"總理在《建國大綱》內，就沒有提到約法兩個字，而單講訓政了"。[2]

胡漢民在國民黨三屆四中全會的有關發言不是偶然的。早在 1928 年，他就在《訓政大綱案說明書》和有關演說中批判民初制訂《臨時約法》的舉措，強調必須恪遵孫中山設計的"訓政程序"，反對"躐等而上"。[3] 1929 年 9 月 23日，他在一旬兩次發表演說，重申孫中山晚年的觀點，指責民初制定《臨時約法》，"不守總理訓政方案，已誤國家"。他說：人民必須首先受訓練，"到了能運用民權，方能有憲法"；如果"人民不知如何運用參政權，憲法豈不是假的"，他並以三全大會的決議為依據，不點名地批評胡適等人，聲稱"總理的一切教訓就是成文的憲法"，"如再要另外一個憲法，豈非怪事！"[4] 1930 年1 月，南京國民政府法制委員會委員長焦易堂提出《人權法原則草案》13 條，擬延伸為"憲法"的一部分，但是，在胡漢民主持召開的國民黨中常會上，以與上文同樣的理由被決定"緩議"。[5] 對於"擴大會議"諸人提出的制訂約法主張，胡漢民更斥之為"胡鬧"，再次強調，孫中山的"主要遺教"已被定

[1]《國民黨三屆四中全會速記錄》，轉引自蔣永敬：《胡漢民先生年譜》，第 493—494 頁，台北商務印書館印版；參見《中國國民黨第三屆中央委員會第四次全體會議記錄》，中央執行委員會秘書處編印，第頁。

[2]《胡漢民先生年譜》，第 496 頁。

[3]《革命理論與革命工作》，第 411、403 頁。

[4]《中央日報》，1929 年 9 月 24 日；參見胡漢民：《從黨義研究說到知難行易》，《革命理論與革命工作》，第33 頁。

[5]《胡漢民日記》，1930 年 1 月 29 日附存資料。

為"效力等於約法的根本大法",不應將之"一齊擱開,另尋一個所謂約法!"[1]

由於胡漢民的反對,國民黨三屆四中全會未能就是否制訂約法一事作出決定,僅議決於次年 5 月 5 日召開國民會議。會議通過的蔣介石有關提案也是模糊的。這次會議,蔣雖被加推為行政院長,但"江電"所提召開國民黨四全大會等意見,或被否定,或被擱置。

三屆四中全會結束後,蔣介石加緊籌備召開國民會議。1930 年 12 月末,國民黨中央常務委員會通過國民會議代表選舉法,次年 1 月,成立國民會議代表選舉總事務所,以戴季陶為主任,孫科為副主任。2 月 15 日,加派陳立夫為總幹事。

按蔣介石的意思,這個國民會議仍然要制訂約法。但是,胡漢民繼續持反對態度。1 月 5 日,胡漢民在立法院演講,列述孫中山的有關主張,而不及約法二字。他說:"關於國民會議的一切,無論是會議前的召集,會議中的討論,必須完全遵依總理的遺教。"[2] 他表示,希望大家"能深識國民會議的性質、組織效能,避免許多無謂的誤解"。[3] 話雖含蓄,意思是明確無誤的。2 月 24 日,胡漢民、戴季陶、吳稚暉、張群等在蔣介石處聚會,商討約法問題。張群力主"立憲救國",受到胡漢民的強烈批駁。胡稱自己是"真的為約法憲法而奮鬥者",但他堅持當時條件不夠,"各項法律案還沒有完備","軍權高於一切","約法這件東西,寒不能為衣,饑不能為食,有而不能行,或行而枉之,只於人民有害"。[4] 同日,《中央日報》記者訪問胡漢民,徵詢胡對於國民會議的意見。胡稱:"我追隨總理數十年,總理之重要著作,我亦曾參加若干意見,從未聞總理提及'國民會議應討論約法'一語。"他提出,國民會議的議題只應限於孫中山手定的三項:謀中國之統一;謀中國之建設;廢除一切不平等條約。[5] 這就將他反對國民會議討論約法的態度徹底公開了。

胡漢民的態度使蔣極為憤怒。2 月 25 日胡漢民談話見報的當天,蔣介石即

1　《國家統一與國民會議之召集》,《中央週報》第 124 期。
2　《遵依總理遺教開國民會議》,《中央日報》,1931 年 1 月 13 日。
3　《遵循總理遺教開國民會議》,《中央日報》,1931 年 1 月 21 日。
4　《胡漢民自傳續編》,《近代史資料》1983 年第 2 期,第 54 頁。
5　《胡院長談國民會議意義》,《中央日報》,1931 年 2 月 25 日。

在日記中寫道："彼堅不欲有約法,思以立法院任意毀法、亂法,以便其私圖,而置黨國安危於不顧。又言國民會議是為求中國之統一與建設,而不言約法,試問無約法何能言建設!"28日,他在《致胡漢民函》中尖銳地責問說："遍查各國歷史,在革命政府成立而統一亟須鞏固之時期,是否均有一全國國民公守之大法?今即退一步而政府不提出訓政時期之約法案於國民會議,亦必由國民會議自身決定應否議及約法,乃先生必欲剝奪國民會議提及約法之權,是直欲限制國民會議,壓迫國民會議,使國民會議之真意全失,僅預為搗亂者再留一為約法而戰之題目而已。"[1]

蔣介石高度評價約法的作用,稱之為"本黨與中國生死存亡之最大關鍵"[2]。他認為,孫中山晚年並無不要"約法"的主張。《日記》稱:"總理革命,主張嚴棄民國元年參議院之約法,而重定訓政時期之約法,是審正革命之約法,而非不欲有約法也。"[3]他和汪精衛一樣,也只能在孫中山思想的範圍內做文章。

蔣介石雖然早年就參加辛亥革命,但始終並無多少民主思想。他此際之所以重視約法,主要是中原大戰和北平擴大會議的刺激。《致胡函》稱:他的"江"電是"積數十萬將士之鮮血、戰地無數人民之犧牲,瘡痍滿目,痛定思痛,懲前毖後,滴滴血淚之所成"。這段話雖不無美化自己之嫌,但道出了他的"政治刷新"主張和中原大戰之間的關係。同函又稱:"兩年以來,黨國多敵,叛變紛起","不能不為拔本塞源之計,以求戰禍之永不復行。"這段話比較真實地道出了問題的實質。中原大戰是國民黨統一中國後第一次大規模的軍閥混戰。雙方動員兵力高達160萬人,其中"逆軍"傷亡20萬,"討逆軍"傷亡近10萬。它不僅造成了人民生命財產的巨大損失,也嚴重威脅著以蔣介石為首的南京國民政府的統治。在這種情況下,蔣介石不得不接過政敵的口號來,力圖以此爭取人心,剝奪反對派的藉口,從而穩固自己的統治。

這一時期,蔣介石思想中確有某些"刷新"的念頭。除赦免軍事、政治犯、制訂約法外,廢除國民黨代表大會的指定和圈選制度亦是一例。

---

1 《蔣介石致胡展堂書》。
2 《蔣介石關於胡議民辭職的報告》,中國第二歷史檔案館藏。
3 《蔣介石日記類抄・黨政》,1931年2月25日。

國民黨採用指定或圈選制由來已久。第三次全國代表大會共有代表 406 人，其中指定者 211 人，圈定者 122 人，選出者僅 73 人，當時就受到不少地方黨部的反對。三全大會甫經閉幕，所謂 "護黨救國第一方面軍" 等反蔣力量即乘時而起。北平擴大會議宣言更稱："本黨組織為民主集中制，蔣則變為個人獨裁。偽三次代表大會指派圈定之代表數在百分之八十以上。"[1] 針對這種情況，蔣介石曾在日記中寫道，今後 "各省黨部選舉絕對自由，不再圈定，而一切議案亦絕對公開"。他還表示，即將召開的國民會議 "必須自由提案，自由決議，不加限制"[2]。儘管蔣介石的目的是 "關絕亂源"，鞏固統治，但是，赦免軍事、政治犯，制定約法，自由選舉，自由提案，議案公開，等等，畢竟是在向著現代民主和法治前進。他在 "江電" 中重提曾作為國共合作基礎的《國民黨第一次全國代表大會宣言》，也頗有耐人尋味之處。無奈蔣介石專制、獨裁成性，一遇到反對意見，他就又用起老套路來了。

四、蔣、胡矛盾的其他方面

除了約法之爭，蔣胡矛盾還有其他一些方面：

（一）胡漢民多次批評國民黨、國民政府行政院和蔣介石本人。南京國政府成立後，即以 "造成廉潔政府" 相號召。2 月 16 日，胡漢民發表演講，指出四年中不曾檢舉過一個貪官污吏。他質問道："我們能相信今日之政府，是真實廉潔了嗎？政府之下的公務人員，是真實都奉公守法了嗎？不待言，是一個絕大的疑問。"[3] 同日，又在國民黨中央黨部發表演講稱："目前我們黨的生氣，似乎一天一天在那裏消沉了。""從前國民黨包辦一切，不許人家來染指，現在則包而不辦，形成了一個特殊的階級。"[4] 胡漢民當時此類言論很多，其最尖銳者為批評南京國民政府 "政不成政，教不成教"，這使蔣大為不滿，指責其 "誹謗

1　《中國國民黨歷次代表大會及中央全會資料》，第 839 頁。
2　《蔣介石日記類抄・黨政》，1931 年 2 月 15 日。
3　《監察權意義及其運用》，《中央日報》，1931 年 2 月 20 日。
4　《黨的訓練問題》，《中央日報》，1931 年 2 月 23 日、24 日。

行政院"，"漫肆譏評"，"若必欲使中央信用喪失，革命無由完成而後快者"。[1]
在國民黨歷史上，胡漢民是老資格，而蔣介石只是後生小輩，因此，胡漢民對
蔣介石批評、教訓起來也常常不留餘地，蔣介石對此尤為惱火，指責其"以政
治一切罪惡推於中正一人之身，而以軍人不懂政治之誹謗，詆之於中外人士之
前"。[2]

（二）胡漢民反對召開國民黨第四次全國代表大會，要求蔣介石辭退國民
黨中央組織部長一職。"江電"中，蔣要求提前召開國民黨四全大會，胡反對；
及至法定時間已到，胡仍然反對。其原因，據蔣稱，是由於胡要求蔣辭退國民
黨中央組織部長一職未能如願。《致胡函》稱："先生嘗對中正等自詡政治手
腕，惟史太林差可比擬，其不欲第四次代表大會早為召集，是否以強迫中正辭
退組織部未遂所欲，乃致先生之個人佈置未周妥，所以模仿史太林者尚須逐漸
準備？"

（三）胡漢民企圖以立法院牽制以蔣介石為首的行政院。胡漢民認為："立
法者只該忠於黨，忠於國，忠於由法律案所產生的政治設施。"[3]他企圖以立法
來限制行政，撤行政的過失。對此，蔣介石指責其為"阻礙革命，破壞《建
國大綱》之精神"[4]。《致胡函》稱："今先生對於政制之應單純簡捷者，必使之複
雜紛糾，以致一切政治皆東牽西制，不能運用自如。""必欲以五院院長牽制行
政，且皆欲從法院主張是從，而以立法院為國民政府之重心。"

（四）立法院擱置《郵政儲金法》。1930年，行政院交通部曾將《郵政儲金
法》交立法院審議，但胡漢民認為，郵政儲金關係國家財政的周轉和挹注，因
此把持審慎，該案始終未獲通過。對此，蔣介石指責說："行政院要案，有擱
置一年之不得通過者。"[5]

（五）立法院對《中日關稅協定》提出質疑。南京國民政府統一全國後，
且倡導"訂新約"運動，企圖修改鴉片戰爭以來列強陸續加在中國身上的不

1　《總記類抄·黨政》，1931年2月25日；《蔣介石致胡展堂書》。
2　《關於胡漢民辭職的報告》。
3　《續編》，《近代史資料》1983年第2期，第56頁。
4　《資料》1983年第2期，第56頁。
5　《致胡展堂書》。

平等條約。其內容之一是改訂關稅條約，實現關稅自主。但是，南京國民政府的這一正當要求卻遭到了日本政府的蠻橫拒絕。經過艱難談判，直到 1930 年 5 月，日本才在列強中最後一個與中方簽署協定。中方承諾每年從海關稅收中提取 500 萬元，用以償還北洋政府向日方的借款，同時允諾三年內不提高日本對中國出口的主要貨物的關稅率；日本則承認中國的關稅自主權。[1] 由於讓步較大，立法院提出質問，蔣介石當時在前方，命人詢問胡漢民：“軍情緊急，胡先生這樣幹，是不是想推翻政府？”[2] 胡對來人答稱：“簽訂法律案，不經立法院認可，是違法。”他指責主持談判的外交部長王正廷“昏聵糊塗，擅簽協定”，建議撤職查辦。[3] 對此，蔣介石指責為“反對外交，妨礙稅法”。[4]

（六）胡漢民反對以官職為手段拉攏東北將領。1930 年，為了動員張學良出兵攻打“擴大會議”諸人，蔣介石曾於當年 6 月提名以張為陸海空軍副司令。中原大戰結束後，張學良於同年 11 月調到南京，蔣介石又準備簡拔張的部屬為國府委員及部長，對胡表示：“要與漢卿合作，非這樣辦不可。”但胡立即駁蔣說：“在一個政府的立場，不應該用這種拉攏湊合的卑劣手段”，“合作並不在分配官職，國家的名器也不應該這麼濫給人，而且既然是一個中央政府，在‘中央’的意義之下，對於國內的任何個人，都談不到什麼‘合作’”。[5] 對此，蔣介石指責為“阻礙和平，破壞統一”。《致胡函》稱：“當統一告成，東北竭誠擁護中央，我中央正宜開誠相與，示以大公，使各省心悅誠服，懷德知威、不致再啟糾紛，貽禍黨國，使我人民得有休養生息之機。乃先生褊狹懷疑，必曰東北無誠意，嚴防固拒，屏諸化外，凡有提議東北之人與東北之事者，先生必從中阻撓，竭力反對。推先生之意，若必欲使中央失信於東北，引起東北對中央之惡感，使中央原定之和平政策不能實現，軍政不能統一，黨國永無安寧之日，誠不知先生是何居心也？”

（七）反對蔣介石提出的“赦免軍事、政治犯”的方案。胡漢民認為，蔣的

1　王鐵崖編：《中外舊約章彙編》第 3 冊，第 798—805 頁。
2　《胡漢民自傳續編》，《近代史資料》1983 年第 2 期，第 49 頁。
3　《近代史資料》1983 年第 2 期，第 49 頁。
4　《蔣介石日記類抄·黨政》，1931 年 2 月 25 日。
5　《胡漢民自傳續編》，《近代史資料》1983 年第 2 期，第 47 頁。

方案過於寬大，在制訂《政治犯大赦條例》時沒有完全採納其意見。對此，蔣介石指責說：“其對於赦免政治、軍事犯亦多不贊成，今《大赦條例》與余‘江電’條例相左甚多，以胡同志要主張如此，故中央同志亦無所異議。”[1]

蔣介石對胡漢民的指責尚多，如“任意破壞財政”，包庇援引廖仲愷案的嫌疑分子，引用許崇智，接濟曾計劃謀害蔣介石的陳群、溫建綱等。或無事實，或非事實，本文不擬一一列舉。

南京國民政府成立後，蔣胡之間曾經有過一段密切的合作時期，也逐漸積累了若干矛盾，涉及許多方面。但是，在各項矛盾中，胡對蔣的批評和牽制則是招致蔣不滿的主要原因。一直到1934年，蔣還在日記中恨恨地寫道：“五院制乃總統集權制之下，方得實行。否則未得五權分立之效，而必起五院鬥爭之端；未得五權互助相成之效，而反生五院牽制糾紛之病。胡漢民不明此理，專以私心自用，竟至黨國衰敗而無法建立健全之中央，其肉豈足食乎！”[2] 蔣是個獨裁主義者，追求、神往的是大權在握、個人專斷的“總統集權制”，豈能容得別人的批評、牽制和反對呢！

五、軟禁胡漢民事件的影響

軟禁胡漢民的當晚，國民黨中央執行委員全體到蔣宅赴宴，得知胡漢民的“罪狀”後，相顧失色，“皆噤不作一言”。[3] 蔣稱：“諸同志既認展堂舉動不對，應即請其辭職。”他提議於明日召集中常會，推舉林森繼任立法院長，邵元沖繼任國民政府委員兼立法院副院長。諸人仍不敢開口。蔣稱：“諸同志既一致同意，明日即照此辦吧！”[4]

陳立夫依仗他和蔣多年的密切關係，客散後拉著葉楚傖去見蔣，葉仍然一句話不說，陳也不敢提出相反意見，只勸蔣“就此罷手，千萬不要走極端”，

1 《蔣介石關於胡漢民辭職的報告》；參見《香翰屏揭破蔣中正挑撥離間電》，《為什麼討伐蔣中正》，國民黨廣東省黨部執行委員會宣傳科編印，1931年6月15日，第66頁。
2 《蔣介石日記》（原稿本），1934年6月9日。
3 《邵元沖日記》，上海人民出版社1990年版，1931年2月28日。
4 《邵元沖日記》，1931年2月28日。

"再予監禁是不妥的"。但蔣一不做，二不休，盛氣表示："已經做了，就沒有辦法再掩飾了。"[1] 3 月 2 日，蔣介石在國民政府紀念週報告，"面帶怒容"，[2] 指責胡漢民 "在中央未有具體決議以前，徒憑個人見解，發為國民會議不當議及約法之言論"。[3] 蔣報告後，國民黨中央隨即召開臨時常務會議，通過蔣介石、戴季陶、于右任、蔡元培、孫科等 12 人提議，決定召集國民會議，"排除一切困難與謬見"，確立約法，推吳稚暉、王寵惠等 11 人為約法起草委員。會議同時通過決議，聲稱 "胡漢民同志因積勞多病"，"不足膺重要繁劇之任"，辭去本兼各職。[4] 據孫科回憶，會議情況是："半句鐘之久，無一發言，後蔣作默認，糊塗通過。"[5] 3 月 9 日，蔣介石再次在國民政府紀念週報告，一方面繼續用 "辭職" 說掩蓋暴力軟禁的真相，一面大肆鼓吹 "黨員、官吏無自由" 論，聲稱："革命的黨和革命的政府，因為革命的需要"，"隨時可以限制黨員與官吏各人的自由"，"所以胡同志的行動是否自由，不是什麼重大的問題"，云云。[6]

軟禁胡漢民是中國 30 年代初期的一次典型政治事件，國民黨的一黨專政進一步發展為個人獨裁。自此，南京國民黨中央和國民政府僅存的一點民主氣氛掃地以盡。國民黨元老們記取教訓，"咸袖手結舌，莫敢一言"。[7]

然而，任何獨裁統治的力量又都是有限的。人們在鞏轂之下的南京無法吭聲，但是，在蔣介石鞭長莫及的地方就無所顧忌了。

從 3 月 3 日起，屬於改組派系統的上海《華東日報》連續發表評論，抨擊蔣介石的 "獨斷專行"，認為 "欲謀解放，除徹底反對個人獨裁，實現民主政治外，絕無他道可循"。[8] 天津《大公報》也發表評論，認為 "政治意見既不能無爭，要當以言論為工具，以多數決從違"，"軌道內之論爭，無論黨治、法治之國家胥應允許。蓋不如此，則政治必腐化，國家必退步"。[9] 8 日，上海各省公團駐滬

---

1 《陳立夫回憶錄》，台北正中書局 1994 年版，第 174 頁。
2 《國聞週報》卷 8 第 9 期。
3 《蔣主席報告約法問題》，《中央日報》，1931 年 3 月 4 日。
4 《國民黨中央執行委員會第 130 次常務會議記錄》（油印本），台北中國國民黨黨史會藏；參見《中央日報》，1931 年 3 月 3 日。
5 《胡展堂先生被扣事件發生之經過》，《為什麼討伐蔣中正》，第 100 頁。
6 《反蔣運動史》，台北李敖出版社 1991 年版，第 260—261 頁。
7 孫科：《致蔣介石電》，《反蔣運動史》，第 300 頁；參見《陳立夫回憶錄》，第 175 頁。
8 《華東日報》，1931 年 3 月 16 日。
9 《政治之正軌與常道》，《大公報》，1931 年 3 月 5 日。

聯合辦事處通電指出："專制民主，誓不兩立"，要求南京各院長、各部長，"去職遠引"，"勿為一姓之走狗"。[1] 同月底，中國國民黨黨權運動總同盟發表《討蔣宣言》，要求開除蔣介石黨籍，撤銷其本兼各職。[2]

古應芬是胡派重要人物，軟禁事件發生後，他最早致電蔣介石表示不滿，旋即在廣東聯絡陳濟棠、鄧澤如、蕭佛成等人組織"策劃機關"，研究救胡及組織"西南政府"方案。[3] 4月30日，鄧澤如、林森、蕭佛成、古應芬等四人以國民黨中央監察委員會委員身份聯名通電，彈劾蔣介石有"違法叛黨"等六大罪狀。5月3日，陳濟棠以第八路總指揮的名義，率領所部陸海空各軍將領聯名通電，要求蔣介石"引退"。11日，桂系李宗仁、白崇禧率張發奎等全體將領通電，聲援陳濟棠等，聲稱"本軍業經下令動員"，願與各方袍澤"趁時奮起，會師長江，底定金陵"。

"擴大會議"諸人自離開太原後，反蔣活動的重點轉入輿論宣傳方面。汪精衛於3月14日發表宣言，指責蔣介石"一面擺酒請客，一面拔槍捉人，以國民政府主席，而出於強盜綁架之行徑"。[4] 其後，連續發表文電，以"顛覆個人獨裁，樹立民主政治"及"恢復民主集權制"相號召，呼籲各反蔣派系聯合起來。[5] 他探悉粵方醞釀反蔣後，即積極表示願意參加。廣東方面秘密徵詢胡漢民的意見，胡表示同意。[6]

南京國民政府內部此際也發生分化。孫科原是蔣倒胡依靠的人物，但他由於看不慣蔣的作為，離寧赴滬，消極抗議。5月5日，致電蔣介石稱："歷代各國元首罪己，事本平常"，要蔣"自訟自劾"。[7] 21日，孫科秘密偕唐紹儀、許崇智、陳友仁離滬赴港，和汪精衛、白崇禧等會面，討論兩廣合作討蔣問題。此後，他即成為西南反蔣陣線中最激烈的人物，演說中有云："蔣不是尋常老鼠，是一個疫鼠，傳染甚速，倘我們不忍些痛，急撲殺之，則全國皆亡不可！"[8]

1 《反蔣運動史》，第274頁。
2 《反蔣運動史》，第273頁。
3 《程天固回憶錄》，香港龍門書局1978年版，第226頁。
4 《反蔣運動史》，第282頁。
5 《反蔣運動史》，第297、314頁。
6 《程天固回憶錄》，第231頁。
7 《反蔣運動史》，第301頁。
8 《為什麼討伐蔣中正》，第102頁。

聯絡既有端緒，唐紹儀、鄧澤如、古應芬、林森、蕭佛成、汪精衛、孫科、陳濟棠、許崇智、李宗仁、陳友仁等於 25 日連署，通電要求蔣介石在 48 小時之內下野。27 日，汪精衛、孫科、鄒魯等在廣州召開"國民黨中央執、監委非常會議"，成立"國民政府"。除了原北平擴大會議的人馬之外，又新增了一批反蔣分子，形成國民黨內非主流派系的更大聯盟。一個北平，一個廣州，前後兩個反蔣的"國民政府"，用以號召的旗幟都是"民主"與"法治"。

由於"九一八"事變的爆發，廣州非常會議所成立的"國民政府"雖然很快撤銷了，但是，寧粵對立的局面卻一直延續到 1936 年，長達五年之久。

六、餘論

"民主"與"法治"是國家現代化的重要內容，也是現代歷史的基本走向。法律不是萬能的，但是，在現代社會生活中，法律又是極為重要的。其中，約法、憲法等"根本大法"規定國家和社會生活的基本民主原則，規範執政者和人民彼此的權利義務，就尤為必要而不可缺。在強權統治下，法律有時會成為具文，但是，它提供了人民保護自己、揭露強權的武器，還是比無法好。因此，20 年代末期，胡適等人要求在國民黨統治下制訂約法或憲法，保障人權，雖有其局限，但卻是中國現代化進程中的合理要求。擴大會議承繼這一要求，以之作為反蔣口號，正是看到了這一不可逆轉的歷史趨勢。蔣介石將這一口號接過來也是看到了這一不可逆轉的趨勢，但是，中國長期處於專制統治之下，個人專斷和獨裁已經成了一種思維定式和行為定式。當蔣介石與胡漢民發生政見分歧時，既不能訴諸民主的協商和討論，又不能訴諸辯論與表決，而是無限上綱，暴力軟禁。原本是追求民主和法治的努力（雖然是表面上的和形式上的）卻變為反民主、反法治的演示。這一事件深刻地說明了現代中國民主進程的長期性和複雜性。

胡漢民與蔣介石的矛盾不僅是複雜的，而且是多重交叉的。就胡漢民將孫中山"遺教"絕對化，反對在當時制訂約法來說，他不懂得現代的民主和法治，但是，他又企圖運用現代的多權分立制度來反對蔣介石的個人獨裁；就蔣介石來說，他準備召開國民會議，制訂訓政時期約法，顯示出他企圖邁上民主和法治的道路，或者說，他企圖以民主和法治來裝點門面，但是，當他遭到牽制，面臨反對意見時，他又用粗暴的辦法踐踏了現代民主的原則。

「不抵抗主義」到底是誰提出來的？*

* 本文錄自《找尋真實的蔣介石：蔣介石日記解讀》（1），重慶出版社 2015 年版；原載《南方都市報》（歷史專版），2008 年 1 月 2 日、3 日。

多年來，人們一直認為，1931 年 9 月 18 日夜，日軍進攻瀋陽北大營，發動事變，蔣介石下令"不抵抗"，眾口一詞，幾成鐵案。前些年，張學良在接受唐德剛的口述歷史訪問時，特別聲明，"不抵抗"是他本人下的命令，和蔣介石無關。這樣，學術界關於這一問題的研究就向前推進了一步。但是，還有若干問題並未解決。這些問題是：

1. 蔣介石是什麼時候得知日軍進攻瀋陽北大營的？他的反應是什麼？

2. 南京國民政府處理事變的對策是什麼？

3. 張學良為何下令"不抵抗"？真的和蔣介石沒有關係嗎？

這些問題不解決，就不能認為問題已經徹底弄清楚了。

一、蔣介石遲至 9 月 19 日晚
才從上海方面得知"事變"消息

9 月 18 日這一天，蔣介石上午早起後，即與宋美齡同謁中山陵。其後，參加國府會議，討論工廠檢查法等問題。9 時半，登永綏艦，往南昌督師"剿共"。當日日記云：

下午，研究地圖，看《中山全集》。籌畫對粵、對匪策略。一、對粵，

決令十九路軍先佔潮汕，十八軍集中贛南。余再宣言，以第一、二、三屆委員為四屆委員。余在四全會中引各辭職，而囑陳、蔣、蔡等應之。如果不從，則以武力牽制之。對匪決取包圍策略，以重兵掩護修路，以大款趕修道路，待路成再剿赤匪，否則，欲速不達，應難見效也。

1931 年初，蔣介石因政見分歧，軟禁國民黨元老、立法院長胡漢民，引起國民黨分裂。5 月，汪精衛、孫科等在廣州另立國民政府，與南京對立。同年 4 月，何應欽調集湘、鄂、贛、閩四省軍隊，對中共領導的江西中央根據地進行"圍剿"。蔣介石這一天的日記表明，他在艦上所考慮的只有兩個問題：一是如何對待廣州新成立的國民政府，解決寧粵對立問題；一是如何對待江西的共產黨。完全沒有涉及東北問題。

日軍進攻瀋陽北大營在當晚 10 時，是不是當日蔣介石早已寫完日記，後來的"事變"和對張學良的應變指示都沒有寫進日記呢？不是。

9 月 19 日，蔣介石有一通致張學良電，中云：

> 北平張副司令勳鑒：良密。中刻抵南昌。接滬電，知日兵昨夜進攻瀋陽。據東京消息，日以我軍有拆毀鐵路之計劃，其藉口如此，請向外宣傳時對此應力辟之。近情盼時刻電告。蔣中正叩。皓戌。[1]

此電現存手跡原件。"皓"，19 日，"戌"，約當 21 點至 23 點之間。可見，蔣介石得知"事變"是在 9 月 19 日晚到達南昌之後，其消息來源是上海。在此之前，他不知道事變的任何消息，也沒有從張學良處得到任何消息。自然，也不可能對張學良有任何指示。過去所有關於蔣當晚如何指示張"不抵抗"的說法，有些甚至是很具體的、活靈活現的說法，都沒有依據。例如，曾任張學良的機要秘書郭維城說："'九一八'事變當時，張學良將軍在北平，一夜之間，十幾次電南京蔣介石請示，而蔣介石卻若無其事地十幾次復電不准抵抗，把槍架起來，把倉庫鎖起來，一律點交日軍。這些電文一直到現在還保存著，蔣介石是無法抵賴。"[2] 上引蔣電可證，郭說不確。郭維城到 1934 年才擔任張學良的

1　《中日關係史料》，台北"國史館"2002 年版，第 1 頁。
2　《東北日報》，1946 年 8 月 24 日。

機要秘書，他的說法應出於猜想和傳聞。

又，蔣親自審定的《事略稿本》稱："十九日，公艦到湖口，換船，經鄱陽湖，抵南昌，忽接急報迭來云。"將《事略稿本》所述與上引蔣致張電兩相印證，可以確認，蔣是在"事變"發生整整一天之後才得到"事變"發生消息的。當晚，他寫下的日記是：

> 昨晚倭寇無故攻擊我瀋陽兵工廠，並佔領我營房。刻接報，已佔領我瀋陽與長春，並有佔領牛莊消息……

日記中，稱"事變"發生在"昨晚"，表明他9月18日當夜，並不知道瀋陽發生了什麼事。

二、"不抵抗"命令確實發自張學良

在公開的函電中，最早出現"不抵抗主義"一詞的是遼寧省主席臧式毅和東北邊防軍司令長官公署參謀長榮臻的電報。他們於9月19日上午8時左右致電張學良，報告說："日兵至昨晚十時，開始向我北大營駐軍施行攻擊，我軍抱不抵抗主義，毫無反響。"又稱："職等現均主張堅持不與抵抗，以免地方糜爛。"張學良接電後，即於19日發表通電，中云：

> 副司令行營效日（19日）來電云：頃接瀋陽臧主席、邊署榮參謀長皓午電稱：日兵自昨晚十時，開始向我北大營駐軍施行攻擊，我軍抱不抵抗主義，日兵竟致侵入營房，舉火焚燒，並將我兵驅逐出營，同時用野炮轟擊北大營及兵工廠。

20日，南京國民黨的機關報《中央日報》在"我未抵抗日軍轟擊"的標題下，發表了張學良的上述通電，"不抵抗主義"五字遂首次公之於文字。張電所云，雖係轉述臧、榮二人來電，但是，臧、榮二人不會也不敢杜撰"不抵抗主義"一詞，它一定出自9月18日深夜張學良的口頭指示。關於此，榮臻報告說：

得知日軍襲擊北大營，當即向北平張副司令，以電話報告，並請應付辦法。當經奉示，尊重國聯和平宗旨，避免衝突，故轉告第七旅王以哲旅長，令不抵抗，即使勒令繳械，佔入營房，均可聽其自便等因。彼時，又接報告，知工業區迫擊炮廠、火藥廠均被日軍襲擊。當時朱光沐、王以哲等，又以電話向張副司令報告，奉諭，仍不抵抗，遂與朱光沐、王以哲同到臧主席宅研究辦法，決定日軍行動任何擴大，攻擊如何猛烈，而我方均保持鎮靜。[1]

"尊重國聯和平宗旨，避免衝突"，當然就是"不抵抗"。"以電話報告，並請應付辦法，當經奉示"云云，說明張學良的指示是立即做出的，並未經過請示或研究。

1990 年 8 月，張學良在台北接受日本 NHK 電視台採訪時曾說：

我那時在北京，在醫院養病。當時病剛好。那天我請英國大使去看梅蘭芳唱戲。我聽到這個報告，立刻回到家裏下命令。也不知道是怎麼個情形，我不明白，所以我當時是……（此句聽不清——筆者注），看看究竟是怎麼個事情。[2]

張學良承認，是他"回到家裏下命令"，至於"命令"的內容，很遺憾，在關鍵的地方"聽不清"。不過，張學良在他的自傳體著作《雜憶隨感漫錄》中講得很具體：

約在十點卅分許，來人報告瀋陽有長途電話，榮參謀長請我說話，有緊急事項，我立刻辭藍公使歸返。榮對我說：有日本鐵道守備隊約一中隊，向我北大營營團射擊，日本附屬地的日本駐軍亦集結活動。我囑切戒我軍勿亂動，速與日本顧問妹尾、柴山向日方高級將領交涉制止，由交涉者即向日本林總領事處接洽交涉……天曉之後，除報告政府請示外，我派員向日本北平使館矢野代辦交涉，彼答以不知其詳。

張學良要榮臻"切戒我軍勿亂動"，自然就是"不抵抗"的意思。其實，關

---

1 《九一八事變之經過情形》，《中華民國重要史料初編——對日抗戰時期》之《緒編》（1），第 262 頁。
2 《張學良開口說話》，遼寧人民出版社 1992 年版，第 75 頁。

於和榮臻的通話內容，張在事變後的第二天，已經講得很清楚、準確。9 月 19 日下午 2 時半，張學良接受記者訪問時說：

> 昨夜接到瀋電，驚悉中日衝突事件。惟東北既無抵抗之力量，亦無開戰之理由，已經由瀋，嚴飭其絕對不抵抗，盡任日軍所為。[1]

可見，張學良和榮臻的通話主要內容，就是"絕對不抵抗"，而且，還有一句："盡任日軍所為"，賦予日本侵略者完全的行動自由。結合上引《雜憶隨感漫錄》所述"天曉之後，除報告政府請示外"等語，可證張學良對榮臻的指示是在未向南京國民政府請示的情況下獨立作出的決定。

9 月 19 日晨，張學良在北京協和醫院召集東北幹部張學銘、于學忠等人會議，再次肯定"不抵抗主義"。報導說：

> 張皓（十九日）晨在協和召東北幹部，開緊急會議，以日人違反國際公法，破壞東亞和平，決取不抵抗主義，一切聽各國裁判，並電顧維鈞、湯爾和來平，向各使節說明日人暴動真相，一面電呈中央。

這樣，"不抵抗主義"就不僅是張學良的個人意見，而是"東北幹部"的集體決定了。

張學良與榮臻通話時，"事變"剛剛開始，張學良只知道"日本鐵道守備隊約一中隊，向我北大營營團射擊"，但是"事變"的發展很迅速，日軍很快就佔領營口、長春等許多東北城市，應該說，日軍的侵略意圖暴露得很清楚了。但是，張學良仍然堅持主張"不抵抗"。9 月 22 日，張學良得悉日軍有向哈爾濱推進之勢，致電東省特區長官公署轉護路軍司令部說：

> 項聞日軍有向哈埠推進之訊，如果屬實，仰相機應付。維彼不向我軍壓迫，我應力持鎮定；萬一有向我軍施行壓迫之動作，該部應即避免衝突，暫向安全地帶退避，以保安全。[2]

此電雖無"不抵抗"之詞，但內容與"不抵抗"並無二致。當時，國民黨大佬

---

1 《盛京時報》，1931 年 9 月 21 日。
2 《張學良文集》，香港同澤出版社 1996 年版，第 497 頁。

李石曾、張繼、吳鐵城在北平，都和張學良討論過"事變"問題。9 月 23 日，吳鐵城致電蔣介石報告：

> 對瀋陽事件，漢兄等主張始終不抵抗，但以急速解決為妥。[1]

如果說，"事變"初起，榮臻剛剛以電話向張學良請示時，張學良以為還是"尋常性質"，可以以"小事化了"的方式處理，但是，這時已經是"事變"後的第 5 天了。張學良卻仍然沒有改變"不抵抗主義"的任何表示，這就不是以判斷失誤可以解釋的了。

12 月 21 日，日軍分三路進攻遼西重鎮錦州，張學良仍無堅決抵抗打算。同日，他致電第一軍司令于學忠，電稱："近當日本進攻錦州，理應防禦，但如目前政府方針未定，自不能以錦州之軍固守，應使撤進關內。"[2] 其後，蔣介石下野返鄉，25 日，南京國民政府電令張學良"應盡力之所能及，積極抵抗"。在此情況下，東北軍曾與日軍有所交手，但仍於 1932 年 1 月 2 日放棄錦州，退入關內。不久，蔣介石復出。同年 6 月，汪精衛、宋子文等自南京飛北平，會晤國聯調查團。19 日，汪、宋會晤張學良，動員張在山海關地區與日軍"小加抗戰"，但是，仍然受到張學良的堅決拒絕。關於這一過程，張學良回憶說：

> 見面之後，出示蔣委員長親筆函，大意是汪院長來平，為對日軍事問題，同我相商。
>
> 談詢之下，汪表示政府打算在華北對日本用兵之意。我遂詢問，政府是否具有堅絕的決心，有無相當的準備。我們不要再蹈往年抗俄之覆轍。汪答曰："不是那個樣子的事，是因為政府受到各方面的言論攻擊，希望我對日本作一個戰爭姿態，小加抗戰，至於勝敗則所不計，乃是在政治上可以應付輿論之指責也。" 我聆聽之下，驚訝憤慨，遂即答曰："政府既無準備和決心，擬犧牲將士之性命，來挽救延續政治之垮台，我不取也。" 汪遂曰："這是蔣委員長的意思。" 我說："你若說是蔣委員長的意思，蔣委員長是我的長官，他會直接給我下命令的。他不會寫信，說汪先生你來同我商討。既然說是同我商討，這種並不是真正的抗戰，而是拿人家的性

---

1 《中日關係史料》，台北"國史館" 2002 年版，第 13—15 頁。
2 《張學良文集》，第 556 頁。

命，挽救自己的政治生命的辦法，我的表示是，決不贊同。"[1]

這時候，東北早就全境淪陷，日本已於當年3月成立"滿洲國"，並且進一步覬覦華北。蔣當時的計劃是，要求張學良撤換庸懦無能的熱河省主席湯玉麟，派兵"佔據熱河，與東三省義勇軍打成一片"，"威脅山海關，令倭寇使之不敢窺竊平津"。蔣認為："救國禦日之道，莫此為要"，曾在日記中表示："致函漢卿，督促其實行之。"[2] 因此，蔣介石託汪精衛帶給張學良親筆信的內容，並不如張學良所述這樣簡單。即使如汪所云，只是要張"小加抗戰"，"作一個戰爭姿態"，但是，對於一個渴望洗雪家仇國恥的愛國將領來說，不正是提供了一個"為國效力"的機會嗎？至少，可以乘機要求南京政府發奮備戰呀！然而，張學良仍然毫不動心。

三、多年來，張學良一直坦承個人責任

"九一八"之夜，張學良在未經向南京國民政府請示的狀況下，向東北軍下達了"不抵抗"命令；在此後的相當長的一段時期內，張學良也仍然堅持"不抵抗主義"。對此，張學良在許多場合，都如實敘述經過，坦承個人責任。

1945年8月，抗戰勝利。東北父老對張學良表現出異乎尋常的熱情，使張很感動。次年1月3日，他在日記中寫道：

> 今天早晨躺在床上沒起來，胡思亂想，想到東北的人們對於我個人的問題，這不單是感情的問題了，真叫我慚愧無地，難過的了不得。說起抗戰階段，我是毫無貢獻。當年在東北時，以前是承老人的餘潤，後來我不過執政三年，不但對地方沒有造福，因為我一意的擁護中央，依賴中央，才有了中東路問題，對俄盲目的戰事。九一八的事變，判斷的錯誤，應付的錯誤，致成"不抵抗"，而使東北同胞水深火熱十四年，今天他們反而對我如此的熱誠，這可真叫我太難過了！[3]

---

1 《雜憶隨感漫錄》，台北歷史智庫出版公司2002年版，第127—128頁。
2 《蔣介石日記》（手稿本），1932年6月15日。
3 《張學良日記》，美國哥倫比亞大學珍本和手稿圖書館藏。

張學良的這一段日記承認自己"判斷的錯誤，應付的錯誤，致成不抵抗"，並沒有將責任推給別人。

1990 年，張學良接受唐德剛訪談時曾"鄭重聲明"，"那個不抵抗的命令是我下的。說不抵抗是中央的命令，不是的，絕對不是的。"他說：

> 我現在就給你講這個不抵抗的事情。當時，因為奉天與日本的關係很緊張，發生了中村事件等好幾個事情。那時我就有了關於日本方面的情報，說日本要來挑釁，想藉著挑釁來擴大雙方的矛盾。明白嗎？我已經有了這樣的情報。所以，那個不抵抗的命令是我下的。我下的所謂不抵抗命令，是指你不要跟他衝突，他來挑釁，你離開它，躲開它。

當唐德剛談到"我們聽了五十多年了，都是這個說法呢，都說是蔣公給你的指令呢。"至此，張學良連連表示："不是，不是，不是的。""這事不該政府的事，也不該蔣公的事。"[1]

1991 年 5 月 28 日，張學良在紐約接受東北同鄉會會長徐松林等人訪談時說："是我們東北軍自己選擇不抵抗的。我當時判斷日本人不會佔領全中國，我沒認清他們的侵略意圖，所以儘量避免刺激日本人，不給他們擴大戰事的藉口。'打不還手，罵不還口'是我下的指令，與蔣介石無關。"[2]

其他的資料還有很多，無須再引了。

可見，從 1946 年 1 月 3 日的日記，到 1991 年的答問，張學良始終完全承擔"不抵抗"的責任，從未涉及別人。

四、張學良為何決定"不抵抗"

瀋陽是奉系的"老窩"，是張作霖、張學良賴以立身、發跡的根據地，為什麼當日本人來搶佔這塊寶地時，張學良會下令"不抵抗"呢？這裏，我們要引用張本人的另一段至今尚未發表的"口述史"了。1992 年 1 月 2 日，張學良在

---

1 《張學良世紀傳奇（口述實錄）》，山東友誼出版社 2002 年版，第 431—434 頁。
2 郭冠英：《完滿的結局——李震元陪張學良紀實》，台北《傳記文學》卷 81 第 5 期。

台北接受張之宇、張之丙姊妹訪問時說:

> 　　不但中央,就是連我們(也)根本沒法子跟人打。不想打?怎麼不想打?打可(能)更壞,日本更高興。日本就希望你打呀……打了,(東北就是)我佔領的……我們打敗了,交涉(時)你(就)得賠償了……(我)知道怎樣部署也是打不過他……人家日本人拿一個師來……那整個我們打不過呀……我們那時候沒法子跟他打……就是游擊隊搗亂,這可以,正面的作戰不行……人家一個可以當你十個……跟日本人打仗,他不投降,他剩一個人都要打呀……日本軍人實在我可佩服。(九一八事變時)我認為日本是挑釁,找點麻煩,可以(向我們)多要點好處。(我們和日本打)好像拿雞蛋碰石頭,絕對打不過的。[1]

這一段話是哥倫比亞大學請人根據錄音整理的。為幫助讀者能讀得比較順暢一點,我添加了少數字詞,以括弧表示。

在這一段話裏,將張學良將下令"不抵抗"的原因講得很清楚,一是對日本侵華的野心估計不足,認為只是一般性的"挑釁","找點麻煩";一是認為中日兩軍軍力懸殊,根本打不過日本人。在這兩點中,最主要的是第二點。

關於張學良拒絕在山海關對日"小加抗戰"一事,張學良在接受張之宇姊妹訪問時也曾談過此事,他回憶當時的對話情況:

汪精衛:"你在山海關一定要和日本打!"

張學良問:"中央政府有什麼準備?""沒有(準備)?打不勝,為什麼還打?"

可見,張學良當時反對和日本作戰的理由還是"打不勝",就不能"打"。他之所以堅持"不抵抗主義",有他自己的思維邏輯。

張學良自稱"愛國狂",他的愛國主義思想早在20世紀20年代即已形成。然而,在面臨強敵進攻時,卻一再主張"不抵抗"。"不抵抗"當然是絕對錯誤的,然而,人們卻不能不承認,就總體而言,張學良仍是一個愛國主義者。

1　張之宇、張之丙:《張學良口述歷史》(未刊),哥倫比亞大學珍本和手稿圖書館藏。

五、"不抵抗主義"的歷史源頭

通過上述分析，讀者可以發現，"九一八"之夜和"九一八"之後，張學良的對日政策都是"不抵抗主義"，他並未向蔣請示，也非出於蔣的授意。那麼，這是否意味著"不抵抗主義"和蔣介石毫無關係呢？並非如此。早在 1928 年 5 月，蔣介石的日記中就提出了"不抵抗主義"。

當年 4 月，蔣介石自徐州誓師，率兵北伐，目標是打下北京，結束奉系軍閥的統治。同月 19 日，日本出兵山東。5 月 3 日，日軍在濟南肆意殺害中國軍民，殘酷殺害山東交涉員蔡公時等 17 名中國外交人員。4 日夜，蔣介石決定中國軍隊退出濟南，分五路渡過黃河，繞道北伐。10 日，譚延闓、張靜江、吳稚暉、王正廷、蔣作賓等在兗州與蔣介石會議。當日，蔣介石日記云：

> 晨，到兗州。上午，譚延闓、吳敬恆、張人傑到。會議議至下午四時，決取不抵抗主義，宣告中外，而各軍渡河北伐，完成革命為唯一方針。故對日本，凡可忍辱，必須至最後亡國之時，乃求最後歷史之光榮。余決心，以退至運河沿岸魯西與徐北，與之決戰也。

可能，這是近代中國"不抵抗主義"的最早源頭，也是蔣介石"不抵抗主義"的濫觴。當晚，蔣介石決定對日道歉，免除第三軍團軍團長賀耀祖的職務。

11 日，日軍進攻濟南城，蔣介石日記云：

> 聞今又攻濟南城，昨今連命其放棄濟南，消息終不得達也。決將總部移動至濟寧，余自渡河北伐，暫避倭寇。以原定目標為奉張，如轉移於倭寇，則多樹敵，有背原則也。

蔣介石的這一頁日記說明，他之所以決定對日軍在濟南的挑釁"不抵抗"，也有他自己的思維邏輯，這就是，堅持消滅奉系軍閥的原目標，不能多增加一個敵人。

蔣介石的決定實際上是國民黨和南京國民政府的集體決定。5 月 9 日，國民黨中央執監委員和國民政府委員召開聯席會議，決定 4 條：1. 令蔣、馮（玉祥）、閻（錫山）三總司令會商軍事機宜，繼續北伐。2. 令李（宗仁）、程（潛）、白（崇禧）三總指揮，率湘鄂兩軍，迅速由京漢線進攻，在最短時間內會師北京。3. 令外交部，再對日本嚴重抗議。4. 由國民政府致電國際聯盟，聲述日本出兵山東、殺害中國外交官及士兵民眾，炮擊濟南及其附近種種事實。[1] 這裏，沒有一條提到要對日本的挑釁予以還擊。次日下午，國民黨中央宣傳部長葉楚傖在上海報告中央應付方針，聲稱："我們要打倒日本帝國主義，先要剷除軍閥，要準備將來的抵抗，所以現在要準備體力、財力、武力，以為將來最後最大的爭鬥。"[2] "準備將來的抵抗"，其言外之意，當然就是"現在不抵抗"。11日，《中央日報》發表文章說："田中義一加入張作霖、張宗昌的聯軍，多方挑釁，想要我軍雙管齊下，對軍閥和帝國主義同時攻擊，以便分散我軍的軍力。我們務必不落他們的圈套，堅持各個擊破的戰略，先完成北伐，後打倒帝國主義。"[3] 這一段話幾乎和蔣介石同日的日記如出一口。

蔣介石的日記表明，"不抵抗主義"的"知識產權"仍然屬於蔣介石。

六、蔣介石的《銑電》，有耶？無耶？

關於"九一八"時期蔣介石的"不抵抗主義"，洪鈁回憶說：

> 蔣介石於 8 月 16 日，曾有一《銑電》致張學良謂：無論日本軍隊此後如何在東北尋釁，我方應予不抵抗，力避衝突。吾兄萬勿逞一時之憤，置國家民族於不顧。張學良曾將這個《銑電》轉知東北各軍事負責長官，一體遵守。[4]

洪鈁當時任陸海空軍副司令行營秘書處機要室主任，隨同張學良在北平辦公，因此，他的回憶有相當的權威性。此外，還有另一個當事人趙鎮藩的回憶，他說：當年 8 月，東北軍第七旅旅長王以哲曾到北平向張學良彙報日軍情況，回來後傳達說，張副司令已經派人將情況報告了蔣介石，蔣指示暫不抵

1 《昨在首都舉行的最高聯繫會議》，《中央日報》，1928 年 5 月 10 日，第 1 張第 2 面。
2 《葉楚傖報告中央對日應付方針》，《中央日報》，1928 年 5 月 11 日，第 2 張第 2 面。
3 彭學沛：《民眾反日運動的方針》，《中央日報》，1928 年 5 月 11 日，第 1 張第 2 面。
4 《九一八事變當時的張學良》，《文史資料選輯》第 6 輯，中華書局 1960 年版，第 24 頁。

抗，準備好了再幹，一切事先從外交解決。要效法印度甘地對英國不合作的辦法來應付日本，遇事要退讓，軍事上要避免衝突，外交上要採取拖延方針。他寫道：

> 接著又接到張學良轉來的蔣介石的《銑電》（八月十六日），主要內容是：採取不抵抗政策，竭力退讓，避免衝突，千萬不要"逞一時之憤，置國家民族於不顧，希轉飭遵照執行"等語。[1]

趙鎮藩當時是第七旅的參謀長，北大營的守衛者。他的回憶也應該有權威性。一個洪鈁，一個趙鎮藩，兩個當事人的回憶都證明有《銑電》，則《銑電》的存在似乎不容懷疑。

當年 7 月，長春西北萬寶山地區的朝鮮族農民因挖溝引水與中國農民發生衝突，日本以護僑為名毆打、槍殺中國農民多人。事後，日本即在朝鮮各地掀起排華風潮，同時揚言將向滿洲增派部隊。8 月 16 日，蔣介石閱讀長春市市政籌備處的萬寶山事件調查報告時寫道：

> 一面交涉，一面侵襲，假交涉之談判，為侵襲之掩護，其詐欺殘酷之手段，乃人類所未有之醜伎，及目的已達，乃偽讓而退。此其一步一步之螺旋而進之策略，吾已見其肺肝矣。嗚呼！天下從此多事，吾甚為民眾痛惜焉。[2]

這一段話，充滿了對日本政府的種種侵略手法的驚悚之感。上文已經指出，1928 年 5 月 10 日，蔣介石等南京國民政府要員在兗州決定，對日軍在濟南的挑釁，"決取不抵抗主義"。次日，日軍即佔領濟南。直至 1929 年 3 月，中日簽訂解決濟案交涉文件，日軍才陸續從濟南撤退。蔣介石有此經歷，在面對萬寶山事件時再次重申"不抵抗主義"，完全符合其思維邏輯。

不過，《銑電》的存在也還難於論定。這是因為：第一，洪鈁和趙振藩的回憶均係多年後的回憶，只有片斷文字，而且，關鍵的是，該電始終不見於各種文獻檔案。台灣政治大學的劉維開教授曾遍查大陸和台灣的各類檔案，包括

---

1 《日軍進攻北大營親歷記》，《文史資料選輯》第 6 輯，第 4 頁。
2 《蔣中正"總統"檔案事略稿本》第 11 冊，第 550 頁。以下簡稱《事略稿本》。

保存蔣介石資料最為完整的《蔣中正“總統”檔案》，均不見此電。因此，他主張對此電存疑。[1]

第二，唐德剛先生在訪問張學良時，曾說：“那他這種偽造文件造得好呢，都說蔣公打電報給你，說吾兄萬勿逞一時之憤，置民族國家於不顧。又說你拿著皮包，把電報稿隨時放在身上。”唐先生這裏提到的“吾兄”云云兩句，正是《銑電》中的關鍵字語。然而，張學良仍然表示：“瞎說，瞎說，沒有這事情。我這個人說話，咱得正經說話，這種事情，我不能諉過於他人。這是事實。”“我要聲明的，最要緊的就是這一點。這個事不是人家的事情，是我自個兒的事情，是我的責任。”[2]

前文已述，張學良多次否認“不抵抗命令”和蔣的關係。上述談話中，唐德剛雖然特別引述《銑電》的關鍵字語以提醒張，但張學良仍然堅決否認。這種情況，似非老年記憶衰退可以解釋。據此，《銑電》又似乎從來不曾存在過。前幾年，曾有人在書中稱，美國哥倫比亞大學的“毅荻書齋”的展櫃中藏有《銑電》原件，經筆者電詢該書作者，該書作者自承：“此書不足為據。”[3]

9月6日，張學良曾有《魚電》致臧式毅與榮臻等人，電稱：

> 現在日方外交漸趨吃緊，應付一切，亟宜力求穩慎。對於日人，無論其如何尋事，我方務當萬方容忍，不可與之反抗，致釀事端。即希迅速密令各屬，切實遵照注意為要。張學良。魚。子。秘印。[4]

後來洪鈁、趙鎮藩回憶的《銑電》也許是《魚電》的誤記？

張學良在接受張之宇姊妹訪問時，曾談過他下達《魚電》的想法：

> 我已經得到了情報，日本要挑釁。（所以下了）不抵抗主義的命令。我的命令大概是九月，我在醫院下的命令。九月。我忘記了，反正是九一八以前。我給東北（軍下命令），日本來挑釁，我們不要跟他抵抗……他要來挑釁，我們要躲避……沒有想到大規模的……這種大的來啦，惹得國際

1　《蔣中正的東北經驗與九一八事變的應變作為》，《九一八事變與近代中日關係》，社會科學文獻出版社2004年版，第435頁。
2　《張學良世紀傳奇（口述實錄）》，第434頁。
3　參見竇應泰：《張學良三次口述歷史》，華文出版社2002年版，第418頁。
4　《張學良文集》，第488頁。

的問題，世界的問題都來了。[1]

顯然，張學良所說"在醫院下的命令"，當即上述 9 月 6 日給臧、榮二人的《魚電》。

兩國交戰是大事，不輕啟戰端，慎重、冷靜地處理日方的挑釁是必要的。但是，慎重、冷靜不等於完全放棄有理、有節的抵抗。以忍讓求息事，完全放棄抵抗，將會助長敵人的兇焰與野心。《魚電》雖然針對小規模衝突而言，但它仍然是一項錯誤的決策。

不僅如此，張學良後來還在《魚電》的基礎上"創造性"地向前發展了，這就是要求有關部隊收繳士兵的武器。"九一八"事變的第二天上午 10 時，張學良接受天津《大公報》記者訪問時坦言："實告君，吾早已令我部士兵，對日兵挑釁，不得抵抗。故北大營我軍，早令收繳軍械，存於庫房。昨晚（即 18 日晚）10 時許，日兵突以 300 人扒入我營，開槍相擊。我軍本未武裝，自無抵抗，當被擊斃 3 人。"既然中國軍人手無寸鐵，自然只能"盡任日軍所為"了。

七、南京國民政府默認並且贊同張學良的處理方針

辨明"九一八"事變時期的"不抵抗命令"出於張學良，並不能減輕蔣介石和南京國民政府的責任。

"九一八"事變後，張學良力圖訴諸悲情，證明曲在日方，"證明我軍對他們的進攻，都未予以還擊，更無由我方炸壞柳條溝路軌之理"。其辦法是訴諸外交。9 月 19 日上午的東北幹部會議，作出的決定就是"一切聽各國裁判"。在隨後召開的東北外交委員會上，顧維鈞提出，立刻電告南京，要求國民政府向國際聯盟行政院提出抗議，請求行政院召開緊急會議處理這一局勢。[2] 張學良和會議參加者都同意。其後，南京國民政府採納的就是顧維鈞的方案。

蔣介石從上海方面得到瀋陽發生事變的消息後，立即致電張學良，要張向

1　張之宇、張之丙：《張學良口述歷史》。
2　《顧維鈞回憶錄》（1），中華書局 1983 年版，第 414 頁。

外宣傳時"力闢"日方散佈的侵略藉口——東北軍"有拆毀鐵路之計劃",無一語談及軍事準備與軍事鬥爭。[1] 9 月 21 日,蔣介石回到南京,在召開的緊急會議上提出:"先行提出國際聯盟與簽訂非戰公約諸國,以此時惟有訴諸公理也。一面則團結國內,共赴國難,忍耐至於相當程度,乃出以自衛之行動。"[2] 22 日,蔣介石致電張學良,要求張迅令青島海軍集合塘沽,以防"與日艦發生萬一之意外"[3]。此後,蔣介石和南京國民政府都一心一意寄希望於國際聯盟,在相當的一段時期內都不曾指示張學良和東北軍抵抗。這就說明,蔣介石和南京國民政府在事實上默認和肯定張學良的"不抵抗主義"。

當然,揭穿日方謊言是必要的,向國際聯盟提出申訴,爭取國際輿論的同情和支持也都是必要的,但是,沒有下達任何一個軍事準備與抵抗的指示,卻也是不正常的。戴季陶等當時就提出:"當時當地軍隊若竟無一捨死之人,恐外無以啟世界對中國之信賴,內無以立後代兒孫之榜樣。"[4] 邵元沖在參加中央黨部的緊急會議也認為:"所謂不抵抗者,乃不先向人開火攻擊,並非武裝軍人遇敵來襲擊至包圍繳械時,猶可束手交械而謂之不抵抗主義者。民族主義,國民精神喪失已盡,安怪異族之長驅,如入無人之境也。"[5]

蔣介石和南京國民政府之所以默認並實行"不抵抗主義"。其原因和張學良一樣,也在於"恐日",過高地估計了日本的軍事實力。1932 年 1 月 12 日,蔣介石下野還鄉,在奉化武嶺學校演講時說:"中國國防力薄弱",海陸空軍不足,一旦給日本提供"絕交宣戰"的口實,"必至沿海各地及長江流域,在三日內悉為敵人所蹂躪,全國政治、軍事、交通、金融之脈絡悉斷,雖欲不屈服而不可得"。[6] 應該說,這段話道出了蔣介石的思想癥結。

蔣介石和南京國民政府之所以默認並實行"不抵抗主義",其原因還在於"攘外必先安內"的錯誤政策。當時,蔣介石正在全心全意剿滅在江西等地不斷發展的中共和紅軍的力量,自然,對外必然採取息事寧人的對策。9 月 20 日,

1 《中日關係史料》,第 1 頁。
2 《中華民國重要史料初編——對日抗戰時期》之《緒編》(1),第 281 頁。
3 《中日關係史料》,第 12 頁。
4 《戴傳賢、朱培德電蔣中正,中央決請主席回京》,《中日關係史料》,第 2 頁。
5 《邵元沖日記》,上海人民出版社 1990 年版,1931 年 9 月 19 日,第 774—775 頁。
6 《中華民國重要史料初編——對日抗戰時期》之《緒編》(1),第 317 頁。

國民黨中央訓令各級黨部"喚起全國國民，努力救國"，但是，其第一條卻居然強調："危害民族生存之赤匪必須根本剷除"。[1]

九一八之後，日本進一步企圖在華東地區挑釁。10 月 6 日，日艦大舉來滬，蔣介石指示上海市長張群說："日本軍隊如果至華界挑釁，我軍警應預定一防禦線，集中配備，俟其進攻，即行抵抗。"[2] 1932 年 1 月 28 日，日軍進攻上海閘北，蔣介石和國民政府採取"一面抵抗，一面交涉"的方針，這就較"不抵抗主義"向前進了一步了。

附記：此文寫成，承台北政治大學劉維開教授賜告，蔣介石《事略稿本》1928 年 5 月 11 日記載："上午辰刻，電馮玉祥云：已與譚、吳諸公商決，正如兄意，對日暫取不抵抗主義，各部仍以積極北伐為原則，已分頭進行矣。"此電可證，當時持"不抵抗主義"者非止張學良一人。關於此，當另文論述。

1　《中華民國重要史料初編——對日抗戰時期》之《緒編》（1），第 279 頁。
2　《中日關係史料》，第 21 頁。

「九一八」事變後的蔣介石 *

——讀蔣介石未刊日記

* 本文錄自《楊天石近代史文存》，中國發展出版社 2015 年版；原載台北《傳記文學》
1995 年第 4 期。

"九一八"事變後，日本帝國主義迅速佔領東北全境，蔣介石的對日政策受到普遍責難。同年 12 月 15 日，蔣介石被迫第二次下野。這是蔣介石一生中極為困難的時期，也是他開始調整國內外政策的起點。

一、痛憤於日本侵略，但下不了抗戰決心

　　"九一八"事變發生時，蔣介石正乘艦自南京赴江西"剿共"。他迅速感到了事變的嚴重性。9 月 19 日日記云：

　　　　昨晚倭寇無故攻擊我瀋陽兵工廠，並佔領我營房。頃又聞已佔領我瀋陽與長春，並佔領牛莊消息，是其欲乘此粵逆叛變，內部分裂之機會，據有我之東三省矣！內亂不止，叛逆毫無悔禍之心，國民亦無愛國之心，社會無組織，政府不健全，如此民族，以情理而論，決無能存立於今日世界之道，而況天災匪禍，相逼而來，速我危亡乎！余所恃者，惟此一片血誠。明知危亡在即，亦惟有鞠躬盡瘁，死而後已。[1]

　　20 日日記云：

1　本文所引蔣介石未刊日記，均據《蔣介石日記類抄·黨政》，中國第二歷史檔案館藏，不一一注明。

聞瀋陽、長春、營口被倭寇強佔以後，心神不寧，如喪考妣。苟為吾祖吾宗之子孫，則不收回東北，永無人格矣！小子勉之！內亂平定不遑，故對外交太不努力。臥薪嘗膽，生聚教訓，勾踐因之霸越，此正我今日之時也。

這裏，蔣介石除了表示收復失地的決心外，同時也對自己忙於"安內"，"外交太不努力"的狀況作了初步檢討。21 日，蔣介石回到南京，確定了"團結內部，統一中國，抵禦倭寇，注重外交，喚醒國民，還我東北"的方針。這一方針成為蔣介石調整國內外政策的起點。當日召開幹部會議，蔣介石提出，首先提交國際聯盟與 1928 年《非戰公約》簽字國，"以求公理之戰勝，一面則團結國內，共赴國難，忍耐至相當程度，以出自衛最後之行動"。22 日，南京市國民黨員舉行抗日救國大會，蔣介石在會上發表演說，聲稱"國存與存，國亡與亡"。他並追述 1928 年北伐為日軍所阻的情況："我在日本炮火之中，不止一次。倭寇在濟南炮擊機射，余身實倭炮中遺留不死之物。"日記云："眾乃益悲，因知愛國者多，而甘亡國者少，國事尚可為也。"

同日，國際聯盟決議中日兩國停止戰事行動，雙方軍隊退回原防，聽候聯盟派員調查裁判，蔣介石認為這是外交的轉機，也是對內統一的好機會。23 日，張學良派萬福麟等到南京，要求蔣介石早日與日本交涉，通過外交解決東北問題，引起蔣的不快。蔣認為張學良"不問國際地位與國際形勢，以及將來單獨講和之喪辱"。當日，蔣介石與萬福麟談話，認為"與其單獨交涉而簽喪土辱國之約，急求速了，不如委之國際仲裁，尚有根本勝利之望，否則亦不恤與倭寇一戰以決存亡也"。

蔣介石依賴國聯，寄希望於"國際仲裁"，但是，日本帝國主義卻不把國聯放在眼裏。24 日，日本政府復函國聯，蠻橫地拒絕調查，聲稱"滿洲事件"不容國聯及第三國置喙，主張中日直接交涉，國聯態度因之軟化，轉而贊成日本主張。25 日，蔣介石獲悉有關訊息後，曾有主戰的念頭。當日日記云："如果直接交涉或地方交涉，則必無良果。我不能任其鴟張，決與之死戰，以定最後之存亡。與其不戰而亡，不如戰而亡，以存我中華民族之人格。"他準備將首都遷到西北，同時集中主力於隴海路。28 日，蔣介石寫下遺囑：

持此復仇之志，奮吾吞虜之氣。兄弟鬩牆，外禦其侮。願我同胞團結一致，在中國國民黨領導指揮之下。堅忍刻苦，生聚教訓，嚴守秩序，服從紀律，期於十年之內，湔雪今日無上之恥辱，完成國民革命之大業。

10月3日，蔣介石與熊式輝商量備戰計劃。蔣介石認為，無論和與戰，西北實為政府第二根據地。如南京陷落，即遷都洛陽。同日日記云："倭寇威脅之行，迄未殺止，實不知余為何如人也。可笑！"

日本帝國主義的侵略激起了中國人民的巨大憤怒，各地抗日救國運動迅速高漲。為了對中國人民施加壓力，10月2日，日本軍艦在南京下關示威。5日，日本政府決議對南京國民政府提出嚴重警告，同時揚言將派五十餘艘軍艦到長江舉行大示威。次日，日艦四艘即開入黃浦江。蔣介石估計日軍有"上陸、入城"甚至開戰的可能，準備屆時通告《非戰公約》簽字國各國元首，提請他們注意保守《公約》之責任。日記稱："余決心與倭寇一戰，此心反覺安定無事也。"10月11日，英國外交部致電其駐華公使，要他勸中國不要堅持以撤兵為交涉之條件。蔣介石感到非常"駭異"，日記云："余決心既定，不論各國態度與國際聯會結果如何，為保障國土與公理計，任何犧牲在所不惜，且非與日本決戰，中國斷難完成革命也。"11月17日，蔣介石更在日記中明確地寫道："余決心統師北上抗日。"

蔣介石早年即具有民族主義思想，同情五四和五卅愛國運動。"九一八"時期，痛憤於日本侵略，有準備北上抗日的打算，這是他後來之所以能堅持長期抗戰的思想原因。但是，在很長時期內，蔣介石又怯於和日本作戰。10月7日日記云："國民固有之勇氣、之決心，早已喪失，徒憑一時之奮興，不惟於國無益，而且徒速其亡，故無可恃也。而所恃者，惟在我一己之良心與人格，以及革命之精神與主義而已。"由於日本肆無忌憚的侵略，中國人民中出現了愛國救亡的熱潮，但是，這在蔣介石看來，卻只是"一時之奮興"，"不惟於國無益，而且徒速其亡"。蔣介石靠什麼呢？"惟在我一己之精神與力量"。當然，蔣介石不會認為他個人可以打贏日本，因此，他必然是悲觀論者。日記云："成敗利鈍，自不能顧，惟有犧牲一己，表示國家之人格與發揚民族之精神，不能不與倭寇決一死戰。明知戰無幸勝，但國家至此，亦無可再弱，決不至比諸現在再惡也。"11 月 24 日日記又云："余不下野，則必北進與倭寇決戰。雖無戰勝之理，然留民族人格與革命精神於歷史，以期引起太平洋之戰爭，而謀國家之復興。"

蔣介石愛惜"民族人格"，準備與倭寇決一死戰，並預留遺囑，其抗戰決心可以說是壯烈的，但又是虛弱無力的。

這一時期，蔣介石的主要努力仍然放在外交上。

9 月 25 日，蔣介石組織外交顧問會。30 日，組織外交特種委員會，任命施肇基為外交部長。10 月 3 日，先後召見顧維鈞與顏惠慶，預定顏為國際聯盟會代表，派顏赴北平與各國公使接洽。4 日，蔣介石在南京北極閣禱告，向中國基督教領袖余日章提出 3 項要求：1. 以國民外交名義，聯絡各國國民，與日本國民主持公道。2. 囑各國新聞記者往東三省監察各委員公平報告。3. 囑太平洋協會各國有力者督促其政府注意日本之暴行。[1] 8 日，蔣介石與張群談話，表示"備戰不屈之決心"，同時，希望外交方面有所進步。12 日，蔣介石在軍校、國府紀念週報告，聲稱"以堅強不撓之氣概吞壓強虜，以犧牲無畏之精神維護公理，盡國際一分子之責任"。當日日記云："英美二國對余擁護公理抗禦強權之訓詞皆甚聳動"。當時，日本政府為了掩飾其侵略行為，欺騙國際輿論，擬訂了一份所謂《中日和平基本大綱》，表面上聲稱"尊重中國領土之完整"，同時則赤裸裸地要求"尊重在滿洲之日本既成條約"。[2] 10 月 15 日，蔣介石決定堅決拒絕日方的這一大綱，他和戴季陶及外交委員會商量之後，決定另提《東亞和平基本大綱》以為對抗。《大綱》明確說明東三省是中國領土，但實行"門戶開放，機會均等"政策，"共同開發經濟"，企圖利用矛盾，吸引列強反對日本。[3] 17 日，蔣介石與各國公使談話，表示對日抵抗、不簽喪辱條約之決心。19 日，再見各國公使，囑其電告出席日內瓦國聯會議的本國代表及其政府：如國聯失敗，則東方與中國之前途不可預料，望其切實注意。

國聯會議幾經曲折。10 月 23 日，法國外長白里安向國聯理事會提出解決

1　《蔣介石日記類抄‧黨政》。
2　《蔣作賓日記》，江蘇古籍出版社 1990 年版，1931 年 10 月 26 日。
3　《蔣介石日記類抄‧黨政》。

滿洲問題決議草案，限日軍在 1 月 16 日以前完全撤兵。24 日表決，13 票贊成，僅日本 1 票反對。中國在外交上打了一個勝仗，日本代表芳澤對新聞記者稱："今日為余有生以來最痛苦之一日。"[1] 25 日，蔣介石日記云："國際聯合會決議，倭寇雖未承認，但公理與正義已表顯於世界。白里安之才能究為可佩，以決議方式甚為得體也。"

通過國聯，進行外交鬥爭，廣泛團結世界上一切反戰國家，在道義和輿論上最大限度地孤立日本，蔣介石的這一策略並非沒有可取之處。但是，國聯的決議並不能約束日本，對侵略者，必須還之以反侵略戰爭，才能制止兇焰，維護民族利益和世界和平。

"九一八"事變後，蔣介石曾稱："事在自強，而不在人助。"[2] 但是，他還是過分相信並依賴了國聯。

二、與粵方和解

1931 年 2 月底，蔣介石軟禁胡漢民。5 月，汪精衛、孫科、鄒魯、陳濟棠、李宗仁等在廣州成立國民政府，形成寧粵兩個政權。"九一八"事變後，蔣介石意識到這種分裂的局面必須迅速結束。9 月 20 日日記云：

> 日本侵略東北，已成事實，無法補救。如我國內能從此團結，未始非轉禍為福之機也。故內部先當力謀統一。

21 日，他在南京幹部會議上即提出："對廣東以誠摯求其合作"，同時表示：1. 令粵方覺悟，速來南京，加入政府；2. 南京中央幹部均可退讓，只要粵方能負統一之責，來南京組織政府；3. 胡、汪、蔣合作亦可。[3] 當日會議並決定："抽調部隊北上助防，並將討粵及剿共計劃，悉予停緩。"[4] 22 日，蔣介石約見吳稚暉、戴季陶等，表示願交出政權，與胡、汪合作。當日，戴季陶即受蔣之命，

1　王芸生：《六十年來的中國與日本》卷 8，生活・讀書・新知三聯書店 1982 年版，第 268 頁。

2　《蔣介石日記類抄・黨政》，1931 年 10 月 14 日。

3　《蔣介石日記類抄・黨政》，1931 年 9 月 21 日。

4　秦孝儀：《"總統"蔣公大事長編初稿》卷 2，台北中國國民黨黨史會 1978 年版，第 129 頁。

前往湯山，勸胡漢民重新視事。23 日，蔣介石又派蔡元培、張繼、陳銘樞到香港與汪精衛、李宗仁、孫科等會談。雙方在 29 日決定：1. 廣州國民政府與南京國民政府同時通電取消；2. 雙方組織統一會議，產生統一國民政府。[1] 30 日，蔣介石接到汪精衛所擬通電稿，認為"多誣辱之詞"，極為惱怒，但他決定暫時忍耐。日記云：

> 當此橫逆紛乘，既要余屈服，又要余負責。而若輩不顧大局，一意搗亂，而又無能力來組織政府，徒乘此外侮之機，勾結敵國，動搖國本，能不痛心！此時只有逆來順受，忍辱負重，以求萬一之補救。

10 月 1 日，蔣介石電復粵方，表示在港、粵所定條件須斟酌修改，同時表示，隨時可以恢復胡漢民、李濟深的自由；本人去留問題，俟和平會議時討論。他要求粵方到南京召開統一會議。10 月 2 日，陳銘樞、蔡元培向蔣介石轉達了粵方的意見，要求蔣先行通電表示，準備下野，蔣介石極為惱火，日記云：

> 是直等於兒戲耳！國事危急至此，而若輩尚以敵對態度要脅不止。對國內與中央則肆行壓迫，對倭寇則勾結遷就，是誠全無心肝矣！

當年 7 月，廣州國民政府外交部長陳友仁等赴日活動，企圖在粵派與日本之間建立"中日同盟"。[2] 據日本外相幣原喜重郎密告南京國民政府駐日公使蔣作賓稱：陳友仁表示，將以"滿洲利權"換取日本對粵方的援助。[3] 因此，蔣介石一直認為，日本出兵東三省，源於粵方"賣國"。本日日記所稱"（粵方）對倭寇則勾結遷就"，指此。

10 月 12 日，陳銘樞回到南京，向蔣介石報告赴粵和談經過，聲稱粵方堅持須先恢復胡漢民自由，然後再談和議。13 日，蔣介石、胡漢民在中山陵會見，蔣介石同意胡漢民次日去上海。14 日，蔣介石訪問胡漢民，表示"過去之是非曲直，皆歸一人任之，並自承錯誤"。日記云，胡漢民"亦頗感動"。當

1　《粵事已有解決》，《申報》，1931 年 9 月 30 日。
2　幣原喜重郎：《外交五十年》，東京讀賣新聞社 1951 年版，第 146—150 頁。
3　《蔣作賓日記》，1931 年 9 月 22 日。

日，胡漢民赴滬。不過，這以後蔣介石對粵方的態度並未好轉。16 日日記云：
"晚，以粵方與展堂為梗，對內迫於對外，殊堪慨歎！" 18 日日記云："晚，商
粵方要求事與胡漢民之態度，可慨可憐又可笑也。" 21 日，蔡元培、張繼偕同
粵方代表汪精衛、孫科、李文範、伍朝樞、鄒魯、陳友仁等 6 人到達上海。22
日，蔣介石與宋美齡飛抵上海，與汪精衛、胡漢民等會談，議定外交方面先求
得一致，以利共赴國難；黨政軍諸方面問題，留待以後會議詳商。蔣介石當日
日記云：

> 各報所載粵方所謂代表者，談話詆毀譏訕，未改舊態，為之駭異。
> 與各中委相見，乃知對方提推倒中央現有組織，否認根本法紀，是胡漢民
> 有意搗亂，使余進退兩難，而若輩既不敢負此重責，又不願知難而退，更
> 不願置之不問，可痛、可鄙、可惡、可嗤、可憐，莫甚於此，而反以為得
> 計，不僅壁上觀火，下井推石，必欲使一切罪惡責任歸之一身，置黨國敗
> 亡於不顧，立待國家紛亂而後快，此種卑劣政客，既陷害總理於前，今且
> 毀賣黨國，不顧一切，胡奸之罪，是在滅絕黨國於其一人之手也。

對孫科，蔣介石也很不滿，日記云："以阿科為最不爭氣，甚為總理歎惜也。"
當日，蔣介石回京。23 日，粵方託蔡元培、張繼攜帶汪精衛、孫科等聯名函件
赴寧，提出 7 項要求：1. 為共赴國難，先謀外交一致行動；2. 關於黨國諸疑難
問題，請寧方派代表赴滬共商；3. 黨國根本問題在於集權於黨，完成民主政治
乃根本原則；4. 召集一、二、三屆中央委員會議產生健全的第四次全國代表大
會；5. 國民政府主席擬仿法、德總統制，以年高德劭者任之，現役軍人不宜當
選；6. 擬廢除陸海空軍總司令一職；7. 在統一會議決定以前，彼此應盡之責，
雙方應照常擔負。[1] 這 7 條的矛頭所向是蔣介石已經掌握的權力與地位，因此，蔣
介石極為反感，日記云：

> （粵方）以為中央已無辦法，故提此苛刻無理之要求。倭人藉粵方搗亂
> 之機以逼迫中國，粵寇藉倭奴之力以倒中國，而且其推出代表全為粵人，
> 是廣東儼然化省為國，與倭夷攻守同盟以傾中央。形勢至此，殊為我中華

---

1 《粵代表致蔣介石函》，《申報》，1931 年 10 月 27 日。

民族羞。對此叛逆，不可再以理論，惟有負責堅持，死報黨國，豈有退步之餘地乎！

根據這一認識，蔣介石一面於復函中表示"事關內部，無不可以開誠相見，從容商談"[1]，一面則決定略加反擊。10月27日，寧粵雙方代表在上海舉行預備會議。28日，蔣介石復電粵方各代表，"指明其無誠意之真相"。當日日記云：

> 胡漢民之搗亂，陰謀不法行動，不特置余個人於死地，且必欲毀壞黨國，將總理革命至今艱苦奮鬥所得之歷史一舉勾銷。小人不可與同群，有如是夫！

30日日記云：

> 粵方全為胡漢民一人所霸阻，而汪、孫則願來合作，以不欲與胡破臉，故不敢明白表示，當使之有迴旋餘地。對粵應決定方針：一、如其願就範，不破裂，則暫維統一之局面，固於對外有益也；二、如其不願就範，必欲破裂，則避免內部糾紛，使之回粵自擾。胡漢民已成過去，而其過去歷史，為阻礙總理，反抗總理，今則欲滅亡本黨，叛亂革命，無足計較也。

儘管蔣介石對胡漢民滿腔怒火，但是，還是決定忍耐。31日日記云：

> 此時中央實處於內外夾攻之中，各報輿論皆為反動派所把持，是非不明，人心不定，此國家之所以亂也。吾人惟有忍辱負重，以盡職責，雖舉世非之而不能動搖我堅定之志。

11月2日，蔣介石發表演講，聲稱：只要團結能早日實現，任何委屈痛苦，都能忍受。[2]此後，蔣介石一讓再讓。3日，蔣介石召開幹部會議，決定與粵方"無條件合開"國民黨第四次全國代表大會，解決黨內爭端。當晚再議，決定"在中央合開，或京粵兩處分開，皆隨粵方之便"。11月5日，張繼會見蔣

1　《蔣介石復粵代表函》，《申報》，1931年10月27日。
2　《"總統"蔣公大事長編初稿》卷2，第145頁。

介石，傳達粵方意見，要求分別開會，蔣介石雖然不贊成，但決定"順其意遷就"。7日，上海會議決定，在南京、廣州分別召開第四次全國代表大會，雙方各自選出 24 人，成立統一的中央執行委員會。這樣，分裂、對峙的雙方就找到了團結統一的途徑。

11 月 12 日，南京方面以"團結內部，抵禦外侮"為主題，先行召開國民黨第四次全國代表大會。17 日，蔣介石決定統兵北上抗日，以此表示"對內退讓，又欲使本黨挽救對民眾之信仰，非使代表放棄選舉競爭，誠意與粵方合作不可"。當日，蔣介石派陳銘樞赴上海邀請汪精衛來京主持會議。11 月 19 日，蔣介石召集中央幹部會議，決定全部接受粵方所擬中執、中監委員 136 人名單，蔣介石的這一意見為四全大會第五次會議通過。21 日，會議通過"追認恢復黨籍案"，承認在不同時期開除的李宗仁、李濟深、白崇禧、馮玉祥、顧孟餘、汪精衛、閻錫山等 314 人的黨籍。[1] 蔣介石作了一個前所未有的高風格的發言。他說："以前黨員之叛變，使黨國益陷於艱危，皆非為中央與政府，而獨為中正一人之故。故從前一切錯誤，皆由余一人任之。" 22 日，會議閉幕，蔣介石自覺度過了對內的一個"難關"，日記云："增加奮鬥勇氣不少，令人發生對黨國無窮之希望也。"

冰凍三尺，非一日之寒，蔣介石與粵方矛盾已深，緩和與化解都需要時間，蔣介石 11 月 22 日的日記顯然過於樂觀了。

民族利益高於一切。在外敵入侵時，必須拋棄舊日的嫌隙與糾紛，一致對外。"九一八"事變前，蔣介石曾宣稱："不先剿滅共匪"，"則不能禦侮"；"不先削平粵逆"，"則不能攘外"。[2] "九一八"事變後，蔣介石力謀與粵方和解，後來又進一步發展為與共產黨和解，從而導致全民抗戰局面出現，這是順乎潮流、合於人心的舉措。

1 榮孟源主編：《中國國民黨歷次代表大會及中央全會資料》（下），光明日報出版社 1985 年版，第 45—47 頁。
2 《蔣"總統"秘錄》第 7 冊，台北"中央日報社" 1976 年版，第 185 頁。

三、學生運動的困擾

中國學生富於愛國傳統，"九一八"事變發生，東北大片國土淪陷，學生們不能不奮起抗爭。這本來是一件好事，但蔣介石卻感到煩惱。9月24日，上海各大學抗日救國會代表到南京請願，蔣介石日記中即有"上海學生狂激"之語。28日，南京中央大學學生一千餘人到國民黨中央黨部請願，其後，又到外交部請願。外交部部長王正廷避而不見，引起學生憤怒，衝入王的辦公室，毆傷王的頭部。同日，上海復旦大學學生八百餘人到達南京，會同中央大學、金陵大學等校學生到國民政府請願。當日蔣介石日記云：

> 今日中央大學學生哄鬧外交部，打破王部長頭額。上海學生來請願者簇隊絡繹不絕，其必為反動派所主使，顯有政治作用。時局嚴重已極，內憂外患，相逼至此，人心之浮動好亂，國亡無日矣！

29日，蔣介石接見上海第二次進京請願學生5千人，訓話1小時餘。蔣稱："本席亦抱定與國民共同生死之決心"。又稱：請願分散政府精力，要求學生返校讀書；如願從軍，可編入義勇隊訓練。當日，學生大批返滬。這使蔣介石略感安慰，日記云："青年愛國，知守法紀，豈非一最好現象耶！"

其後，蔣介石日記中不斷出現關於學生運動的記載：

> 11月17日，南京召開國民黨第四次全國代表大會期間，中央大學學生向會議請願，要求迅速出兵東北，收復失地。蔣介石在對學生訓話後自覺"火氣過甚"。
>
> 18日，蔣介石出席會議途中，見到學生集合請願，"心甚嫌惡"。
>
> 11月23日，蔣介石對杭州來京請願學生七百餘人訓話，"以諸葛孔明出師興漢、岳武穆盡忠報國自況"，日記云："聽者動容。"
>
> 11月25日日記云："下午，各方學生為反動派所鼓（蠱）惑，來京請願北上，故意搗亂，破壞政府，勾結日本、廣東，人格喪失殆盡，而余處境之悲慘，亦未有如今日之盛者也。胡逆漢民，其亡國之妖孽乎？"
>
> 11月26日，蔣介石與上海中學生談話。下午，學生千餘人聚集國府，要求蔣介石親書誓師詞。日記云："國民程度若此，殊為大局危也。共

產與粵派必欲毀滅國府，敗壞國家，滅亡民族而後快，可歎亦可恨也。"

不過，這一時期蔣介石儘管討厭學生運動，並且懷疑背後有人操縱，但總的來說，還是有耐心的。11月27日日記云："數日以來，對各地來京之學生接見訓話者約二萬人，可謂用盡精力以應之。幸未發生事故，且收幾分好影響，是乃對內最難最險之關頭得以平穩過去，豈非至誠足以動人乎！"日記又云："對日困難，而對內更難。倭事乃由國內賣國者所發動，胡展堂、陳友仁之肉，不足食矣！"

國難危急，蔣介石的空言保證自然平息不了學生們的請願熱潮。面對方興未艾的學生運動，蔣介石的憎惡之情日漸增加。11月30日，對上海工人代表及北平國民大學生訓話。日記云："可惜而最可痛者，乃一般盲從幼稚之青年，令之安心求學以盡救國之道則不聽，煽以浮躁怠荒則樂從。國無紀律，人不道德，時事紛亂如此，作俑者胡、汪、孫也。"12月2日，蔣介石接見北平及徐州各校學生請願團，表示接受請願各點，並表示中央全會之後，即當北上抗日。日記云："（學生）無理取鬧，殊可矜憐。國事泯棼，教育破產，未知黨部所為何事，竟使一般群眾皆為邪說所誘惑，反動派所操縱，而與政府為難，此皆余用人不當之疚，而於他人乎何尤！"

儘管蔣介石一再接見學生，表示抗戰決心，但是，由於不見實際行動，學生們對南京國民政府和蔣介石的態度日趨激烈。12月4日，北平大學生示威團到達南京。蔣介石日記云："聞其名輒為詫歎，不向敵國示威，而向政府示威，此中國之所以被辱也，設法制止之。"當日下午，蔣介石對北平各校代表及各處大學生1,200人作長時間訓話。次日，北大南下示威團在南京遊行示威，呼喊"反對政府出賣東三省"、"打倒賣國政府"等口號，南京國民政府即採取鎮壓措施，蔣介石日記云："北平大學生示威團在京暴動，毆辱軍警，乃即拘捕百餘人，惟禁止軍警開槍。"

南京國民政府的鎮壓措施進一步激起了學生的反對。濟南、北平、上海學生大批在車站候車，準備到南京請願。12月7日，蔣介石接見武漢大學及南京抗日會學生，日記云："青年之無智無禮，殊為民族寒心也。"8日日記云："中大學生梟張已甚，各處學生亦為少數共產黨所操縱。"這時，蔣介石已決定進一步鎮壓，日記云："於此危急之際，若憚殺戮慘痛，若不準備最大犧牲，何能達此目的。如能倖免流血，則為黨國之福；否則，惟有以菩薩心腸而發雷霆天怒，有何畏忌哉！"所謂"雷霆天怒"，自然是超乎拘禁以上的手段了。但是，蔣介石的主張受到部分人的反對。12月9日日記云："一般書生對萬惡反動盲從之學生仍主放任，不事制裁。嗚呼！天下事皆誤於若輩之手！"同日，上海各校學生五千多人赴市府請願，要求懲辦市公安局長及市黨部工作人員，釋放被綁架學生。下午5時，學生300餘人到市黨部請願，因無人接見，將市黨部辦公室搗毀。10日，蔣介石與有關人員商量對付辦法，決定"姑以緩和辦法應付之"。當晚，會商鎮壓辦法，何應欽態度猶疑，引起蔣介石不滿。日記云："敬之到緊要關頭，彼必毫不負責，而且怨恨無權，此最可恨之事也。"15日，北平南下抗日救國示威團五百餘人赴外交部示威，將各辦公室搗毀，續赴中央黨部，將蔡元培、陳銘樞毆傷，架出門外。警察鳴槍，奪回蔡、陳二人。日記云："學生暴橫至此，而先輩猶主寬柔，竟使全國秩序不安。如此無政府放任主義，何以能完成革命立國之責任也？"17日，南京、上海、北平、江蘇、安徽等地學生萬餘人在南京舉行總示威，砸毀國民黨中央黨部黨徽。下午，因抗議對運動的不真實報導，搗毀《中央日報》。南京國民政府當局出動軍警鎮壓，重傷30餘人，拘捕63人。[1] 日記云："無法已極，若再不制裁，誠欲敗壞學風，無可糾（救）藥。滅亡種族，近在眉睫矣！"

不過，蔣介石這時還堅持接見學生。12日，接見濟南學生3千餘人，在凍天立談2小時。日記稱："幾受侮辱"，"余現身說法，至少四分之三以上之學生能受理解感化，而極少數之學生亦無如彼何也？"14日日記云："對請願學生代表解釋詳盡。青年有理性者居多數，而少數敗類，橫行無忌，罔知禮義，殊為國家悲痛也。"

學生年輕熱情，有時不免有過激舉動，但是只要南京國民政府改對日妥協為對日抵抗，學生們的愛國熱情就會轉化為愛國的巨大力量，對政府的態度也

1　《申報》，1931 年 11 月 18 日、19 日。

會隨之相應改變。蔣介石只看到學生運動"分散政府精力"以及反對政府的一面,這就走進了誤區。

12月4日,蔣介石總結失敗原因,認為其一是"對於學者及知識階級太不接近,各地黨部成為各地學者之敵,所以學生運動全為反動派操縱,而黨部無法解鈴,反助長之"。應該說,蔣介石的這一總結沒有抓到關鍵。

四、下野及其反思

在內外交迫的情況下,蔣介石不得不考慮自己的進退問題。

為了化解與粵方的衝突,蔣介石在"九一八"事變之前就有召開四中全會,本人"引疾辭職"的考慮。"九一八"事變後不久,蔣介石又與吳稚暉、戴季陶談話,表示願"交出政權,胡、汪合作"。但是,蔣介石內心矛盾,猶豫不決。

10月15日,蔣介石與戴季陶商量,決定電告粵方:"統一會議開始之日,即為中正辭職之時;或粵方委員能允擔任中央政治,則中正以付託有人,即當退避賢路。"這是決定退了。然而,10月27日日記云:"當此國難,決心負責到底,任何誹謗,在所不計。"31日日記又云:"吾人惟有忍辱負重,以盡職責,雖舉世非之,而亦不能動搖我堅定之志。"這就是又決定不退了。

這一時期,蔣介石不斷與李石曾、吳稚暉等人商量,意見不一。11月23日,蔣介石與熊式輝商量,聲稱:"將以國家利益為前提,如果余下野之後,國家能統一,外交能解決,則余之下野不失為革命者之立場。"12月6日,蔣介石設想了一個解決矛盾的辦法。日記云:"此時對國事只有進退二途。進則積極負責,對內開國民大會,解決國事,對外在國聯公證之下解決交涉,成敗毀譽,皆由余一人任之,以待後世之公論。"同月7日,蔣介石與幹部們談話,表示要召開國民大會,"以本黨政權提早奉還國民",但吳稚暉認為"此著太險,現在只有以靜制動,待其安靜"。

吳稚暉是蔣介石的智囊。蔣介石覺得吳的"以靜制動"說很有道理,準備接受。但是,廣東方面卻不讓蔣介石安靜,始終堅持以其下野為合作條件。不僅孫科等如此,連這時還站在南京方面的陳銘樞也如此。12月11日,蔣介石日記云：

> 聞真如之言，乃知哲生等必欲強余辭職而後始快，真如亦受彼等之咻，而未深思，國家大計以余之領袖，而堅強之幹部動以退讓為得計，內部異心，責任難負。然而余不能用人，而幹部左右又不能容人，此國家之所以不寧也。余近以政治哲學得二語曰："政者進也，貪者退也。" 領袖欲進而幹部欲退，雖有大力，無以推動何！

12日，蔣介石再次與幹部們商量進退問題。李石曾、吳稚暉、戴季陶、吳鐵城不主張蔣介石下野，何應欽、陳銘樞則希望蔣介石儘快下野。蔣對李石曾等稱：

> 此時救國，惟有余不退之一法，而欲余不退，惟有改為軍事時期，一切政治皆受軍事支配，而聽命余一人，則國始能救。否則，如現在情形，群言龐雜，築室道謀，不許余主持一切，彼此互相牽制，徒以無責任、無意識、無政府之心理，利用領袖為傀儡，則國必愈亂而身敗名裂，個人無論如何犧牲，亦不能救國於萬一也。

召開 "國民大會"，是以民主的辦法解決矛盾；"改為軍事時期"，"聽命余一人"，是以獨裁的辦法解決矛盾。然而這兩點當時都不可能做到，蔣介石想來想去，只有下野了。

13日，蔣介石與吳鐵城談話，表示決不能將權力讓給孫科。日記云：

> 與鐵城談哲生不肖。總理一生歷史為其所賣。彼到結果，不惟賣黨，而且賣國。余追念總理，良心上實不敢主張哲生當政，乃愛之以德也。

同日，蔣介石與陳銘樞談話，聲稱如粵方16日尚不來，則以後不再與之調和；如16日以前能來，則自己可早一日退讓。12月14日，蔣介石決心辭職，邀請各幹部會商辦法。15日，蔣介石向中央常務會議提出辭呈，聲稱 "國事至此"，必須 "從速實現團結"，要求辭去國民政府主席、行政院長、陸海空軍總司令各職。[1] 會上，"眾口紛呶"，蔣介石覺得極度淒酸，日記云：

---

1 《"總統"蔣公大事長編初稿》卷2，第160頁。

以手造之國家，辛勞八年，死傷部下三十餘萬，猶親生扶長之子，欲使一旦放棄，不能相見。經國赴俄不歸，民國猶在孩提。今日又為先母六十八歲誕辰。嗚呼！於國於黨為不忠，於母為不孝，於子為不慈，自覺愧怍無地，未知以後如何為人以報答親恩與黨國也。

16日，蔣介石到國民政府辦理交代。17日，孫科等五代表到蔣介石寓所見面。18日，蔣介石與汪精衛、陳璧君、陳公博談話。汪精衛要求蔣介石出任監察院長，蔣介石表示同意，他對孫科出任行政院長表示疑問，認為外交部長一職，陳友仁不如伍朝樞。19日，蔣介石參加中央執行委員會談話會，日記云：

> 汪派在滬選舉十人，與粵方爭持，始則粵方與中央之爭，今則粵又自爭，此種攘權奪利之政客，毫無革命精神。

汪精衛本來與胡漢民合作反蔣，11月18日，在廣州共同召開另一個國民黨第四次全國代表大會，但不久即鬧翻，汪派改到上海，舉行又一個國民黨第四次全國代表大會。12月20日，蔣介石與陳布雷商量後，決定不參加黨務。21日日記云："明日開一中全會，腐化、惡化分子，濟濟一堂，誠所謂一丘之貉也。"22日，蔣介石出席在南京召開的寧、粵、滬等各方合流的國民黨四屆一中全會，見到了他所憎惡，以及曾被他打倒過的許多人，大受刺激。日記云：

> 腐惡敗類，凡為余之仇敵，而為余所打倒者，今皆蠅集一塊，刺入心目。余對彼等，惟有可憐、可笑、可咄、可憎，而毫無芥蒂之嫌。眇茲群醜，皆不值余一蹴也。

蔣介石既然認為這幫人不值得"一蹴"，自然也就認為不值得與之"同群"。同日，蔣介石不顧出任監察院長的許諾，乘機離寧。

蔣介石返里後，曾進行反思，12月24日日記云：

> 今次革命失敗，是由於余不能自主。始誤於老者，對俄對左，皆不能貫徹本人主張，一意遷就，以誤大局；再誤於本黨之歷史，容納胡漢民、孫科，一意遷就，乃至於不可收拾；而本人無幹部、無組織、無偵探，以致外交派唐紹儀、陳友仁、伍朝樞、孫科勾結倭寇以賣國，而先事未能察

覺。陳濟棠勾結左桂各派，古應芬利用陳逆，皆未能預為防制，乃遂陷於內外夾攻之環境，此皆無人扶翼之所致也。

"老者"，應指孫中山。蔣介石這一則日記批評了包括孫中山在內的許多人，而且將"革命失敗"的原因歸結為"余不能自主"，這是一句反映蔣介石個人思想的高度性格化的語言。不過，這並不是他"失敗"的真正原因。前文曾談到，"九一八"事變後，蔣介石有開始調整國內外政策的動向。這一則日記說明，他的思想認識還遠遠落後於現實。真正將國內外政策轉軌到對日抗戰上來，還是幾年以後的事。

蔣介石拒絕以牛蘭夫婦

交換蔣經國 *

* 本文錄自《蔣氏秘檔與蔣介石真相》，社會科學文獻出版社 2002 年 2 月版。

蔣介石 1931 年 12 月 16 日日記云：

> 蘇俄共產黨東方部長，其罪狀已甚彰明。孫夫人欲強余釋放而以經國遣歸相誘。余寧使經國投荒，或任蘇俄殘殺，而決不願以害國之罪犯以換親兒。絕種亡國，天也，余何敢妄希倖免！但求法不由我毀，國不為我所賣，以保全我父母之令名，無忝此生則幾矣。區區嗣胤，不足攖吾懷也。

這一則日記涉及當時的一項重大事件。

20 世紀 20 年代，國共合作之際，蘇俄和共產國際曾向中國派出過許多顧問，參與中國革命，加倫將軍、鮑羅廷、羅易就是其中的重要代表。1927 年，國共兩黨關係破裂，蘇俄顧問回國。其後，蘇俄即通過其在華使館和各地的領事館繼續予中共以支持。1927 年 12 月，因蘇俄駐廣州副領事哈西斯在幕後指揮中共在廣州暴動，國民黨軍衝進領事館，將其捕殺。南京國民政府隨即宣佈斷絕與蘇聯的關係。此後，共產國際陸續召回了它在中國的代表。

1928 年 6 月，中共在莫斯科召開第六次代表大會，向斯大林提出，要求共產國際繼續向中國派出其代表。1929 年 2 月，共產國際東方部在上海成立遠東局，藉此幫助中共中央工作，同時，負責聯絡東方各國共產黨。遠東局下設政治部與聯絡部。聯絡部主任為阿布拉莫夫（Abramov），其手下工作人員有牛蘭（Hilaire Naulen）夫婦等。牛蘭，原名雅科·然德尼科，又名保羅·魯埃格（Paul

Ruegg），原籍波蘭，曾在共產國際南洋局工作，1930 年 3 月奉調來華，在阿布拉莫夫手下當聯絡員，負責管理秘密電台、交通及經費等事項，同時兼任紅色工會國際分支機構泛太平洋產業同盟秘書處秘書。1931 年 6 月 15 日，牛蘭夫婦在上海四川路 235 號寓所內被公共租界巡捕房逮捕。8 月 9 日，在上海高等法院第二法院受審。14 日，由上海警備司令部移解南京。

牛蘭夫婦被捕後，國民黨當局以為抓到了一個大人物。他的職務被說成為共產國際遠東局負責人，不僅指揮中共南方局，而且指揮中共長江局及北方局，就連印度、菲律賓、馬來亞、朝鮮、安南、日本等地的共產黨，也均在其管轄之下，每年活動經費有 50 億元之巨。上引蔣介石日記所稱 "蘇俄共產黨東方部長"，即指牛蘭。

為了營救牛蘭夫婦，中共保衛部門和蘇聯紅軍總參謀部上海站迅速共同制訂了計劃，由潘漢年和該站工作人員里哈爾德·左爾格共同負責。此後，宋慶齡即與他們密切配合，為營救牛蘭夫婦做了許多工作。

宋慶齡於 1931 年 7 月因母喪自德國回國，8 月 13 日到達上海。沒過幾天，即接到德國著名作家德萊塞、勞動婦女領袖蔡特金以及珂勒惠支教授等多人來電，要求她設法營救牛蘭夫婦。蔡特金在電報中說："因為您是偉大的孫逸仙理想的真實的承繼者，我希望你會熱心努力地救援泛太平洋產業同盟秘書局的工作人員。" 蔣介石日記表明，宋慶齡曾於當年 12 月到南京，面見蔣介石，提出以遣返蔣經國作為釋放牛蘭夫婦的交換條件。

蔣經國為毛氏所生，蔣緯國為戴季陶與日女重松金子所生。在這兩個孩子中，蔣緯國由於活潑天真，更多地贏得蔣介石的疼愛，但是，蔣經國是蔣介石的親骨肉，因此，蔣介石對他的希望最大，教育也抓得最緊。不妨摘錄蔣介石日記及其部分家信：

> 1920 年 2 月 7 日："下午，與枕琴先生定經兒課表。"
>
> 1920 年 3 月 4 日："下午，定經兒課表。"
>
> 1920 年 4 月 2 日："寫示經兒函。"
>
> 1920 年 8 月 30 日："經兒在江天輪次謁省，其言語舉止，頗為明亮著重，心甚愛焉。"

1920 年 11 月 30 日："下午，談起教育經兒事，母言陳腐，此兒恐為所害，言之心痛。"

1922 年 3 月 3 日："經兒已考入萬竹小學四年級，頗為喜慰。"當日，致函蔣經國，要他每日印寫楷書一二百字，並用心學習英文。

1922 年 9 月 13 日，寄函蔣經國，要他勤奮讀書、習字，熟讀《論語》、《孟子》等"四書"以及《左傳》、《莊子》、《離騷》等書。函稱："目今學問，以中文、英文、算學三者為最要，你只要能精通這三者，亦自易漸漸長進了。"

1923 年 2 月 24 日："經兒去滬就學。"

1923 年 8 月 10 日："復諭經兒。近日經兒學業頗有進步，可慰。"

1923 年 11 月 27 日："致經兒長幅書。"函稱："凡是所學的東西，總要能夠應用才好。如其單是牢記其方法成句，而不能應用，那學問也就枉然了。"

1924 年 5 月 1 日，寄函蔣經國，詢問其"曾看曾文正家訓否"。

1924 年 5 月 30 日，寄函蔣經國。函稱："曾文正公言辦事、讀書、寫字，皆要眼到、心到、口到、手到、耳到，此言做事時，眼、心、口、手、耳皆要齊來，專心一志，方能做好。"

1925 年 8 月 13 日："經兒今日與汪嬰姪等去滬，北上就學。"

1925 年 10 月 1 日："復諭經兒，准其赴俄留學。"

蔣經國於赴蘇後，進入莫斯科中山大學留學，時年 16 歲。次年，他曾寫信報告學習情況，蔣介石很高興，6 月 13 日日記云："接經兒稟，文理甚有進步，遞與靜江兄閱之。"1928 年，蔣經國進入列寧格勒[1]蘇聯紅軍軍政大學學習，1930 年畢業。1931 年，因與駐共產國際中共代表王明對立，被送至莫斯科郊外的石可夫農場勞動。次年，又被送到西伯利亞。至此，蔣經國離開中國已經五六年了。

儘管 1927 年"四一二"政變後，蔣經國曾痛罵蔣介石，宣佈與其斷絕父子關係，但是，蔣介石還是懷念這個兒子的。

1931 年 1 月 25 日日記云："余少年未聞君子大道，自修不力，卒至不

1　今稱聖彼得堡。

順於親，不慈於子，迄今悔已難追。"

同年 11 月 28 日日記云："邇來甚念經兒。中正不孝之罪，於此增重，心甚不安。"

又，12 月 3 日日記云："近日思母纂切，念兒亦甚。中正死後，實無顏以見雙親也。"

又，12 月 14 日日記云："晚間，以心甚悲傷，明日又是陰曆十一月初七先姙誕辰，夜夢昏沉，對母痛哭二次。醒後更念，不孝罪大。國亂身孤，痛楚而已。"

又，12 月 15 日日記云："余心劇度淒酸，以手造之國家，辛勞八年，死傷部下三十餘萬，猶親生扶長之子，欲使一旦放棄，不能相見。經國赴俄不歸，民國猶在孩提。今日又為先母六十八歲誕辰。嗚呼！於國於黨為不忠，於母為不孝，於子為不慈，自覺愧怍無地，未知以後如何為人以報答親恩與黨國也。"

又，12 月 27 日日記云："嘗思傳世在德行與勳業，而不在子孫。前代史傳中聖賢豪傑、忠臣烈士每多無後，而其精神事跡，卓絕千秋，余為先人而獨念及此，其志鄙甚。經國如未為俄寇所害，在余雖不能生見其面，迨余死後，終必有歸鄉之一日，如此，則余願早死，以安先人之魂魄。"

又，12 月 31 日日記云："心緒紛亂，自忖對國不能盡忠，對親不能盡孝，對子不能盡慈，枉在人世間，忝余所生，能不心傷乎！"

這一段，大概是蔣介石一生中最倒楣的時期之一。由於軟禁胡漢民，汪精衛、孫科等在廣州造反，另立國民政府；由於採取不抵抗政策，日寇輕易地佔領了東三省。因此，蔣介石不得不引咎辭職。正像他在日記中所述，心情極度悲涼。他不僅痛惜失去了民國的元首寶座，也想起了留俄不歸的兒子。古語云："夫不孝有三，無後為大。"蔣介石是儒學倫理的尊奉者，他擔心拒絕宋慶齡的建議，會導致蘇方加害於蔣經國，使自己陷於"無後"境地。不過，儘管如此，他還是堅決拒絕以蔣經國交換牛蘭夫婦，顯示了他堅決反共和性格中的倔強一面。

以蔣經國交換牛蘭夫婦，這一主意顯然來自莫斯科。牛蘭夫婦被捕後，莫斯科不僅動員了許多國際知名人士出面營救，而且願意以蔣經國交換，這一事實說明牛蘭夫婦在共產國際中有相當重要的地位。同時，這一條件通過宋慶齡提出，也顯示出宋和莫斯科方面的密切關係。

蔣介石雖然拒絕了宋慶齡交換的建議，但是，他還是希望蔣經國能夠回來，也相信能夠回來。1934 年 2 月 13 日日記云："今日者母亡家破，子散國危。若不奮勉，何以對先人？何以見後嗣，勉之！"同年 7 月 7 日，和宋美齡談到自己死後的家事，立下遺囑說："余死後經國與緯國兩兒皆須聽從其母美齡之教訓。凡認余為父者，只能認余愛妻美齡為母，不能有第二人為母也。"8 月 15 日日記云："近日病中，想念兩兒更切，甚望其能繼余之業也。"可見，蔣介石雖然作了蔣經國在蘇聯被殺的最壞思想準備，但並不相信蘇聯會這麼做。當時，在日本帝國主義者的威脅下，中蘇開始接近。蔣介石一面指令顏惠慶、顧維鈞、王寵惠等與蘇聯談判，企圖恢復邦交，一面通過外交途徑爭取讓蔣經國回歸。1934 年 9 月 2 日日記云："與顏、顧、王等談外交方針漸定，彼等或較諒解。經國回家事，亦正式交涉。此二事能得一結果，則努力之效漸見。"同月 9 日，蔣介石與宋美齡遊覽江西石鐘山，想起當年蘇軾攜帶兒子蘇邁同遊的情景，不禁感歎經國、緯國的不能隨遊。同年 12 月，蔣介石從蘇方得到消息，蔣經國不願回國，蔣介石一面感歎"俄寇之詐偽未已"，一面則自覺"泰然自若"。他在日記中寫道："當此家難，能以一笑置之，自以為有進步也。"1937 年 3 月，隨著中蘇關係的進一步緩解與和好，蔣經國終於攜妻兒返國。

蔣經國回來了，牛蘭夫婦卻仍然關在國民黨的監獄裏。

1932 年 7 月 1 日，南京國民政府以"危害民國"罪審訊牛蘭。7 月 2 日，牛蘭以絕食相抗。11 日，宋慶齡偕同牛蘭夫婦的辯護律師陳瑛意到江寧地方法院看守所探視牛蘭夫婦，勸他們進食。同日，與蔡元培、楊杏佛、斯諾等組織牛蘭夫婦上海營救委員會，宋慶齡任主席。其英文宣言稱："吾儕與歐美各國之著作家、醫學家、法學家、科學家、藝術家、教育家及政治家，凡關心牛蘭案者，共同聯絡，為人道正義及不可侵犯之政治自由權，而請求應准牛蘭夫婦之請求，將案移滬，或將其全部釋放。此種請求須立時應允。今日為牛蘭夫婦在南京絕食之第十日，世界最高思想所繫之二人之生命，國民政府視之如兒戲；牛蘭夫婦果因絕食而死，任何歉意，任何理解，皆不能滌此污點。吾儕欣然與世界營救總會合作，以達成功。"12 日，宋慶齡親自找汪精衛和南京國民政府司法部長羅文幹交涉。17 日，由宋慶齡、蔡元培具保，國民黨司法當局允許牛蘭夫婦到南京鼓樓醫院就醫，牛蘭夫婦同意停止絕食。8 月 19 日，江蘇高等法院判處牛蘭夫婦死刑，不久改判無期徒刑。1933 年 4 月 5 日，宋慶齡與楊杏佛、沈鈞儒等到江蘇第一監獄，探望牛蘭夫婦，詢問在獄中生活情形。12 月，牛蘭夫婦再次絕食，30 日，宋慶齡致電汪精衛、居正、羅文幹等，要求立即釋放牛蘭夫婦。次年 1 月 12 日，因堅持絕食的牛蘭夫婦已瀕臨死亡邊緣，宋慶齡再次致電汪精衛等，重申前項要求。電稱："君等若始終不欲牛蘭夫婦復食，不應允渠等之要求，則全世界革命輿論、自由主義輿論皆將指牛蘭夫婦之死為國民黨所預謀殺害，皆將指此種謀殺僅與希特勒式之野蠻殘酷差可比擬。"電發，沒有任何反應。同年 3 月，魯迅在《關於中國的兩三件事》一文中感歎說："牛蘭夫婦，作為赤化宣傳者而關在南京的監獄裏，也絕食了三四回了，可是什麼效力也沒有。"直到 1937 年 12 月，日本侵略軍佔領南京，牛蘭夫婦才得以乘亂越獄。可見，蔣介石始終沒有同意莫斯科方面通過宋慶齡提出的以蔣經國作為交換的條件。

蔣介石對中央蘇區的五次「圍剿」*

* 本文原載香港《獨家人物》2020 年第 4 期。

允許中共黨員以個人身份參加國民黨，這是孫中山的決策。孫中山用這種形式實現了和中共的聯合，擴大革命力量，中國革命出現了前所未有的大好形勢。1927 年 4 月 12 日，蔣介石在上海發動"清黨"，將已經加入國民黨的中共黨員清除出去，並於隨後在其統治所及範圍對中共實行血腥鎮壓。7 月 15 日，武漢汪精衛政府實行"分共"。據不完全統計，從 1927 年 3 月至 1928 年上半年，共產黨人和革命群眾被殺害的達 31 萬多人，其中共產黨人 2 萬 6 千多人。[1]

為了對抗蔣介石、汪精衛集團的鎮壓和屠殺，1927 年 8 月 1 日，周恩來、賀龍、葉挺、朱德、劉伯承等以國民黨左派的名義，在江西南昌發動起義，打響了反抗蔣介石統治的第一槍，開創了中共獨立領導武裝鬥爭和創建人民軍隊的新時期。同月 7 日，中共中央在漢口召開緊急會議，確立了土地革命和武裝反抗國民黨反動派的總方針。同年 9 月，毛澤東作為中共中央特派員被派到湖南，領導湘贛邊境的秋收起義，提出了"打土豪，分田地"的口號。同月 19 日，中共中央政治局決定，用蘇維埃取代國民黨的旗幟。10 月，起義軍到達井岡山，開始建立農村革命根據地。12 月 11 日，中共廣東省委書記張太雷等在廣州起義，建立廣州蘇維埃政府。1928 年 4 月，朱德、陳毅率領南昌起義保留下來的部隊到達井岡山，與毛澤東的秋收起義部隊會師。其後，土地革命和蘇

1　胡繩主編，中共中央黨史研究室著：《中國共產黨的七十年》，中共黨史出版社 1991 年版，第 88 頁。

維埃運動不斷發展。至 1930 年 3 月，全國紅軍已有 13 個軍，6 萬 2 千餘人。贛西南、閩西、湘鄂西、鄂豫皖、閩浙贛、湘鄂贛、廣西左右江、廣東東江和瓊崖、湘贛等革命根據地，紛紛建立。

一、第一次 "圍剿"

面對中共領導的土地革命和蘇維埃運動，蔣介石極端仇視。中原大戰甫一結束，蔣介石立即投入 "剿共"。1930 年 10 月 5 日，何應欽由漢口飛抵南昌，與江西省主席兼第九路總指揮魯滌平協商 "剿共" 辦法。10 月 11 日，江西吉安、景德鎮均為紅軍攻克，蔣介石立即致電參謀本部參謀總長朱培德，催令江西部隊肅清贛江，限期收復吉安及景德鎮。11 月 17 日，國民黨三屆四中全會決議："關於鏟共剿匪，中央應視為最要急務，黨政軍民各以全力切實協作，期於三個月至六個月內辦理完竣。"[1] 12 月 2 日，蔣介石致電魯滌平，要求各部猛進，於一個半月內將江西各縣收復，不得延誤。為了爭奪民眾，蔣介石於 4 日發佈《告誤入匪黨民眾書》。又於 12 月 7 日到達南昌，當晚即與何成濬、朱紹良、魯滌平等會商 "剿匪" 方針，同時接見師長張輝瓚、許克祥等人。此次 "圍剿"，蔣介石調集十萬多人，人多勢眾，而紅一方面軍則僅有 4 萬多人，兵力相差懸殊。蔣介石躊躇滿志，企圖一舉殲滅紅軍主力。魯滌平要求增加兵力，蔣介石認為，江西集中如許大軍已經夠用，不同意增兵。12 日，他致電魯滌平，要他閱讀曾國藩的《剿捻告示》等歷史資料，聲稱其 "堅壁清野、訪賢才、別良莠" 等措施 "實為今日剿共最好辦法"。他要求魯滌平轉發各師旅團營長 "仿效之"。[2]

由於兵力懸殊，蔣介石採取 "長驅直入，分進合擊" 戰術。10 月 30 日，中共總前委和江西省行委在羅坊開會，決定向根據地中部退卻，"誘敵深入"，尋找戰機，待敵疲憊後於運動戰中殲滅。果然，國民黨軍進入根據地後，戰線過長，兵力分散。12 月 29 日，陸軍第 18 師師長張輝瓚率領師部及兩個旅進

---

1 《事略稿本》第 9 冊，第 143 頁。

2 《事略稿本》第 9 冊，第 199 頁。

入吉安龍岡地區。毛澤東和朱德發佈命令，左路軍攻擊龍岡之敵，右路軍派部隊協助。當日，紅軍以優勢兵力預先在狹窄山路上設伏，張網以待。30 日大霧，毛澤東和朱德進入指揮所。下午，紅十二軍沿龍岡南側從敵背後發起猛烈攻擊，紅四軍和紅三軍團從龍岡北面高山上衝下來。激戰至晚，紅軍全殲國民黨軍近 9 千餘人，繳獲各種武器 9 千餘件，子彈一百萬餘發，張輝瓚被紅軍活捉。1931 年 1 月 28 日，在東固萬人公審大會上，被憤怒的群眾處決。同年春，毛澤東喜賦《漁家傲》詞，中云：“萬木霜天紅爛漫，天兵怒氣沖霄漢。霧滿龍岡千嶂暗，齊聲喚，前頭捉了張輝瓚。”

張輝瓚被活捉，魯滌平立即致電蔣介石，聲言將後撤，蔣介石不同意，要求各路部隊如常急進。他並且表示：“前方情形，中（正）不遙制，應由兄獨斷專行，負責挽救。”[1] 又於深夜致電朱紹良、蔣光鼐、陳銘樞等各將領，告以“應乘共匪得意出動之時，向其巢穴龍岡進剿，切勿因此撤退，以張匪氛。”[2] 1931年 1 月 6 日，朱紹良致電蔣介石，聲稱龍岡失利後，擔心被紅軍各個擊破，建議以有力部隊在中央地區“節節駐剿”，“由兩翼合圍”，蔣介石復電表示：“部署甚妥，希即照辦”。[3] 同日，蔣介石接獲魯滌平電報，察覺魯有“張惶失措”情形，蔣介石復電批評說：“兄欲回南昌鎮攝，是萬不可行，應駐吉安穩守。此等挫折，乃非意外，是為當然之事，疊接兄來電，皆張惶失措，何以落魄至此，如為共匪所知，豈勿為所輕笑乎？”[4] 他告訴魯滌平，已調第 52 師全部來贛，南昌不必顧慮。

儘管蔣介石毫無喪氣之態，但他的將領們已經領略了紅軍的厲害，不敢再戰了。龍岡之役後，紅軍乘勢追擊，不久，又在東韶取得勝利。逃到該地的國民黨軍另一主力譚道源的第 50 師被殲一半。餘敵不敢戀戰，紛紛逃竄。

龍岡和東韶的勝利宣告國民黨對中央蘇區第一次“圍剿”的失敗。

1　《事略稿本》第 9 冊，第 281 頁。
2　《事略稿本》第 9 冊，第 282 頁。
3　《事略稿本》第 9 冊，第 316 頁。
4　《事略稿本》第 9 冊，第 316 頁。

二、第二次"圍剿"

僅僅過了 3 個月，蔣介石又開始了對蘇區的第二次"圍剿"。

1931 年 2 月 4 日，何應欽抵達南昌，通電宣稱，奉命巡贛，代總司令處理湘鄂贛閩各省剿匪事宜。[1] 10 日，何應欽決定以孫連仲部為主力，第十九路軍蔡廷鍇、蔣光鼐兩師任興國方面，徐庭瑤、阮肇昌兩師任廣信七屬，第五路軍總指揮王金鈺全部任贛南九縣，公秉藩、羅霖兩師任吉安一帶清鄉。總兵力約 20 萬人。16 日，蔣介石電告何應欽，紅軍之第 36 軍已有數千人進入贛邊，已令廣東陳濟棠出兵，要求何立即電陳，催派一師軍隊由東江會剿。3 月 4 日，蔣介石要求何應欽指派第六路軍，向閩贛邊境"堵剿"。3 月 19 日，何應欽下達總攻擊令，將孫連仲、王金鈺派到永豐、樂安前線指揮。30 日，王金鈺向蔣介石獻策稱："赤匪利用山地險要，飄忽無常"，"為慎重嚴密起見，已飭各部以穩紮穩打為主，進攻不得過猛，與友軍切取聯絡，齊頭並進，每日以進展二十里為限。經過地方，使匪不能漏網。同時輔助地方組織民眾自衛團，並肅清後方，使匪不易再逞。"蔣介石復電稱："處置甚妥，無任欣慰。"[2] 4 月 1 日、3 日，何應欽兩次下達總攻擊令，限令各路於月內克服各縣，會師廣昌，於國民會議開會前，肅清朱、毛。"[3]

4 月 15 日，蔣介石認為，贛江兩岸及吉安、吉水的紅軍"散匪"已經完全肅清，第一期工作完成；第二期工作將是收復東固、廣昌、寧都、興國等處失地；第三期工作是辦理清鄉。蔣介石於是下令江西"剿共"部隊"全部總動員，自各方向匪區推進"。[4] 4 月 17 日，何應欽曾要求自江西回南京，蔣介石不同意，要何"在贛坐鎮，勿使人心動搖"。[5]

面對蔣介石的第二次"圍剿"，4 月 18 日，中共蘇區中央局召集擴大會議，討論應對方針和策略。毛澤東發言，分析敵我雙方狀況，指出第二次"圍剿"的敵軍雖多，但均非蔣介石嫡系，紅軍打破這次"圍剿"的條件比第一次好，

1　《事略稿本》第 10 冊，第 17 頁。
2　《事略稿本》第 10 冊，第 345—346 頁。
3　《事略稿本》第 10 冊，第 429 頁。
4　《事略稿本》第 10 冊，第 432—433 頁。
5　《事略稿本》第 10 冊，第 446 頁。

勝利的把握更大。會議採納毛澤東"先打弱敵"的意見，決定避開從未打過敗仗的蔣光鼐、蔡廷鍇的第 19 路軍，先打富田地區國民黨第 5 路軍王金鈺和公秉藩的兩個師。4 月中下旬，毛、朱二人連續發佈命令，要求紅軍向蘇區中部集中，隱蔽集結，誘敵就我，迫敵而居，待適當、有利的機會殲敵。5 月 16 日，毛、朱二人指揮紅軍，從側面突襲國民黨軍，殲滅公秉藩師大部和王金鈺直屬師一部，俘敵 4,100 餘人，繳槍 5,000 餘支，機槍 50 餘挺，迫擊炮 20 餘門，特別重要的是俘獲公秉藩師無線電隊全部人員，繳獲電台及全部器材，為後來中央蘇區同中共中央建立電訊創造了條件。至 5 月 31 日，紅一方面軍在 15 天之內，從贛江流域的富田地區，打到福建省的建寧地區，橫掃 700 里，連打 5 個勝仗，共殲滅國民黨軍 3 萬餘人，繳槍 2 萬餘支。這就打破了蔣介石對中央蘇區的第二次"圍剿"。[1] 不久，毛澤東又喜賦《漁家傲》，中云："七百里驅十五日，贛水蒼茫閩山碧，橫掃千軍如卷席。有人泣，為營步步嗟何及！"

三、第三次"圍剿"

有了前兩次失敗的經驗，蔣介石決定第三次親自出馬。1931 年 6 月 21 日，蔣介石離開南京，親赴南昌，組織對中央蘇區的第三次"圍剿"。其方針為"厚集兵力，分路圍剿"。何應欽任前敵總指揮兼左翼集團軍總司令，陳銘樞任右翼集團軍總司令，衛立煌為預備軍總指揮。總兵力 30 萬人。22 日，蔣介石到南昌，當即召集高級將領開會，確定作戰計劃。24 日，國民黨中央宣傳部發表《為剿滅赤匪告同志書》，聲稱"誓在短時期內根本剷除湘贛赤禍"。26 日，蔣介石在南昌成立"陸海空軍總司令行營黨政委員會"，蔣自兼委員長，發表告民眾、告將士、告官吏、告黨部等四個文件，作為輿論動員。30 日，宣佈如攻剿不力，或違令，均按"連坐法"治罪；先於上級軍官退卻者殺無赦。7 月 1 日，蔣介石發出"圍剿"令。15 日，蔣介石下令，凡活捉朱德、毛澤東、彭德懷、黃公略等來降者，各賞銀 5 萬元，割取首級來降者，各賞銀 2 萬元。

---

1 《毛澤東年譜（1893—1949）》上卷，中共中央文獻出版社，第 339—334 頁。

面對來勢洶洶的國民黨軍，中共臨時總前委決定，仍然採取誘敵深入方針，命令紅軍向贛南後部退卻集中，轉移到雩都縣北部的山溝裏隱蔽，同時以部分兵力配合地方武裝、赤衛軍等襲擾敵人，遲滯敵人前進。7 月 28 日，紅一方面軍主力到達興國縣西部，何應欽集中九個師的兵力向興國方向急進，企圖將紅一方面軍主力壓迫至贛江東岸消滅。毛澤東認為，敵軍已經被拖了近一個月，銳氣已減，決定"避其主力，打其虛弱"，進攻蓮塘、良村兩處之敵。結果，殲敵兩個多旅，俘敵 3,500 餘人，繳槍 3,100 多支。8 月 11 日，毛澤東和朱德在黃陂地區殲敵第 8 師的 4 個團，俘敵 4,000 餘人，繳槍 3,000 餘支。9 月初，毛、朱二人率領紅軍西移，到山區休整，而國民黨軍則在中央革命根據地東奔西突，疲累不堪。9 月 7 日，毛、朱二人指揮紅軍，進攻自興國縣境北撤之敵，激戰兩天，斃傷敵軍 2 千餘人。9 月 15 日，毛、朱二人指揮紅軍全殲滅國民黨軍一個多團。總計，從 8 月開始的第三次反"圍剿"，紅軍六戰五捷，共殲敵 17 個團，3 萬餘人，繳槍 1 萬 5 千餘支，贛南、閩西兩塊根據地連成一片，包括 21 個縣，250 萬人口，進入全盛時期。[1]

就在紅軍一個勝利接著一個勝利之際，九一八事變爆發。9 月 21 日下午，蔣介石自南昌返回南京。當即召集幹部會議，議決將日本佔領我國東三省之事，提交國際聯盟非戰公約國，以求"公理之戰勝"，同時團結國內，共赴國難。關於軍事方面，會議決議"抽調部隊，北上助防，並將攻粵部隊、剿共計劃，悉予停緩"。[2] 攻粵部隊，指當時抵禦胡漢民系廣州國民政府的部隊；"剿共計劃"，則指進攻江西蘇區的計劃。

四、第四次"圍剿"

1932 年 5 月，蔣介石自任鄂豫皖三省"剿匪"總司令，調集大量軍隊向革命根據地發動第四次"圍剿"。其計劃分兩步，先攻以中央分局書記張國燾為首的鄂豫皖根據地，再攻以紅三軍政委夏曦為首的湘鄂西根據地，計劃得手之

1　《毛澤東年譜（1893—1949）》上卷，第 348—354 頁。
2　梁敬錞：《九一八事變史述》，台北世界書局 1955 年第 5 版，第 115—116 頁。

後，再全力進攻中央革命根據地。蔣介石非常重視此事。日記云："根本清剿，掃除赤氛，以整理善後，贛省已令何應欽負責矣，而豫鄂皖三省，非余躬自親理不可。"[1] 5 月 24 日，蔣介石確定《方略要旨》："以政治與軍事並行策進。一面由各省極力革除政治上陽奉陰違、苟且偷安之積弊，變換社會膽怯畏匪之心理，造成嚴正清明、知恥尚勇之風氣，作政治上標本兼治之計；一面用相當兵力分左中右三路，堵剿、進剿、清剿、追剿之次序，按期奮進，自立於主動地位，不受匪之牽制。"蔣介石要求，"以飛機遍散傳單，勸導被壓迫之民眾來歸，脅從罔治"，同時要求"告誡匪共反共投誠"。[2] 至 7 月 14 日，蔣介石為進攻鄂豫皖根據地，共調動 26 個師另 5 個旅。當地的中共主力為紅四方面軍，共約 4 萬 5 千人。

在創建鄂豫皖根據地的過程中，紅四方面軍取得過很大成績，但張國燾熱昏頭腦，認為"國民黨無論動員多少部隊，都不堪紅軍的一擊"[3]，他堅決執行當時臨時中央關於攻打中心城市的"左"傾冒險主義方針，企圖威逼武漢，這樣就使得紅四方面軍處於被動地位。其後，張國燾堅持"不停頓進攻"，要求紅軍進攻麻城，使紅軍受到很大損失。國民黨軍會攻鄂豫皖根據地的中心新集，三面包圍，紅軍不得不退出新集，向中共中央告急。蘇區中央局指示張國燾改變方針，不"固守一地"，但張國燾卻又驚慌失措，聲稱紅軍已經"沒有打第二仗的力氣"[4]，放棄鄂豫皖蘇區。1932 年底到達川北，開闢川陝邊新根據地。

蔣介石進攻湘鄂西根據地的兵力約有 10 餘萬，中共湘鄂西分局書記始則輕敵，繼而消極防禦。1932 年 10 月，紅三軍主力退出根據地，轉移到湘鄂川邊地區。

1932 年底，國民黨調集三十多個師的兵力，分三路向中央蘇區發動第四次"圍剿"。陳誠指揮 12 個師，約 16 萬人為中路軍，擔任主攻。紅一方面軍有兵力約 7 萬人。蘇區中央局連電要求，紅一方面軍主動出擊，進攻南豐、南城，

1　《事略稿本》第 14 冊，第 480 頁。
2　《事略稿本》第 14 冊，第 481—482 頁。
3　《中央致鄂豫皖蘇區黨省委信》，1933 年 3 月 15 日，轉引自中共中央黨史研究室著：《中國共產黨歷史》上卷，人民出版社 1991 年版，第 345 頁。
4　鄂豫皖省委：《關於反四次圍剿及堅持鬥爭給中央的報告》，轉引自《中國共產黨歷史》上卷，第 346 頁。

紅一方面軍領導人不同意。1933 年 2 月 4 日，中央局再電紅一方面軍，要求立即猛攻南豐。13 日，周恩來、朱德一面佯攻，一面毅然退卻，將主力秘密轉移。在敵軍進入伏擊圈時，集中優勢兵力，勇敢進攻。2 月底，3 月初，紅軍在黃陂地區幾乎全殲國民黨第 52 師和第 59 師。3 月 21 日，紅軍又在草台崗殲敵近一個師。至此，紅軍俘敵萬餘，繳槍萬餘，國民黨軍對中央蘇區的第四次圍剿才基本被打破。

五、第五次 "圍剿"

1933 年 9 月，蔣介石自任總司令。在德國、意大利、美國等國顧問的參與下，調集 100 萬兵力對蘇區進行第五次 "圍剿"，以其中之半圍攻中央革命根據地。此次 "圍剿"，蔣介石提出："三分軍事，七分政治"。經濟上，嚴密封鎖；軍事上，採用堡壘主義新戰術，實行持久戰。同月 28 日，國民黨軍佔領黎川。10 月初，共產國際軍事顧問李德自上海到達瑞金，立即提出 "中國兩條道路的決戰"，"不放棄根據地一寸土地"，"禦敵於國門之外" 等口號。他與中共臨時中央的主要負責人博古結合，掌握軍事指揮權。初期，二人實行進攻中的冒險主義，命令紅軍進攻已經築牢堅固陣地的敵人，這自然連連失敗。此後又實行防禦中的保守主義，主張分兵防禦，"短促突擊"，要求紅軍也像國民黨軍一樣，修築堡壘，以堡壘對堡壘。當敵軍走出堡壘前進時，在短時期內對敵人進行突擊。這就用己之短，棄己所長，用陣地戰代替了紅軍擅長的游擊戰和運動戰。結果，紅軍連續作戰，輾轉於敵軍的主力與碉堡之間，疲憊不堪。

11 月，蔡廷鍇、蔣光鼐、陳銘樞等 19 路軍將領在福建宣佈抗日反蔣，成立中華共和國人民革命政府，以李濟深為主席，派代表和紅軍談判合作，草簽初步協定。博古將蔡廷鍇等視為 "最危險的敵人"，拒絕合作。1934 年 1 月，成立僅僅 53 天的福建人民政府失敗。同月中旬，中共中央在江西瑞金召開六屆五中全會。這次會議繼續堅持 "左" 傾錯誤，聲稱第五次反 "圍剿" 是中國 "蘇維埃道路與殖民地道路之間誰戰勝誰的問題"，"是爭取蘇維埃中國完全勝利的鬥爭"。4 月中旬，國民黨軍集中兵力，進攻廣昌，"左" 傾領導者調集紅軍主力與敵"決戰"，廣昌失守。國民黨軍隨後發動新的進攻，"左"傾領導者分兵六路防禦。

同年 7 月，中共中央和中央軍委決定將紅七軍團改編為抗日先遣隊，於 7 日北上抗日。8 月 7 日，紅六軍團在湘贛省委書記任弼時等人領導下，從湘贛根據地突圍西征。10 月初，中央根據地的興國、寧都、石城一線陸續失陷，粉碎蔣介石第五次"圍剿"已經完全沒有可能。博古等未經中央政治局討論，決定中央紅軍主力撤離中央革命根據地，轉移到湘西，與紅二、紅六軍團會合。10 日晚，中共中央和紅軍總部率領紅軍主力及後方機關，共 8 萬 6 千餘人，從瑞金出發，實行戰略大轉移，開始長征。

中國社會長期處於農業社會，土地是農民最主要和最基本的生產資料，但是，中國土地的大部分長期掌握在地主手中，廣大農民處於無地或少地狀態，只能忍受剝削，向地主租地耕種，過著缺衣少食、饑寒交迫的生活，因此，廣大農民最基本、也是最迫切的要求便是取得土地。中國共產黨在和國民黨分裂之後，轉入農村，提出"土地革命"，實行"打土豪，分田地"，這正代表了廣大貧苦農民的利益，反映了廣大貧苦農民的願望，因此，必然受到他們的擁護和支持。當時，全國各地以"土地革命"為核心的蘇維埃運動風起雲湧，連綿不斷，此起彼伏，是必然的，中國共產黨及其紅軍的興起、發展和壯大也是必然的。

實行土地革命有兩條道路、兩種辦法。一種是蘇俄式的土改。1924 年 8 月 21 日，孫中山在廣州農民運動講習所第一屆畢業典禮上說："俄國改良農業政治之後，便推翻一般大地主，把全國的田土分到一般農民，讓耕者有其田。"孫中山認為，"這是一種最公平的辦法"，是"徹底的革命"。[1] 中共在土地革命中提出的"打土豪，分田地"，就是這種"蘇俄式的土改"。由於它以"打"字當頭，可以稱為"鬥爭土改"。這種土改，易於打擊地主階級的反抗，徹底摧毀整個地主階級的基礎和社會網絡，更易於動員和激發廣大貧苦農民的階級覺悟和革命熱情，投入中國共產黨所領導的革命鬥爭。中共成立以來，之所以能

1　《在農民運動講習所第一屆畢業禮的演說》，《孫中山選集》，人民出版社 1981 年版，第 937 頁。

生生不斷，愈戰愈強，並最後戰勝國民黨，取得全國勝利，其重要原因之一在此。胡繩在其主編的《中國共產黨的七十年》一書中說："工農紅軍在極端艱苦的環境中，能夠一次又一次地粉碎數倍於自己的國民黨軍隊的'圍剿'，根本原因在於根據地廣大貧苦農民在土地革命中分了土地，踴躍參軍，從多方面支持革命戰爭。沒有廣大貧苦農民的全力支持，戰爭的勝利是不可能的。"[1] 這一段分析很正確，很精闢。

國民黨人也曾設想過另外一種土改辦法。這就是孫中山 1924 年在同一演說中所提出的"讓農民可以得利益，讓地主不受損失"的"和平解決"方案。[2] 蔣介石接受這一方案。1932 年 5 月 19 日，當他正在"圍剿"中央蘇區紅軍的時候，就對政治工作人員說："土地問題是中國革命的根本問題。""中國國民黨三民主義的革命最要緊的政綱與目的，就是下面的兩句話，即是'平均地權'，'節制資本'。"又說："總理在《三民主義》上規定，以民生主義為中心，民生主義又是以土地為中心。""如果革命真正要成功的話，我們就是要平均地權的實行，就是土地革命，中國所有一切問題通統統集中在土地問題上"。還說："必須全國土地解決，中國革命才能算是最後完成。如果這個問題沒有解決，中國革命就不能說到完成。"請注意，蔣介石這裏不僅說到"以土地為中心"，而且還說到"土地革命"呢！不過，也就只是"說說"而已。蔣介石檢討說："五六年來，我們做到了什麼事情呢？平均地權的工作還未開始，甚至談都沒有談，到這樣下去，革命當然要失敗。"孫中山所說的"平均地權"，主要指的是他的"自報地價、值百抽一、漲價歸公、照價收買"的一整套徵收"地價稅"的理論和辦法。[3] 這一套理論和辦法，源自美國人亨利喬治的"單一稅"說，目的在於防止地主利用土地增值成為暴富，而使之惠及全民，它和中共滿足農民土地要求的"土地改革"並不是一件事，而且，按蔣介石的說法，"還未開始"，"談都沒有談"。蔣介石又檢討說："長此下去，就是這一次不完全失敗，將來也難

1　《中國共產黨的七十年》，第 128 頁。
2　《在農民運動講習所第一屆畢業禮的演說》，《孫中山選集》，人民出版社 1981 年版，第 939 頁。
3　參閱拙作《孫中山與中國革命的前途——兼論清末民初對孫中山民生主義的批評》，《楊天石文集》，上海辭書出版社 2005 年版。

免於失敗。"[1] 蔣介石這句話倒是講對了，由於蔣介石和國民黨在大陸期間，始終沒有進行過土改，所以最後被中共趕到台灣去了。

關於蔣介石和國民黨在大陸始終未實行土改的原因和情況，本書另有專文《論國民黨的社會改良主義》，將對此進行敘述和分析。

1　《事略稿本》第 14 冊，第 430—434 頁。

綏遠抗戰與蔣介石對日政策的轉變 *

* 本文錄自《找尋真實的蔣介石：還原 13 個歷史真相》，九州出版社 2014 年版；原載《晉陽學刊》2012 年第 4 期。

1936 年的綏遠抗戰，多年來一直被不少人視為傅作義的個人行為，與國民政府，也與蔣介石無關。當年 12 月 12 日，張學良發動西安事變，其 19 人連署的《時局通電》即稱：

> 　　綏東抗戰，群情鼎沸，士氣激昂。丁此時機，我中樞領袖應如何激勵軍民，發動抗戰，乃前方之守土將士浴血殺敵，後方之外交當局仍力謀妥協。[1]

結論是：蔣介石"誤國咎深"。同日，張學良致孔祥熙電云："綏東戰起，舉國振奮，乃介公蒞臨西北，對於抗日，隻字不提。"[2] 這些地方，張學良都在含蓄地說明，蔣介石對綏遠抗戰態度消極，繼續實行對日妥協政策。1985 年，薄一波在為《傅作義生平》一書作序時更進一步聲稱：

> 　　1935 年開始，日軍嗾使滿蒙偽軍進犯綏遠。傅先生在中國共產黨團結抗日的號召下，在全國人民要求抵抗侵略的鼓舞下，不顧蔣介石的"不抵

1　周毅等編：《張學良文集》（下），香港同澤出版社 1996 年版，第 442 頁。
2　《張學良文集》（下），第 443 頁。

抗"和"先安內後攘外"的反動主張,於 1936 年毅然進行了"綏遠抗戰"。[1]

薄一波的這一段話,比張學良說得更顯豁,意在說明,傅作義發動綏遠抗戰,其動力來源於中共"團結抗日的號召"和全國人民抵抗侵略的要求,是"不顧"蔣介石"反動主張"的結果。

關於綏遠抗戰的真相,近年來,台灣學者劉維開、大陸學者楊奎松均有很好的揭示。[2] 我本人也曾指出,綏遠抗戰,"實由蔣介石、陳誠等所部署。"[3] 限於當時有其他寫作計劃,未能暢論,現撰此文,以補前憾。

一、日本關東軍扶植傀儡軍侵擾綏遠,
企圖拉攏傅作義成為新傀儡

日本在製造"滿洲國"之後,又進一步推行"分離中國大陸"的蠶食政策,企圖侵略中國的華北和西北。在華北,日本侵略者從推行"華北自治"發展為推行"華北分治"。早在 1933 年 10 月,日本承德特務機關長松室孝良即提出《關於蒙古國建設之意見》,主張三年內在長城以北的西部內蒙古建立"蒙古國",以利於未來對蘇作戰。[4] 1936 年 7 月底,日本陸軍省、海軍省、外務省共同確定《帝國外交方針》,規定"首先使華北成為防共、親日滿的特殊地區",以便取得國防資源,擴充交通設備,使整個中國反對蘇聯,依靠日本。[5] 8 月 11 日,在《第二次處理華北綱要》中規定,要"援助完成以華北民眾為主的分治政治",意即加緊培育、支持華北地區的親日地方分裂勢力。[6] 在此前後,"綏遠

1 《傅作義生平》,中國文史出版社 1985 年版,第 2 頁。按,毛澤東曾於 1936 年 8 月 14 日致函傅作義,表示中共近年來不斷呼籲,不分黨派,一致聯合抗日,願與傅部互派代表。(見《毛澤東書信選集》,人民出版社 1983 年版,第 43 頁)11 月 12 日,北平某教授陪同中共代表,攜函到綏遠見傅,提出紅軍入綏抗日,歸傅指揮等意見。傅未見,託人回答說:"綏遠完全服從上級命令,只知秉上命辦理,此外概不知有其他。"事後,傅作義立即致電閻錫山彙報,見《綏遠傅主席涵密願申辯電》,《閻錫山要電錄存》,台北"國史館"藏,1936 年 11 月 12 日。
2 劉維開:《國難期間應變圖存問題之研究》,台北"國史館" 1995 年版,第 467—497 頁;楊奎松:《民國人物過眼錄》,廣東人民出版社 2009 年版,第 145—168 頁。
3 楊天石:《揭開民國史的真相》卷 4,台北風云時代出版公司 2009 年版,第 414 頁。
4 〔日〕《現代史資料》卷 8,第 449—464 頁。
5 〔日〕《現代史資料》卷 8,第 368—369 頁。
6 〔日〕《現代史資料》卷 8,第 388—369 頁。

工作"即成為關東軍參謀部的重要謀略。內蒙特務機關長田中隆吉為此起草了《綏遠工作實施要領》。9月底,關東軍司令官正式批准了這一《要領》。該文件規定,由日本特務部隊組成"謀略部隊"進犯綏遠,偽蒙軍隨後發動進攻,一舉佔領綏遠。[1]

當時,在綏遠地區的親日地方分裂勢力的主要代表是德王。德王(1902—1966),全名德墨楚克棟魯普,察哈爾正白旗人。父親是內蒙古錫林郭勒盟盟長,兼蘇尼特右翼旗札薩克郡王。他於6歲時繼承王位,曾任察哈爾省政府委員。1931年冬,日本關東軍林銑十郎、松井石根等致函德王,介紹日本特務世目到德王處擔任聯絡員,得到德王掩護,冒充喇嘛,長期埋伏。1932年,德王打出"團結蒙古各階層,復興民族"的旗號,在北平聯絡各盟旗王公,要求"內蒙高度自治"。1934年4月,"蒙古地方自治政務委員會"(簡稱蒙政會)在百靈廟成立,德王任秘書長,掌握實權。同年夏,日特盛島角芳到百靈廟,代表關東軍向德王贈送步槍2千支。不久,又贈送飛機1架。次年9月,德王向來訪的關東軍副參謀長板垣征四郎等提出,建立"蒙古國",要求日本幫助。11月,德王到長春,與關東軍司令官南次郎、參謀長西尾壽造等會談,策劃"日蒙合作"。德王提出,希望日本幫助,先在內蒙搞出一個獨立局面,繼而實現蒙古統一建國。板垣答應,先在內蒙西部搞"獨立",然後再建立"蒙古國"。德王返旗後,即在日本特務機關的幫助下,於1936年2月成立偽"蒙古軍總司令部"。當年4月24日,在錫盟烏珠穆沁右旗索王府召開"蒙古建國會議",企圖在未來建立以內外蒙古和青海為一體的"蒙古國"(大元國)。5月12日,在化德(嘉卜寺)成立"蒙古軍政府",德王自任總裁。

綏遠地區親日地方分裂主義勢力的另一代表人物是李守信(1892—1970),蒙族,出生於內蒙古卓索圖盟土默特右旗。原為"拉杆子"的土匪。1933年,被關東軍任命為"熱河游擊師司令",同年李部被改編為察東警備軍,李仍任司令。1935年12月,李守信的偽軍在日本飛機的掩護下,迅速佔領察哈爾東部的張北、寶昌、康保、尚義、沽源、商都、化德、崇禮等8縣,同時

1　日本防衛廳防衛研修所戰史室:《戰史叢書·中國事變陸軍作戰》(1),朝雲新聞社1966—1980年版,第112頁。

完全控制察哈爾東部的正藍、廂白、正白、廂黃、商都等 8 旗，並在張北建立偽軍司令部和日本特務機關。1938 年元旦前夕，進駐張北縣城，完全控制察北。1936 年 2 月，德王建立偽"蒙軍總司令部"時，李守信被推為副總司令，兼軍務部長。在其後的"蒙古建國會議"上，李是五人主席團成員之一。偽"蒙古軍政府"成立時，李任軍政府參謀部長，兼總裁幫辦。他積極招兵買馬，擴充軍隊，編為兩個軍，號稱"蒙古軍"。李兼任第一軍軍長。所需軍費、武器多由日本關東軍提供。上至軍部，下至連隊，多配備日本顧問或指導官、教官，稱為"監軍團"。

除支持德王等地方分裂主義勢力，培植、豢養傀儡軍隊外，日本軍方也企圖拉攏當時的中國綏遠省省長、閻錫山晉綏軍的重要將領傅作義，使之成為親日派。

傅作義出生於山西榮河。1918 年自保定軍校畢業後，即回到山西，參加閻錫山的晉軍。歷任師長、軍長，與閻錫山關係深厚，是閻系晉綏軍的能攻善守的大將。1936 年春，日本歸綏特務機關長羽山喜郎會見傅作義，勸傅脫離閻錫山獨立。同年 7 月，羽山再次會見傅的代表，聲稱綏遠處於"滿洲國"和中國共產黨的雙重威脅下，"事態緊急，綏兵力如此單薄"，"請問中央幫助為何，山西幫助又為何，恐傅個人結果，徒供犧牲利用而已"。羽山稱：

> 我之意見，並不要傅簽訂任何協定，亦不必有所表現，只要傅自主，不受山西支配，自編軍隊，自管財政，我可以死保證，日本協助械款，徹底攜手。否則我們免不了藉解決外蒙力量先拿來對付綏遠，到那時不但地位完全犧牲，且以此少數軍隊不值一打，結果與湯玉麟相等，連國內虛名，亦未必得到，豈不貽笑大方！此係最後忠告，希望特加考量。[1]

羽山保證，此事將嚴守秘密，只有關東軍司令官、參謀長、羽山及傅作義知道。傅作義派人回答說："綏省防共、睦日，係遵照閻主任意旨，在此兩原則下，永久努力為東亞和平及兩國國家前途著想，談不到個人之得失利害。羽山

---

1 《傅作義致閻錫山》，《綏遠抗戰案》，《閻錫山要電錄存》，台北"國史館"藏，1936 年 7 月 18 日。以下凡未注明出處者，均同。

專為個人打算，似不知如為兩國家整個設計，尤為切要。"

一計不成，再生一計。8月6日，日本特務盛島角芳利誘大喇嘛曼頭伊喜登等人，進攻西公旗石王王府，企圖佔領當地，儲械匿兵，修築飛機場，以備在綏西發動擾亂。19日，日本駐德王府特務長田中隆吉會見傅作義，聲稱在西公旗事件中，有日人五名被監禁，關東軍翻譯被槍殺，並有污毀日本國旗，攜去許多財物等事。田中表示，關東軍方面"認為問題嚴重，如不適當解決，恐將引起戰爭"。次日，田中再來，要求將大青山以北，歸綏縣治以外的草地劃歸蒙人治理，如不允，即爆發戰爭。[1] 25日晨，羽山喜郎會見傅作義，提出五項要求：1. 向板垣面述歉意。2. 保證以後不再有此類事。3. 撫恤李姓被戕翻譯。4. 放還所扣汽車。5. 約定雙方對此事均不發表。傅作義表示：如關東軍正式向我提出，我不但加以拒絕，並要提出反質問，為何蒙旗事件會有貴國人參加。他要求此後日方保證，蒙古土匪事件，日人不再參加。當日下午，板垣征四郎來見傅作義，向傅表示，某旗事，不無誤會，余甚抱歉之後，板垣說了一通"道理"，聲稱"中日兩國必須親善"，但"日本維持本身國防，不能不使內蒙古及華北五省作到親善安全地步，才能放心"。傅作義答稱："中日親善，為兩國家應共同勉力問題，但余之主張，必須兩個國家互相去作，方能發生力量，否如一部分來作，不但不能發生力量，且勢必會引起種種糾紛，於事無益。"[2] 據後人回憶，此次會談中，板垣曾要求傅作義出面領導"華北獨立"，被傅嚴詞拒絕。[3]

10月中旬，田中隆吉轉託留日學生、前東北軍師長郭殿屏會晤傅作義，說明日軍用兵在即，再次動員傅與日本合作。郭稱：

> 日本國策，對綏遠、內蒙，必須取得絕對自由，北以防俄，南以切斷中蘇聯絡。惟綏省對此種種作梗，日為貫徹國策計，不惜以正式國軍佔領綏遠，但傅之環境困難，日人素所同情。在日本用兵前，傅如毅然與日合作，日可補助大批款項軍械，一掃陰霾疑忌之空氣。

---

1 《傅作義致閻錫山》，1936年8月21日。
2 《閻錫山致蔣介石》，1936年8月28日。
3 《傅作義生平大事紀要》，《傅作義生平》，中國文史出版社1990年版，第449頁；參見祝福：《中國人民抗日的先聲》，《傅作義生平》，第183頁。

再者日人扶植德王，原為其有所成就。惟德才能不夠，年來已彌有感覺。傅如肯合作，則內蒙及西北均可由傅掌握，且不致釀成戰爭。惟時機迫不及待，此時傅之決心如何，實關係綏遠之存亡，切盼注意。[1]

與此同時，關東軍也直接派西崎會晤傅作義，所言與郭殿屏大體相同。西崎稱："日本取綏，決不用蒙、滿軍隊。綏省工事，只相當於歐戰末期，恐不足當日利器之一擊。"傅作義答稱："綏省立場，向遵中央意旨，睦日、防共，始終一貫。余所希望，為兩國國交進步，共負東亞和平，談不到個人，而個人尤無款械之需要。綏方此時不排日，更不願惹事，但對侵害，則決自衛。"[2]

關東軍一再拉攏、策反傅作義，傅作義報之以各種軟釘子和硬釘子。在此狀況下，關東軍決定利用德王及李守信等傀儡軍隊。

11月5日，德王致函傅作義，聲稱自蒙政會成立以來，"錫、察兩盟及白靈廟一帶之無辜蒙民，具感生活之重大壓迫，似此情形，是貴省必欲將全體蒙古置之死地而後快也。總之，蒙古愈退讓，貴省愈壓迫。現在蒙古已退無可退，群欲訴諸武力，以爭最後之生存。"他要求綏遠省改正"以前種種壓迫蒙古之錯誤"，"如期實行，否則，蒙古雖弱，亦不能不作最後之掙扎，設由此而演成任何事變，其責任皆當由貴省負之也。"[3]11月8日，傅作義復電德王，批評其"於各案之是非尚未明了"，詢問其"是否以國家為前提"。電報以極為謙和的口氣聲稱："蓋今日邊土安危，責在執事而不在義，執事如翻然擺脫現狀，不作傀儡，翻然有所表現，則往日之罪，義當負之，願即負荊兄前，並立辭職，以謝國人，否則不但四萬萬胞眾對兄懷疑，即執事左右，亦難保不作愛國之事。刻所馨祝者，寧義謝罪以保執事令名，勿義免過而使執事有負於國。時迫事急，執事熟思而利圖之。國家幸甚，邊防幸甚。"[4]傅作義的復電承擔此前蒙漢矛盾的責任，口氣極為謙和，但是，德王的回電卻蠻橫粗暴，指責傅電"仍不改正其欺侮蒙古之態度"，聲稱"和平絕望"，"當令適在此間之各蒙旗長官及代表，妥籌蒙古所以自處之道，則謂綏遠省既始終妨害蒙古之生存發展，

1　《閻錫山致蔣介石》，1936年10月18日發。
2　《閻錫山致蔣介石》，1936年10月18日發。
3　轉引自《傅作義致閻錫山》，1936年11月16日到。
4　轉引自《傅作義致閻錫山》，1936年11月8日到。

蒙古只有以全力打倒該省之一途"。電報表示："鄙人等身為蒙人，義不容辭，用特簡率蒙古健兒，即日動員義師"，"只求剷除久為蒙患之貴省"，"倘有頑強抵抗者，則必根本撲滅之"。[1]

11 月 14 日，在日本德化特務機關長田中隆吉率領下，王英部 2 千餘人向綏東戰略要地紅格爾圖推進，企圖進一步奪取興和、陶林等地。王英部號稱"大漢義軍"，是關東軍長期培植的"謀略部隊"，以"剷除"蔣介石為首的"惡勢力"，"融中日於一爐，化兩國為一國"相標榜。[2] 15 日，王英部在飛機掩護、山炮配合下猛攻紅格爾圖。綏遠戰爭由此爆發。

二、安內與攘外並進，蔣介石一面處理兩廣事變，一面指示閻錫山進擊日本傀儡軍

九一八事變以後，兩廣地方實力派長期保持對南京國民政府的半獨立狀態。1936 年 6 月 1 日，廣東陳濟棠與廣西李宗仁、白崇禧結合，以抗日為名，成立軍事委員會和抗日救國軍，進軍湖南，反抗以蔣介石為首的南京國民政府，史稱兩廣事變，或六一事變。同月中旬，蔣介石調集大軍，準備以武力打擊陳濟棠的粵系和李、白二人的新桂系，統一兩廣。7 月，陳濟棠因所部陸軍、空軍先後投順南京，心灰意懶，於 18 日離穗赴港，淡出政壇，李、白二人則擴軍備戰，堅持反蔣。7 月底，蔣介石得到情報，日本軍方於 29 日在天津開會，決定於 8 月 8 日在中國南北同時動員。南方，以桂軍進攻廣州；北方，以察北偽軍進攻綏遠。這一情報使蔣介石提高警覺。他一面調集兵力，準備進攻廣西，一面則加強對華北日軍的戒備，指示閻錫山出擊偽軍。

綏遠兵力薄弱。7 月 31 日，蔣介石致電閻錫山，指出日本的對華傳統戰略、政略"為蠶食，為局部"，"其最近目的在綏而不在晉"，督促閻錫山從速向綏遠增兵五師。電稱："否則至下月中旬，綏遠必非我有，山西亦將不保

1 轉引自《傅作義致閻錫山》，1936 年 11 月 18 日到。
2 《王英對官兵訓話》，《傅作義致閻錫山》，1936 年 10 月 1 日到。

矣。"[1] 8月1日，蔣介石在日記中提醒自己："倭寇擾亂綏遠"[2]。8月3日、4日、5日，他三次致電閻錫山，督促其"增援綏遠"。4日，又致電傅作義，告以德王及李守信等部活動情況及侵綏計劃，要傅"察核防範"。[3] 此後，蔣介石不斷致電閻錫山，要他"火速增援"。6日，蔣介石再次電閻，強調援綏對於保衛華北的重要性，再次提出增兵五師要求，電稱："對綏增兵，實不可猶豫，華北得失與存亡，全在此舉。務懇增兵五師兵力於綏遠前方，以挽危局。"[4] 8月9日，則進一步催促閻錫山"向綏東出擊"。他在第二天的電報中解釋說：

> 弟意欲使匪偽不敢再來擾亂綏遠，則我軍僅主守禦不能達我目的，必須於其擊潰之時，或偵知其後方司令部與麇集所在地，我軍出其不意，猛力襲擊，與其一大打擊後即時退回原防固守，則匪偽以後必不敢輕來矣。此為必操勝算與一勞永逸之計。[5]

從這一段電文可以看出，蔣介石已經不滿於增兵固守，而是要求主動進攻，擊潰偽軍主力，永絕後患，保衛國土安寧。

傅作義的晉綏軍有戰鬥力，但裝備落後，沒有打過現代化的戰爭。為了加強傅軍，蔣介石特命第25師師長關麟徵，將該師2公分小高射炮，連同器材、官兵，掩護部隊全部調往綏遠。他並以長電告訴閻錫山，要他轉告傅作義，該炮用於打飛機不如用於平射"唐克車"（坦克車），可將該炮置於敵方坦克前進的必經之途，四周挖掘深長壕溝，使敵軍坦克無法進入我軍陣地。他並要求我軍"多加演習，尤應熟練夜戰與訓練出擊、突擊等技術及膽量"，多設獨立戰鬥群，互相策應，形成廣正面之縱深犄角配備，使其進入我陣地之內，受我重重包圍，四面制射，不能脫離我掌握之中。"[6]

綏遠鄰近山西，綏遠不保則山西危殆。陳誠於1936年3月到太原就任"第一路剿匪軍總指揮"，曾對閻錫山說明保衛綏遠對保衛山西的意義，"與其守於

---

1 《蔣委員長致閻錫山七月世電》，《蔣中正"總統"文物》，台北"國史館"，002-020200-00025-132。
2 《蔣介石日記》，美國斯坦福大學胡佛檔案館藏，1936年8月1日。以下均同。
3 《事略稿本》，台北"國史館"印行，第33—35頁。
4 《事略稿本》第38冊，第45頁。
5 《事略稿本》第38冊，第67頁。
6 《蔣介石致閻錫山》，1936年8月21日。

內，不如戰於外"，因此閻對增援綏遠、保衛山西有積極性，[1] 他要求南京國民政府給予財政撥款，以便修建工事。南京國民政府隨即撥款 6 百萬元、以 3 百萬修築綏遠永久工事，3 百萬元增強山西雁門關一帶工事，並留下原到山西剿共的湯恩伯部，協助晉軍興修汽車路。但是，閻錫山深知，德王和李守信等偽軍的後盾是日本關東軍，因此對增兵和出擊都有顧慮。為了解除閻錫山的顧慮，蔣介石曾兩次轉告日方態度。8 月 7 日，蔣介石致電閻錫山稱：川越茂間接表示，綏遠即使發生衝突，但日本中央軍部決無令日軍參加作戰或入侵綏遠之意。蔣介石將這一消息轉告閻錫山，目的在解除其顧慮，促其出擊。但是，閻仍然顧慮重重，行動遲緩。9 月 13 日，蔣介石日記云："閻錫山對綏遠工事，今始著手，難怪倭寇之輕侮也。然今猶可補救。余應如何使國內犯有閻氏之病者，能及早覺悟耶！"[2]

三、兩廣事變解決，安內有成，
蔣介石重點對日，準備抗戰

對於新桂系，蔣介石採取兩手策略。一面調集顧祝同、陳誠、何鍵及陳濟棠原屬余漢謀部緊逼，作出四面圍攻的姿態，一面則派程潛、居正、朱培德、劉斐等人來往說和。9 月 14 日，李宗仁、白崇禧發表和平通電，宣稱"今後一切救國工作自當在中央整個策略領導之下，相與為一致之努力。"16 日，李宗仁、白崇禧在南寧分別就任廣西省綏靖主任及軍事委員會委員職務。17 日，李宗仁等飛抵廣州，會見蔣介石。至此，兩廣事變最後解決。

還在兩廣事變有望和平解決之際，蔣介石就決定取消原定的對廣西的作戰計劃，專力對日。9 月 12 日，他致電航空委員會主任周至柔，要求他從新計劃以飛機轟炸軍艦的特種訓練，電稱："對桂作戰計劃可以取消，此後應集中於對倭一點為要。"[3] 兩廣事變解決後，他的這一決策更加明確。

1　陳誠：《綏戰與陝變之經過——陳副主任對十八軍連長以上官佐講詞》，《陳"副總統"文物》，台北"國史館"，1937 年 4 月 3 日，008-010301-00013-015。

2　《蔣介石日記》，1936 年 9 月 13 日。

3　《事略稿本》第 38 冊，第 437 頁。

當時，南京國民政府正與日本駐華使節就四川成都和廣西北海發生的日人被毆、被殺事件進行談判。9月1日，談判一開始，日本駐華大使川越茂就對中國外交部亞洲司司長高宗武表示："問題在貴方是否有調整國交之決心，若貴方無調整國交之決心，一切自聽尊便，否則須及時努力。"[1]川越的態度表明，日本並不想討論具體事件，而要上升到兩國關係的大原則，達到更大的侵略目的。

9月8日至10日，日本駐南京總領事兼駐華大使館一秘須磨彌吉郎向中國外交部長張群提出多項要求，如：1. 與日本締結防共協定。2. 在華北設立特種制度。3. 徹底禁止"排日"。4. 政治、軍事各機關聘用日本顧問。5. 與日本締結關稅協定，降低關稅。6. 福岡與上海之間建立航空聯繫。7. 成都開埠，中日合作開發四川經濟等。[2]日方並且要求中國方面在22日以前對上述各項要求給予明確答復。15日，張群與日本新任駐華大使川越茂開始會談。張群主張先談成都事件，川越則提出修改排日教科書、解散一切抗日團體等三項要求。[3]張群表示，中國的排日行為乃日本侵略行為所引起，中國方面可以自動辦理，日本方面不能作為要求。川越旋又提出，須先解決若干政治問題，才可商談成都事件。他提出的"政治問題"共7條，與須磨總領事提出的大體相同。[4]9月23日，川越又向張群進一步提出5項要求：1. 日本在長江各地有駐兵保護日僑的權利。2. 擴大華北緩衝區域，華北五省自治。3. 中日經濟合作，減低日貨關稅。4. 開通中日航空。5. 修改中國學校教科書，取締排日宣傳與活動。[5]在談判中，張群指出，日本對華北的真實意圖是"造成獨立、半獨立之政權"，"顯係破壞中國領土與主權之完整"，"絕無討論之餘地"。[6]他針鋒相對，態度強硬地向日方提出5項條件：1. 廢止上海、塘沽停戰協定。2. 取消冀東偽組織。3. 停止走私，並不得干涉緝私。4. 華北日軍及日機不得任意行動及飛行。5. 解散察

---

1 《中華民國重要史料初編——對日抗戰時期》之《緒編》（3），台北中國國民黨黨史會1981年版，第672頁。
2 〔日〕《現代史資料》（8），第293—296頁。
3 《二十五年中日南京交涉節略》，《民國檔案》1988年第2期。
4 參見《張部長與日本川越大使交涉之經過》，《中華民國重要史料初編——對日抗戰時期》之《緒編》（3），第690—892頁。
5 《中華民國大事記》第3冊，中國文史出版社版，第993頁。
6 《民國檔案》，1988年第2期。

東與綏北偽軍。[1] 川越拒絕討論，要求張群撤回。同時，日本海軍命令在漢口、宜昌等地的日僑撤離中國，做出不惜一戰的姿態。

日方的苛刻要求和橫暴態度使蔣介石極為憤怒。21 日，他在日記中寫道："倭態橫暴，實難久忍。"[2] 24 日，再次在日記中表示："倭使川越與我外部談判形勢，昨已等於決裂，而彼只有片面要求，不許我提條件也，是可忍，孰不可忍。"[3] 這些日記表明，蔣介石雖然以"忍耐"見長，但是，他已經忍無可忍了。26 日，他決定召何應欽與高宗武到廬山，討論對日談判。第一步向日方提出："解決滿洲問題，取消塘沽、上海協定"，然後再言其他。

還在 9 月 17 日，蔣介石就致電軍政部長何應欽，命其"準備萬一，以與倭決戰"。[4] 24 日，再電何應欽稱："據昨今形勢，日方已具一決心，務令京、滬、漢各地，立即準備一切，嚴密警戒，俾隨時抗戰為要。"[5] 其後，他轉令馮玉祥、程潛、朱培德、唐生智等人，擬具抗戰方案，同時電令上海市長吳鐵城等，積極戒備，以防不測。這一時期，蔣介石所做與日本開戰的準備還有：要求財政部長孔祥熙，將上海現銀、鈔票等迅速轉移到南昌等地；要求在武漢的陳誠，撥支漢口巷戰材料費 3 萬餘元，加緊修築工事；致電山東省主席韓復榘、青島市長沈鴻烈，河南省主席劉峙、空軍周至柔等人，告以外交談判瀕於破裂的情況，要他們"準備一切"。"準備"什麼？自然是應對日軍全面入侵。其 24 日日記云："以倭寇之橫逆，決不能避免戰爭，而倭寇未料及啟釁以後，決無談和之時，非我亡即彼亡也。"[6] 25 日，他與王世杰、吳鼎昌討論對日外交，認為日本此時雖還不敢和中國進行正式戰爭，但中國必須早日準備"整個之計劃"，"如戰爭一開，決為長期戰爭，以期最後勝利耳"。[7]

和日本開戰是大事，蔣介石一時還難以下定決心。9 月 25 日，他反復思考，覺得非萬不得已，還不可放棄"忍痛一時"的決心，對日外交，可以"和

1　《張群與川越談話記錄》，《中行廬經世資料》，台北中國國民黨黨史會藏，轉引自劉維開：《國難期間應變圖存問題之研究》，第 456 頁。
2　《蔣介石日記》，1936 年 9 月 21 日。
3　《蔣介石日記》，1936 年 9 月 24 日。
4　《事略稿本》第 38 冊，第 485 頁。
5　《事略稿本》第 38 冊，第 513 頁。
6　《蔣介石日記》，1936 年 9 月 24 日。
7　《事略稿本》第 38 冊，第 519 頁。

緩",但不能"屈辱"。

10月8日,蔣介石與川越見面。川越聲稱,中日兩國關係深切,應該"互維互助",謀求東亞局勢安定。蔣介石則表示:"我方所要求者,重在領土之不受侵害及主權與行政完整之尊重。中日間的一切問題,應根據絕對平等及互尊領土主權與行政完整之原則,由外交途徑,在和平友善空氣中從容協商。"對於近期發生的成都、北海等事件,蔣介石表示,中國政府將按照國際慣例解決。與川越分別時,蔣介石鄭重表明,華北的行政必須及早恢復完整。[1]

10月9日,蔣介石決定中央政府各部門做遷移準備。同時決定修建上海一帶的工事。當時,蔣介石已經指令馮玉祥等人制訂了一份計劃,由張治中、黃紹雄率領4萬中國軍隊,左右夾攻,消滅當時在上海的六七千日軍,然後,派大軍到華北抗日。[2]

四、主動進擊,蔣介石決定收復百靈廟

面對日軍咄咄逼人的態勢,蔣介石確定的方針是:"應作隨時應戰準備,並轉入主動地位。"[3] 這就是說,既要準備抵禦敵人的進攻,又要爭取主動,掌握作戰的主動權。

10月中旬,蔣介石得到情報,日軍擬進犯綏遠,即派陳誠飛太原,與閻錫山商定,中央派兵15萬人,與晉綏軍合成30萬人,抵抗日偽軍進攻。同時相度時機,收復百靈廟及察北的商都、張北等日偽根據地,粉碎其吞併西北的夢想。[4] 10月21日,蔣介石命令閻錫山,搶在敵人之前,在一星期內由綏遠東進,攻擊察西偽軍,徹底粉碎其佔領綏遠的企圖。電稱:"默察情勢,綏遠敵在必得,且預料其攻綏時期,當不出下月初旬,我軍不如乘敵準備未完以前,決以優勢兵力,由平地泉附近向東取積極攻勢。"他提醒閻:"若此時徘徊莫定,

---

1 《中華民國重要史料初編——對日抗戰時期》之《緒編》(3),第675頁。
2 《台壽民、趙丕廉致閻錫山》,1936年10月17日。
3 《蔣介石日記》,1936年10月1日。
4 《陳辭修先生言行紀要》,《陳誠先生回憶錄——北伐平亂》,台北"國史館"2005年版,第252頁。

坐令匪勢龐大，交通完成，則我處被動地位，終陷不利也。"[1] 10 月 26 日，蔣介石在西安電詢閻錫山，進攻察西偽軍計劃能否實行。28 日，他決定在綏遠增加中央部隊，以形成對華北日軍的脅制之勢。30 日，蔣介石確定首先進攻綏北重鎮百靈廟。

百靈廟是當時綏遠北部的政治、經濟和佛教喇嘛活動的中心，也是通往甘肅、新疆和蒙古等地的交通要道，處於萬山環抱之中，歷來為兵家必爭之地。日軍企圖在此建立"大元國"，設有特務機關，修建有飛機場，德王在此駐有重兵，進攻紅格爾圖失敗後的王英殘部也退守此地。11 月 1 日，蔣介石下定對日作戰決心。日記云："彼以不戰而屈來，我以戰而不屈破之；彼以不宣而戰來，我以戰而不宣備之。"[2] 11 月 2 日，蔣介石將進攻百靈廟的計劃電告閻錫山，要求閻精研輕重之勢，斟酌利害得失，然後秘密報告。

為了解除進攻百靈廟的中國軍隊的威脅，蔣介石於 11 月 2 日派陳誠先期赴寧夏，拔除日軍在當地的據點定遠營（今巴彥浩特）。[3] 定遠營是蒙古族王公達理札雅的駐在地，位於寧夏西北，為綏遠的側背。日軍企圖利用達王在當地建立"大夏國"，經營多年，設有特務機關，建有大型空軍根據地，並且囤積了大量軍用物資。陳誠到達寧夏後，即召見達王，曉以大義，喻以利害，要求他毅然、決然，為國效忠。達王表示："年來備受日人的氣，只怕因局部的糾紛，遺國家以大患，所以隱忍未發。現在只要中央有整個的計劃，我可以馬上把定遠營日人解決。"陳誠當即保證中央的抗日決心，並滿足他的接濟款項及彈械的要求，同時派遣中央軍隊協助。達王回到定遠營後，即不動聲色，將當地日人完全驅逐。[4] 11 月 8 日，陳誠攜帶達王函件飛返洛陽，向蔣介石彙報。同日，致電達王，加以鼓勵，電稱："現值我國內部統一之後，一切均有基礎。敵人對我邊陲之壓迫，雖日覺囂張，但我已有種種之準備與犧牲之決心，最後勝利終屬於我，此正我輩青年立功報國之時也。誠雖愚魯，甚願與兄共勉之。"[5] 16 日，

<hr>

1 《事略稿本》第 39 冊，第 42 頁。
2 《蔣介石日記》，1936 年 11 月 1 日。
3 《事略稿本》第 39 冊，第 107 頁。
4 陳誠：《綏戰與陝變之經過——陳副主任對十八軍連長以上官佐講詞》，《陳"副總統"文物》，台北"國史館"，1937 年 4 月 3 日，008-010301-00013-015。
5 《陳誠先生書信集·與友人書》，台北"國史館" 2009 年版，第 98 頁。

關麟徵師進駐定遠營，蔣介石致電行政院秘書長翁文灝，要他派蒙藏會人員會同關師所派人員前往額濟納旗，慰問該旗王公及民眾。同時致電關麟徵，指示他對該旗王公，"應特別敬重聯絡"，饋贈手槍、步槍、子彈與食物。

收復定遠營，解除中國軍隊的側面威脅，蔣介石覺得時機成熟，於 16 日致電閻錫山，要他命令傅作義積極佔領百靈廟，相機進取商都，電稱："對外交決無顧慮，以弟之意，非於此時乘機佔領百靈廟與商都，則綏遠不能安定也。"[1]他指示張群，可發表正式聲明或間接宣傳：

> 察省蒙偽匪部如一日不肅清，則綏遠與西北一日不能安定。我軍以保護主權與領土之職責所在，決不容蒙偽匪部存在於察省之內，自當不顧一切，對蒙偽匪部抱定徹底消滅之決心。[2]

就在蔣介積極佈置，準備收復百靈廟之際，日軍指揮王英匪部於 11 月 14 日向紅格爾圖推進。15 日，偽軍在飛機、山炮掩護下猛攻紅格爾圖，被傅作義部擊潰。16 日，偽軍 3 千人再犯紅格爾圖。

軍情緊急，蔣介石於 11 月 17 日下午飛抵太原，行前決定向閻錫山說明利害，如不向蒙偽軍出擊，晉綏永無寧日。在飛機中，蔣介石決定，主攻百靈廟，佯攻商都。當晚，蔣介石與閻錫山商談反攻計劃，仍感散漫無序，非常感歎。當日，蔣介石決定命中宣部發言人發表談話：1. 一獨立國家，其國家之主權，無論對內或對外，必須充分自由行使。2. 中日交涉關鍵所在，完全繫乎日本方面。最近匪軍大舉內犯，邊氛日亟。3. 今日綏察之問題，極簡單明了，來犯者不論其為偽為匪，或其他任何勢力，同為國家民族不共戴天之大敵，於此應付之方，惟有迎頭痛擊，惟有根本剿滅。[3]顯然，這一談話所警告的不僅是德王、李守信等人，而是敢於來犯的日本侵略勢力。

18 日，蔣介石在太原與閻錫山及各將領見面，說明對蒙偽非出擊不可的利害關係，決定出擊計劃。當日晚，蔣介石返回洛陽，連續三電周至柔，命他立即派遣偵察轟炸機一大隊、驅逐機一大隊到太原，準備飛綏東作戰。19 日，蔣

---

1 《事略稿本》第 39 冊，第 221 頁。
2 《事略稿本》第 39 冊，第 223 頁。
3 《事略稿本》第 39 冊，第 222—231 頁。

介石致電閻錫山，告以我軍出擊日期越快越好，空軍三日內即可在洛陽準備完畢，隨時可以候令飛綏作戰。

進攻百靈廟就有同日軍全面作戰的危險。當時，蔣介石已做好思想準備，如日方干涉，即與之破裂。他指示張群，做好與日方破裂時的一切準備手續。此後，蔣介石多次電詢閻錫山、傅作義，詢問出擊準備何時完成。21 日，蔣介石再電閻錫山稱：

> 對商都與百靈廟二地，無論為正攻，或佯攻，皆以同時並攻為宜，並須準備充分兵力，而炮兵陣地應預備敵之坦克車在我側背抄襲，故炮兵掩護陣地與掩護部隊尤應充實。若能利用夜襲，出其不意，則成功之勝算更大，務嚴令前進部隊之行動特別秘密與迅速也。[1]

同日，日本外務省發言人稱："綏東戰事純係中國國內事件，與日本無關。縱使有日本人民參加蒙軍作戰，亦應認為個人行動，與日本政府及日本軍隊渺不相涉。"但是，該發言人又表示：日政府對內蒙因反共而起之任何防禦行為表示同情，並虔誠祝其成功。蔣介石見到這一報導後，立即轉告閻錫山，認為日軍不敢加入作戰，我軍應即照預定計劃邁進。其後，蔣介石又致電傅作義，詢問原定 24 日進取百靈廟，部隊是否已到該地作戰，抑或正在由綏遠向該地前進中，希望傅詳告進攻日期與時刻。當日，各部進入攻擊位置。

大戰在即，閻錫山心中仍然無底，於 23 日致電蔣介石稱："日以必得綏遠、雁北為旨，懇再備五萬人駐楪應戰"。蔣介石立即復電："弟已儘量集結兵力，準備一切，請勿念。"[2] 同日，傅作義電告蔣介石，我襲廟各部隊已開始行動。但是傅作義又告訴蔣介石，據蒙民云，昨有汽車百餘輛，滿載軍隊，在該廟北四十餘里之草地住過，向百靈廟開去。[3] 蔣介石也立即回電為之打氣："即使偽軍增加，亦不足為慮。吾兄智勇，必能如計完成也。今日戰況如何，望時時電告，以免懸念。"[4] 字裏行間，透露出蔣介石對前線戰況的強烈掛念。

1　《蔣介石致閻錫山》，1938 年 11 月 22 日到。
2　《蔣中正"總統"文物》，002-020200-00025-157。
3　《蔣中正"總統"文物》，002-020200-00025-158。
4　《蔣中正"總統"文物》，002-020200-00025-158。

當夜 11 點，傅作義以所部孫長勝、孫蘭峰為正副指揮，按照蔣介石的"夜襲"指令，向偽軍發起猛烈攻擊。日本特務機關長盛島角芳親自持刀督陣，傅部前進受阻。傅作義命孫蘭峰孤注一擲，勇猛衝擊。激戰 10 小時，肉搏 7 次。24 日上午 8 時，控制飛機場。盛島角芳及偽蒙軍第 7 師師長穆克登寶扔下部隊逃跑。9 時半，中國軍隊勝利收復百靈廟。此役斃傷敵軍 700 至 800 人，俘敵 300 餘人，繳獲迫炮三門，重機槍五挺，步槍四百餘，彈藥及軍用物資無數。[1] 閻錫山、蔣介石先後通令獎勵。

百靈廟之捷沉重地打擊了偽蒙軍。金憲章、石玉山等部傀儡軍紛紛反正。蒙政會委員長沙克都爾扎布等通電表示："維護中華民族團結，保全國家領土完整。"[2] 烏蒙達爾罕旗親王云端旺楚克等表態，誓率蒙旗全部健兒，"追隨傅上將軍之後，守土安邊，共同禦侮。山河可變，矢志靡他"。[3]

收復百靈廟，傅作義的晉綏軍是主力，但是，中央軍的作用也不能忽視。陳誠後來說："此役中央軍參戰的計有四個師，但因當時中央軍都換用了晉綏軍的番號和旗幟，所以報上的記述，只有晉綏軍而沒有中央軍的名號。中央軍每一個官兵，都很了解抗日是軍人的天職，不是什麼出風頭的事，所以雖然用晉綏軍的番號旗幟，都一樣的拚死效命，相率與友軍協力進取。"[4]

11 月 28 日，中國政府外交部發言人發表談話稱："此次蒙偽匪軍大舉犯綏，政府負有保衛疆土，勘亂安民之責，不問其背景與作用如何，自應予以痛剿。此為任何主權國家應有之行為，第三者無可得而非議。"又稱："中國國民愛好和平，我政府本自存共存之政策，親仁睦鄰，調整國際關係，以期對於世界和平有所貢獻。惟領土主權之完整為國家生存必具之條件，不容任何第三者以任何口實加以侵犯或干涉，萬一不幸而發生此種非法之侵犯或干涉，必竭全力防衛，以盡國家之職責也。"[5] 這裏所稱"第三者"，雖未點名，顯然指的就是日本政府和日本軍隊。多年以來，中國外交官在洋人面前忍氣吞聲，這次終於

1　《傅作義致閻錫山電》，1936 年 11 月 25 日。

2　《綏遠石華岩致閻錫山》，1936 年 11 月 28 日到。

3　《雲委員長致閻錫山》，1936 年 12 月 21 日到。

4　陳誠：《中央對同國防的準備與小學教員的責任——在廣州市立小學教員訓練班講詞》，《陳"副總統"文物》，台北"國史館"，1937 年 3 月 21 日，008-010301-00011-010。

5　《事略稿本》第 39 冊，第 322—324 頁。

說出了代表中華民族尊嚴的硬氣語言。30 日，蔣介石出席中央軍校洛陽分校紀念週，發表演說稱："百靈廟之收復，足使全國人心振作，士氣發揚，並使全國軍民確知吾人只須全國統一，共同一致，決心奮鬥到底，必無喪失 寸土之理。故百靈廟之收復實為吾民族復興之起點，亦即為我國家安危最大之關鍵。"[1]

五、蔣介石要求擴大戰果，進一步收復商都等地

商都位於綏遠省中部的陰山北麓，元代為蒙古族遊牧地，清代設商都牧場，民國初年設縣。日軍入侵綏遠後成為偽蒙軍的根據地。百靈廟收復後，蔣介石派陳誠到太原、歸綏，和閻錫山、傅作義商量，如何跟蹤追擊，進一步收復商都、南壕塹、張北等地，以便搗毀匪巢，徹底消滅偽軍。25 日，蔣介石致電閻錫山稱：

> 辭修兄諒已到達。對出擊商都計劃，能否於明日轟炸商都時同時實行，俾易奏效，無論商都佔領或放棄，但以中意，商都之匪巢不能不剷除淨盡，如不便駐守，則佔領時即行焚毀，再令撤回綏境亦可，否則綏邊仍不能久安，又對於南壕塹匪巢，亦應同時掃除也。何如？盼明晨以前復示為盼。[2]

陳誠到太原後，得知閻錫山擔心所在，一是惹起中日戰爭，要求中央在外交上先有佈置，有整個作戰計劃，同時須與宋哲元一致行動；二是如進攻失敗，將引起金融危機，導致晉鈔貶值。陳誠向蔣介石及何應欽建議，出兵察北，應以中央軍為主體，同時幫助山西和綏遠解決困難。[3] 28 日，陳誠與傅作義聯名致電蔣介石與閻錫山，陳述意見稱：

> 若我已有整個對日作戰之決心，則以最近敵我形勢比較，我軍精神上、兵力上均佔優勢，正宜乘勝進擊，立於主動地位，急佔商都、南壕塹

---

1 《事略稿本》第 39 冊，第 328—329 頁。
2 《陳誠先生書信集·與蔣中正先生往來函電》，台北"國史館"2007 年版，第 229 頁。
3 《陳誠先生書信集·與友人書》，台北"國史館"2009 年版，第 100 頁。

各要地，即張北亦應同時佔領之，先將匪偽擊潰，縱將來匪、日軍相繼增
援，來則痛擊，方能獲得逐步各個擊破之效果。但若政略上目前尚無直接
衝突之必要，則軍事上即應適可而止，迅用外交等手段，藉求告一段落。[1]

陳、傅等提出，如我軍轉入攻勢，自以愈速愈妙，飛機轟炸亦須與總攻擊配合
進行。29 日，蔣介石復電陳誠，聲稱“中所希望者在求晉綏安全而已，商都
匪巢與南壕塹之匪若不佔領掃除，竊恐綏東不能安全，即其飛機擾亂亦無法制
止。至於外交問題自當作整個打算，但中料定我軍進佔商都決無問題，即進佔
張北時，倭寇亦絕不敢正式啟釁。”他表示：“為外交全盤計，更當收回張北為
有利也。”[2] 這就說明，蔣介石當時的計劃還僅限於局部抗戰，局部收復國土，
還不準備全面和日軍開戰。為此，他同時表示：如閻錫山等認為準備未完，應
須慎重計議，其理由自屬正當，要求陳誠與閻錫山等商決後電告。30 日，蔣介
石致電傅作義，告以百靈廟為“倭寇必爭之地，亦為我軍打擊倭寇最良之地”，
要求傅作義親到當地佈置完妥，儘量增加兵力，嚴密固守，同時要傅預備充分
增援與策應部隊，駐紮武川附近，以備隨時出擊反攻白靈廟的匪寇，“期獲全
勝，以震國威”。對商都方面，蔣介石同意“暫取守勢亦可，不必急追”。[3]

12 月 2 日，蔣介石決定“對倭緩和，進行交涉。”隨即致電陳布雷，要他
設法使南京、上海的各報輿論“改為緩和”。[4] 同日，青島日本海軍登陸，搜索國
民黨機關，逮捕人員。蔣介石認為此係日方迴光返照之舉，死期已經不遠，決
定“忍之，以待其自斃”。[5] 同日晚，張群會見川越大使，提出撤退日本陸戰隊、
釋放違法逮捕之人民，返還日本陸戰隊強取之各種文件等三項要求。川越要求
繼續中日關係討論，誦讀日方擬就的此前談判情形的備忘錄，強行留置。張群
認為記載不實，退回日本使館。3 日，蔣介石致電青島市長沈鴻烈，指示應對
方針：“倭方如無陸軍運青，則對陸戰隊當易應付，我軍須取應戰，而不取求戰
方針可也”。[6]

1 《陳誠先生書信集·與友人書》，台北“國史館”2009 年版，第 101 頁。
2 《陳誠先生書信集·與友人書》，台北“國史館”2009 年版，第 101—102 頁。
3 《蔣中正“總統”文物》，002-020200-00025-170。
4 《事略稿本》第 39 冊，第 353、358 頁。
5 《事略稿本》第 39 冊，第 361 頁。
6 《事略稿本》第 39 冊，第 367 頁。

12 月 4 日，蔣介石離開洛陽，趕赴西安，督促張學良和楊虎城剿共。8 日，蔣介石在華清池致電閻錫山和傅作義，告以據情報，"關東軍為貫徹對綏既定方針，決定奪回百靈廟，已募得新兵三萬八千名，運往商都集結"。蔣要二人查明"是否屬實，希嚴切注意"。[1] 這是蔣在西安事變發生前關於綏遠作戰的最後一通電報。

六、蔣介石對日政策轉趨強硬的標誌

清理了上述歷史過程，人們不難發現：

1. 綏遠抗戰期間，國民政府外交當局不僅沒有像張學良所云，仍在"力謀妥協"，而是空前強硬。關於此，馮玉祥當年曾致函蔣介石表示：

> 日方挑撥兩廣，冀造內戰，以收漁人之利。彼自以為得計，乃竟事與願違，著著失敗，故惱羞成怒，欲泄其憤，藉無謂之小事，用極大之壓力，派兵派艦，復繼以七條件，用示威嚇。假使允其一條，即足以失我人心，亡我國家，並永為世界各國所輕視，則我之損失也為何如！乃公竟不然，於彼之七條，嚴厲拒絕之，而反提出五條，義正詞嚴，光明正大，為我國向來言外交者之破天荒，且足以徵抵抗之決心。[2]

此前的中日外交談判，常常日方強硬，中方退讓，而這一時期的談判，日方雖硬強，但中方氣勢更盛。國民政府的外交當局反退為進，反守為攻，要求廢除此前簽訂的喪權條約，收回已經喪失的部分權利。11 月 18 日，張群更派人通知川越茂，如日本繼續在暗中幫助匪偽擾亂綏遠，中日交涉將無法繼續進行，主動結束了這次談判。[3] 馮玉祥譽之為"我國向來言外交者之破天荒，開以後強硬外交之先例"，符合事實。

張群在談判中的強硬態度是蔣介石支持、批評和鼓勵的結果。談判開始後，蔣介石即致函張群，告以中國方面"最大讓步之限度"。9 月 17 日，又致

---

1 《蔣介石致閻錫山、傅作義電》，1936 年 12 月 9 日到。

2 《事略稿本》第 39 冊，第 16—17 頁。

3 《"外交部"關於中日外交問題節略》，《民國檔案》1988 年第 2 期。

電張群，告以"如逾此限度，即具最後犧牲決心，望一本此意向前進行。"[1] 18日，蔣介石在日記中稱："雪恥。東北四省被倭強佔已足五年，自今日起已入收復準備時期。"同日，他對張群在談判中的表現有極為嚴厲的批評，日記云："岳軍以去就爭滬、福岡聯航案，見電悲憤。國人毫無定力，稍受威脅乃即聞風披靡，何以為國！此種人格，何能主持外交？思之痛心。"[2] 幾天後，張群向川越茂提出廢除上海、塘沽協定等 5 項要求，顯然和蔣的批評有關。11 月 10日，蔣介石指示張群："應以完整華北行政主權為今日調整國交最低之限度"，"故須準備一切"，"須至任何犧牲，亦所不恤"。[3] 幾天後，張群即以偽軍侵綏為理由，通知川越茂停止談判。

2. 傅作義、閻錫山、陳誠等人對綏遠抗戰有貢獻，但其決策者和總體指揮者，確為蔣介石。1928 年的"濟南慘案"，特別是 1931 年的九一八事變之後，由於種種原因，蔣介石和南京國民政府忍辱負重，長期推行對日妥協、退讓政策。這一時期，蔣經常提醒自己："當為最大之忍耐"，"受人之所不能受，忍人之所不能忍"。[4] 為此，胡漢民等人曾批評蔣介石和南京國民政府"勇於對內，怯於對外"，但是，日本關東軍支持其傀儡軍侵略綏遠，威脅山西和中國華北、西北廣大地區，蔣介石覺得再也不能"忍耐"，於是一反舊態，決策抵抗，主動出擊，爭取機先，與此前的妥協、退讓政策明顯區別。這是蔣介石與南京國民政府對日政策轉趨強硬的開始，也是其重要標誌。這一情況的出現，固然由於全國人民救亡熱情的高漲和救亡運動的促進，但是，也和兩廣統一，抗日禦侮有了更好的國內條件密切相關。1936 年 9 月 30 日，陳誠上書蔣介石說：

> 以前在兩粵抗命之候，中央內多牽肘，戰有必敗之虞，退無可守之地，對內多委曲求全，對外多容忍屈辱，識者亦知咎有分擔，有所見諒，今則值國人慶幸統一之餘，當日本露骨侵略之下，其救亡圖存之屬望於中

1　《中華民國重要史料初編——對日抗戰時期》之《緒編》(3)，第 673 頁。
2　《蔣介石日記》，1936 年 9 月 18 日。
3　《中華民國重要史料初編——對日抗戰時期》之《緒編》(3)，第 680 頁。
4　《"總統"蔣公大事長編初稿》，總第 207—208 頁。

央者，更深且切，而中央亦責無旁貸矣。[1]

這是陳誠對當時形勢的認識，也應是蔣介石的認識。當中日兩國的調整國交談判瀕臨破裂之際，蔣介石緊急動員、作全面抗戰的準備，其原因顯然在於：兩廣統一，安內有成，已經形成了對日抗戰的基本條件。

3. 對日全面抗戰是國家的頭等大事，需要做充分的準備和縝密的規劃。早在 1932 年 6 月，蔣介石就曾考慮：「倭寇咄咄逼人，戰禍終不能免，然必有相當之準備時期，始得應付裕如。」[2] 綏遠抗戰期間，中國對日全面抗戰的準備還遠未完成，因此，蔣介石不能不謹慎將事，適可而止。但是，在這一過程中，蔣介石維護國家領土和主權完整，堅決抗日的決心和意志已經充分表露，其一貫的民族主義立場也已經充分表露。這種情況，反映出自孫中山創立興中會以來國民黨人長期的愛國主義傳統。有關史實表明，不久之後的西安事變迫使蔣介石改變的只是其「剿共」政策，他的抗日決心和意志卻是在那之前就形成了的。

1　陳誠：《往來函電（三十）》，《陳"副總統"文物》，台北"國史館"，008-010202-00030-002；參見《中央對於國防的準備與小學教員的責任——在廣州市立小學教員訓練班講詞》，《陳"副總統"文物》，台北"國史館"，1937 年 3 月 21 日，008-010301-00011-010。在該次演講中，陳誠說："最近又統一兩廣，到現在國內已臻於數十年來所未有的統一局面，抗敵的力量無疑的是大大的增強了。"
2　《"總統"蔣公大事長編初稿》，總第 459 頁。

「盧溝橋事變」前蔣介石的對日謀略 *

——以蔣氏日記為中心所作的考察

＊　本文錄自《蔣氏秘檔與蔣介石真相》，重慶出版社 2015 年版；原載《近代史研究》2001 年第 2 期。

1933 年 1 月 1 日，蔣介石打開日記，寫下了兩行字：

雪恥之記，已足五年，今年不再自欺乎？
倭寇警報日急，望自奮勉，毋負所生也。[1]

1928 年 5 月，蔣介石率兵北伐，在濟南受辱，立志雪恥，至此大體 5 年。
回首既往，蔣介石對自己的抗日表現很不滿意，希望新的一年不再"自欺"，有
所作為。鑒於日記常常最能反映一個人的真實思想和內心活動，本文將以蔣介
石的日記為主，結合其他相關文獻，考察他在"盧溝橋事變"前的對日謀略，
檢查他是如何對待自己的誓言的。

至筆者寫作本文時止，蔣氏 30 年代的日記尚未公佈。台灣所存深藏不露，
大陸所存只有 3 年：1931 年為毛思誠摘抄本；1933 年僅存 1—2 月；1934 年為
全年。由於 1931 年的日記我已在《"九一八"事變後的蔣介石》一文中利用過，
故本文以利用後兩種資料為主。它們均為蔣介石日記原稿的仿抄本，未經任何
改動，史料價值較高。其他年份，則依據《"總統"蔣公大事長編初稿》所引。
它們雖然片段、零碎，並有刪節和改動，但從可以對照的部分看，此類刪改大
多屬於文字加工，因此，在目前情況下，仍有使用價值。

1　《蔣介石日記》（仿抄本），中國第二歷史檔案館藏。

一、避免決戰，以"和平"為推遲戰爭的手段

"九一八"事變後，蔣介石曾下過北上抗戰的決心，並曾為此預立遺囑。[1] 但是，沒有實行。旋即下野。此後直至"盧溝橋事變"爆發，南京國民政府的部隊和日軍只進行過兩次大的較量。一是 1932 年的淞滬抗戰，一是 1933 年的長城抗戰。

1932 年 1 月 28 日，日軍突襲上海，以蔣光鼐、蔡廷鍇為首的第 19 路軍奮起抗戰。當時，蔣介石尚未正式恢復公職。事變發生後，被任命為軍事委員，3 月 18 日，又被任命為軍事委員長兼參謀長。他曾有過"決一死戰"的想法，[2] 決定遷都洛陽，劃分全國為 4 個防區，電令集結兵力，號召全軍將士"為國家爭人格，為民族求生存，為革命盡責任，抱寧為玉碎、毋為瓦全之決心，以與此破壞和平、蔑棄信義之暴日相周旋"[3]。但是，事實上，蔣介石採取的是一面抵抗、一面交涉的方針。他既派中央警衛部隊組成第 5 軍，馳滬增援，並曾準備親上前線指揮；同時則寄希望於英美兩國駐滬總領事的調停，不願採取"強硬"態度。2 月 13 日，他與何應欽研究決定，19 路軍已獲勝十餘日，"趁此收手，避免再與決戰"[4]。20 日，吳稚暉受張靜江等委託，自上海到南京，勸說何應欽"積極"輔助蔣介石指揮作戰，何不聽；吳隨後見蔣，聲稱 19 路軍既已魯莽作戰，"今日之局，有如背水為陣，惟有前進，退無餘地者也。既已無端而為義和團，大家止〔只〕有從井救人，盲目而共為義和團"[5]。但是，蔣不以吳的見解為然。5 月 5 日，中日雙方簽訂停戰協定，中國方面失去了在淞滬地區駐兵的權利。

1932 年 12 月，蔣介石估計，日軍即將侵略熱河，致電張學良，要他照預定計劃火速佈置，聲稱"今日之事，惟有決戰，可以挽回民心，雖敗猶可圖存"[6]。

1　《蔣介石日記類抄·黨政》，1931 年 9 月 28 日、11 月 17 日。參見本書《"九一八"事變後的蔣介石》。

2　《蔣介石日記》，轉引自《"總統"蔣公大事長編初稿》卷 2，第 168 頁。

3　《蔣委員中正告全國將士書》，《中央週報》第 191 期，1932 年 1 月 30 日。

4　《何應欽致蔣光鼐、蔡廷鍇、吳鐵城、宋子文之急電》，中國第二歷史檔案館藏。參見《陳銘樞、何應欽、羅文榦致蔣光鼐電》，《中華民國重要史料初編——對日抗戰時期》之《緒編》(1)，台北"中央文物供應社" 1981 年版，第 513 頁。

5　吳稚暉：《在南京建設委員會招待所留別蔣介石先生書》(手跡)，吳稚暉檔案，台北中國國民黨黨史會藏。

6　《蔣委員長致張學良主任電》，《中華民國重要史料初編——對日抗戰時期》之《緒編》(1)，第 563 頁。

次年 1 月 3 日，蔣介石得到日軍進攻山海關的消息。還沒有等他反應過來，就又得悉山海關失守。蔣介石估計，日軍的下一個目標將是平津，準備親自北上一戰。日記云："余決心北上，與倭一戰，以盡我心。至於成敗利鈍，則聽之。"[1]其後，他發現日軍佔領臨榆縣城後，未再進攻，估計日軍有兩個可能，一是惱羞成怒，進一步擾亂華北；一是見機而止，了結戰事。他決定堅決要求日軍退出山海關，不再遷就，同時以"兵來將擋，水來土掩"的態度積極備戰，開始籌劃調集部隊北上作戰。日記云："無論倭寇再攻與否，我軍必如預計，急進以備其來。"但是，即使在這一情況下，他仍然寄希望於各國公使的干涉，擬以中國軍隊不願在平津地區作戰為理由，要求各國公使出面，設法保全平津。[2]

日軍在山海關得手後，繼續進攻熱河。最初，蔣介石估計日軍如不從國內調動 5 師以上兵力，不會輕易進攻，[3] 但他仍決定派兵入熱，認真一戰，然後再與日方談判。日記云："今日前方部隊已開進將畢，乃為接洽之時乎？抑待戰爭結果再與其接洽乎？然非與之一戰，則對內對倭皆不能解決也。故決與之一戰，未必果敗也。"[4] 這則日記最清楚不過地道出了蔣介石決定"一戰"的目的：不戰而和吧，日方可能提出很高的條件，國內各階層人民也會責難，於是決定"一戰"，打完仗再與日方交涉。這裏，蔣介石的策略是以戰求和，重點仍在交涉，並不想認真地、長期地打下去。

儘管如此，蔣介石仍然覺得局部戰勝也並無把握，所以迅速決定以"固守"為主。1 月 18 日日記云："此戰既不能克，則當專心準備，以待其來攻可也。"3 月 4 日，熱河省會承德失守以後，蔣介石曾要求宋哲元、萬福麟等部反攻，但在大多數情況下，蔣介石均指示中國軍隊，選擇陣地，採取固守模式。後來，他甚至嚴厲規定，有關將領不得輕易出擊。[5]

2 月下旬，蔣介石在江西完成"剿共"佈置，在各方呼籲下，開始作北上

---

1 《蔣介石日記》（仿抄本），1933 年 1 月 5 日。

2 《蔣介石日記》（仿抄本），1933 年 1 月 8 日。

3 《蔣介石日記》（仿抄本），1933 年 1 月 16 日。

4 《蔣介石日記》（仿抄本），1933 年 1 月 7 日。

5 蔣介石 1933 年 5 月 6 日致何應欽、黃紹竑電稱："我軍實力不充，只能妥擇陣地抵抗，此種戰略既經擇定，宜使全線一體恪遵，怯者固不得擅退，勇者尤不許輕進，論者每持以攻為守之說，欲乘敵人薄弱之點，貪圖小利，輕於突擊，徒為局部一時之快意耳，固於事無濟，且最易牽動全線。"見《"總統"蔣公大事長編初稿》卷 2，第 308 頁。

準備。他給自己規定的任務是：支持現在戰局；收拾敗後殘局；部署華北繼起之戰局。同時提出，今後對日作戰，"以運用外交為中心"，蔣介石稱之為"使倭寇時受精神上之打擊"。[1] 3 月 6 日，蔣介石秘密離開"剿共"指揮中心南昌，9 日進抵保定。13 日，胡適從北平前來問策，蔣介石表示，中國方面須有三個月的準備才能作戰，而且還只能"在幾處地方用精兵死守，不許一個人生存而退卻"，"叫世界人知道我們不是怕死的"。[2] 此時，長城各口的防務雖因中央軍隊的北來而得到加強，在喜峰口等處取得過局部勝利，但主帥是這種精神狀態，自難指揮部隊取得全局性的勝利。3 月 25 日，蔣介石因江西"剿共"前線戰事失利，匆匆南返，決定對"寇患"，"取守勢"；對"匪禍"，"應準備速剿"。[3] 4 月 4 日，蔣介石由南京赴贛，繼續"剿共"。同年 5 月 5 日，蔣介石決定"先行緩和華北之局勢"，將中國軍隊從長城沿線後撤，並將古北口至山海關等地劃為"緩衝"地帶。[4] 31 日，中日簽訂《塘沽停戰協定》。

"九一八"事變時，南京國民政府和張學良都持不抵抗態度，受到國人詬責。此後，日軍進攻上海和長城各口時，蔣介石自然不能毫無抵抗，但是，他又並不真正想打，特別不願意調動全部力量，與日軍決戰。其原因，一是由於他的興奮中心在"剿共"，關於此點，下文將要論及；另一原因則在於蔣介石對日本的軍事實力估計過高。他認為：日本已是現代化國家，日軍武器精良，技術高明，中國在短時期絕對無法彌補這兩大缺點。因此，在他看來，中國軍隊"有敗無勝，自在意中"[5]。他甚至估計，日軍在三天內就可以佔領中國沿江、沿海的要害地區，切斷軍事、交通、金融等各項命脈，從而滅亡中國。[6]

基於上述認識，蔣介石反對孤注一擲的作戰方法，強調對日作戰是一場長時期持久的戰鬥，必須"以時間為基礎，與敵相持，在久而不在一時"[7]。因此，

1　《蔣介石日記》，1933 年 2 月 26 日，轉引自《"總統"蔣公大事長編初稿》卷 2，第 273 頁。
2　《胡適的日記》，1933 年 3 月 13 日，台北遠流出版公司 1990 年影印原本。
3　《蔣介石日記》，1933 年 2 月 28 日，轉引自《"總統"蔣公大事長編初稿》卷 2，第 288 頁。
4　《蔣介石日記》，1933 年 5 月 5 日，轉引自《"總統"蔣公大事長編初稿》卷 2，第 307 頁。參見《蔣介石復何應欽電》，《"總統"蔣公大事長編初稿》卷 2，第 309 頁。
5　《電復陳濟棠總司令》，《"總統"蔣公大事長編初稿》卷 2，第 312 頁。
6　《東北問題與對日方針》，《中華民國重要史料初編——對日抗戰時期》之《緒編》(1)，第 317 頁；又見《抵禦外侮與復興民族》，《先"總統"蔣公全集》第 2 冊，中國文化大學、中華學術院編印，第 878 頁。
7　《蔣介石日記》，轉引自《"總統"蔣公大事長編初稿》卷 2，第 340 頁。

在戰略上，他反對"一線配備"與"一次決戰"，認為那樣做，一敗之後，將永無復興之望。他說："我們現在對於日本，只有一個法子，就是作長期不斷的抵抗，他把我們第一線部隊打敗之後，我們再〔還〕有第二、第三線的部隊去補充，把我們第一線陣地突破以後，我們還有第二第三各線陣地來抵抗"，"越能持久，越是有利"。[1]

《塘沽協定》簽字之後，日本軍國主義者暫時停止了對中國的軍事進攻，轉而支持地方實力派，企圖在中國建立所謂"華北國"、"華南國"、"蒙古國"，蔣介石也相應地改變了"一面抵抗，一面交涉"的方針，轉而"為和平之最大努力"。

"九一八"事變後，國內、包括國民黨內部都有一部分人主張對日本"絕交宣戰"，蔣介石認為，在內無準備的情況下，絕交是危險的做法。[2]在此後的幾年內，他盡力維持、改善和日本的關係，並且幾度想將這種關係向前推進，企圖以此來消除交戰危險，在兩國間謀取和平。1934年12月20日，蔣介石以徐道鄰的名義發表《敵乎？友乎？》，說明中日兩國猶如"唇齒輔車"，要求日方懸崖勒馬，及此回頭，和中國友好。1935年2月，蔣介石派王寵惠訪問東京，以私人身份向廣田外相傳遞"善鄰"希望，要求日方解決東北問題，取消不平等條約，維持兩國間的真正友誼。同年6月，發佈《睦鄰敦交令》，禁止中國人民組織抗日團體，發表抗日言論。9月，又命駐日大使蔣作賓與廣田交涉，提出基本原則三項，要求恢復中日邦交的正常軌道，用和平外交手段解決今後一切事件。11月19日，蔣介石在國民黨第五次全國代表大會上提出對外關係報告，聲稱："和平未到完全絕望時期，決不放棄和平；犧牲未到最後關頭，亦決不輕言犧牲。"他表示："抱定最後犧牲之決心，而為和平最大之努力。"[3]

蔣介石的"和平"努力反映出他爭取改善中日關係的願望，有其幻想的一面，同時，也是一種策略手段。他在日記中多次表示，對日作戰必須長期準

---

1 《國家興亡責在軍人》，《"總統"蔣公大事長編初稿》卷2，第294頁；參見《"總統"蔣公大事長編初稿》卷2，第259頁。抗戰勝利後，吳稚暉曾稱："二十六年抗戰，蔣如在寧滬皆孤注一擲，不惟無錢范渝，而倭寇早據有全華，則以後局勢，恐英、美、蘇亦受德、日之優勢相壓，世界且不似今日之局面矣。"見《〈在南京建設委員會招待所留別蔣介石先生書〉題跋》（手跡），吳稚暉檔案，台北中國國民黨黨史會藏。
2 《"總統"蔣公大事長編初稿》卷2，第163頁。
3 《"總統"蔣公大事長編初稿》卷3，第248頁。

備。如 1932 年 6 月 16 日日記云："倭寇咄咄逼人，戰禍終不能免，然必有相當之準備時期，始得應付裕如。"[1] 1936 年 6 月，蔣介石對英國人李滋羅斯說："對日抗戰是不能避免的。由於中國的力量尚不足以擊退日本的進攻，我將儘量使之拖延。"[2] 同年 10 月，張群與日本駐華大使川越茂會談期間，蔣介石與何應欽討論對日交涉時，曾明確表示："如假我一年之準備時機，則國防更有基礎矣。"[3] 顯然，蔣介石的"和平"努力具有拖延時間，推遲戰爭，以便作好應戰準備的目的。

中日間的差距是事實，戰爭需要準備也是事實，蔣介石主張進行不斷的、有後續力的持久戰鬥也是正確的。但是，蔣介石對日軍實力估計過高，對戰爭中武器、技術的作用也估計過高，相反，對中國的抗戰力量則估計過低。他戰略戰術呆板，只知道打陣地戰、固守戰，不懂得集中優勢兵力攻敵一點的戰略戰術，也完全不懂得人民戰爭和敵後戰爭，這是他長期畏戰、避戰的原因。

二、企圖效法勾踐，忍辱負重，臥薪嘗膽

蔣介石是浙江人，熟悉越王勾踐臥薪嘗膽，發憤圖強，終於滅亡吳國的故事。在處理對日關係上，他時時以這一故事自勵。"九一八"事變發生後的第二天，他就在日記中寫道："臥薪嘗膽，生聚教訓，勾踐因之霸越，此正我今日之時也。"[4] 此後，他的日記中多見有關記載。1934 年 1 月 30 日，蔣介石會見日本武官鈴木美通，日記云："其藐視之意，溢於眉目，非臥薪嘗膽，何以復國？"史載：越軍戰敗，勾踐被圍時，范蠡曾對勾踐說："節事者以地，卑詞厚禮以遺之。"[5] 蔣介石特別將這兩句話抄在日記裏。對"節事者以地"這句話，前人的解釋為："時不至，不可強生；事不究，不可強成。"蔣介石特別欣賞這一解釋，也將它同時抄下。[6] 又，史載，勾踐作為俘虜入吳後，繫犢鼻（圍裙），戴樵

1　《蔣介石日記》，轉引自《"總統"蔣公大事長編初稿》卷 2，第 203 頁。
2　Frederic Leith-Ross: *Money Talk-Fifty Years of International Finance*, London, p. 221.
3　《"總統"蔣公大事長編初稿》卷 3，第 334 頁。
4　《蔣介石日記類抄·黨政》，1931 年 9 月 20 日。
5　《越王勾踐世家》，《史記》卷 41，中華書局 1959 年版，第 1740 頁。
6　蔣介石記憶有誤，抄成"時未至不可強生事"。見《蔣介石日記》（仿抄本），1934 年 2 月 14 日。

頭（粗布頭巾），為吳王夫差養馬，"三年不慍怒，面無恨色"。在吳王夫差生病時，勾踐為了取悅夫差，表示忠心，竟飲其尿，嘗其糞。[1] 對此，蔣介石極為欣賞，在日記中寫道："勾踐入臣，不惟臥薪嘗膽，而且飲溲嘗糞，較之今日之我，其耐苦忍辱，不知過我幾倍矣！"[2]

中國古代哲學家老子主張"欲取先予"。這一策略思想也為蔣介石所欣賞。1936 年 1 月 6 日日記云："對外，未到其時，惟有先其所愛，微與之期，以保吾國。"[3] 話說得雖含蓄，但意思很清楚。這就是，日本侵略者"愛"什麼，可以隱約地答應。同月 20 日記云："雪恥。將欲取之，必先與之。"顯然，目前的"與"並不是永遠的捨棄，而是為了未來的"取"，一時的讓步只是為了最終的"雪恥"。

中國古代的"以退為進"、"以柔克剛"一類思想也為蔣介石所採納。1934 年 4 月 23 日日記云："倭寇侮辱，非可以憤激制之，當知以柔克剛之道也。"同年 11 月 10 日，蔣介石在山西，閻錫山向他建議，對日不必準備武力，"免日仇忌，使倭對我無法可施，而後我乃有法對倭"。對於閻錫山的這番話，蔣介石在日記中評論說："此其專重黃老之說也。"蔣介石雖沒有接受閻錫山放棄準備武力的意見，但是卻部分地接受了他的影響。當日日記云："如何與倭寇避免正面衝突，使其無法可施耶？"此後幾天的日記內，即有"對倭暫睦"的記載。他準備派何應欽赴日，甚至有過自身"暫時退隱"的考慮。[4] 11 月 21 日，他在日記中明確地寫下了對日"應取緩和"的字樣。

基於以上思想，蔣介石主張對日"忍耐"，甚至進一步主張"忍辱"。如：

> 1933 年 8 月 8 日日記云："九一八以後，國際均勢既破，國家人民命脈之所以不絕如縷者，惟此忍辱與謹慎，乃能保此一時也。"
>
> 1934 年 4 月 5 日日記云："倭寇欲以河北強作昔日之東北，並欲以

1　《勾踐入臣外傳》，《吳越春秋》卷 7。

2　《蔣介石日記》（仿抄本），1934 年 2 月 15 日、16 日。

3　再版訂正：本文引《蔣介石日記》1936 年 1 月 6 日："對外，未到其時，惟有先其所愛，微與之期，以保吾國。"其中，"先其所愛，微與之期"，見於《孫子兵法·九地》。"微"字，作"無"字解；"期"，指約期交戰。二句意為："首先要奪取敵人最關緊要的地方，而不要同敵人約期交戰。"（參見中國人民解放軍軍事科學院戰爭理論研究部：《孫子兵法新注》，中華書局 1977 年版，第 123—124 頁。）

4　《蔣介石日記》（仿抄本），1934 年 11 月 14 日、19 日、20 日。

1936 年以前毀滅我政府，解決中國問題，是乃癡人說夢，但此時仍須以忍耐出之。"

檢閱這一時期蔣介石的日記和有關文獻，可以發現，類似的詞語比比皆是。蔣介石經常提醒自己："當為最大之忍耐"，要能"受人之所不能受，忍人之所不能忍"，"非至最後之時，不與決裂"。[1]

在忍辱哲學的指導下，日軍佔據東三省，他忍了；進攻上海和山海關等長城要塞，他忍了；要求中央軍和國民黨黨部、特務機關撤離平津、河北，以至成立漢奸政權"冀東防共自治政府"和具有分離傾向的冀察政務委員會，他也忍了。直至"盧溝橋事變"爆發，他才忍無可忍，奮起抗戰。在這方面，蔣介石表現出少見的忍耐力。這不能不和勾踐的影響有關。

應該指出，勾踐的忍辱是在抵抗失敗、國家滅亡之後，而蔣介石的忍辱則是在國家尚在、事猶可為的時候。蔣介石的忍辱反映了他在民族敵人面前的軟弱一面，其結果是使國家權益一再受到損害。但是，也應該指出：有兩種忍辱，一種是為了苟且偷安，另一種是為了積蓄力量、待機反攻。蔣介石的忍辱顯然屬於後一種。

蔣介石早年即具有民族主義思想，30 年代亦然。蔣氏 1934 年 5 月 11 日日記云："自道光廿二年鴉片戰爭中英白門和約起，及袁世凱接受廿一條，乃至華盛頓九國公約止，中華民族之人格與國家主權皆為此九國公約所埋葬。"於此不難看出近百年來民族災難對他的影響。蔣介石和日本軍國主義者之間不僅有公仇，而且有私恨。1928 年在濟南發生的"五三慘案"使他常存刻骨銘心之痛。日記曾云："身受之恥，以今五三為第一。倭寇與中華民族結不解之仇，亦由此而始也。"[2]

從蔣氏日記可見，他時常勉勵自己，奮發努力，洗雪百年來的民族恥辱。1933 年 1 月 4 日日記云："自今日起，每日記雪恥一則，總使倭寇敉平，國恥湔雪也。" 1934 年 5 月 11 日日記云："中正負此傳統之污辱與重任，豈僅以本人不簽喪辱條約而得了乎！如何洗雪，勉之！" 為此，他有過率領中華健兒

---

1 《"總統"蔣公大事長編初稿》卷 3，第 205、207、208、248 頁。
2 《蔣介石日記》（仿抄本），1934 年 5 月 3 日。

與日本侵略者長期周旋，在十年之內恢復東北失地的想法。[1] 也有過收復台灣等地，"恢復漢唐固有領土"的念頭。[2] 1935 年 8 月，他曾估計，日本軍國主義的失敗"當在十年之內"[3]。

在某些時候，蔣介石甚至主張，利用矛盾，助長日本軍閥的驕橫氣焰，使其孤立。1933 年 1 月 19 日日記云，"倭寇之弱點安在？彼軍閥對國際與國內皆為所厭惡。今養成其驕橫，使無忌憚。"次年 5 月 5 日日記云，對倭則"張其驕焰，多其外敵"。某次，他接見日本武官喜多誠一，對其驕橫不可一世的態度感到難以忍受，日記云："驕者必敗，敵寇之驕，即吾人之勝，何憤激之為哉！"[4] 這裏，雖然多少有點阿 Q 精神，但也顯示出他對"物極必反"這一中國古代哲學命題的理解。

蔣介石也曾考慮過利用日本統治階層的內部矛盾，日記云："此後更應注重日本內部文武兩派之勝敗誰屬，當使文派抬頭以制軍閥，抑使軍閥橫行，以促其孤立乎？"[5] 但是，在"盧溝橋事變"以前，這一策略尚未形成。

無可諱言，"九一八"至"盧溝橋事變"之前，蔣介石的對日外交是"妥協外交"，但是，這是一種暫時的"雌伏"，目的是為了他日的"雄起"，用他自己的話來說就是："我們現在要忍受暫時的退屈，來謀將來最大的進展。"[6] 這是和獻媚外敵，一味屈膝投降並不相同的。

三、廣結盟國，寄希望於國際環境的變化

1933 年 3 月，蔣介石在保定接見胡適，表示戰無勝利把握，交涉不會有效，要胡適"想想外交的問題"。蔣的這一意見，並非出於偶然的靈感，而是"九一八"事變以來的既定方針。從那個時期以後，外交運用在蔣介石的對日謀略中即佔有極為重要的位置。

1　《蔣介石日記》（仿抄本），1932 年 9 月 13 日。
2　《蔣介石日記》（仿抄本），1934 年 3 月 23 日。
3　《蔣介石日記》，1935 年 8 月 21 日，轉引自《"總統"蔣公大事長編初稿》卷 3，第 218 頁。
4　《蔣介石日記》，1937 年 3 月 15 日，轉引自《"總統"蔣公大事長編初稿》卷 4（上），第 22 頁。
5　《蔣介石日記》（仿抄本），1934 年 11 月 27 日。
6　《政府與人民共同救國之道》，《"總統"蔣公大事長編初稿》卷 3，第 272 頁。

"以夷制夷"是中國的老傳統。1927 年 4 月，蔣介石在上海發動政變之後，外交上轉向英美，將蘇俄看成敵人。1929 年發生中東路事件，蘇聯宣佈與中國絕交，兩國外交關係中斷。然而，日本軍國主義者加緊侵華，得寸進尺。這樣，儘管蔣介石仍將蘇俄視為中國的"最後、最大之敵"[1]，但已不得不優先處理對日問題。1934 年 2 月 11 日日記云："外交先日後俄。"這說明，在蔣介石此時的心目中，對日，比對俄更為緊迫。此後，與蘇聯的關係逐漸改善。

蔣介石將和蘇聯邦交關係的改善視作對日本軍國主義者的打擊。1932 年 12 月，顏惠慶受命與蘇聯外長李維諾夫在日內瓦談判，決定恢復邦交。13 日，蔣介石在日記中寫道："與俄復交，足使倭人膽怯，而於我雪恥復國之基，更增強一層矣。"[2] 1933 年 1 月，蔣介石派兵進入熱河，視之為對日本軍國主義的第二打擊，而將"對俄復交"視之為"第一打擊"，[3] 可見，在蔣介石的心目中，外交運用較軍事佈置更加重要。

20 世紀 30 以至 40 年代，"北進攻蘇"一直是日本軍方的重要方略。蔣介石總結 20 世紀初年日俄在中國東北開戰，俄國慘敗的經驗，幻想在第二次日俄戰爭中俄國人能先動手，出動空軍轟炸日本及其在中國東北的基地。1934 年 4 月，他和汪精衛、黃郛研究形勢時曾說：

> 余料第二次日俄之戰，如倭寇內部之文武主張不能一致，則一年之後，俄必先取攻勢，以空軍作戰。如不先下手，則其海孫威與伯力先為倭寇轟炸毀滅，乃俄寇東方根據地全失，不能不退貝嘉湖以西，則成持久之局，此俄所不為也。故俄先必轟毀日本與東北倭寇之根據地，以行先著。且第一次日俄之戰，日乃不宣而戰，故俄國東方海軍全滅，為日所算，而此次開戰，則俄決不肯蹈此覆轍而坐以待倭也。[4]

基於對日俄必戰的估計，蔣介石希望利用蘇俄的力量制衡日本。同年 1 月 4 日日記云：

1　《蔣介石日記》(仿抄本)，1934 年 3 月 7 日。
2　《蔣介石日記》，轉引自《"總統"蔣公大事長編初稿》卷 2，第 245 頁。
3　《蔣介石日記》(仿抄本)，1933 年 1 月 17 日。
4　《蔣介石日記》(仿抄本)，1934 年 4 月 12 日。

倭寇既得偽滿，其意本足，惟懼大戰將起，恐我乘勢報復，故急欲強我屈服為與國，共防蘇俄，而其又懼蘇俄報復，與我聯合，故更求急進，使制服我也。敵之所畏懼者，即我之所最上者；敵之所欲急者，即我之所欲緩也。

"敵之所畏懼者"，指的是中蘇聯合；"敵之所欲急者"，指的是日本企圖強迫中國結為與國。蔣介石企圖以中蘇聯合抵禦日本的壓制。同年 1 月 27 日，蔣介石親自會見蘇聯大使後，判斷蘇聯有接近中國的願望。[1] 不久，蔣介石也相應決定"對俄則聯絡其感情"[2]。

蔣介石希望在日俄開戰時，中國能保持中立，他最擔心的是日本強迫中國捲入戰爭。"盧溝橋事變"前，日本曾多次以協助中國取消不平等條約為誘餌，要求與中國建立"攻守同盟"，共同防俄。[3] 蔣介石對此一度憂心忡忡。1934 年 9 月 12 日日記云："倭寇與俄開戰時，是否敢強問我態度與不許我中立，是否其不顧列強與國聯之聯帶關係而強我加入其東亞戰線，此皆應研究明晰。"日記中，蔣介石設計過幾種拒絕日方要求的理由，但特別注明："切勿與之說明不能參戰之情理。"[4] 為了避免被日方強迫參戰，蔣介石又決定對日實行諒解、和緩，從而促進日俄衝突。11 月 27 日日記云："應急與倭寇乘機諒解，以促進倭俄之衝突。"蔣介石當時的目的是：既不得罪蘇俄，又不得罪日本，讓他們兩方火拼，中國得免於難。

1925 年前後，蔣介石曾將英國看成頭號敵人，日記中有大量與"英夷"不共戴天的誓言。其後，英國逐步從遠東退卻，對中國的威脅日漸減少，蔣介石遂決定聯英，將聯英作為南京國民政府的外交重點。1934 年 1 月 12 日日記云："外交如非與英有切實合作之可能，則無成功之希望。"4 月 9 日日記云："如何乃能聯英？"5 月 5 日日記云："對英則確切合作。"當年 12 月，蔣介石曾計劃於次年去英國訪問，並在考慮以"中英經濟合作"，給予"商務特惠"作

1　《蔣介石日記》(仿抄本)，1934 年 1 月 27、28 日。
2　《蔣介石日記》(仿抄本)，1934 年 5 月 5 日。
3　參見《"總統"蔣公大事長編初稿》卷 3，第 167、190、212 頁。
4　《蔣介石日記》(仿抄本)，1934 年 8 月 14 日。

為和英國的"交換條件"。[1]

對美國，蔣介石態度搖擺，最初曾寄以希望。1932 年 11 月 9 日日記云："世界各國外交政策，有正義而不變者，唯美國而已。"他認為，美國政府的政策建築在最重視民眾輿論的基礎上，準備喚起美國國民，使美國成為"中國最友愛之友邦"[2]。因此，有 1933 年派宋子文訪美之舉。宋子文先是與羅斯福共同發表保障遠東和平的聲明，後是簽訂中美棉麥貸款，中美關係有所發展。但是，蔣介石仍然不很信任美國。1934 年 2 月，傳說美國將承認偽滿洲國，蔣介石雖認為無此可能，但他表示"美於國際信用實無價值"。這一時期，他和宋子文的關係惡化，因此，對宋的聯美主張持批評態度，日記云："子文信從歐美以制倭，而不能自強，抑何愚耶！"[3] 同年 3 月 25 日，蔣氏在日記中指斥美國外交家"利己損人"，善於玩弄陰謀，提醒自己："弱國如吾，能不察乎？"10 月 8 日，蔣介石在接見美國武官時，又當面"痛斥美國態度之不正"[4]。但是此後不久，蔣介石就逐漸改變其"重英輕美"觀念，形成"聯美制日"的策略，並且使之分量越來越重。11 月 27 日日記云："英美形勢已聯合對日，乃為中國存亡之轉機。"同年底，蔣介石確定了"運用英美"的總原則，將它們視為中國抗日的同盟力量。

"九一八"事變後，蔣介石也加強了和德國的聯繫。1933 年孔祥熙、宋子文先後訪德。1934 年 6 月 10 日，蔣氏日記中有"催訂德廠合同"的記載。當時，中國正計劃與德方共建飛機製造廠，所謂催訂合同，應指此事。在蔣介石的催促下，該項合同於同年 9 月簽訂。這一時期，德國軍事顧問團積極介入中國的國防建設，參與制訂國防計劃大綱。[5] 1937 年 5 月，孔祥熙再次訪德，購買軍火，及時運回，得以滿足幾個月後的對日抗戰需要。當時，蘇聯、美國、英國對中國的援助尚未開始，德國軍火成了中國部隊的重要補給來源。

蔣介石懂得，一個國家，首先必須自強、自助、自求，[6] 在發展和各個國家

---

1 《蔣介石日記》（仿抄本），1934 年 12 月 23 日至 26 日。
2 《蔣介石日記》，1932 年 11 月 9 日，轉引自《"總統"蔣公大事長編初稿》卷 2，第 242 頁。
3 《蔣介石日記》（仿抄本），1934 年 2 月 26 日。
4 《蔣介石日記》（仿抄本），1934 年 10 月 8 日。
5 《國民政府軍事機關檔案》，中國第二歷史檔案館藏，第 25 分檔，第 1161 號。
6 《五全大會對外關係報告》，《"總統"蔣公大事長編初稿》卷 3，第 247 頁。

的關係時，要堅持自主，[1] 用人而不為人用。他分析當時國際錯綜複雜的關係，認為"如能運用得當，以求生存，用人而不為人用，則未始無復興之機"[2]。30 年代，列強間正在形成新的組合，蔣介石相信："假以時日，國際環境當有轉機"[3]，"東方戰爭勝負之分，必在歐戰決定之後，最後歐洲與世界必聯合處置日軍，以解決東方問題"[4]。證以後來的歷史，蔣介石的這一估計是正確的。

1934 年，蔣介石以圖表形式制訂過一份《救國方略》，分"安內"與"攘外"兩部分，其"攘外"部分如下：

從上表可以看出，"九一八"事變之後，對日已經成了蔣介石外交策略的核心，也是其"攘外"的唯一內容。為了對日，他在國際上廣交朋友，聯絡友邦，藉以制衡日本。對此，日方曾一再表示不滿和抗議。1934 年 4 月，日本外務省情報部部長天羽英二聲明："如果中國採取利用其他國家排斥日本"，"或者採取以夷制夷的排外政策，日本就不得不加以反對"。[5] 日本外相廣田弘毅也認為，中國企圖"利用外國的影響來束縛日本的雙手"[6]，於 1935 年 10 月，向中國駐日大使蔣作賓提出，中國須絕對放棄"以夷制夷"政策。[7] 這些地方都說明，蔣介石的這一時期的外交策略打中了日本軍國主義者的痛處。

1 《蔣介石日記》，1936 年 11 月 7 日，轉引自《"總統"蔣公大事長編初稿》卷 3，第 351 頁。
2 《蔣介石日記》，1932 年 8 月 8 日，轉引自《"總統"蔣公大事長編初稿》卷 2，第 348 頁。
3 《電陳濟棠總司令》，《"總統"蔣公大事長編初稿》卷 2，第 312 頁；又，蔣介石 1933 年 4 月 2 日演講云："若是能抵抗三年、五年，我預料國際上總有新的發展。"見《"總統"蔣公大事長編初稿》卷 2，第 294—295 頁。
4 《蔣介石日記》，1936 年 3 月 14 日，轉引自《"總統"蔣公大事長編初稿》卷 3，第 281 頁。
5 《日本帝國主義對外侵略史料選編（1931—1945）》，上海人民出版社 1975 年版，第 157 頁。
6 FRUS, Japan, 1931—1941, vol. 1, p. 230.
7 《"總統"蔣公大事長編初稿》卷 3，第 230 頁。

四、從"安內"為重到"攘外"為重

　　30 年代，中國危機重重，蔣介石面臨諸多問題，其中最尖銳、最突出的是日本的侵華威脅和中共的"紅色割據"。蔣介石在二者之間，常常感到焦頭爛額，應付為難。1931 年秋，蔣介石對江西蘇區實行第三次"圍剿"，不久，"九一八"事變發生，部分軍隊抽調北上，"圍殲之功，虧於一簣"[1]，使蔣介石極感惋惜。此外，還有各地割據或半割據的地方實力派，如廣東陳濟棠、廣西李宗仁及白崇禧、華北馮玉祥、山東韓復榘、山西閻錫山、陝西楊虎城、西北孫殿英、新疆盛世才等，都使蔣介石懸心吊膽，難以安枕。[2] 怎樣處理安內和攘外的關係，尖銳地擺到蔣介石和南京國民政府的面前。

　　蔣介石以圖表形式制訂的《救國方略》，其"安內"部分如下：

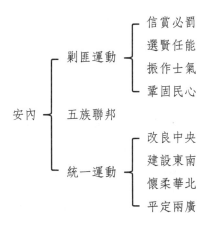

　　從上表可以看出，蔣介石的"安內"所要解決的問題分 3 方面：1. 以武力"剿滅"中共。這是蔣介石的興奮中心，所以列了"信賞必罰"等 4 條措施，期於收到實效。2. 組成漢、滿、蒙、回、藏五族聯邦。30 年代，中國邊疆處於多事之秋。東北溥儀"稱帝"，內蒙古德王勾結日本，新疆蘇聯滲透，西藏英國覬覦。這些，使蔣介石感到，幾年之後有可能"盡失邊疆"[3]。因此，蔣介石有過"以民

1　《"總統"蔣公大事長編初稿》卷 2，第 203 頁。
2　《蔣介石日記》（仿抄本）1934 年 1 月 28 日云："寧夏孫匪，新疆盛閻，必為國家大患。"又 1934 年 2 月 17 日記云："西北孫匪，廣西李、白，粵陳，魯韓，晉閻，陝楊諸人，亦為邊藩之第二，可不慎乎？"
3　《蔣介石日記》（仿抄本），1934 年 5 月 6 日。

族平等為原則，組織五族聯邦制度"的想法，[1]也曾準備於十年內在滿、蒙、藏等地進行"自治試驗"。3. 解決和地方實力派的關係，實現國家統一。為此，蔣介石認為首先要"改良中央"、"建設東南"，在此基礎上，對華北派"懷柔"，對兩廣派以武力平定。

蔣介石最初主張，將安內放在優先位置。1931 年 7 月 23 日，蔣介石發表文告稱："唯攘外必先安內，去腐乃能防蠹。"[2]這是他對於二者關係的第一次明確表述。同文中，蔣介石並稱："不先消滅赤匪，恢復民族之元氣，則不能禦侮；不先削平粵逆，完成國家之統一，則不能攘外。" 1934 年 8 月 20 日日記云："非平粵桂，無以安內攘外。"可見，蔣介石所稱安內，既指中共，又指胡漢民、陳濟棠、李宗仁等地方實力派。

對地方實力派，在大多數場合，蔣介石採取懷柔、籠絡策略。對兩廣，則主意不定，策略變化較多：有時主張"武力平定"，認為"粵非速征不可"；[3]有時主張拉一派，打一派，"聯桂制粵"，或聯湘制粵；有時主張調和汪精衛與胡漢民的矛盾，舉胡為總統。[4]經過反復思考，蔣介石主要採取了兩項對策，一是分化廣東內部。1934 年 3 月 16 日，蔣介石日記即有"與粵空軍聯絡"的記載。這一策略在 1936 年的兩廣事變中收到了實效。一是"緩和"[5]。1934 年 11 月 27 日，蔣介石發表《劃分中央與地方權責宣言》，提出"和平統一" 及 "國內問題取決於政治，不取決於武力" 等主張。《宣言》稱："今日救國之道，莫要於統一，而實現統一，端在乎和平。吾人當此歷史上空前未有之困難，若非舉國一致，精誠團結，避免武力為解決內政之工具，消弭隔閡，促成全國真正之和平統一，實無以充實國力，樹立安內攘外之根基。"[6]蔣介石對這一宣言很重視，視為"政治新階段"[7]。當時，日本軍國主義者正在積極支持華北、山西、山東、華南等地方實力派和南京政府對立，企圖建立所謂"華北國"與"華南國"。《宣

<hr />

1 《蔣介石日記》（仿抄本），1934 年 3 月 7 日。
2 《"總統"蔣公思想言論總集》卷 30，書告，台北中國國民黨黨史會 1984 年版，第 15 頁。
3 《蔣介石日記》（仿抄本），1934 年 7 月 7 日。
4 《蔣介石日記》（仿抄本），1934 年 4 月 3、5 日。
5 《蔣介石日記》（仿抄本），1934 年 11 月 21 日。
6 《"總統"蔣公大事長編初稿》卷 3，第 130 頁。
7 《蔣介石日記》（仿抄本），1934 年 12 月 1 日。

言》所提出的 "和平統一" 方針是對日本侵略者分裂陰謀的打擊。1 月 28 日，蔣介石會見王寵惠、羅文幹、孔祥熙等，決定 "對胡妥協"，同時決定派孫科赴粵，與 "西南派" 和解。11 月 29 日，蔣介石起草致胡漢民函，日記稱："既決心妥協，則當以至誠出之，故文句尊重如故也。" 此後，至 1936 年胡漢民去世前，蔣介石對 "西南派" 採取的都是 "和解" 方針。[1]

蔣介石在提出 "和平統一" 方針的同時，也應允對國內政治進行部分改革。1933 年，他有過 "開放政治，以政治奉還於民" 的一系列想法，但僅限於想法。[2] 到了 1934 年 1 月發表《劃分中央與地方權責宣言》時，他就公開提出，要保障人民依法享有言論、結社自由，聲稱 "不願徒襲一黨專政之虛名，強為形式上之整齊劃一"。這些主張，顯然是對國內愛國民主人士和地方實力派的讓步。

蔣介石最不能容忍的是中共的 "紅色割據"，在 "九一八" 事變以後，他仍然堅持 "圍剿" 方針，企圖在最短期間，以最快的速度 "剿平" 中共，然後再從事抗戰。自 1932 年 7 月至 1934 年 10 月，他先後組織了對 "蘇區" 和紅軍的第四、第五兩次 "圍剿"，必欲除之而後快。但是，其間他也有動搖的時候。1933 年 1 月 20 日日記云：

> 近日甚思赤匪與倭寇，二者必捨其一而對其一。如專對倭寇，則恐明末之匪亂以至覆亡，或如蘇俄之克倫斯基及土耳其之青年黨，畫虎不成，貽笑中外。惟以天理與人情推之，則今日之事，應先倭寇而後赤匪也。

蔣介石認識到，在 "剿匪" 和抗日之間，只能二者擇一。全力抗日吧？蔣介石擔心共產黨的力量會發展起來，自己的統治最終會被推翻；全力 "剿匪" 吧？又不合於 "天理與人情"。從這段日記看，蔣介石已經認識到，抗日是民族大義所在，必須 "攘外" 第一，"先倭寇而後赤匪"。1934 年 11 月 15 日，他也曾在日記中寫道："救國之道，惟在免除內戰。" 可見，上述觀點，並非偶然靈感，而是經過較長時期思考的。蔣介石之所以堅持 "剿共" 方針，阻礙他做出

1　參見楊天石：《民國風雲》（上）。
2　《蔣介石日記》，1933 年 3 月 20 日，轉引自《"總統" 蔣公大事長編初稿》卷 2，第 285 頁。

正確決定的是對南京國民政府和自身命運的憂慮。

正是出於這種憂慮，在相當長的時間內，蔣介石認為內憂重於外患，視中共為頭號敵人。1933 年 4 月 6 日，他從河北保定匆匆趕回江西，即在撫州發佈命令稱：“外寇不足慮，而內匪實為心腹之患。”[1] 同月 11 日，他在南昌軍事整理會議上發表講話稱：“中國存亡之關鍵，不在外患，而在內憂，不在步步侵入的日本帝國主義，而在盤據國內為國家心腹之禍的土匪，目前我們只要能安內，則攘外就不成問題，把匪剿清以後，來對付日本帝國主義。”[2] 有時，他甚至把中共看成“惟一之大患”[3]。當時，國內許多部隊紛紛要求北上抗日，廣東、廣西、福建三省曾準備組織聯軍，北上參戰，但都遭到蔣介石的阻止和拒絕。4 月 15 日，他致電陳濟棠說：“贛匪殊不可輕視，似不如先其所急，分工合作，南中傾全力以剿共，華北負專責以禦侮。”[4] 21 日，再電陳濟棠稱，共產黨一旦突圍成功，必然“國本動搖，立蹈明末覆轍，雖有善計，亦無法收拾，為禍之烈，或較日寇侵略而有加”[5]。當時的國民黨和中共之間有巨大的政治分歧，但無論如何，總是“兄弟鬩於牆”，在民族敵人面前屬於內部矛盾。蔣介石視中共為“心腹大患”，視日本侵華為“皮膚小病”，[6] 將中共看成遠比日本軍國主義者更為危險的敵人，這就顛倒了內外矛盾之間的關係，違背了國人團結禦侮的普遍願望，一系列的錯誤也就由此而生了。

要抵抗外敵，必須以國家統一、國內安定團結為條件。這一點，對於弱國尤為重要。蔣介石 1933 年 3 月 20 日日記云：“今日欲言抗戰到底，則非舉全國國民之心力彙集於一點，並統一全國之內政、財政、兵力，聽命於中央，不能有效。”這段話說得並非全無道理。問題是，怎樣才能實現統一？是以武力削平異己力量呢，還是求同存異，團結對外？遺憾的是，蔣介石在很長時期內採取的是前者。他置日益嚴重的民族危機於不顧，將本應對外的槍口首先用以對

---

1 《蔣委員長告各將領先清內匪再言抗日電》，《中華民國重要史料初編——對日抗戰時期》之《緒編》（3），第 35 頁。
2 《“總統”蔣公大事長編初稿》卷 2，第 293 頁。
3 《蔣介石日記》，轉引自《“總統”蔣公大事長編初稿》卷 2，第 302 頁。
4 《“總統”蔣公大事長編初稿》卷 2，第 296 頁。
5 《“總統”蔣公大事長編初稿》卷 2，第 299 頁。
6 《革命軍的責任是安內與攘外》，《中華民國重要史料初編——對日抗戰時期》之《緒編》（3），1933 年 5 月 8 日，第 36 頁。

內，這就必然引起普遍的反對和抗議，最終迫使蔣介石不得不放棄這一政策。1934 年底，蔣介石指派陳果夫、陳立夫兄弟著手解決中共問題。次年 6 月，雙方代表在香港會見，開始了國共兩黨間的艱難談判。[1] 這一舉措，反映出蔣介石從安內為重到攘外為重的策略轉變。

蔣介石的改變根源於多方面的因素。一是日本軍國主義者對中國侵略行為的不斷加深，一是國內各階層救亡圖存呼聲的加強。但是，他改變的並非攘外必先安內的政策，而是安內的方法，從"圍剿"共產黨改變為承認共產黨，從而實現了在抗日旗幟下的國內大團結。

五、秘密準備，以"剿共"為抗日之掩護，經營西南根據地

30 年代，日本軍國主義者對中國的侵略得寸進尺，民族危機日益嚴重，蔣介石不得不作抗戰準備。1933 年初，蔣介石在日記中寫下了幾則短語："東南國防計劃。購炮雷彈計劃。備油避機計劃。"[2] 反映出他在思考國防建設問題。這以後，他不斷下達備戰指示：

2 月，指示在長江沿岸馬當、田家鎮、武穴等要塞構築防禦工事。

3 月，指示在江蘇、安徽、江西、湖北等省江岸分散佈置潛伏炮兵，以扼制敵艦行動。

4 月，指示參謀本部次長賀耀組迅速修建南京附近各地要塞聯絡道路。

6 月，限令軍政部於 1936 年底前建立江防、航空、通信、新兵工廠的獨立生產基礎。

進入 1934 年之後，蔣介石對國防建設要求加快。當年 2 月，蔣介石致電賀耀組，限於當月制訂完成東南國防、以南京為中心的防空以及東南空軍作戰等計劃，同時要求勘定江防、海防各要塞附近的步兵陣地，繪成地圖。自此，各地國防工程全面啟動。至 1937 年 2 月，全國各地已築成機關槍掩體、小炮掩

1　參見拙作《陳立夫與國共談判》，《海外訪史錄》，社會科學文獻出版社 1998 年版，第 395—401 頁。
2　《蔣介石日記》（仿抄本），1934 年 1 月 27 日。

體、觀測所、掩蔽部等各類工事 3,374 個。[1] 這一切說明，蔣介石在認真地準備對日抗戰了。

東南國防計劃的目的是為了防禦，但是，既然對日戰爭是一場長期戰爭，就必須有後方，有根據地。1932 年 11 月，蔣介石等提議，切實進行長安陪都、洛陽行都的建設。[2] 1933 年 8 月，他和戴季陶議事，再次討論遷都西安問題[3]。次年 1 月 24 日日記云：“國防據點，分東北與西北兩部乎？”建設東北據點，目的仍在防禦，但建設西北據點，則是為了加強後方。此際，國民黨正在召開四屆四中全會。會議期間，蔣介石決定將國民經濟中心逐漸西移。為此，他提出：國家及私人大工業今後避免集中海口；開闢道路、航路，完成西向幹線；建設不受海上敵國封鎖的出入口；於經濟中心區附近不受外國兵力威脅之地區，確立國防軍事中心地；全國大工廠、鐵路及電線等項建設，均應以國防軍事計劃及國民經濟計劃為綱領等等。該會在宣言中並提出“救亡圖存大計”，要求集中國力、充實國力，鞏固國家統一，完成一切建設，以立禦侮之根本。[4] 1934 年 10 月 18 日，蔣介石飛抵蘭州，日記云：“黃河形勢雄壯，西北物產之豐，倭俄雖侵略備至，如我能自強則無如我何也，極思經營西北，以為復興之基地。”次年，他下令在河南進行軍事演習，構築永久工事。此後，他又陸續下令建築武漢、青島、濟南等地的要塞工程。

在更多情況下，蔣介石傾向於以西南為根據地。1934 年初，他在日記中為自己列出了多項任務，其第 34 項為“決不任總統與行政院長，專心建設西南”[5]。同年 10 月，中國工農紅軍撤離蘇區，開始長征。蔣介石決定經營四川，11 月 23 日日記云：“如經營四川，應注重駐地，以對倭、俄寇與兩廣皆能顧到為要也。”

兵不厭詐。戰爭中要講究虛虛實實，藉以迷惑敵人，備戰也同樣如此。蔣介石 1933 年 8 月 17 日日記云：“大戰未起之前，如何掩護準備，使敵不加注

---

1 據《何應欽部長對五屆三中全會軍事報告》統計，參見《中華民國重要史料初編──對日抗戰時期》之《緒編》(3)，第 355—361 頁。
2 《中華民國重要史料初編──對日抗戰時期》之《緒編》(1)，第 549—550 頁。
3 《“總統”蔣公大事長編初稿》卷 2，第 347 頁。
4 《“總統”蔣公大事長編初稿》卷 3，第 6—7 頁。
5 《蔣介石日記》(仿抄本)，1934 年卷首。

意，其惟經營西北與四川乎！”次年12月29日日記云：“若為對倭計，以剿匪為掩護抗日之原則言之，避免內戰，使倭無隙可乘，並可得眾同情，乃仍以親剿川、黔殘匪以為經營西南根據地之張本，亦未始非策也。當再熟籌之！”這則日記透露出，蔣氏企圖在“追剿”紅軍的掩護下大力建設西南，以之作為日後抗戰的根據地。

此後，蔣介石即一面在西南地區追擊長征中的紅軍，一面加緊建設西南，統一四川、雲南、貴州三省。1935年2月4日，蔣介石在廬山規劃國防工業方案，電令趕築西南各省公路。次月，蔣介石親自入川，在重慶發表演講，提出“四川應為復興民族之根據地”。當時，四川政治、經濟混亂，蔣特別致電孔祥熙。告以日軍在華北“似有箭在弦上之勢力”，同時告以“我方軍事與政治中心全在四川”，要他從速確定四川金融政策。[1] 接著，蔣介石又陸續巡視貴州、雲南等地，直到當年10月，才回到南京。1936年1月，蔣介石報告稱，日本之所以在華北挑釁，就是因為害怕四川、雲南、貴州三省的統一，成為中國復興基地，因此千方百計干擾，而他“看穿日本的詭計，無論如何，駐在四川不動”[2]。日本軍國主義者在華北挑釁的原因，未必如蔣介石所云，但他看出，統一西南三省，“國家民族的生存，才有最後的保障”，這是不錯的。

以駐節四川、巡視雲貴為起點，蔣介石積極整理三省的政治、經濟，加強工業建設，發展交通，種種舉措，對於後來的抗戰都起了重要作用。1936年6月，蔣介石在和李滋羅斯談話時還說過：“當戰爭來臨時，我將在沿海地區做可能的最強烈的抵抗，然後逐步向內陸撤退，繼續抵抗。最後，我們將在西部某省，可能是四川，維持一個自由中國，以待英美的參戰，共同抵抗侵略者。”[3] 可見，他在當時已經料到了後來戰事的發展進程並為此作了準備。

中國現代軍事學家蔣方震極為強調空軍在戰爭中的作用，蔣介石接受了他的影響。1932年7月，蔣介石決定自任杭州中央航空學校校長。1934年決定將航空署改為航空委員會，自兼委員長。他在為航空學校書寫《訓教》時，特別

1　《蔣委員長致孔祥熙電》，《中華民國重要史料初編——對日抗戰時期》之《緒編》（3），第335頁。
2　《對全國中等以上學校校長與學生講話》，《中華民國重要史料初編——對日抗戰時期》之《緒編》（1），第745—746頁。
3　Frederic Leith-Ross: *Money Talk-Fifty Years of International Finance*, London, p. 221.

提出"空軍救國"的口號。凡此，都可見他對空軍的重視。這一時期，他積極倡議購買飛機，派員出國考察飛機製造工業，在國內興建飛機製造廠，建設機場，實行防空訓練，為重要鐵路樞紐及黃河鐵橋配置防空設備，使中國空軍和防空力量得到一定加強。1936 年 10 月，蔣介石到杭州主持航空學校第五、第六屆畢業典禮，對中國空軍的發展感到滿意，曾在日記中寫道："五年之內，期趕上倭國空軍則可以保我國之安全矣！"[1]

六、結語

"九一八"事變中，中國軍隊未作任何抵抗就丟掉了東北大片江山，蔣介石和南京國民政府因此受到了國人最嚴厲的批評和指責。此後，蔣介石和南京國民政府有所改變，其表現是：在淞滬地區和長城各口抗擊來犯日軍；在談判桌上，南京國民政府也進行過若干抗爭。但是，就其總體考察，這一時期，蔣介石和南京國民政府的對日外交仍以妥協和退讓為特徵。蔣介石實行這一政策，有其錯誤的、應予批評、譴責的方面，也有弱國面對強國時的無奈與不得已。它是一種政策，也是一種謀略。蔣介石在對日步步退讓的同時，又以勾踐臥薪嘗膽的精神激勵自己，進行抗戰準備：對內，調整政策，比較妥善地解決了和地方實力派以及和中共的矛盾，同時，建設西南基地；對外，廣交朋友，聯絡盟國。這些，都為後來的抗戰勝利打下了基礎。

附記：本文為提交 2000 年 5 月在日本東京召開的第 45 屆國際東方學者會議的論文，原載日本《國際東方學者會議紀要》第 45 冊，2000 年；《近代史研究》，2001 年第 2 期。

---

1 《蔣介石日記》，轉引自《"總統"蔣公大事長編初稿》卷 3，第 337 頁。

國民黨人的「持久戰」思想 *

* 本文錄自《找尋真實的蔣介石：蔣介石日記解讀》(2)，華文出版社 2010 年版；原載《南方都市報》(歷史專版)，2009 年 6 月 30 日、7 月 2 日。

在抗日戰爭中，國民黨和共產黨都提出了"持久戰"思想。其中，國民黨人的"持久戰"思想有其自身發生、發展的過程，但接受過中共黨人的影響，抗日戰爭進入相持階段之初，國民黨人更曾有意識地吸取中共的相關思想，但可惜好景不長，未能長期延續。

一、"積小勝為大勝，以空間換時間"方針的提出

國民黨人"持久戰"思想中有兩句關鍵性的話，"積小勝為大勝，以空間換時間。"有人稱之為"十二字方針"。誰是它的提出者呢？

1963 年 12 月 21 日，白崇禧接受台北"中央研究院"近代史研究所陳三井教授訪問，談"太原會戰之檢討"時曾說：

> 自太原失守，二戰區有少數（士兵）渡黃河到河南者，當時我在武漢檢討二戰區軍事會議上正式提議，第二戰區全體官兵不得因太原失守而退過黃河或其他戰區，否則以軍法從事。當時我並建議對日抗戰我以劣勢裝備對優勢裝備之敵，應多採用"游擊戰與正規戰配合，積小勝為大勝，以空間換時間"，幸蒙採納，並令各部於山西境內以游擊戰與正規戰並用，保

障山西根據地。[1]

1964 年 4 月 21 日，白崇禧再次接受陳三井教授訪問，談游擊戰時又說：

> 民國二十七年，國府遷都武漢，曾召開軍事會議，研討對敵戰法，於戰略上國軍採取消耗持久戰，於戰術上，我曾於大會中提議，"應採取游擊戰與正規戰配合，加強敵後游擊，擴大面的佔領，爭取淪陷區民眾，擾襲敵人，使敵局促於點線之佔領。同時，打擊偽組織，由軍事戰發展為政治戰、經濟戰，再逐漸變為全面戰、總體戰，以收"積小勝為大勝，以空間換取時間"之效。當時，幸蒙委員長接納，通令各戰區加強游擊戰。[2]

第二戰區，指晉察綏戰區。太原失守時在 1937 年 11 月 8 日，少數士兵自山西渡過黃河到河南，必在這以後的一段時間內。白崇禧回憶明言國民黨最高當局召開會議，檢討第二戰區作戰的時間是在 1938 年，其具體時間雖不可確考，但是，蔣介石採納白崇禧建議，並給山西當局下令的時間卻是可考的。

1938 年 2 月 7 日，蔣介石在武昌中樞紀念週演講說："我們這次抗戰，是以廣大的土地，來和敵人決勝負；是以眾多的人口，來和敵人決生死。本來戰爭的勝負，就是決定於空間與時間。我們有了敵人一時無法全部佔領的廣大土地，就此空間的條件，已足以制勝侵略的敵人。""我們就是要以長久的時間，來固守廣大的空間，要以廣大的空間，來延長抗戰的時間，來消耗敵人的實力，爭取最後的勝利。"[3]

同年 3 月 5 日，蔣介石考慮對日作戰方略，自記云："我之對倭，在以廣大之空間土地，求得時間持久之勝利；積各路之小勝，而成全局之大勝。"[4]

同年 3 月 6 日，蔣介石制訂山西應戰要則，並且致電第二戰區司令長官閻錫山和副司令長官衛立煌，提出"化整為零"、"分合進退"等作戰原則，要他們遵照實施。電文說："總之，我軍此後作戰方略，在利用我廣大土地之活動，以求得時間持久之勝利，無論大小部隊，皆須立於主動地位，無論勝利大小，

1　《白崇禧先生訪問記錄》，台北"中央研究院"近代史研究所 1984 年版，第 231 頁。
2　《白崇禧先生訪問記錄》，第 352 頁。
3　《抗戰必勝的條件與要素》，《"總統"蔣公思想言論總集》卷 15，演講，第 122—123 頁。
4　《"總統"蔣公大事長編初稿》，總第 1332 頁。

收穫多寡，只要處處襲擊，時時擾亂，即可積各處之小勝，而成最後之大勝。"[1]

檢核上引各條材料，特別是將白崇禧 1963 年 12 月 21 日的口述和 1938 年 3 月 6 日蔣介石給閻錫山等人的電令對照，可以看出，二者完全相合，因此，我們可以判斷，白崇禧向蔣介石提出"積小勝為大勝，以空間換時間"的意見，必在 1938 年 3 月 6 日之前。當年 1 月 27 日，蔣介石在武漢召集各戰區部隊參謀長和參謀處長會議，要求到會人員"貢獻各人的學問和經驗，彼此交換研究，切實檢討，來決定今後整理部隊的統一計劃和具體方案，實行改進全國的軍隊。"[2] 會議共開三天。29 日，蔣介石在會上作《抗倭戰術之研究與改進部隊之要務》的報告，聲稱"各位根據治軍作戰的實際經驗，對大會有很多貢獻"[3]。白崇禧的意見應該就是在這次會上提出的。蔣介石因為覺得白崇禧的意見好，所以 2 月 7 日先在武昌中樞紀念週上闡述"以空間換時間"問題，次於 3 月 5 日摘錄備忘，又於第二天致電閻錫山等，命其貫徹執行。

毛澤東的《論持久戰》係 1938 年 5 月 26 日至 6 月 3 日在延安抗日戰爭研究會發表的演講。在相當長的時間內，蔣介石並沒有讀到《論持久戰》。蔣介石閱讀範圍較廣。馬克思、列寧、斯大林、毛澤東等人的著作他都讀，而且常在日記中加以記錄，並發表讀後感。有時，甚至自歎讀之過晚。但是，檢閱蔣介石這一時期的日記，卻完全沒有他閱讀《論持久戰》的記載。這是有原因的。

1938 年 7 月上旬，中共中央曾致電以王明為書記的長江局，要求在武漢的《新華日報》上刊登《論持久戰》，王明因為不贊同該文的觀點，以文章太長為理由拒不刊登。其後，中共中央再次致電，要求分期刊登，王明仍然拒絕。當時在武漢的中共刊物《群眾》也因而未能刊登。這樣，蔣介石自然不可能及時讀到《論持久戰》，日記中也就沒有相應的閱讀記載。1938 年 9 月，蔣介石研究抗戰階段，擬分消耗戰、防守戰、反攻三段。[4] 本來，抗戰階段劃分的標準應是戰局發展的時間先後，毛澤東正是按照這一標準將抗日戰爭劃分為戰略防禦、戰略相持、戰略反攻三個階段，而蔣介石的劃分則是以戰爭的攻守特點為

1 《"總統"蔣公大事長編初稿》，總第 1233 頁。
2 《部隊長官與參謀人員的責任和修養》，《"總統"蔣公思想言論總集》卷 15，演講，第 75 頁。
3 《"總統"蔣公思想言論總集》卷 15，演講，第 85 頁。
4 《蔣介石日記》（手稿本），胡佛研究院藏。《困勉記》，1938 年 9 月 18 日。

標準。它並不是"階段"區分,而是"特點"區分,而且,分得並不科學,例
如"消耗戰"與"防守戰"之間,就不可能嚴格地加以區分。

二、陳誠與"以空間換時間"的作戰方針

然而,是不是可以據此認為,白崇禧是"以空間換時間"的十二字方針的
創造者呢?還不能。陳誠回憶說:

> 二十五年(1936)十月,因西北風雲日緊,我奉委員長電召由廬山隨
> 節進駐洛陽,策劃抗日大計,持久戰、消耗戰、以空間換取時間等基本決
> 策,即均於此時策定。至於如何制敵而不為敵所制問題,亦曾初步議及。
> 即敵軍入寇,利於由北向南打,而我方為保持西北、西南基地,利在上海
> 作戰,誘敵自東而西仰攻。關於戰鬥系列,應依戰事發展不斷調整部署,
> 以期適合機宜;關於最後國防線,應北自秦嶺經豫西、鄂西、湘西以達
> 黔、滇,以為退無可退之界線,亦均於此時作大體之決定。總之,我們作
> 戰的最高原則,是要以犧牲爭取空間,以空間爭取時間,以時間爭取最後
> 勝利。[1]

"西北風雲日緊",指在日本關東軍及其卵翼下的偽蒙軍對察哈爾和綏遠的侵
擾。關東軍侵佔中國東北後,其下一步侵略目標,一是河北省。1935 年 11
月,日本指使殷汝耕發動"冀東事變",在通州成立冀東防共自治政府,提倡
華北特殊化,策劃經由華北自治而成立"華北國"。一是察哈爾、綏遠等省。
1936 年,關東軍利用蒙古地方自治政務委員會委員長德王製造內蒙古獨立,利
用李守信建立偽軍。同年 5 月,德王、李守信等在嘉卜寺成立"蒙古軍政府"
和偽蒙軍,日人村谷彥治郎等任顧問。偽蒙軍本已佔領察哈爾東部的張北、商
都等 8 縣和正藍、鑲白等 8 旗,這時,又積極企圖侵擾綏遠,完成其建立"蒙
古國"的迷夢。為了解決華北和綏遠面臨的危機,蔣介石一面和日方談判,要
求取消華北特殊化,保障中國國家主權的完整,一面則準備發動綏遠作戰,首

---

1 《陳誠先生回憶錄——抗日戰爭》(上),台北"國史館"2004 年版,第 23 頁。

先打擊日本操縱下的偽蒙軍。

1936 年 10 月 1 日，蔣介石日記云：“應作隨時應戰準備，並轉入主動地位。”其中提到“倭如製造華北傀儡時之處置”、“內蒙與華北及倭寇之利害關係”等問題。同日日記又云，“調陳任務”，“與辭修談時局”。[1] 這一天的日記表明，蔣介石意欲發揮陳誠在對日備戰和對偽蒙軍作戰中的作用。

陳誠是具有強烈愛國思想的將領。還在 1935 年 7 月，他就上書蔣介石，認為日本“貪欲無饜”，要求蔣介石速下決心，準備抗戰，“應於玉碎之決心與準備中求瓦全，不應於瓦全心理中得玉碎之結果”。[2] 1936 年 9 月 30 日，陳誠再次上書蔣介石，認為“就中日問題論，前途終不免於一戰”，“中日間之關係，今日實已至最嚴重之階段”。他建議，中國急務，除健全最高統帥部外，“應即就國防之需要，將全國各省切實分區，兼程釐整，旦夕應變，即就地予以守土之責，實為無可再緩”。他要求立即“積極建設兩湖，作為國防根據之中心。”函稱：“為今之計，應認定西南重心之所在，切實委任，嚴行督促，以期樹立復興民族堅固不拔之基礎。”[3] 同年 10 月，陳誠奉蔣介石之命，協辦晉綏國防。陳誠與閻錫山商定，由中央與山西共組 30 萬兵力，防備日偽來犯，相機收復為偽軍佔領的百靈廟、商都、張北等地。29 日，陳誠隨蔣介石飛洛陽。同日，蔣介石日日記云：

> 以後政治重點：甲、先整理長江各省，確實掌握，而置北方於緩圖，並加慰藉以安其心。乙、川湘孰先？若為現實與由近及遠，應先整理湘省，然為根本解決計，則先整川省。此時似可著手乎？[4]

蔣介石這一天的日記表明，陳誠關於對日備戰的意見起了作用。他接受陳誠“兼程釐整”全國各省、“建設兩湖”、“認定西南中心”等建議。只不過，陳誠建議以湖南、湖北作為國防根據地，而蔣介石從 1933 年起，就決定以四川為根

---

1 《蔣介石日記》（手稿本），胡佛檔案館藏。下同。
2 《陳誠先生回憶錄——北伐平亂》，第 341 頁。
3 《陳誠先生回憶錄——北伐平亂》，第 355—356 頁。
4 《蔣介石日記》（手稿本）。

據地，因此，他不得不考慮"川湘孰先"的問題。[1]

10月31日，蔣介石到中央陸軍軍官學校洛陽分校演講，聲稱"我們要復興國家民族，完成國民革命的使命，只有準備'打日本'。"次日，陳誠到校，演講《對敵作戰之時間、地點與方法》。他提出要研究三個問題：在什麼時間打日本？在什麼地方打日本？用什麼方法打日本？關於時間，陳誠表示："在敵人方面，是以'速戰速決'為利；而我方則以持久忍耐，才能夠有利。""我們多一天準備，就多增加一份力量。""我方一味延緩，也是很對的。"關於地方，陳誠表示："日本要亡我是整個的，不是局部的，我們就得有準備，任何地方都要有準備。"[2] 由於這次演講面向該校全體官佐、學員，所以不可能透露他正在設計中的抗戰方案，但從蔣、陳二人的連續演說看，他們確在思考相關問題。據記載，陳誠即在此際向蔣介石提出《關於國防準備及設施之建議》（附表），可惜此文件至今未見。大概陳的設計很得蔣的欣賞，因此蔣在同一時期寫作的《本月反省錄》中又寫道："對倭政策，彼以不戰而屈來，我以戰而不屈破之；彼以不宣而戰來，我以戰而必宣備之，則倭寇外強中乾之技畢露矣。"蔣介石的日記沒有與陳誠如何"策劃抗日大計"的記載，但這一天的日記所表達的顯然是"策定"之後的心情。同年12月4日，陳誠再次向蔣介石上書，提出對日作戰重點在魯、豫、蘇、皖毗鄰邊區，晉綏邊境及江浙首都一帶，函稱："湘、鄂、贛三省地縮南北，尤為全般作戰之中樞，而國防上之根據地，實以湖南為最適當。"[3] 上述意見，和蔣方震將抗日大本營設於湖南芷江、洪江一帶的意見接近，可以看作當時陳誠對"以空間換時間"這一戰略方針的具體設計。

1937年11月29日，陳誠致電蔣介石說："對倭作戰，貴在持久，而持久之原則，在以空間換取時間，對於一時之勝負與一地之得失，似不必過於憂慮。現在首都衛戍既然有專人負責，請公迅赴湘贛，統籌部署，以制敵機先，實無滯留危城之必要也。"[4] 陳誠打這一通電報給蔣介石的時候，日軍已經攻陷

1　參閱拙作《盧溝橋事變前蔣介石的對日謀略》，《蔣氏秘檔與蔣介石真相》，社會科學文獻出版社2002年版，第401—402頁。
2　《石叟叢書·言論第5集》，第146—152頁。
3　《陳誠先生回憶錄——北伐平亂》，第361頁。
4　《"總統"蔣公大事長編初稿》，總第1194頁。

武進、宜興等地，正分兵四路，向南京推進，因此陳誠向蔣介石進言，要他改變戰略，離開南京，採取"以空間換取時間"的策略長期抗戰。

西安事變期間，陳誠隨蔣介石被拘，失掉了隨身攜帶的兩個皮篋，所擬國防計劃、整軍計劃、公私函電、日記、建議等文件均損失無餘。[1] 他在洛陽和蔣介石"策定"的"持久戰、消耗戰、以空間換取時間"等文件也可能即失落於此時。儘管如此，上述 1937 年 11 月 29 日的電報說明，陳誠提出"以空間換時間"的持久作戰方針較之白崇禧要早。

至於"積小勝為大勝"方針的提出，則白崇禧確有貢獻。早在 1937 年 11 月南京保衛戰期間，國民政府討論今後作戰方針時，白崇禧就主張"應改採游擊戰"。[2] 至 1938 年 6 月，蔣介石即指令李宗仁，在蘇北及兩淮地區開展"游擊"。[3]

三、蔣介石的持久戰思想

由於中日兩國國力、軍力相差懸殊，而中國又是個幅員廣大、人口眾多的國家，因此，蔣介石很早就認為中日戰爭必將是"持久戰"。1932 年 1 月，日軍進攻上海閘北，蔣介石就在 28 日的日記中寫道："決心遷移政府，與之決戰。"當時，日本軍艦可以直接開到南京下關，國民政府決定遷都洛陽，以避其鋒。2 月 25 日，蔣介石命何應欽從速準備第二期抗戰計劃，聲稱決心"與倭持久作戰，非如此不足以殺其自大之野心"。[4] 27 日，蔣介石決定軍事計劃大旨，其內容為"充實一切自衛力量，準備長期抵抗，以求最後之勝利"。[5] 3 月 1 日，國民黨在洛陽召開四屆二中全會，決定以西安為西京，洛陽為行都。這一決定顯示，蔣介石不認為洛陽是可以久守之地。1933 年初，日軍進攻山海關，中國軍隊與日軍在長城各口發生戰鬥。4 月 12 日，蔣介石發表演講稱："我們現在對於日本，只有一個法子，就是作長期不斷的抵抗。他把我們第一線部隊

1 《陳誠先生回憶錄——北伐平亂》，第 165 頁。
2 《王世杰日記》第 1 冊，台北"中央研究院"近代史研究所 1990 年版，1937 年 11 月 19 日，第 143 頁。
3 《抗日戰爭的正面戰場》（上），第 667、673 頁。
4 《"總統"蔣公大事長編初稿》，總第 440—441 頁。
5 《"總統"蔣公大事長編初稿》，總第 441 頁。

打敗之後，我們再有第二、第三等線的部隊去補充，把我們第一線陣地突破以後，我們還有第二、第三各線陣地來抵抗。這樣一步復一步的兵力，一線復一線的陣地，不斷地步步抵抗，時時不懈，這樣長期的抗戰，越能持久，越是有利。若是能抵抗三年、五年，我預計國際上總有新的發展，敵人自己國內也一定有新的變化。"[1] 蔣介石預估，中國單獨作戰的時間需 "三年、五年"，則他心目中的全部抗戰時間必將更長。

蔣介石決定遷都洛陽時，分黃河以北、以南，長江以南及浙、閩兩省以及兩廣為四個防禦區，說明這個時期蔣介石心目中的對日作戰地區在黃河、長江的下游和沿海地區，其根據地則在中原的洛陽和陝西的西安。1933 年，蔣介石的目光開始轉向西南。其 8 月 17 日日記云："大戰未起之前，如何掩護準備，其惟經營西北與四川乎？"[2] 在他 1934 年的日記中，陸續出現 "專心建設西南"、"經營四川" 的記載，說明蔣介石更多地在考慮以西南，特別是四川作為抗日根據地。至 1935 年 2 月，蔣介石在重慶演講，明確提出 "四川應為復興民族之根據地"，這就將計劃中的對日作戰的空間進一步擴大了。同年 10 月，參謀本部制定《國防大綱》，蔣介石派熊斌到華北徵求各地將領意見，熊到山西，對徐永昌說：

> 蔣先生看定日本是用不戰屈中國之手段，所以抱定戰而不屈的對策。前時所以避戰，是因為與敵為南北對峙之形勢，實不足與敵持久，自川黔剿共後，與敵可以東西對抗，自能長期難之。只要上下團結，決可求得獨立生存，雖戰敗到極點，亦不屈服。[3]

從徐的這一頁日記可以看出，蔣介石因為找到了四川作為抗日根據地，對日作戰的決心因而增強。1936 年 6 月，蔣介石和英國財政專家李滋羅斯談話時更明確表示，中日戰爭爆發後，他將在沿海地區做 "可能的最強烈的抵抗"，然後逐步向內陸撤退，最後在西部某省，可能在四川，"維持一個自由中國，以待英

---

1 《"總統"蔣公大事長編初稿》，總第 552 頁。
2 《蔣介石日記》，《困勉記》卷 26，1933 年 8 月 17 日。這是蔣介石以四川作為抗日根據地思想的開始。
3 《徐永昌日記》第 3 冊，台北 "中央研究院" 近代史研究所 1991 年版，1935 年 10 月 15 日，第 318 頁。

美的參戰，共同抵抗侵略者"。[1] 據此可知，這時的蔣介石雖然還沒有說出"以空間換時間"這類語言，但其思想已經形成了。

此後，國民黨人一直以"持久戰"為指導制訂對日作戰計劃。1936 年底，蔣介石命參謀本部制訂《民國廿六年度國防作戰計劃》，其甲案云："國軍對恃強凌弱輕率暴進之敵軍，應有堅決抵抗之意志，必勝之信念。雖守勢作戰，而隨時應發揮攻擊精神，挫敗敵之企圖，以達成國軍之目的，於不得已，實行持久戰，逐次消耗敵軍戰鬥力，乘機轉移攻勢。"[2] 該計劃起草於 1937 年 1 月，3 月修訂完成，經參謀總長程潛審訂後送呈蔣介石。18 日，蔣介石發表《敵人戰略政略的實況和我軍抗戰獲勝的要道》，指出對付日軍速決的辦法之一就是要"持久戰、消耗戰"。"因為倭寇所恃的，是他的強橫的兵力，我們要以逸待勞，以拙制巧，以堅毅持久的抗戰，來消滅他的力量；倭寇所有的，是他侵略的驕氣，我們就要以實擊虛，以靜制動，抵死拚戰，來挫折他的士氣。"[3] 同日，蔣介石在《告抗戰全體將士書》中重申了這一思想。[4] 20 日，蔣介石以大本營大元帥名義頒發《國軍作戰指導計劃》，規定"國軍部隊之運用，以達成持久戰為作戰之基本主旨。各戰區應本此主旨，酌定攻守計劃，以完成其任務。"[5] 12 月 19 日，在武昌制定的《軍事委員會第三期作戰計劃》規定，在持久抗戰的總原則下，"以面的抵抗對敵之點或線的奪取，使不能達速戰速決之目的，而消耗疲憊之。"該計劃提出"我軍戰法，除硬性之外，參以柔性"。所謂"硬性"戰法，指在交通要線上，縱深配置有力部隊正面阻止敵軍進攻；所謂"柔性"戰法，指訓練民眾，聯合軍隊進行游擊，牽制、擾亂、破壞敵軍後方。[6] 進入 1938 年，經蔣介石批准的《武漢會戰作戰方針及指導要領》以及《武漢會戰作戰計劃》等都規定："以自力更生持久戰為目的，消耗敵之兵源及物質，使敵陷於困境，促其崩潰而指導作戰。"[7]

1　Frederic Leith-Ross , *Money Talk*, London, p.221.

2　《民國檔案》，1987 年第 4 期。

3　《"總統"蔣公思想言論總集》卷 14，演講，第 608 頁。

4　《"總統"蔣公思想言論總集》卷 30，書告，第 233 頁。

5　《抗日戰爭正面戰場》（上），江蘇古籍出版社 2005 年版，第 3 頁。

6　《抗日戰爭正面戰場》（上），第 18 頁。

7　《抗日戰爭正面戰場》（上），第 657 頁。

四、中共對國民黨的作戰建議與
兩黨"持久戰"思想的交流

中共領導人中最早提出"持久戰"思想的是毛澤東。1935 年 12 月，毛澤東在《論反對日本帝國主義的策略》一文中指出："帝國主義還是一個嚴重的力量，革命力量的不平衡狀態是一個嚴重的缺點，要打倒敵人必須準備作持久戰。" 1937 年 7 月 15 日，朱德在《實行對日抗戰》一文中指出，抗戰"將是一個持久的艱苦的抗戰"。8 月 2 日，蔣介石通過軍事委員會第六部主任秘書張沖密邀毛澤東、朱德、周恩來即飛南京，參加國防會議，共商國防問題。毛澤東決定派朱德、周恩來、葉劍英三人前往。4 日，張聞天與毛澤東商定，將向國民黨提出"總的戰略方針是攻勢防禦"，"決不能是單純的防禦"，"正規戰與游擊戰相配合"，"發動人民的武裝自衛戰"等意見。[1] 9 日，朱德、周恩來抵達南京，向國民黨提交多項議案，其中之一為《確立全國抗戰之戰略計劃及作戰原則案》，該案明確指出："我國抗戰戰略之基本方針是防禦的、持久的戰爭，在長期艱苦英勇犧牲的戰爭中求得勝利，也必定能勝利。" 該案具體提出 7 項戰略原則，其中第 3 條規定：作戰的基本原則是"運動戰"，"應在決定的地點、適當的時機，應集中絕對優勢的兵力與兵器，實行決然的突擊，避免持久的陣地的消耗戰"。第 5 條規定："一切陣地的編成，避免單線的構築，而應狹小其正面，伸長其縱深，在守備部隊的作戰關鍵亦應採取積極的動作，一般的應反對單純的死守，才能完成守備的任務。" 其第 7 條規定："廣大的開展游擊戰爭，其戰線應擺在敵人之前線左右，以分散敵人、迷惑敵人，疲倦敵人，肅清敵人耳目，破壞敵人之資財地帶，以造成有利條件有利時機，使主力在運動中消滅敵人。" 該案認為，只有在上述作戰原則之下，才是保持持久戰的有效方法和消滅敵人取得抗戰勝利的手段。[2] 上述各原則，較之國民黨人的"持久戰"思想，顯然更為豐富和深入。

朱、周、葉到達南京後，國防會議時間已過。8 月 11 日，三人共同參加

---

1 《毛澤東文集》卷 2，人民出版社 1993 年版，第 3—4 頁。

2 《中共黨史資料》，2007 年第 3 期。

軍事委員會軍政部談話會。周恩來發言稱，在正面防禦上，不可以停頓於一線及數線的陣地，而應當由陣地戰轉為平原與山地的擴大運動戰。另一方面，則要採取游擊戰。[1]朱德發言稱，抗日戰爭在戰略上是持久的防禦戰，在戰術上則應採取攻勢。在正面集中兵力太多，必然要受損失，必須到敵人的側翼活動。敵人作戰離不開交通線，我們則應離開交通線，進行運動戰，在運動中殺傷敵人。朱德並稱，發動民眾甚為重要，在戰區應由下而上及由上而下把民眾組織起來。游擊戰是抗戰中的重要因素，游擊隊在敵後積極活動，敵人就不得不派兵守衛其後方，這就牽制了它的大量兵力。[2]不過，國民黨人當時並未能領會中共的這些思想，在淞滬抗戰中仍然以陣地戰為主，在消耗日軍的同時，也嚴重消耗了自己。

1937 年 12 月，南京淪陷。1938 年 5 月，毛澤東發表《論持久戰》，批評盧溝橋事變以來國民黨軍事當局的主要錯誤，在於將陣地戰"放在主要地位"，認為在持久戰的第一階段，主要的作戰形式應該是運動戰，而以游擊戰、陣地戰為輔助。演講在說明"兵民是勝利之本"後，特別指出，保衛武漢等地已經成為"緊急任務"，"必須認真地提出和執行"。但是，他也同時提醒，如果不能爭取到一切必要的條件，武漢有"重蹈南京等地失陷之覆轍"。6 月，武漢保衛戰開始。8 月 6 日，毛澤東和中共中央致電長江局各負責人，說明"保衛武漢重在發動民眾，軍事則側重在襲擊敵人之側後，遲滯敵進，爭取時間，務須避免不利的決戰，至事實上不可守時，不惜斷然放棄之。"[3]在此前後，蔣介石也在日記中不斷表示，要保存兵力，不必過於重視一城一池的得失。如：

> 7 月 26 日："對防守武漢不作無謂之犧牲，應保持相當兵力，一為待機應用，作最後勝利之基礎。
> 9 月 26 日："保守武漢問題，惟力是視，不可為環境所牽制也。"
> 9 月 29 日："武漢之得失乃為次要問題，而保持戰鬥力更為重要也。"

1　中共中央文獻研究室：《周恩來年譜》，第 383 頁。
2　中共中央文獻研究室：《朱德年譜》，第 168 頁。
3　《毛澤東等致王明、周恩來等電》，1938 年 8 月 6 日，轉引自金沖及主編：《毛澤東傳》，中央文獻出版社 2011 年版，第 490—491 頁。

　　這幾天的日記表明，蔣介石已經認識到，持久抗戰，固然要消耗敵人，但最重要的是保存再戰的兵力。10 月 12 日，日軍在廣東大鵬灣登陸，廣州失陷，蔣介石認為武漢已無固守價值，決定撤退。22 日日記云："此時武漢地位已失重要性。如勉強保持，則最後必失，不如決心自動放棄，保存若干力量以為持久抗戰與最後勝利之基礎。"25 日，蔣介石下令撤離。次日，路透社電稱，撤退時中國軍隊"秩序整然"。蔣介石看到這一消息，感到欣慰。我們無法得知，中共長江局是否向蔣轉達過毛澤東等人 8 月 6 日的電報，但上述資料至少可以說明，在主動撤離武漢這一點上，蔣、毛二人完全一致。

　　武漢撤守後，蔣介石於當年 11 月在南嶽召開軍事會議，總結第一期抗戰的經驗教訓，規劃第二期作戰方案。周恩來和葉劍英參加會議。27 日，蔣介石在《第二期抗戰之要旨》中提出：政治重於軍事，民眾重於士兵，精神重於物質，訓練重於作戰，情報重於判斷與想像，游擊戰重於正規戰等原則。[1] 這些原則，顯然受到共產黨人有關思想的影響。會議決定接受朱德建議，開辦西南游擊幹部訓練班，由中共派出以葉劍英為首的教授團執教。該班於 1939 年 2 月 15 日開學，蔣介石自兼主任，以葉劍英為副教育長，講授《游擊戰概論》，國共兩黨的《持久戰》思想得到直接交流的機會。可惜的是，好景不長，由於兩黨矛盾發展，國民黨秘密制訂《限制異黨活動辦法》，此後，這樣的交流就成為絕響了。

1　《南嶽軍事會議委座手諭六種》，軍事委員會政治部印，密件。

胡適曾提議放棄東三省，承認「滿洲國」 *

* 本文錄自《抗戰與戰後中國》，中國人民大學出版社 2007 年版；原載《近代史研究》2004 年第 3 期。

一、平津淪陷，胡適向蔣介石上條陳

台灣蔣介石檔案中，藏有陶希聖致陳布雷函手跡一通，函云：

布雷先生：

　　本日下午五時，希同胡適之先生奉謁，未遇為悵。我等以為川越之南下，中國政府只有兩種態度：（一）為拒絕其入京，（二）為積極表示政府在決戰之前作最後之外交努力。希等主張第二辦法，並主張與之作一刀兩斷之方案，即放棄力所不及之失地，而收回並保持冀察之領土行政完整。其冀察部分希仍主張以實力保守滄保線而以外交手段收回平津。此種意見之意義在運用我國可戰之力與必戰之勢，不輕啟大戰，亦不避免大戰。蓋大戰所耗之力亦即我國之統一與現代化之力。若輕於用盡，必使中國復歸於民六、民八敵方紛爭時也。望先生為委座陳之。

　　　　　　　　　　　　　　　　　　　　　　　　弟陶希聖上，五日

陶希聖（1899—1988），名匯曾，字希聖，後以字行。湖北黃岡人。1922年畢業於北京大學法科。1927年參加北伐軍政治工作。1929年主編《食貨》半月刊。1931年任北京大學教授。陳布雷（1890—1948），原名訓恩，布雷為其筆名。浙江慈谿人。1927年加入國民黨。1935年任軍事委員會侍從室第二處主任。1937年任中央政治委員會委員。常為蔣介石起草文稿。函中所稱川越，指川越茂，原任日本駐天津總領事，1936 年被提拔為日本駐華大使。次年奉調回國。1937 年 6 月，再度使華。同年 7 月 7 日，盧溝橋事變爆發。次日，川越聲稱赴北平"避暑"，自上海北上，滯留天津，和中國政府之間的交涉均由使館參事代理。經中國政府與日本外務省交涉，川越才於 8 月 3 日離津，經大連南返。函末署 5 日，知此函為 1937 年 8 月 5 日作。當日，陶希聖與胡適共同訪問陳布雷，企圖對時局有所建議，未遇，便由陶希聖出面，寫了這封信，要求陳向蔣介石陳述。

盧溝橋事變爆發後。蔣介石於 17 日在盧山發表談話，宣稱："最後關頭一到，我們只有犧牲到底，抗戰到底。"但他同時又表示："在和平根本絕望之前一秒鐘，我們還是希望和平的。"他提出解決盧溝橋事件四原則：1. 任何解決不得分割中國主權與領土之完整；2. 冀察行政組織不容任何不合法之組織；3. 中央政府所派地方官吏，如冀察政務委員會委員長宋哲元等，不能任人要求撤換；4. 第二十九軍現在所駐地區，不得受任何約束。[1] 7 月底，北平天津相繼淪陷，蔣介石積極部署軍隊，企圖防守滄縣至保定一線。陶函即是在這一情況下提出的應時之策。雖僅一人署名，但函中明言"我等"，則代表胡適觀點無疑。

盧溝橋事變後，在對日態度上，國民黨和知識階層人士分為和戰兩派。汪精衛、周佛海、陶希聖、胡適、高宗武等人認為中國國力衰弱，與日本作戰必敗，極力主和，形成所謂"低調俱樂部"。8 月 3 日，川越茂離津時，曾就盧溝橋事件向記者表示："吾人擔任外交，非努力將此種事件設法由和平解決不可。結果如何，固當別論，自應盡力從事者也。"[2] 又稱："仍冀中日關係於最後危機線上可以轉換，盡力調整國交。"[3] 陶、胡對川越茂的南返存有希望，提出不要拒絕他入京，而要利用他"在決戰之前作最後之外交努力"，與日本達成"一刀兩斷"的方案，其內容為保持冀察領土完整，保守河北中部的滄州、保定一線，以外交手段收回平津，而其交換條件則為"放棄力所不及之失地"。

1　《"總統"蔣公大事長編初稿》，台北中國國民黨黨史會 1978 年版，第 1128—1131 頁。
2　《川越昨飛大連》，《申報》，1937 年 8 月 4 日。
3　《川越由連來滬》，《申報》，1937 年 8 月 5 日。

何處是陶、胡所指"力所不及之失地"，函中未明言，但同函附有條陳一份：

原則：

解決中日兩國間一切懸案，根本調整中日關係，消除兩個民族間敵對仇視的心理，建立兩國間之友誼與合作，以建立東亞的長期和平。

方針：

（一）中華民國政府在下列條件之下，可以承認東三省脫離中華民國，成為滿洲國：

1. 在東三省境內之人民得自由選擇其國籍；

2. 在東三省境內，中華民國之人民享受居留，經營商業，及購置土地產業之自由。

3. 東三省境內之人民應有充分機會，由漸進程序，做到自治獨立的憲政國家。

4. 在相當時期，如滿洲國民以自由意志舉行總投票表決願意復歸中華民國統治，他國不得干涉阻止。

5. 熱河全省歸還中華民國，由中國政府任命文官大員在熱河組織現代化之省政府，將熱河全省作為非武裝之區域。

6. 自臨榆縣（山海關）起至獨石口之長城線由中華民國設防守禦。

（二）中華民國全境內（包括察哈爾全部，冀東，河北，北平，天津，濟南，青島，漢口，上海，福建等處），日本完全撤退其駐屯軍隊及特務機關，並自動放棄其駐兵權，租借地，領事裁判權。此後在中國境內居留之人民，其安全與權益，完全由中國政府負責保護。

（三）中國與日本締結互不侵犯條約，並努力與蘇聯締結互不侵犯條約，以謀亞洲東部之永久和平。

（四）中國與日本共同努力，促成太平洋區域安全保障之國際協定。

（五）日本重回國際聯盟。

外交手續：

1. 兩國政府商定上項方針（不公佈）之後，兩國政府同時宣佈撤退兩國軍隊，恢復七月七日以前的疆土原狀。中國軍隊撤退至河北省境外，日本軍隊撤退至長城線外。北平天津及河北省曾被日本佔據地域內之政警務由中國政府派文官大員接管。其治安維持，由中國保安隊擔負。

　　兩國政府宣佈軍隊撤退時，同時聲明在公佈之後三個月之內，由兩國選派全權代表在指定地點開始調整中日關係的會議。

　　2. 第二步為根本調整中日關係的會議，依據兩國政府會商同意之原則與方針，作詳細的節目的討論。此第二步之談判，應不厭其詳，務求解決兩國間一切懸案，樹立新的國交。談判期間不嫌其長，至少應有兩三個月之討論。交涉之結果，作成詳細條約，經兩國政府同意後，由兩國全權代表簽字。

　　此條陳用紅格稿紙、直行書寫，共 4 頁，根據字跡，一望而知為胡適親筆。據此可知，陶、胡二人所主張放棄的"力所不及之失地"指的就是東三省。條陳中，陶、胡明確提出，在東三省人民可自由選擇國籍以及將來可以用"總投票表決"的辦法"復歸中華民國統治"等 4 項條件下，中國可以放棄東三省，承認偽滿洲國。陶、胡二人企圖以此換取日本讓步，自東三省以外的中國境內全面撤兵，從而"根本調整中日關係，消除兩個民族間敵對仇視的心理"。

　　陳布雷見到陶希聖的信件和胡適的條陳後，於 8 月 6 日轉呈蔣介石，同時寫了一封短函，表示自己的意見，中云：

> 茲有陶希聖、胡適密陳國事一函，所言或未必有當，而其忠誠迫切，不敢不以上聞，敬祈睿察。

　　函中，陳布雷明確否定了陶、胡之見，但肯定二人的"忠誠迫切"。蔣介石見到後，在第二天召開的國防會議上介紹了胡適的"主和"主張，加以譏刺，但他未點胡適的名，而是稱為"某學者"。參謀總長程潛很生氣，直斥胡適為"漢奸"。[1] 當晚召開國防聯席會議時，蔣介石又說：

> 許多人說，冀察問題、華北問題，如果能予解決，中國能安全五十年。否則，今天雖能把他們打退，明天又另有事件發生。有人說將滿洲、冀察明白的劃個疆界，使不致再肆侵略。劃定疆界可以，如果能以長城為界，長城以內的資源，日本不得有絲毫侵佔之行為，這我敢做，可以以長城劃為疆界。

---

1 《王世杰日記》，台北"中央研究院"近代史研究所 1990 年版，1937 年 8 月 7 日。

同時有許多學者說，你不能將幾百千年的民族結晶，犧牲於一旦，以為此事我們不可以打戰〔仗〕，難打勝戰〔仗〕。[1]

顯然，蔣介石所稱"許多人"，包含陶希聖和胡適；所稱"有人"，更直指陶、胡。蔣所稱"以長城為界"，正是胡適在條陳中所述意見："自臨榆縣（山海關）起至獨石口之長城線由中華民國設防守禦"，"日本軍隊撤退至長城線外"；所稱"不能將幾百千年的民族結晶犧牲於一旦"，也與陶函所述不能將國力"輕於用盡"的意思相近。然而，蔣介石又說：

要知道日本是沒有信義的，他就是要中國的國際地位掃地，以達到他為所欲為的野心。所以我想如果以為局部的解決，就可以永久平安無事，是絕不可能，絕對做不到的。[2]

甲午戰爭以來的歷史證明，日本軍國主義者不僅沒有"信義"，而且貪欲無盡，得寸進尺，吃到一塊肥肉之後還想吃下一塊，佔了一個便宜之後還想佔下一個。以為承認"滿洲國"，放棄東三省就可以使日本軍國主義者止步，換來中日間的長久和平，實在是一個天真而幼稚的幻想。在這一點上，作為學者的陶希聖、胡適糊塗，而蔣介石卻比較清醒。因此，蔣介石又說："革命的戰爭，是侵略者失敗的。日本人只能看到物質與軍隊，精神上他們都沒有看到。各位同志，大家今天要有一個決定，如果看到我們國家不打戰〔仗〕要滅亡的，當然就非打戰〔仗〕不可。"會議以全體起立形式決定抗戰。陶希聖、胡適的意見被否定。蔣介石在信封上用藍色鉛筆寫了一個"胡"字，一個"存"字，將二人的信件"留中"了。

胡適條陳之後，蔣介石檔案還收有陶希聖《中日外交意見書》一份，建議"以非常之方法準備外交談判"。其方法有 3 種：1. 派遣要員直接與川越茂"作側面而有力之秘密周旋，在京滬急轉直下以達於正式談判"；2. 派在野重要人員直到東京，訪問日本近衛首相與廣田外相以至日本軍部，作開始談判之先聲；3. 在倫敦由中國駐英大使經過或不經英國外交部之周旋，與日本駐英大使開始

1 《抗戰爆發前後南京國民政府國防聯席會議記錄》，《民國檔案》1996 年第 1 期。

2 《抗戰爆發前後南京國民政府國防聯席會議記錄》，《民國檔案》1996 年第 1 期。

作談判之準備。陶希聖認為，以上三種方法中，以第三種較為適宜。《意見書》中，陶希聖進一步提出與日本談判的"最高與最低限度之條件"。他說：

今日中國不能戰勝日本，故當然不得不作最高限度之讓步。今日中國已能抵抗過度之侵略而維持生存，故可以要求獨立自主之存在，非一二八以前或塘沽協定以前忍氣吞聲可比也。所謂獨立自主之存在，一則如政治經濟組織之完整，二則如國防之自由建設，三則如國際關係之自決，皆其必有之條件。故共同防共，五省自治乃至於走私等等，皆在最低限度之下，不可容許。然為保持此最低限度，在最高之讓步，不可不以蓋世絕代之魄力而為之。最高之讓步，全為保持完整獨立自主之政治經濟軍事之組織，不恤將六年來之一切紛擾，一刀兩斷而解決之。

為此，宜一改過去只定最低限度之容忍條件，消極的拒絕其要求或降低之之態度，積極的提出我國保持完整獨立自主國家所能處之代價，具體簡明言之，寧割地而不喪權，不復效過去寧喪權而不肯割地，以致地仍失而權亦不保。

《意見書》要求蔣介石和國民政府"以蓋世之魄力"作"最高之讓步"，"寧割地而不喪權"，可見，其主要意見仍是放棄東三省，承認滿洲國。《意見書》最後稱："依此痛苦之認識，另提交涉條件，茲不再贅。"並以括弧說明"胡適之先生寫成另交"。可見這份《意見書》仍為陶、胡二人的共同意見。《意見書》並稱："上海戰起，首都被襲，更無從再談不戰。""上海戰起"，指8月13日淞滬抗戰爆發；"首都被襲"，指8月15日日本飛機兩次空襲南京。據此，知此《意見書》寫於8月15日之後不久。當時，抗戰已成國策，但是，陶希聖、胡適仍然擔心戰爭會毀滅中國精華，主張通過"割地"，以外交手段結束軍事。《意見書》說："若我盡吾六年來之菁華而置之於疆場，則菁華既竭，分崩又起。故當在外交上乘我力未竭之時，求收束軍事也。"

二、早有此議

胡適主張放棄東三省、承認"滿洲國"並非一時心血來潮。早在1935年6

月 17 日，胡適就致函時任南京國民政府教育部長的王世杰，要求 "與日本公開交涉，解決一切懸案"。當年 5 月，日本華北駐屯軍藉口親日派分子白逾桓等二人在天津日租界被暗殺以及東北義勇軍一部退入灤東 "非武裝區"，要求中國政府取消在河北的黨部，撤退駐河北的中央軍，撤換日方指定的軍政人員，禁止全國的排日行為。為了施加武力威脅，日本還從中國東北調關東軍入關。6 月 10 日，胡適從何應欽處得知，"日本人的要求完全接受了"，心裏覺得 "難過得很"。[1] 次日，胡適特撰《沉默的忍受》一文，號召國人接受教訓，"把國家的恥辱化成我們的骨血志氣，使骨頭硬，使血熱，使志氣堅韌剛毅，時時提撕警醒自己"。[2] 同月 17 日，胡適因擔心國民政府 "在槍尖之下步步退讓"，"自己一無所得"，發展下去，"豈不要把察哈爾、河北、平津全然無代價的斷送"，便錯誤地向王世杰提出：中國方面承認 "滿洲國"，而日本方面則歸還熱河，取消華北停戰協定，自動放棄辛丑和約及附帶換文中的種種條件，如在北平、天津、塘沽、山海關一帶駐兵權等。胡適將這一 "交換" 稱為 "有代價的讓步"。[3] 可以看出，胡適在盧溝橋事變爆發以後向蔣介石所上條陳的基本內容在 1935 年 6 月華北危急時就已形成了。

王世杰反對胡適的意見，6 月 28 日復函稱：

> 故在今日，如以承認偽國為某種條件之交換條件，某種條件既萬不可得，日方亦決不因偽國之承認而中止其侵略與威脅。而在他一方面，在我國政府一經微示承認偽國之意思以後，對國聯，對所謂華府九國，即立刻失其立場。國內之分裂，政府之崩潰，恐亦絕難倖免。[4]

王世杰清醒地看到了胡適主張的巨大危害：日本不會因得到部分滿足而停止侵略，中國政府在國際上無法立足，在國內則面臨分裂、崩潰的危險。但是，胡適執迷不悟，7 月 26 日致函羅隆基，告以致王世杰函內容，函稱：

1　《胡適的日記》（手稿本），台灣遠流出版公司 1989 年版，1935 年 6 月 10 日。

2　《獨立評論》第 155 號。

3　胡適此函未留稿，其內容見《致羅隆基函》，《胡適的日記》（手稿本），1935 年 6 月 30 日；參見胡適 1935 年 6 月 20 日的《致王世杰函》，《胡適的日記》（手稿本），1935 年 6 月 20 日。

4　《胡適的日記》（手稿本），1935 年 6 月 29 日。

雪艇（指王世杰——筆者注）諸人贊成我的"公開交涉"，而抹去我的"解決一切懸案"的一句，他們尤不願談及偽國的承認問題。他們不曾把我的原電及原函轉呈蔣先生，其實這是他們的過慮。

胡適否認自己的方案是"妥協論"，要求羅隆基將此函帶給蔣介石一閱。

盧溝橋事變爆發後，胡適曾應邀參加蔣介石所召集的盧山談話會。在聽了蔣的談話後，他表示"非常興奮"，建議調用全國的軍隊充實河北國防，而且肯定第 29 軍軍長宋哲元等華北將領"不屈服，不喪失主權"。[1]但是，很快他就發生變化。7 月 28 日，胡適下山飛抵南京。29 日，得悉中國軍隊在南苑等處慘敗，宋哲元等退出北平，胡適大為緊張，即積極活動，力主與日本"和談"。30 日，他到高宗武家吃飯，與所謂南京的"青年智囊團"蕭同茲、程滄波等人商議，決定外交路線不能斷，由高宗武負責打通此線，同時決定尋找"肯負責任的政治家擔負此大任"。陳布雷是蔣介石"侍從室"中的要人，胡適看中陳布雷，打電話給他，要他做"社稷之臣"，在蔣的身邊"努力做匡過補闕的事"。[2] 31 日，胡適致函蔣廷黻，聲稱"這幾天是最吃緊的關頭"，"焦急的不得了，又沒有辦法"。[3]同日，胡適應邀到蔣介石處吃飯。蔣稱"決定作戰，可支援六個月"。蔣的意見得到在座的南開大學校長張伯苓的支持，胡適覺得不便說話，只表示："外交路線不可斷，外交事應尋高宗武一談，此人能負責任，並有見識。"當日，胡適日記云："我們此時要做的事等於造一件 miracle，其難無比，雖未必能成，略盡心力而已。"[4]這則日記說明，胡適自知他的放棄東三省的主張難以為南京國民政府接受，但他還是要竭盡心力去遊說。8 月 3 日，胡適、吳達銓、周炳琳、羅家倫、蔣夢麟等在王世杰家密談。王世杰日記記載說："今日午後與胡適之先生談，彼亦極端恐慌，並主張汪、蔣向日本作最後之和平呼籲，而以承認偽滿洲國為議和之條件。"周炳琳、蔣夢麟同意胡適的意見，主張"忍痛求和"，認為"與其戰敗而求和，不如於大戰發生前為之"。[5] 8 月 5 日，胡適

1　《第一期盧山談話會第二次共同談話會速記錄》，台北中國國民黨黨史館藏。
2　中國社會科學院近代史研究所民國史研究室編：《胡適的日記》，中華書局 1985 年版，1937 年 7 月 30 日，第 576—577 頁。
3　《胡適來往書信選》（中），中華書局 1979 年版，第 363—384 頁。
4　《胡適的日記》，1937 年 7 月 31 日，第 577 頁。miracle，奇跡。
5　《王世杰日記》，1937 年 8 月 3 日。

遂與陶希聖共同拜會陳布雷，企圖通過陳向蔣介石遞條陳。次日，胡適得到蔣介石的談話通知，胡適事先準備了一封長函，用以補充談話中的不足。其主題為："徹底調整中日關係，謀五十年之和平"。其理由為：1. 近衛內閣可以與談，機會不可失。2. 日本財政有基本困難，有和平希望。3. 國家今日之雛形，實建築在新式中央軍力之上，不可輕易毀壞。將來國家解體，更無和平希望。其步驟為：先停戰，恢復七月七日以前之疆土情況；第二步，兩三個月後舉行正式交涉。[1] 顯然，與上引 8 月 5 日條陳及陶希聖函的精神完全一致。不同的是，此函未提放棄東三省、承認滿洲國，而代之以"趁此實力可以一戰之時，用外交收復新失之土地，保存未失之土地"。會談情況，據記載："蔣甚客氣，但未表示意見。"[2]

三、胡適拋棄 "和平夢想"

胡適放棄東三省的主張當然大錯特錯，但是，有其特殊的用心所在。1935 年 6 月 20 日，胡適在致王世杰函中，說明自己的目的是 "討價還價，利用人之弱點，爭回一點已失或將再糊塗失去的國土與權利"，從而取得 "喘氣十年" 的機會。他說：

> 察、冀、平、津必不可再失。失了之後，魯、晉、豫當然隨之而去。如此，則中國礦源最大中心與文化中心都歸敵手。如此形勢之下，中央又豈能練軍整頓內政？[3]

胡適估計，"在一個不很遠的將來，太平洋上必有一度最可慘的國際大戰，可以作我們翻身的機會，可以使我們的敵人的霸權消滅。" 因此，他在提出向日本 "求和" 的第一方案的同時，又提出不計利害，苦戰四年，等待國際大戰的 "主戰" 方案。同年 6 月 27 日，他在致王世杰函中說：

1　《抗日戰爭初期胡適的賣國罪證》（胡適日記摘錄），《近代史資料》1955 年第 2 期。此日記，後來近代史研究所民國史研究室編輯《胡適的日記》時失收。

2　《王世杰日記》，1937 年 8 月 6 日。

3　《胡適的日記》（手稿本），1935 年 6 月 20 日。

欲使日本的發難變成國際大劫，非有中國下絕大的決心不可。

我們試平心估計這個 "絕大犧牲" 的限度，總得先下決心作三年、或四年的混戰，苦戰，失地，毀滅。[1]

胡適提出，必須準備：1. 中國沿海口岸與長江下游全部被日軍侵佔毀滅；2. 河北、山東、察哈爾、綏遠、山西、河南等省淪陷；3. 長江被封鎖，天津、上海被侵佔，財政總崩潰。胡適認為，只有在這種情況下，才可以促進太平洋國際戰爭的實現。他說：

也許等不到三四年，但我們必須要準備三四年的苦戰。我們必須咬定牙根，認定在這三年之中我們不能期望他國加入戰爭。我們只能期望在我們打的稀爛之後而敵人也打的疲於奔命的時候才可以有國際的參加與援助。這是破釜沉舟的故智，除此之外，別無他法可以促進那不易發動的世界二次大戰。[2]

胡適並不認為，他的第一方案一定成功，因此，提出必須以第二方案為後盾。他說："委曲求全，意在求全；忍辱求和，意在求和。倘辱而不能得全，不能得十年的和平，則終不能免於一戰。" 他並以俄國史為例，說明列寧和蘇俄共產黨在十月革命之後，與德國講和，"割地之多，幾乎等於歐俄的三分之一，幾乎把大彼得以來所得地全割掉了，但蘇俄終於免不掉三年多的苦戰。" 他要中國人向蘇俄學習，說 "蘇俄三年多的苦戰最可以做我們今日的榜樣。我們如要作戰，必須下絕大決心，吃三年或四年的絕大痛苦"。[3] 胡適所沒有想到的是，後來中國人民忍受的痛苦比他估計的還要大，苦戰的時間也更長。

淞滬之戰爆發後，南京國民政府抗戰意志堅決，中國士兵作戰英勇。這使胡適受到感染。9 月 8 日，胡適離開南京，行前，他勸汪精衛 "不要太性急，不要太悲觀"；勸高宗武 "我們要承認，這一個月的打仗，證明了我們當日未免過慮。這一個月的作戰至少對外表示我們能打，對內表示我們肯打，這就是大

---

1 《胡適的日記》（手稿本），1935 年 6 月 27 日。
2 《胡適的日記》（手稿本），1935 年 6 月 27 日。
3 《胡適的日記》（手稿本），1935 年 6 月 27 日。

收穫。"[1] 又勸陶希聖說："仗是打一個時期的好。不必再主和議。"[2] 自此，胡適"態度全變"，"漸漸拋棄和平的夢想"。[3] 不久，胡適接受蔣介石的決定，以非官方身份赴美，爭取國際支援中國抗戰。次年，又出任駐美大使，投入中國的抗戰外交。

---

1 《胡適的日記》，中華書局 1985 年版，1937 年 9 月 8 日，第 581 頁。
2 《陶希聖致胡適》，《胡適來往書信選》（中），第 396 頁。
3 《胡適來往書信選》（中），第 364 頁。

1937：中國軍隊對日全面抗戰的第一年 *

—— 盧溝橋事件、淞滬大戰、南京陷落與平型關之捷

* 本文為提交 2004 年 1 月在夏威夷召開的中日戰爭國際學術討論會的論文。2005 年 3 月，發表於北京社會科學文獻出版社出版的《中國社會科學院學術委員會集刊》第 1 輯。2006 年，日文稿發表於日本慶應大學出版會出版的《日中戰爭的軍事展開》。

1937 年 7 月 7 日，駐紮中國北平近郊的日軍在盧溝橋附近演習，託詞失蹤士兵一名，要求進入橋畔的宛平縣城搜查，遭到拒絕。不久，失蹤士兵歸隊，但日軍仍於次日清晨發起攻擊，守城部隊奮起抵抗。這一事件成為中國人民艱苦卓絕的八年抗日戰爭的開端。

　　最初，中國軍隊以華北為主戰場，蔣介石自任這一戰區的司令長官，同時將他所信任的德國軍事顧問法爾肯豪森（Alexander von Falkenhausen）派到北方前線。[1] 但是，戰爭開始後不久，蔣介石決定首先消滅上海地區的日軍。這樣，中國軍隊就同時在華北、華東兩個戰場上與日軍作戰，而主戰場則逐漸轉移到上海地區。中國方面出動兵力約 75 萬人，日方出動兵力約 25 萬人，時間延續 3 個月，成為中國抗日戰爭史上規模龐大、作戰最烈的一次戰役。

一、蔣介石決定拒和、應戰，發表《盧山談話》

　　1931 年 "九一八" 事變後，蔣介石長期對日本採取妥協退讓政策；1937 年 7 月 7 日，盧溝橋事件發生，蔣介石摸不清日方底細，方針難定，當日日記云："彼將乘我準備未完之時，逼我屈服乎？抑將與宋哲元為難乎？迫使華北獨

1　辛達謨：《法爾肯豪森將軍回憶中的蔣委員長與中國》，台北《傳記文學》卷 21 第 6 期。

立乎？我之應戰此其時乎？"[1] 8 日，他一面派遣中央軍北上，支持第二十九軍軍長宋哲元等"守土抗戰"，同時電復北平市長秦德純等，"應先具必戰與犧牲之決心，及繼續準備，積極不懈，而後可以不喪主權之原則與之交涉"。[2]

當時，中日兩國國力、軍力相差懸殊，因此，在國民政府內外，都有一部分人積極主和，或者設法推遲大戰時間。在國民政府內部，以軍事委員會常務委員徐永昌為代表。他認為，中日空軍力量之比尚不足 1 比 3，抗戰準備至少尚須 6 個月。為此，他致函軍政部部長何應欽等人，主張"和平仍須努力求之"。[3] 7 月 18 日，又託人轉告外交部長王寵惠，"在能容忍的情勢下，總向和平途徑為上計"。[4] 何應欽同意徐永昌的意見，建議徐向時在廬山的蔣介石陳述。[5] 21 日，徐永昌致函蔣介石稱："對日如能容忍，總以努力容忍為是。蓋大戰一開，無論有無第三國加入，最好的結果是兩敗俱傷，但其後日本係工業國，容易恢復，我則反是，實有分崩不可收拾之危險。"[6] 24 日，他又向蔣介石建言，"勿忘忍是一件很難捱的事。"[7]

在知識階層中，北京大學校長蔣夢麟和教授胡適等都主張"忍痛求和"，認為與其戰敗求和，不如在大戰發生之前"作一次最大的和平努力"。8 月 6 日，胡適向蔣介石提出書面建議：1. 近衛內閣可以與談，機會不可失；2. 日本財政有基本困難，有和平希望；3. 國家今日之雛形，實建築在新式中央軍力之上，不可輕易毀壞。將來國家解體，更無和平希望。[8] 胡適希望經過努力，能在中日間維持 50 年的和平。

和戰是攸關國家命運、前途的大計，蔣介石不能沒有矛盾。7 月 12 日，蔣介石決定在永定河與滄州、保定一線作持久戰，同時嚴令制止與日方的妥協行為。16 日，蔣介石邀集各界人士 158 人在廬山舉行談話會，討論"應戰宣言"。

1　《困勉記》（稿本），《蔣中正"總統"檔案》，台北"國史館"藏。該稿本據《蔣介石日記》摘錄，詞句與日記原本小有不同。
2　《"總統"蔣公大事長編初稿》卷 4（上），台北中國國民黨黨史會 1978 年版，總第 1120 頁。
3　《徐永昌日記》，台北"中央研究院"近代史研究所 1991 年版，1937 年 7 月 14 日、16 日。
4　《徐永昌日記》，1937 年 7 月 18 日。
5　《徐永昌日記》，1937 年 7 月 19 日。
6　《徐永昌日記》，1937 年 7 月 20 日。本函所述，徐已在 19 日的會上作過口頭陳說。
7　《徐永昌日記》，1937 年 7 月 24 日。
8　胡頌平編：《胡適之先生年譜長編初稿》第 5 冊，台北聯經出版事業股份有限公司 1984 年版，第 1598—1612 頁。

該《宣言》聲稱："我們固然是一個弱國，但不能不保持我們民族的生命，不能不負起祖宗先民所遺留給我們歷史上的責任。""如果放棄尺寸土地與主權，便是中華民族的千古罪人。"又稱："我們希望和平，而不求苟安；準備迎戰，而決不求戰。我們知道全國應戰以後之局勢，就只有犧牲到底，無絲毫僥倖求免之理。"《宣言》末尾，蔣介石號召全國人民投入對日作戰："如果戰端一開，就是地無分南北，年無分老幼，無論何人，皆有守土抗戰之責任。"[1] 話雖然說得很堅決，但是，對於這份宣言應否發表，何時發表，眾議不一，蔣介石自己也猶豫不定。7月16日日記云："此宣言發表，其影響究為利為害？"[2] 17日日記云："倭寇使用不戰而屈之慣技暴露無餘，我必以戰而不屈之決心待之，或可制彼兇暴，消弭戰禍乎？"19日，蔣介石決定排除阻力，公開發表"應戰宣言"。日記云："人人以為可危，阻不欲發，我則以為轉危為安，獨在此舉，但當一意應戰，核發戰鬥序列，不當再作迴旋之想矣。"為了減少這份《宣言》的衝擊力，他將之改稱為"談話"。

盧山談話的措辭空前激烈，但是，蔣介石並沒有下決心關閉"和平解決"的大門，所以同時表示："在和平根本絕望之前一秒鐘，我們還是希望和平的，希望由和平的外交方法，求得盧事的解決。"[3] 此後，隨著日本軍事行動的擴展，蔣介石的抗戰決心逐漸堅決。7月27日，日軍全面進攻北平附近的城鎮，蔣介石日記云："遭必不能免之戰禍，當一意作戰，勿再作避戰之想。""預備應戰與決戰之責任，願由余一身負之。毋愧領袖。"28日，第29軍副軍長佟麟閣在防守北平南郊的戰鬥中陣亡，中國軍隊撤出北平。次日凌晨，天津守軍主動進攻當地日軍，日軍調兵增援，中國軍隊因傷亡嚴重，於30日撤離天津。中國北方兩個最大城市的喪失使蔣介石感到，再不抗戰，必將遭致全國反對。8月4日日記云："平津既陷，人民荼毒至此，雖欲不戰，亦不可得，否則國內必起分崩之禍。與其國內分崩，不如抗倭作戰。"蔣介石認為，中國方面雖多弱點，例如組織不健全，準備未完全等，在此情況下抗戰，存在很大危險，但日本

1 《對盧溝橋事件之嚴正表示》，《"總統"蔣公大事長編初稿》卷4（上），總第1131頁；《"總統"蔣公思想言論總集》卷14，演講，台北中國國民黨黨史會，第582—585頁。
2 《困勉記》。
3 《"總統"蔣公思想言論總集》卷14，演講，台北中國國民黨黨史會，第584頁。

"外表橫暴",而"內部虛弱","以理度之,不難制勝","為我民族之人格計,苟能振起民族精神,未始不可轉危為安,因禍得福也"。7日,蔣介石召開國防會議,會上,何應欽將軍報告軍事準備情形,提出第一期擬動員 100 萬人投入作戰,其中,冀、魯、豫方面約 60 萬人,熱、察、綏方面約 15 萬人,閩粵方面約 15 萬人,江浙方面約 10 萬人。何陳述的困難有財政開支擴大,槍械、子彈勉強可供 6 個月之需,防禦工事未完成,空軍機械不足等。蔣介石在談話中對胡適的"求和"主張頗有譏刺,參謀總長程潛甚至指責胡適為"漢奸"。會議決定"積極抗戰與備戰"。[1] 通過此次會議,抗戰遂被正式確定為國策。

當時,蔣介石估計中日戰爭將是一場"持久"戰,戰期大約一年。他決定"以戰術補正武器之不足,以戰略補正戰術之缺點,使倭敵處處陷於被動地位",從而爭取戰爭的勝利。[2] 8 月 13 日,淞滬之戰爆發。

二、淞滬之戰,中國軍隊力圖"先發制人",因缺乏重武器,攻堅戰未能取勝

上海處於東海之濱,距當時的中國首都南京不過三百公里。1932 年 5 月的中日《淞滬停戰協定》規定,中國在上海只能由"保安隊"維持秩序,而日軍則可在上海公共租界及吳淞、江灣、閩北等地駐兵,建立據點。為防止日軍自上海入侵,南京國民政府根據法爾肯豪森等人的建議,於 1934 年起密令修築上海周邊工事,在吳縣、常熟等地,利用陽澄湖、澱山湖構築主陣地——吳福(蘇州—福山)線,在江陰、無錫之間構築後方陣地——錫澄線,同時在乍浦與嘉興之間興建乍嘉線,以與吳福線相連。[3] 其後,又在龍華、徐家匯、江灣、大場等地構築包圍攻擊陣地,並且擬有《掃蕩上海日軍據點計劃》。[4] 盧溝橋事變發生,蔣介石為加強上海防務,任命張治中上將為京滬警備司令。張受命

---

1 《王世杰日記》,台北"中央研究院"近代史研究所 1990 年版,1937 年 8 月 7 日。

2 《困勉記》,1937 年 8 月 13 日。

3 黃德馨:《京滬國防工事的設想、構築和作用》,《八一三淞滬抗戰》,中國文史出版社 1987 年版,第 40—41 頁。參見 Liang His-huey: "Alexander von Falkenhausen (1934–1938)", Bernd Martin, *Die Deutsche Beraterschaft in China 1927–1938*, Dusseldorf 1981, Droste Verlag, pp. 141–142.

4 《八一三淞滬抗戰》,第 40 頁。

後，即命所部化裝為保安隊入駐上海虹橋機場等處。7 月 30 日，張治中將軍向南京國民政府提出，一旦上海情況異常，"似宜立於主動地位，首先發動"。蔣介石同意張治中的設想，復電稱："應由我先發制敵，但時機應待命令。"[1]

日本海軍積極主張向華中地區擴張。7 月 16 日，日本海軍第三艦隊司令長谷川清中將向日本海軍軍令部報告：局限戰將有利於中國兵力集中，造成日方作戰困難，"為制中國於死命，須以控制上海、南京為要著"。[2] 8 月 7 日，米內海軍大臣建議杉山元陸軍大臣向內閣提出，為保護青島和上海日僑，應迅速準備派遣陸軍赴華。[3] 次日，長谷川清得到指示，為因應事態擴大，實施新的兵力部署。9 日，上海日本海軍特別陸戰隊西部派遣隊長大山勇夫中尉攜帶士兵齋藤要藏，以汽車衝入虹橋機場，開槍射擊中國保安部隊，中國保安隊當即還擊，將大山等二人擊斃。[4] 日軍乘機在上海集中兵艦，以陸戰隊登陸，要求中國方面撤退保安隊，拆除防禦工事。海軍中央部通知第三艦隊稱，除武力外，別無解決辦法，將在陸軍動員之後 20 天開始攻擊。10 日，日本內閣會議同意派遣陸軍。長谷川清命在佐世保待命的艦隊開赴上海。12 日，陸軍省決定動員 30 萬兵力分赴上海與青島。

保安隊是上海地區僅有的中國部隊。蔣介石認為，撤退保安隊，上海將與北平一樣，為日軍佔領，決定拒絕日方要求，同時下令準備作戰。11 日，蔣介石得悉日艦集中滬濱，決定封鎖吳淞口。同日，命張治中將所屬八十七師師長王敬久所部、八十八師師長孫元良所部兩師自蘇州等地推進至上海圍攻線，準備掃蕩在吳淞和上海的日軍，拔除其據點。[5] 當時，日本在上海的海軍特別陸戰隊總兵力不超過 5 千人。[6] 12 日，國民黨中常會秘密決定，自本日起，全國進入戰時狀態。[7] 何應欽將軍在會上表示："和平已經絕望"，"如果他稍有動作，就

1 張治中：《揭開八一三淞滬抗戰的序幕》，《八一三淞滬抗戰》，第 17 頁。參見余湛邦：《張治中——張治中機要秘書的回憶》，吉林文史出版社 1992 年版，第 27 頁。
2 《蔣介石秘錄》卷 4，湖南人民出版社 1988 年版，第 24 頁。
3 日本防衛廳防衛研修所戰史室：《中國事變陸軍作戰史》卷 1 第 2 分冊，中華書局 1981 年版，第 1 頁。
4 《中央日報》，1937 年 8 月 10 日。
5 《上海作戰日記》，《抗日戰爭正面戰場》，江蘇古籍出版社 1987 年版，第 263 頁。
6 當時日本在上海的兵力說法不一，此據《中國事變陸軍作戰史》卷 1 第 2 分冊，第 4 頁。
7 《王世杰日記》，1937 年 8 月 12 日。

要打他，否則，等他兵力集中，更困難了。"[1]

張治中原定於 8 月 13 日拂曉前開始攻擊，但蔣介石因英、美、法、意四國駐華使節等方面正在調停，要張"等候命令，並須避免小部隊之衝突"。[2] 同日上午 9 時 15 分，日本陸戰隊水兵衝出租界，射擊中國保安隊，中國軍隊還擊。[3] 10 點半，商務印書館附近的中國軍隊與日軍發生小衝突。[4] 同日黃昏，日軍炮擊中國軍隊，中國軍隊以迫擊炮還擊。[5] 日軍並以坦克掩護步兵攻擊八十七師陣地，日艦連續炮擊上海市中心。[6] 14 日拂曉，張治中奉蔣介石令，發起總攻。同日，中國空軍出動，轟炸日第三艦隊旗艦及在虹口的海軍陸戰隊本部。淞滬之戰爆發，意味著中國在華北之外，又開闢了第二戰場，名副其實地進入"全面抗戰"。

戰爭初起，中國方面以優勢兵力進攻日軍在滬各據點，雙方在上海虹口、楊樹浦等處進行巷戰。8 月 20 日夜，將日軍壓迫至黃浦江左岸狹隘地區，同時包圍日海軍陸戰隊司令部等據點。但是，日軍在上海的據點大都以鋼筋、水泥建成，異常堅固。8 月 17 日，張治中將軍向蔣介石報告說："最初目的原求遇隙突入，不在攻堅，但因每一通路，皆為敵軍堅固障礙物阻塞，並以戰車為活動堡壘，終至不得不對各點目標施行強攻。"這種攻堅戰，中國軍隊必須配備相應的重武器。張治中報告說："本日我炮兵射擊甚為進步，命中頗佳，但因目標堅固，未得預期成果。如對日司令部一帶各目標命中甚多，因無燒夷彈，終不能毀壞。"[7] 僅有的三門榴彈炮，一門因射擊激烈，膛線受損；一門膛炸；一門不能射擊。這種情況，自然無法克敵制勝。

中國軍隊當時是否完全缺乏攻堅武器呢？並非。關鍵在於何應欽將軍沒有想到，蔣介石也沒有想到。11 月 20 日，蔣介石檢討說："緒戰第一星期，不能用全力消滅滬上敵軍。何部長未將所有巷戰及攻擊武器發給使用，待余想到，

1　《中常會第 50 次會議速記錄》，台北中國國民黨黨史館藏，1937 年 8 月 12 日。
2　《抗日戰爭正面戰場》，第 265 頁。
3　《抗日戰爭正面戰場》，第 335 頁。
4　《抗日戰爭正面戰場》，第 335 頁。
5　《抗日戰爭正面戰場》，第 335—336 頁。參見《日軍對華作戰紀要》。
6　《抗日戰爭正面戰場》，第 336 頁。
7　《抗日戰爭正面戰場》，第 342 頁。

催發戰車與平射炮，已過其時，敵之正式敵軍，已在虯江碼頭與吳淞登陸矣。敬之（指何應欽——筆者注）誤事誤國，亦余想到太遲之過也。"[1]

　　蔣介石對張治中將軍的指揮不滿意。8 月 20 日，盧山軍官訓練團教育長陳誠將軍向蔣介石提出，華北戰事擴大已無可避免，敵如在華北得勢，必將利用其快速裝備南下直撲武漢，於我不利，不如擴大滬事以牽制之。[2] 同日，軍事委員會決定將主力集中華東，迅速掃蕩淞滬日本海陸軍根據地，阻止或乘機消滅後續日軍。軍事委員會同時決定將江蘇南部及浙江劃為第三戰區，蔣介石兼任司令長官，顧祝同將軍為副司令長官，陳誠將軍為前敵總司令。張治中將軍被任命為淞滬圍攻區第 9 集團軍總司令，張發奎將軍被任命為杭州灣北岸守備區第 8 集團軍總司令，守衛上海左翼浦東。這些舉措，說明蔣介石開始重視上海戰場，但是，蔣當時還沒有在上海長期作戰的思想準備，對這次戰爭的艱難與嚴酷也還缺乏認識。當日日記云："滬戰頗有進展，倭軍恐慌萬分，其國內陸海軍意見分歧，政府內部不能一致，已陷於進退維谷之勢，英提議調解，可運用之，使倭得轉圜離滬，以恢復我經濟策源地乎？"[3] 次日，日本拒絕英國調停，蔣介石感到事態嚴重，"憂心倍增"。[4] 22 日，蔣介石下令成立第 15 集團軍，以陳誠將軍為總司令，守衛上海右翼長江江岸。

三、日本陸、海、空軍協同，中國反登陸戰失利

　　日軍在上海的兵力有限，要持續進攻，必須通過海上的遠距離運輸，將軍隊源源不斷地送到中國戰場。中國海軍的軍力本極有限，艦艇在戰爭開始時或被炸沉，或奉令自沉長江，封鎖航道，已經沒有和日艦進行海上作戰的能力。空軍能作戰的飛機不過 180 餘架，不足以從空中遏制日本運兵艦艇的航行。[5] 中國軍隊所能進行的只有反登陸，在海岸及相關縱深據點佈置軍隊，阻遏日軍。

1　《省克記》（原稿）。該稿摘抄自《蔣介石日記》，台北"國史館"藏。
2　《陳誠私人回憶資料》，《民國檔案》1987 年第 1 期。
3　《困勉記》。
4　《困勉記》。
5　《王世杰日記》，1937 年 10 月 12 日。

但是，中國方面又未予以足夠重視，守衛江岸、海岸的兵力都很薄弱。

8月13日夜，日本內閣會議決定出兵。15日，日本政府發表聲明，"為討伐中國之暴戾，以促使南京政府之反省，如今已到了不得不採取斷然措施之地步。"[1]同日，日本政府下令，以松井石根大將為司令官，率領第3、第11師團組成上海派遣軍，協助海軍，掃蕩、殲滅上海附近的中國軍隊，佔領上海。17日，日本閣議決定："放棄以往所採取之不擴大方針，採取戰時態勢上所需要之各種準備對策"。[2]22日，日本上海派遣軍司令松井石根率第3、第11師團到達上海東南的馬鞍群島。23日，日軍第11師團在30餘艘軍艦密集炮火的掩護下，於長江南岸川沙口強行登陸，佔領川沙鎮，第3師團在吳淞鐵路碼頭登陸，進攻上海北部的吳淞、寶山等地。據中國方面第9集團軍司令部作戰科長史說回憶："在23日拂曉以後，日空軍開始猛烈轟炸，使我援軍不能接近，日海軍也以猛烈炮火支援日軍登陸。我沿長江岸守備的第五十六師和沿黃浦江口守備的上海市保安總團，兵力薄弱，日陸軍登陸成功。"[3]

日軍登陸後，中國方面力圖阻止敵人向縱深發展。張治中將軍在敵機猛炸下騎自行車趕赴前線，一面任命王敬久師長為淞滬前敵指揮官，指揮部隊固守原陣地，一面抽調第11師彭善在部、第98師夏楚中部北上，拒止登陸之敵。雙方在羅店等地激戰。中國軍隊向日軍發動數次猛攻，雖有進展，但均未奏效。28日，守衛羅店的中國軍隊傷亡過半，日軍第11師團佔領羅店。31日，日軍第3師團攻佔吳淞鎮。9月1日，日軍精銳部隊久留米第12師團等3個師團到達上海，實力大增，向中國軍隊發動全線攻擊。9月5日，日軍以優勢兵力及戰車、炮艦、飛機聯合進攻，中國第18軍第98師姚子青營奮力抗戰，激戰至第二日，全營官兵壯烈犧牲。[4]蘊藻浜沿河之戰，"雙方死亡俱奇重，浜水皆赤，所謂流血成河，顯係實在景況。"[5]據陳誠報告，該部自8月22日參戰，至9月7日，僅第11、第14、第67、第98、第56等5個師即傷亡官兵9,039

1　林石江譯：《從盧溝橋事變到南京戰役》，台北"國防部"史政編譯局1987年版，第373頁。
2　《從盧溝橋事變到南京戰役》，第374頁。
3　《八一三淞滬抗戰》，第95頁。
4　《抗日戰爭正面戰場》，第354頁。
5　《王世杰日記》，1937年9月6日。

名，第 6 師吳淞一役，即傷亡過半。"大部受敵飛機、大炮轟炸，人槍並毀。"其 36 團第 2 連，守衛火藥庫，"死守不退，致全部轟埋土中。"[1]

由於江岸地形有利於日本陸海空軍協同作戰，日軍又源源增援，中國軍隊為減少損失，只能主動退守。參謀史說後來回憶說："日軍在長江沿岸及黃浦江沿岸繼續登陸，與我軍一個點一個點地爭奪，往往日軍白晝佔去，夜間我又奪回。""在日軍艦炮火下，傷亡慘重，往往一個部隊，不到幾天就傷亡殆盡地換下來了。我親眼看見教導總隊那個團，整整齊齊地上去，下來時，只剩下幾付伙食擔子。"[2] 9 月 10 日，第 15 集團軍右翼陣地被突破。11 日，第 9 集團軍奉命向北站、江灣等地轉移。

反登陸戰爭失利，日軍後續部隊源源增加。9 月 11 日，自青島調來的日軍天谷支隊進入月浦鎮。12 日，由華北方面軍轉調的後備步兵 10 個大隊陸續抵達上海戰場。14 日，自台灣調來的重藤支隊登陸。中國軍隊的處境越來越困難了。

四、為維護中蘇交通線，蔣介石決定吸引日軍改變主戰場；為配合外交鬥爭，蔣介石決定堅守上海

9 月 11 日以後，中國軍隊轉入頑強的守衛戰。

作為淞滬戰場的最高統帥，蔣介石最先感到了中國軍隊的不利態勢。8 月 28 日，羅店失陷，蔣介石日記云："近日戰局，漸轉劣勢，人心乃動搖矣。"31 日，吳淞失守，蔣介石再次在日記中表示："我軍轉入被動地位矣。"在這一形勢下，蔣介石不得不重新思考，仗將如何打下去。9 月 2 日日記云："敵之戰略，其弱點乃以支戰場為主戰場，其戰爭全在消極，且立於被動地位，故我之戰略，應盡其全力貫注一點，使彼愈進愈窮，進退維谷，不難曠日持久，以達我持久抗戰之目的。"這則日記說明，儘管上海戰場形勢不利，但蔣介石決定"全力貫注一點"，在上海長期拖住日軍。其後，副參謀總長白崇禧將軍、作戰

1　《抗日戰爭正面戰場》，第 356 頁。
2　《八一三淞滬抗戰》，第 96 頁。

組長劉斐等向蔣提出，淞滬會戰應"適可而止"，部隊應及時向吳福線國防工事轉移。蔣介石一度接受這一意見，下令執行，但第二天又決定收回命令。[1] 同月14日蔣介石記云："我今集中兵力，在上海決戰乎？抑縱深配備，以為長期抗戰乎？"兩種方案，前者意味著在上海和日軍決出勝負，後者意味著向吳福線轉移。這則日記，說明蔣對自己的戰略決定有過猶疑。但是，這一時期，蔣從全國各地抽調的部隊正陸續到達淞滬戰場，因此，蔣仍然決定長期堅守上海。其日記云："各部雖死傷大半，然不支撐到底，何以懾服倭寇？"[2] 16、17日，日軍發動總攻擊，中方陣地動搖，前線指揮官向蔣要求撤退，蔣嚴令死守，並親往昆山督師。[3] 21日，蔣介石調整部署，將中國軍隊分為右翼、中央、左翼3個作戰軍。右翼軍以張發奎將軍為總司令，下轄第8、第10兩個集團軍；中央軍以朱紹良將軍代替張治中為總司令，下轄第9集團軍；左翼軍總司令陳誠將軍，下轄第15、第19兩個集團軍。

當時，中蘇之間的槍械、彈藥有兩條運輸線。一條是經外蒙古、內蒙古、山西大同至內地，一條經新疆、甘肅、山西，連接隴海路。9月11日，大同失陷，蔣介石極為震痛，在日記中激烈地批評第二戰區司令長官閻錫山，指責他未能守住大同等地，"使蘇俄運械交通更為困難，其罪甚於宋哲元之失平津，可痛之至"！[4] 26日，蔣介石得悉平漢線中國軍隊潰退，河北滄州不守，估計日軍將進攻河南鄭州，中俄之間的第二條聯絡線有可能截斷，決定加強上海戰場，吸引日軍主力。27日，蔣介石決定四項抗敵策略："一、引其在南方戰場為主戰場；二、擊其一點；三、持久；四、（沿太行山脈側面陣地）由晉出擊。"[5] 10月8日，蔣介石決定調驍勇善戰的桂軍加入上海戰場。10月15日日記云："相持半年，遲至明年三月，倭國若無內亂，必有外患，須忍之。"17日，蔣介石到蘇州督師。次日，中國軍隊在上海戰場發動總反攻。

1　劉斐：《抗戰初期的南京保衛戰》，全國政協編：《文史資料選輯》第12輯，第3—4頁。
2　《困勉記》。
3　《王世杰日記》，1937年9月21日。此際，李宗仁也曾勸蔣，"淞滬不設防三角地帶，不宜死守；為避免不必要的犧牲，我軍在滬作戰應適可而止"。見《李宗仁回憶錄》（下），政協廣西壯族自治區文史資料研究委員會1980年版，第692—693頁。
4　《困勉記》。
5　《困勉記》。

蔣介石之所以決定堅守上海,一是為了減輕華北戰場的壓力,維護中蘇交通線,同時也是為了配合外交鬥爭,爭取對即將召開的《九國公約》會議有較好的影響。《九國公約》簽署於 1922 年 2 月,其簽字國為美、英、日、法、意、比、荷、葡、中等 9 國。該條約表示尊重中國之主權與獨立暨領土與行政之完整,強調各國在華機會均等與中國的門戶開放。盧溝橋事變後,南京國民政府即向國聯申訴,要求"譴責日本是侵略者"。國聯沒有採納中國的要求,提議召開《九國公約》簽字國會議討論。10 月 16 日,比利時向有關 19 國發出邀請,初定同月 30 日在布魯塞爾召開。蔣介石希望通過該次會議,"使各國怒敵而作經濟制裁,並促使美、英允俄參戰"。[1] 因此,蔣希望在該會召開之前,上海戰場能有較好的戰績,至少,要能堅守上海。據唐生智回憶,蔣介石曾向他表示:"上海這一仗,要打給外國人看看。"[2] 同月 22 日,蔣介石通電全軍將士,說明九國公約會議即將舉行,全體將士"尤當特別努力,加倍奮勵","於此時機表示我精神力量,以增加國際地位與友邦同情"。[3] 為此,蔣介石向全國各地普遍調兵。24 日,蔣致電雲南省主席龍雲,詢問滇軍出發各部到達何處,要龍命令該軍"兼程急進,望能於九國公約會議之初到滬參戰",急圖在會前有所表現的企圖躍然欲出。[4]

日本政府採取對應措施,不斷從華北、東北及國內向上海戰場增兵。10 月 1 日,日首相近衛、陸相杉山、海相米內、外相廣田會議,通過《中日戰爭處理綱要》,決定發動十月攻勢,擴大華北和華中戰局,將中國軍隊分別驅逐至河北省及原上海停戰協定規定區域以外,迫使南京政府議和,結束戰爭。此後,上海戰場日軍參戰兵力超過華北,達 9 個師團,20 萬人以上。17 日,日本陸軍省限令上海作戰部隊在《九國公約》簽字國會議前攻克閘北、南翔、嘉定一帶。[5]

雙方既在國際政治舞台上較量,戰場上的拚殺自然更加激烈。10 月 21 日,廣西增援部隊第 21 集團軍軍長廖磊率部到滬,向蘊藻浜沿河之敵發起全線

---

1 《困勉記》。

2 《南京保衛戰》,第 4 頁。

3 《中華民國重要史料初編——對日抗戰時期》第 2 編《作戰經過》(1),台北中國國民黨黨史會 1981 年版,第 55 頁。

4 《蔣委員長致龍雲十月敬電》,《革命文獻·淞滬會戰與南京撤守》,《蔣中正"總統"檔案》,台北藏。

5 《抗日戰爭正面戰場》,第 281 頁。

反攻。桂軍作戰勇敢，但武器落後，缺乏與現代化武裝的日軍作戰的經驗，未能挽救危局。22 日，蔣介石日記云："滿擬以桂軍加入戰線，為持久之計，不料反因桂軍挫敗，而退至走馬塘之線，戰局頓形動搖，殊所失望。"[1] 次日，桂軍因傷亡過大，撤至京滬鐵路以南地區整理。[2] 其他部隊也傷亡慘重，第 33 師打到官兵僅剩十分之一，師長負傷，旅長失蹤。[3] 25 日，中央軍第 78 軍第 18 師師長朱耀華部防地為日軍突破，朱軍放棄位於上海西北的戰略要地大場。至此，蔣介石才覺得 "不能不變換陣地"，決定命中國軍隊作有限度的撤退，轉移至蘇州河南岸。但是為了給世人留下仍在堅守蘇州河北岸的印象，他決定在閘北 "留一團死守，以感動中外人心"。[4] 27 日，第 88 師第 524 團團附謝晉元奉命率部留守閘北四行倉庫，演出了 800 壯士（實只 420 人）孤軍抗敵的悲壯一幕。30 日夜，該團退入上海公共租界，即被羈縻於滬西。1941 年 4 月 24 日，謝晉元被叛兵刺殺。

蔣介石認識到，中國的對日戰爭只能是持久戰、消耗戰，但是，他提出的戰略原則卻是防守戰。8 月 18 日，他發表《告抗戰將士第二書》，主張 "敵攻我守，待其氣衰力竭，我即乘勝出擊。""要固守陣地，堅忍不退，以深溝高壘厚壁，粉碎敵人進攻。"[5] 9 月 13 日，蔣介石手擬《告各戰區全軍將士文》，再次強調固守，"雖至最後之一兵一彈，亦必在陣中抗戰到底"。[6] 10 月 28 日，他在松江召開軍事會議，仍然表示："要嚴密縱深配備，強固陣地工事"，"要不怕陣地毀滅，不怕犧牲一切"，"我們已移至滬戰最後一線，大家應抱定犧牲的決心，抵死固守，誓與上海共存亡。"[7]

要殺敵衛國，自然需要強調犧牲精神，但敵人擁有海、空優勢，配備重武器，呆板的防守戰必然帶來巨大的傷亡，最終也難以守住陣地。當時，日方有各種飛機 1,500 架，而中國僅有戰鬥機、轟炸機 300 架。[8] 8 月 24 日，張治中致

1　《困勉記》。
2　《陳誠致蔣介石密電》，《抗日戰爭正面戰場》，第 372 頁。
3　《顧祝同致何應欽密電》，《抗日戰爭正面戰場》，第 373—374 頁。
4　《困勉記》。
5　《"總統"蔣公大事長編初稿》卷 4（上），總第 1148 頁。
6　《"總統"蔣公大事長編初稿》卷 4（上），總第 1167 頁。
7　《"總統"蔣公大事長編初稿》卷 4（上），總第 1179 頁。
8　《蔣介石秘錄》卷 4，湖南人民出版社 1988 年版，第 28 頁。

蔣介石、何應欽密電云："連日敵機甚為活躍，全日在各處轟炸，毫無間斷，我軍日間幾無活動餘地，威脅甚大。"[1] 白崇禧也表示："無制空權，仗無法打。我官兵日間因飛機不能動，夜間因探照燈亦不能動。長期抵抗，須另有打算。"[2] 淞滬之戰，中國軍隊士氣旺盛，英勇抗敵，但蔣介石單純防禦，將幾十萬精銳密集於長江南岸狹長地區內，層層設防，硬打死拚，大量消耗中國軍隊的有生力量，是很愚蠢的作戰方法。第二年，蔣介石回顧淞滬戰役，就曾自我檢討，認為自己沒有在九國公約會議之前，及早退兵於吳福線、乍嘉線陣地，"而於精疲力盡時，反再增兵堅持，竟使一敗塗地，不可收拾"，"此余太堅強之過也"。[3]

"堅強"是好事，但不顧條件，"堅強"太過，沒有任何靈活性，就是執拗了。

五、中國軍方的大失誤，忽視杭州灣防務

日軍最初制訂的作戰計劃是，在上海西北的白茆口和西南的杭州灣登陸，佔有上海、南京、杭州三角地帶。為此，日軍早就對杭州灣實施偵察，收集地誌資料。[4] 金山衛水深，可停艦艇，又有利於登陸的沙灘，明代倭寇擾浙時，即在此登陸。8月20日，蔣介石得報，金山衛有日本水兵登陸偵察，指令"嚴防"。[5] 10月18日，軍事委員會第一部作戰組情報提出，日軍有在杭州灣登陸企圖，但估計登陸部隊最多一個師，不會對上海戰局有什麼影響。[6] 倒是張發奎將軍有警覺，親到當地巡察，並配置了兵力：以第63師擔任乍浦、澉浦防務，以第62師擔任全公亭、金山嘴防務。10月26日，中央軍撤到蘇州河南岸後，浦東防務緊張，張發奎遂將第62師主力調防浦東，當地僅餘該師少數兵員，實力

1 《抗日戰爭的正面戰場》，第 294 頁。
2 《徐永昌日記》，1937 年 11 月 12 日。
3 《困勉記》，1938 年 2 月 2 日。
4 《從盧溝橋事變到南京戰役》，第 554—555 頁。
5 《困勉記》。
6 《抗日戰爭正面戰場》，第 282 頁。

空虛。[1]

11 月 5 日，日軍第 10 軍司令官柳川平助以 3 個半師團的兵力，在艦炮掩護下，於杭州灣北岸的金山衛登陸。中國軍隊因兵力懸殊，無法阻擋。中國統帥部急令已調浦東第 62 師的主力回兵，會同新到楓涇的第 79 師合力反擊，並令從河南調來、新到青浦的第 67 軍向松江推進。蔣介石希望藉此穩住陣地。6 日，蔣介石日記云：“如我軍能站穩現有陣地，三日以後當無危險矣。”[2] 但是，由於天雨泥濘，加上日機轟炸，中國部隊行動遲緩，日軍後續部隊源源登陸。第 67 軍從河南調來，尚未集中，即遭敵各個擊破。8 日，松江失陷，這樣，退守蘇州河南岸的中國軍隊側背受敵，有被圍殲危險。

日軍在金山衛登陸，上海戰場中國軍隊的側背受到嚴重威脅，有可能陷入包圍，使退卻無路，全軍覆沒。有鑒於此，白崇禧將軍再次向蔣介石提議，中國軍隊向吳福線後撤。11 月 7 日，朱紹良將軍、何應欽將軍等也提出，“已到不能不後撤之時會”[3]。蔣介石權衡利害，這才認識到保存有生力量的重要，日記云：“保持戰鬥力以圖持久抗戰，與消失戰鬥力以維持一時體面相較，則當以前者為重。”同日，蔣下令中國軍隊自上海蘇州河南岸撤退。[4] 但是，他仍然擔心此舉會對《九國公約》會議造成不良影響，痛苦地寫道：“藉此戰略關係而撤退，使敵知我非為力盡而退，則不敢窮追與再攻，是於將來之戰局有利，然於九國公約會議之影響，其不良必甚大，使此心苦痛不已。”[5]

忽視杭州灣北岸防務是重大的戰略錯誤。後來蔣介石總結說：“由大場撤退至蘇州河南岸以後，以張發奎為指揮官，使金山衛、乍浦一帶，負責無人，不注重側背之重要，只注意浦東之兵力不足，調金山、乍浦大部移防浦東，乃使敵軍得乘虛而入，此余戰略最大之失敗也。”[6]

一個優秀的軍事家必須既善於組織進攻，又善於組織撤退。蔣介石下令在蘇州河南岸撤退後，中國軍隊爭相奪路，秩序混亂，作戰能力喪失殆盡。郭汝

---

1 《第三戰區淞滬會戰經過概要》，《抗日戰爭正面戰場》，第 381 頁。
2 《困勉記》。
3 《徐永昌日記》，1937 年 11 月 7 日。
4 參見《徐永昌日記》，1937 年 11 月 6 日。
5 《困勉記》。
6 《省克記》。

瑰將軍後來說："淞滬戰役我始終在第一線,深知三個月硬頂硬拚,傷亡雖大,士氣並不低落,戰鬥紀律良好,只要撤下來稍事整理補充,即可再戰。唯有大潰退,數日之間精銳喪盡,軍紀蕩然。如在敵攻佔大場時,就有計劃地撤退,必不致數十萬大軍一潰千里。"[1] 11 月 11 日,中國軍隊撤出上海南市,上海市長發表告市民書,沉痛宣告上海淪陷。

淞滬之戰雙方都付出了很大代價。據日方統計,至 11 月 8 日止,日軍在上海戰場陣亡 9,115 名,負傷 31,257 名,合計 40,672 名。[2] 但是,中國方面損失更大。據何應欽將軍 11 月 5 日報告,淞滬戰場中國軍隊死傷 187,200 人,約為日軍的 4 倍半。[3]

六、南京:守乎?棄乎?

日軍攻佔上海後,軍方出現兩種意見,一種認為軍隊已經非常疲勞,必須休整,一種意見認為,軍隊雖然疲勞,但仍應攻佔南京。11 月 7 日,日軍編組華中方面軍,以松井石根兼任司令官,規定以蘇州、嘉興連結線為"統制線",在此以東作戰。但是,第二天,日軍就兵分兩路。一路以上海派遣軍為主力,沿滬寧鐵路線西進,一路以第 10 軍和國崎支隊為主力,沿太湖南岸向湖州集結。13 日,日軍一部在常熟白茆口登陸,聲勢更盛。15 日,第 10 軍幕僚會議認為,中國軍隊已處於潰散狀態,如果把握戰機,斷然實施追擊,二十天即可佔領南京。華中方面軍贊同佔領南京的意見,認為"現在敵軍的抵抗,各陣地均極微弱",如不繼續進攻,"不僅錯失戰機,且令敵軍恢復其士氣,造成重整其軍備的結果,恐難於徹底挫折其戰鬥意志"。[4]

日軍自太湖南北同時西進,威脅南京。11 月 13 日,蔣介石決計遷都,長期抗戰。日記云:"抗倭之最後地區與基本線乃在粵漢、平漢兩路以西,而抗倭之最大困難,乃在最後五分鐘,此時應決心遷都於重慶,以實施長期抗戰之

---

1 《八一三淞滬抗戰》,第 252 頁。
2 《從盧溝橋事變到南京戰役》,第 555 頁。
3 《徐永昌日記》,1937 年 11 月 5 日。
4 《從盧溝橋事變到南京作戰》,第 601 頁。

184

計，且可不受敵軍威脅，以打破敵人迫訂城下之盟之妄念。"[1] 但是，南京是戰是守，意見不一。高級將領中普遍反對"固守"。有人明確表示，不應在南京作沒有"軍略價值之犧牲"，白崇禧將軍主張改取游擊戰，劉斐將軍主張適當抵抗之後主動撤退，只作象徵性防守。[2] 蔣介石一時也拿不定主意。11 月 17 日日記云："南京應固守乎？放棄乎？殊令人躊躇難決。"[3] 不過，蔣介石和唐生智上將都認為，南京為首都所在，總理陵墓所在，不可不作重大犧牲。蔣並表示，願自負死守之責。將領們認為統帥不宜守城，時在病中的唐生智將軍遂自動請纓。[4] 19 日，蔣介石任命唐生智為南京衛戍司令長官，劉興中將為副司令長官，負責守衛南京，時間為 3 個月至 1 年。[5] 不過，蔣介石也確知南京難守。11 月 27 日，蔣介石巡視南京城防工事，歎惜道："南京孤城不能守，然不能不守也。"[6] 這聲歎惜，正是蔣內心矛盾的表現。

淞滬之戰打響後，主和之議一直未歇。9 月 8 日，蔣介石日記云："時至今日，只有抗戰到底之一法。主和派應竭力制止之。"[7] 次日日記云："除犧牲到底外，再無其他出路。主和之見，乃書生誤國之尤者，試思此時尚能議和乎！"[8] 及至淞滬戰敗，主和之議再盛。司法院院長居正原來堅決反對和議，力主逮捕胡適，此時轉而力主向日方求和，並稱："如無人敢簽字，彼願為之！"[9] 11 月 21 日，蔣介石處理南京戰守事畢，慨歎道："文人老朽，以軍事失利，皆倡和議，而高級將領，亦有喪膽落魄而望和者。嗚呼！若輩竟無革命精神若此，究不知其昔日倡言抗戰之為何也。"[10]

為了守衛南京，中國統帥部的第三期作戰計劃規定：京滬線方面，以最小限之兵力，利用既設工事，節節抵抗，同時抽調兵力，以一部轉入滬杭線，抵禦向太湖南岸進軍的日軍，一部增強南京防禦能力。計劃稱，在後續援軍到達

1　《困勉記》。
2　《王世杰日記》，1937 年 11 月 19 日；劉斐：《抗戰初期的南京保衛戰》，《南京保衛戰》，第 8—9 頁。
3　《困勉記》。
4　《王世杰日記》，1937 年 11 月 19 日；參見唐生智：《衛戍南京之經過》，《南京保衛戰》，第 3—4 頁。
5　《徐永昌日記》，1937 年 11 月 6 日。
6　《困勉記》。
7　《困勉記》。
8　《困勉記》。
9　《王世杰日記》，1937 年 11 月 21 日。
10　《困勉記》。

時，將以皖南的廣德為中心，與敵決戰，在錢塘江附近殲滅日軍。[1] 當時，中國軍隊已退至第一道國防線——吳福線，但是，這道被譽為中國興登堡防線的國防工程卻"無圖可按，無鑰開門，無人指示"。[2] 19日，日軍進佔蘇州。俗話云："兵敗如山倒。"吳福線不守，中國軍隊主力繼續向錫澄線及太湖西南的安吉（浙江）、寧國（安徽）等地潰退，蔣介石原來以為"有良好地形，堅固陣地，可資扼守"的錫澄線同樣沒有發揮作用。11月20日，蔣介石調集第23集團軍川軍劉湘部5個師、2個獨立旅，由四川趕到皖南廣德，浙西北的泗安、長興一線。不過，川軍作戰能力很低，紀律很壞，"聞敵即走"，並未發揮多大作用。[3] 11月23日，蔣介石到常州，召集前方將領訓話，局勢也並無改變。11月25日，無錫失守。26日，位於太湖南岸的吳興失陷。蔣介石得悉撤退秩序不良，日記云："竟不分步驟，全線盡撤，絕無規律，痛心盍極！"[4] 29日，日軍侵佔宜興。30日，日軍攻陷廣德，從東南、西南兩個方面對南京形成包圍之勢。12月1日，江防要塞江陰失守。同日，日方下達"華中方面軍司令官應與海軍聯合進攻中國首都南京"的皇命，日軍分三路進攻南京。

蔣介石反對與日本議和，但不反對國際調停。早在日軍金山衛登陸之際，德國大使陶德曼（Oskar P. Trautmann）即受日方委託，向蔣轉達日方媾和條件，蔣介石認為，這些條件"仍以防共協定為主"，"乃嚴詞拒絕之"。[5] 24日，蔣介石曾經寄以希望的九國公約會議閉會，沒有取得任何積極性成果。12月2日，蔣介石為行"緩兵計"，再次會見陶德曼，表示願以日方所提條件為談判基礎，但要求先停戰後談判。6日，蔣介石得悉句容危急，決定離開南京，日記云："敵以德大使所提調停辦法，不能迫我屈服，乃已決絕乎！"[6] 7日，蔣介石飛離南京。日記云："對倭政策，惟有抗戰到底，余個人亦只有硬撐到底。"[7] 到廬山後，蔣介石即研究、制訂全國總動員計劃，準備在"全國被敵佔領"的最壞情

1 《淞滬作戰第三期作戰計劃》，《抗日戰爭正面戰場》，第331頁。
2 《抗日戰爭正面戰場》，第333—334頁。
3 《徐永昌日記》，1937年12月3日。
4 《困勉記》。
5 《困勉記》。
6 《困勉記》。
7 《困勉記》。

況下仍然堅持奮鬥。[1]

南京的防禦工事分"周邊陣地"與以城牆為主要依託的"複廓陣地"兩種。12月5日，日軍進攻"周邊陣地"。8日，湯山失守，唐生智將軍下令中國軍隊進入"複廓陣地"。9日，日軍逼近南京城牆，兩軍在光華門、雨花台、紫金山、中山門等處激戰，光華門幾度被突破。松井石根限令唐生智在10日午前交出南京城，遭到唐的堅決拒絕。12月11日，松井石根下令總攻。

淞滬之戰中，中國軍隊消耗過大；戰後，武器、彈藥、糧食都嚴重缺乏，士氣極端低落。蔣介石百方拼湊，守城兵力僅得12個師，約12萬人，其中新補士兵約3萬人，未受訓練，匆促上陣，官兵間尚不相識。這種情況，本已不能再用守衛戰、陣地戰一類的作戰形式。蔣介石之所以堅守南京，一是如上述，南京輕易失守，攸關體面；二是對蘇聯出兵有所期待。

當時在國際列強中，蘇聯是唯一表示願積極支持中國的國家。8月21日，中國與蘇聯簽訂久議未決的互不侵犯條約，蘇方允諾中國可不以現款購買蘇聯軍火。9月1日，蔣介石就在國防最高會議上預言，蘇聯終將加入對日戰爭。[2] 28日，蘇聯駐華大使鮑格莫洛夫奉召返國，曾和中國外交部長王寵惠談及蘇聯參戰的必要條件。[3] 10月22日，蔣致電時在莫斯科的中國軍事代表團團長楊杰，詢問如《九國公約》簽字國會議失敗，中國決心軍事抵抗到底，蘇俄是否有參戰之決心與其日期。11月10日，蘇聯黨和國家重要領導人伏羅希洛夫元帥在宴別中國代表張沖時，要張歸國轉告：在中國抗戰到達生死關頭時，蘇俄當出兵，決不坐視。30日，蔣介石致電伏羅希洛夫及斯大林表示感謝，電稱："中國今為民族生存與國際義務已竭盡其最後、最大之力量矣，且已至不得已退守南京，惟待友邦蘇俄實力之應援，甚望先生當機立斷，仗義興師。"[4] 當時，蔣介石將蘇聯出兵看成挽救危局的唯一希望。12月5日，斯大林、伏羅希洛夫回電稱，必須在九國公約簽字國或其中大部分國家同意"共同應付日本侵略

---

1 蔣介石1937年12月9日日記云："此次抗戰，即使全國被敵佔領，只可視為革命第二期一時之失敗，而不能視為國家被敵征服，更不能視為滅亡，當動員全國精神力自圖之。"見《困勉記》。
2 《王世杰日記》，1937年9月1日。
3 《王世杰日記》，1937年9月28日。
4 《蔣委員長致蔣廷黻、楊杰（請伏元帥轉斯大林先生）電》，《革命文獻‧對蘇外交》，《蔣中正"總統"檔案》。

時"，蘇聯才可以出兵，同時還必須經過最高蘇維埃會議批准，該會議將在一個半月或兩個月後舉行。[1] 此電與楊杰、張沖的報告不同，蔣介石內心感到，蘇俄"出兵已絕望"[2]，但他仍然再次致電斯大林，表示"尚望貴國蘇維埃能予中國以實力援助"。[3] 不僅如此，他還繼續以之鼓舞身邊的高級將領，聲稱"俟之兩個月，必有變動"。[4] 12月6日，蔣致電第五戰區司令長官李宗仁及閻錫山稱："南京決守城抗戰，圖挽戰局。一月以後，國際形勢必大變，中國必可轉危為安。"[5] 這裏所說的"國際形勢必大變"，仍指蘇聯出兵。12月11日，蔣已經指示唐生智等，"如情勢不能久持時，可相機撤退，以圖整理而期反攻"。[6] 但第二天卻又改變主意，致電唐生智將軍等稱："經此激戰後，若敵不敢猛攻，則只要我城中無恙，我軍仍以在京持久堅守為要。當不惜任何犧牲，以提高我國家與軍隊之地位與聲譽，亦惟我革命轉敗為勝唯一之樞紐。"蔣指示："如能多守一日，即民族多加一層光彩。如能再守半月以上，則內外形勢必一大變，而我野戰軍亦可如期來應，不患敵軍之合圍矣！"[7] 不難看出，蔣所說的"內外形勢必一大變"的"外"，仍然包含蘇聯出兵在內。"蘇俄無望而又不能絕望"[8]，這正是蔣介石當時的無奈心理。

蘇聯與中國同受日本侵略威脅，因此，支持中國抗戰，但是，蘇聯更擔心德國入侵，日蘇之間的矛盾又尚未發展到必須干戈相見的地步，蘇聯自然不可能輕易在遠東有所動作。

12月12日，日軍繼續猛攻，中華門、中山門、雨花門、光華門等多處城門被突破，南京衛戍司令長官部決定大部突圍，一部渡江撤退。但是，由於情況混亂，撤退命令無法正常下達。除少數部隊突圍外，大部分軍隊擁至長江邊，形成極度混亂的局面。挹江門外，"被踏死者堆積如山"。[9] "僅有之少數船

1 《斯大林、伏羅希洛夫致蔣委員長十二月電》，《革命文獻·對蘇外交》，《蔣中正"總統"檔案》。原電無日期，此據《徐永昌日記》考訂。

2 《困勉記》，1937年12月5日。

3 《中華民國重要史料初編——對日抗戰時期》第3編《戰時外交》（2），第340頁。

4 《徐永昌日記》，1937年12月6日。

5 《蔣委員長致李宗仁、閻錫山等魚電》，《革命文獻·淞滬會戰與南京撤守》，《蔣中正"總統"檔案》。

6 《南京保衛戰戰鬥詳報》，《抗日戰爭正面戰場》，第413頁。

7 《蔣委員長致唐生智、劉興、羅卓英電》，《革命文獻·淞滬會戰與南京撤守》，《蔣中正"總統"檔案》。

8 《愛記》（稿本），1937年12月9日。

9 《憲兵司令部戰鬥詳報》，《抗日戰爭正面戰場》，第433頁。

舨，至此人人爭渡，任意鳴槍。船至中流被岸上未渡部隊以槍擊毀，沉沒者有之，裝運過重沉沒者亦有之。"[1] 12 月 13 日，日軍攻陷南京，旋即開始慘絕人寰的大屠殺。

在淞滬戰敗之後，南京失陷有其必然性。但是，突圍與撤退時的嚴重混亂及其損失仍然是可以避免的。

七、在極端困難的狀況下堅持抗戰國策

首都失陷，常常和國家淪亡相聯繫，在中國歷史上是很少有的現象。一時間，日軍驕橫氣焰達於極點，中國政府、中國軍隊、蔣介石個人都處於極端困難的境地。怎麼辦？中國的路應該怎樣走下去？

12 月 15 日，蔣介石召集高級幹部會議討論，會議情況是："主和、主戰，意見雜出，而主和者尤多。"[2] 國防最高會議副主席汪精衛本來對抗戰就信心不足，這時更加缺乏信心。次日，他向蔣介石提出，"想以第三者出而組織，以為掩護"。[3] 顯然，汪企圖拋棄抗戰國策，在國民政府之外另樹一幟。行政院副院長孔祥熙這時也從"傾向和議"發展為"主和至力"。[4] 18 日，蔣介石日記云："近日各方人士，皆以為軍事失敗，非速求和不可，幾乎眾口一詞。"[5] 當時，陶德曼的調停還在繼續，蔣介石擔心日方有可能提出比較"和緩"的條件，誘使中國內部發生爭執與動搖。26 日，蔣介石得悉日方提出的新議和條件，發現較前"苛刻"，心頭為之一安，決心"置之不理"。[6] 2 7 日，蔣介石召集國防最高會議常務會議討論，主和意見仍佔多數，監察院院長于右任甚至當面批評蔣介石"優柔"。[7] 會上，蔣介石堅持拒和。28 日，蔣與汪精衛、孔祥熙及軍事委員會秘書長張群談話，聲稱"國民黨革命精神與三民主義，只有為中國求自由

1　《陸軍第七十八軍南京會戰詳報》，《抗日戰爭正面戰場》，第 424—425 頁。
2　《困勉記》，1937 年 12 月 15 日。
3　《困勉記》，1937 年 12 月 16 日。
4　《王世杰日記》，1937 年 12 月 2 日、27 日。
5　《困勉記》。
6　《困勉記》，1937 年 12 月 26 日。
7　《困勉記》，1937 年 12 月 27 日。

與平等，而不能降服於敵人，訂立不堪忍受之條件，以增加國家、民族永遠之束縛。"[1] 次日，再與于右任、居正談話，表示"抗戰方略，不可變更。此種大難大節所關之事，必須以主義與本黨立場為前提。今日最危之點，在停戰言和耳！"[2] 蔣介石認為，與日本議和，外戰可停，而內戰必起，國家定將出現大亂局面。1938 年 1 月 2 日，蔣介石下定破釜沉舟的決心："與其屈服而亡，不如戰敗而亡。"[3] 他最終決定，拒絕德國方面的斡旋，堅持既定的抗戰國策。

八、華北戰場失利與平型關之捷

日軍佔領北平和天津後，決定進行華北會戰，擴大戰果，佔領華北要地。其主決戰方向為沿平漢、津浦兩條鐵路線南下，打擊在河北省境內的中國軍隊主力，同時沿平綏路西進，進攻察哈爾、山西北部及綏遠。8 月 31 日，日本編成華北方面軍，以寺內壽一上將為司令官，兵力約 37 萬人。

中國方面為保衛華北，將平漢、津浦兩條鐵路線的北段劃為第一戰區，以之作為與日軍作戰的正面戰場，同時將山西、察哈爾、綏遠三省劃為第二戰區，作為"側背"。兩個戰區共轄 6 個集團軍，約 60 萬人。為了就近指導河北方面的作戰，軍事委員會在保定設立行營，以徐永昌為主任。

自 8 月 11 日至 10 月 16 日，沿平綏路進攻的日軍先後佔領南口、張家口、大同、包頭等地，控制北平西北的廣大地區，解除其南下威脅。自 9 月中旬至 12 月下旬，沿平漢、津浦線進攻的日軍先後佔領石家莊及河南北部的安陽等地。中國軍隊雖然作戰頑強，但未能遏阻敵人的進攻。只是由於中國共產黨所領導的第八路軍的參戰，中國方面才在山西平型關取得了一次規模不大，但振奮人心的勝利。

9 月中旬，日軍進攻山西北部。第二戰區司令長官閻錫山決定以內長城線為依託，把守平型關、雁門關一線，阻止日軍對山西中部的進攻。9 月 24 日，

1　《困勉記》，1937 年 12 月 28 日。
2　《困勉記》，1937 年 12 月 29 日。
3　《困勉記》。

第 8 路軍第 115 師師長林彪和副師長聶榮臻決定利用平型關附近的山地,集中
兵力設伏。25 日,日軍阪垣征四郎所屬第 5 師第 21 旅的後續部隊行經該地,
中國軍隊出其不意地發動攻擊。雙方短兵相接,日本空軍無法發揮作用。此役
中國軍隊殲滅日軍 1 千餘人,繳獲輜重馬車 2 百餘輛及大量軍用物資。在日軍
長驅直入,國民黨軍隊節節敗退的狀況下,第 8 路軍打破了"皇軍"不可戰勝
的神話,無疑極大地鼓舞了中國人民的抗戰信心。此役也昭示,對優勢日軍作
戰,必須有特殊的戰略、戰術。

平型關戰後,閻錫山以第 14 集團軍總司令衛立煌為前敵總指揮,集中主
力,在山西省會太原以北的忻口抗擊日軍。10 月中旬,第 9 軍軍長郝夢齡中將
指揮的中央兵團等部曾重創來犯日軍,郝壯烈犧牲。同時,中共所領導的第 8
路軍則進軍敵後,展開游擊戰,切斷日軍交通線。蔣介石曾致電第 8 路軍總司
令朱德和彭德懷,讚揚該部"屢建奇功"。[1] 但是,小型的局部性的勝利一時還無
法影響戰爭全局。10 月 26 日,日軍攻陷山西東部門戶娘子關,太原危急。閻
錫山為固守省會,於是下令中國軍隊撤離忻口。11 月 9 日,日軍攻入太原,守
城中國軍隊突圍而出。同月,日軍攻陷山東省會濟南。

九、結束語

自 7 月 7 日至 12 月 13 日五個多月時間內,中國軍隊同時在華北、華東
兩個戰場英勇作戰,打擊了日本的侵略氣焰和在短時期內速勝的美夢,顯示出
中國軍隊、中國政府、中國人民的堅強不屈的精神。日軍雖在華北地區先後佔
領河北、察哈爾、綏遠、山西、山東等省的許多城市,在華東則攻佔上海、南
京,威脅皖浙,但是,這也使它在中國戰場上愈陷愈深,難以自拔。

敵強我弱,在兩國軍事實力相差過於懸殊的情況下,失去部分城市和領
土乃是一種無法避免的歷史必然。蔣介石和國民黨軍隊領導者的最大問題是,
戰略、戰術呆板,過於看重一城一地的得失,只懂得陣地戰、防禦戰,單純和

---

1 《民國檔案》1985 年第 2 期。

敵人硬碰硬，拚力量，拚消耗，而不懂得運用其他作戰形式，以求更多地殲滅敵人的有生力量；在淞滬、南京之戰中，又對國際力量共同制裁和蘇聯出兵存有不切實際的幻想和期待，未能及時組織戰略撤退，造成中國軍隊空前巨大的損失。

從戰爭學習戰爭。這一時期的戰場失利使蔣介石和部分國民黨高級將領認識到，中國對日抗戰是持久戰，必須以空間換時間，必須懂得保存自己的有生力量，懂得運用運動戰、游擊戰。11 月 7 日，蔣介石日記云："此時應令各戰區發動游擊戰，使敵所佔領各地不能安定，且分散其兵力，使之防不勝防也。"[1] 12 月 1 日日記云："抗倭制勝之道，在時間上作長期抗戰，以消耗敵力；在空間上謀國際之干涉，又使敵軍在廣大區域，留駐多數兵力，欲罷不能，進退維谷，此我之基本主張，萬不可稍有動搖。"[2] 同月 16 日，南京失守後的第三日，蔣介石發表《告全國國民書》稱："中國持久抗戰，其最後決勝之中心，不但不在南京，抑且不在各大都市，而實寄於全國之鄉村與廣大強固之民心；我全國同胞誠能曉然於敵人之鯨吞無可倖免，父告其子，兄勉其弟，人人敵愾，步步設防，則四千萬方里國土以內，到處皆可造成有形、無形之堅強堡壘，以制敵之死命。"[3] 這些地方都說明，通過挫折和失敗，蔣介石和國民黨人的戰略思想有了某些長進。

附記：蔣介石為何開闢新戰場？

當華北戰場危急之際，蔣介石主動開闢淞滬戰場。舊說之一以為，這是蔣介石為了將日軍的進攻矛頭由自北而南引向由東而西，以免日軍過早地攻佔武漢，截斷國民政府自南京西遷的道路，是一項很高明的戰略決策云云。此說曾引起激烈爭論。一派主張蔣在事前即有明確意識，一派主張蔣在事前並無明確意識。兩說長期相持不下。

關於開闢淞滬戰場的原因，蔣 1938 年 5 月 5 日曾在《雜錄》中寫道："敵軍戰略本以黃河北岸為限，如不能逼其過河，則不能打破其戰略，果爾，則其固守北岸之兵力綽綽有餘，是其先侵華北之毒計乃得完成，此於我最大之不利。我欲打破其安佔華北之戰略，一則逼其軍隊不得不用於江南，二則欲其軍隊分略黃河南岸，使其兵力不敷分配，更不能使其集

1　《困勉記》。
2　《省克記》。
3　《"總統"蔣公大事長編初稿》卷 4（上），總第 1200 頁。

中兵力安駐華北。中倭之戰必先打破其侵佔華北之政策，而後乃可毀滅其侵略全華之野心。總之，倭寇進佔京滬，其外交政策已陷於不可自拔之境，而其進佔魯南，則其整個軍略亦陷於不可收拾之地也。"[1] 據此可知，當時蔣介石開闢淞滬戰場的目的，在於分散日軍兵力，粉碎其首先佔領華北的侵略計劃。

1　《蔣介石日記》（手稿本），1938 年年末。

蔣介石建議國共兩黨合併 *

* 本文錄自《找尋真實的蔣介石：蔣介石日記解讀》（2），重慶出版社 2018 年版；原載《南方都市報》（歷史專版），2008 年 7 月 8 日、10 日。

自 1937 年 5 月至 1939 年初，蔣介石一直提議取消國民黨和共產黨，雙方共同組建一個新的政黨——國民革命同盟會，這是蔣介石在國共第二次合作開始時期的一個重大設想。中共同意建立這一組織，但希望它只是統一戰線和一種形式，中共在其中仍然保存其政治和組織上的獨立性。蔣介石因設想受拒，轉而致力於限制共產黨的發展。兩黨由最初的合作"蜜月"進入摩擦和鬥爭的多事之秋。

一、蔣介石向中共提出"廢除蘇維埃政府"等四項要求，日記中破天荒地出現"開放黨禁"等內容

九一八事變後，日本加緊侵華，中華民族的滅亡危機加深。國共兩黨都在研究如何應對這一新的形勢。

1935 年 8 月，共產國際在莫斯科召開第七次代表大會，號召各國共產黨"建立廣泛的反法西斯人民陣線"。中共駐莫斯科代表團團長王明在會上發表講話，呼籲中國各黨派、團體、各界、各軍組成國防政府和抗日聯軍。蔣介石抓住時機，於次年 1 月指派鄧文儀到莫斯科，與潘漢年、王明會談，說明自己"真誠地想同日本作鬥爭"，要求中共"撤銷中國蘇維埃政府"，"把紅軍改編成

國民革命軍"，"國共合作"，共同抗日。[1] 其後，蔣介石和南京國民政府即通過多條管道和中共接觸。同年 7 月，陳立夫向中共提出："在同一目的下，實現指揮與編制之統一"，"放棄過去政治主張"等要求，並保證，國民黨將"停止圍剿"，"改善現政治機構"。[2] 8 月，中共根據共產國際指示，改取"聯蔣抗日"方針。12 月 12 日，發生西安事變。22 日，蔣介石要宋子文轉告周恩來，要周同意：1. 廢除中國蘇維埃政府；2. 取消紅軍名義；3. 停止階級鬥爭；4. 願意服從委員長之領導。蔣還要宋轉告周，他每時每刻都在"思考重組國民黨的必要性"。[3] 24 日，周恩來、張學良、楊虎城與宋子文、宋美齡會談。同日，蔣介石向張學良表示，回到南京後，將"聯紅容共"，"經過張學良暗中接濟紅軍，俟抗戰起，再聯合行動，改番號"。[4] 當晚，蔣介石與周恩來會面，蔣表示同意停止"剿共"，聯合抗日，聲稱回到南京後，周恩來可以去南京談判。[5] 26 日，蔣介石回到南京，事變和平解決。此後，蔣介石思想中開始萌生新的成分。1937 年 2 月，蔣介石制訂《民國二十六年大事表》和《本年政策》，提出"妥協內外各方，專力對倭"，同時更前所未有地提出"開放黨禁"、"開放政黨政治"等內容。不過，蔣介石並不想給中國共產黨以合法地位，更不想與共產黨平等相待。他所設想的"開放黨禁"，只不過是"以本黨為重心，吸收餘黨"，即在以國民黨為"重心"的前提下，吸收部分中共黨員。所以，他這一時期對中共的方針還是"制共"，即：1. 不許共黨宣傳赤化，用兵力防制；2. 給共產黨"出路"，"以相當條件收容之"，"令其嚴守範圍"。蔣介石這一時期的日記中也還有"剿撫兼施"的提法，但是，很明顯，"剿共"不再是蔣介石的政策重點了。

1　《王明與鄧文儀談話記錄》，《聯共（布）、共產國際與中國蘇維埃運動（1931—1937）》，中共黨史出版社 2007 年版，第 92—93 頁。

2　《周小舟給中共中央的報告》，1936 年 8 月 29 日，轉引自楊天石主編，楊奎松著：《國民黨的聯共與反共》，社會科學文獻出版社 2008 年版，第 335—336 頁。

3　《宋子文西安事變日記》，台北《近代中國》第 157 期，2004 年 6 月 30 日，第 186 頁。

4　《周恩來年譜》，第 346 頁。

5　《周恩來年譜》，第 346—347 頁。

二、兩黨談判加速，蔣介石改"剿共"為"編共"

西安事變和平解決後，兩黨談判加速。1937年1月21日，毛澤東、周恩來致電潘漢年，要求蔣介石：1. 保證和平解決後，不再有戰爭。2. 不執行"剿共"政策，並保證紅軍最低限度之給養。3. 暫時容許一部分紅軍在陝南駐紮。4. 令馬步芳停止進攻河西紅軍。5. 親筆復恩來一信。[1] 25日，毛、周再次致電潘漢年，提出紅軍、地方武裝、游擊隊的伙食費、薪餉、購買費每月至少120萬元。二人並要求以"蔣先生"的"手書"作為保證，由蔣交潘，潘直飛西安，交周恩來。潘漢年將中共的這些要求轉告宋子文，蔣介石很不高興，日記云："對共匪要求規定（其）經常經費與親筆函證，嚴斥其妄，終止談判。"[2] 29日，毛澤東決定做出讓步，與周恩來再次聯名致電潘漢年，電稱："為堅決贊助蔣先生方針，和平解決西北問題，並永遠停止內戰一致對外起見"，決定放棄陝南駐兵要求，將徐海東部自商縣北撤。[3] 此電使蔣多少感到高興，日記云："共匪電稱，商縣之部隊如期先向陝北撤退，以表示其投誠之意乎？"他覺得，中共已無路可走，是"招降"的好機會。日記云："對赤匪之處置應慎重考慮。彼於蘇俄既無接濟，而於主義又難實行。若其果有民族觀念，不忘為黃帝之裔，則於其窮無所歸時收服之，未始非一良機也。"[4] 他反省當月各事，認為陝西的東北軍與西北軍方面，"內部渙散，同床異夢"，中共雖然仍"從中操縱作梗，亦不敢明目張膽，而且對彼已有相當示意，勿使其失望，料彼亦終於屈服也"。2月1日，他決定邀周恩來於10日來杭州相見。9日，國民黨代表顧祝同、張沖、賀衷寒與中共代表周恩來、葉劍英、秦邦憲開始在西安會談。當日，周恩來、顧祝同會見。顧稱，杭州會面計劃推遲，蔣要顧、周先談。蔣介石很關心二人的這次見面，曾在日記中寫道："問顧與周談話結果。"[5] 當時，國民黨正在籌備召開五屆三中全會。蔣介石確定的會議首要議題就是："剿共或容共"。從2月1日起，蔣在日記中多次寫下他的思考，但是，其思考結果卻既非"剿共"，也

1　《毛澤東年譜》上卷，第644頁。
2　《蔣介石日記》（手稿本），1937年1月27日。
3　《毛澤東年譜》上卷，第648頁。
4　《蔣介石日記》（手稿本），1937年1月30日。
5　《蔣介石日記》（手稿本），1937年2月10日。

非"容共"，而是"編共"，即將共產黨的組織和軍隊都"編"入國民黨和國民政府的行列。[1]

三、中共提出四項保證，蔣介石提出"彼此要檢討過去"，要求中共"與他永遠合作"

中共對國民黨的五屆三中全會寄以希望。2月9日，政治局常委會在延安開會，決定致電國民黨五屆三中全會，要求國民黨實現"停止一切內戰，集中國力，一致對外"，"保障言論、集會、結社之自由"等五項要求。中共則提出四項保證：1. 在全國範圍內停止推翻國民政府之武裝暴動方針；2. 工農政府改名為中華民國特區政府，紅軍改名為國民革命軍，直接受南京中央政府與軍事委員會之指導；3. 在特區政府區域內，實行普選的徹底民主制度；4. 停止沒收地主土地政策，堅決執行抗日民族統一戰線共同綱領。中共的這四項保證，大體是對西安事變時期蔣介石所提四項要求的回應。和蘇維埃時期的政策相比，做了巨大的改變與讓步。

國民黨五屆三中全會於2月15日至22日在南京召開，會議通過的《宣言》確定對外方針為"領土主權之維護"，對內方針為"和平統一之進行"。《宣言》批評1927年以來中共所採取的"暴動手段"和"階級鬥爭"觀念，聲稱對中共"實不能以片言之表示，即予置信"，因此會議又特別通過《關於根絕赤禍之決議》，強調軍隊"必須統一編制，統一號令"，"政權必須統一"，向中共提出取消紅軍、取消蘇維埃政府、停止"赤化宣傳"、停止"階級鬥爭"等四項要求。以上種種，措辭雖然嚴厲，但是，所提四項要求與中共的四項保證已無太大距離。上述《宣言》與《決議》都經蔣介石修改和審定，反映蔣的思想。[2]

通過三中全會，國共兩黨在內外政策上走近了，合作就有了基礎。但是，按照蔣介石的"編共"方針，還有許多問題需要解決。首先是如何處理中共手

1　《蔣介石日記》（手稿本），1937年2月16日。

2　2月18日，蔣介石曾在日記中指責中共所謂"非人倫、不道德的生活與無國家反民族的主義"，《決議》中就相應地寫了類似的一段話語。

中的武裝；其次是如何對待中共的組織；第三是如何對待中共所建立的政權；第四是如何安排中共領導人。

關於軍隊。蔣介石認為，"只可編其部隊，而決不許其成立軍部，或總指揮部"。[1]"不能留編地方警甲為武力暴動之張本"。[2]

關於組織。蔣介石提出："政黨組織必須在國民大會之後。""甲、改組；乙、領導；丙、政策；丁、形式；戊、不與計較小事。"[3]

關於政權。蔣介石認為，"不能成立特區"。

關於人員。蔣介石認為，"對其高級幹部保護其自由權，如願出洋，則可由政府資送"。

不過，這一時期，蔣介石仍然懷疑中共的誠意。3月15日日記云："今年之中國必須在日本偽親善及共匪假投降之下穩定本國陣線，加強國力之充實也。"蔣介石生性多疑，又經過十年內戰，要他消除猜忌，完全相信中共，幾乎是不可能的。

3月26日，周恩來由潘漢年陪同，到達杭州，和蔣介石會談。周以書面形式向蔣提出共產黨方面承認的六項條件，如："擁護三民主義及國民黨在中國的領導地位"，"取消暴動政策及沒收地主土地政策，停止赤化運動"等，同時要求國民黨方面給以五項保證，如："實現和平統一團結禦侮的方針，全國停止剿共"、"實現民權，釋放政治犯"等。周同時提出口頭聲明六點，如：陝甘寧邊區成為整個行政區，不能分割；紅軍改編後須達四萬餘人；三個師以上必須設總部；國民黨不能派遣副佐及政訓人員等。[4]他聲明：中共擁蔣，係站在民族解放、民主自由、民生改善的共同奮鬥的綱領之上，決不能忍受投降、收編之誣衊。蔣介石對這些具體問題興趣不大。他承認中共有民族意識、革命精神，是新生力量，認為國共兩黨"彼此要檢討過去"，承認自己"過去也有錯誤"。他要中共"與他永遠合作"，並且要求"商量一個永久合作的辦法"。[5]當日日記記

---

1 《蔣介石日記》（手稿本），1937年3月6日。
2 《蔣介石日記》（手稿本），1937年3月10日。
3 《蔣介石日記》（手稿本），1937年3月10日、24日。
4 《周恩來年譜》，第367頁。
5 《中央關於同蔣介石談判經過和我黨對各方面策略方針向共產國際的報告》，《中共中央文件選輯》（11），第180—182頁。

載說：“與周恩來討論共黨問題之根本辦法。余獨注重其內部組織之改正，與根本政策之決定，以及認定領袖之地位各點，彼乃出於意外，以為余與彼相見，只談對共受降條件之枝節問題也。”[1] 他告訴周恩來，小節容易解決。陝甘寧邊區可以是整個的；軍隊人數不同共產黨爭，總的司令部可以設；決不派人破壞中共的部隊，即使永久合作的辦法尚未商定，他也決不再打（內戰）等。蔣的這些意見較他此前的想法“寬大”。因此，他在日記中特別寫道：“示共黨以寬大之意，使之知感。”[2]

四、中共提議建立“民族統一聯盟”，
蔣介石提議成立“國民革命同盟會”

早在 1937 年 1 月，周恩來就曾向張聞天和毛澤東提出，承認國民黨在全國的領導地位，但取消共產黨絕不可能。唯國民黨如能改組成民族革命聯盟性質時，則共產黨可整個加入這一聯盟，但仍保持其獨立組織。[3] 1937 年 4 月初，周恩來到延安，向政治局擴大會議彙報杭州會談情況，會議認為“結果尚好”，決定在 1935 年中共《八一宣言》提出的抗日救國十點意見和國民黨“一大”宣言的基礎上，起草民族統一戰線綱領，徵求蔣的同意；在此基礎上，成立包括國共兩黨及贊成這個綱領的各黨各派及政治團體的民族聯盟（或黨），共同推舉蔣介石為領袖。[4] 會後，委託中共中央宣傳部副部長吳亮平起草《禦侮救亡，復興中國的民族統一綱領草案》及《民族統一聯盟組織規約》。4 月 20 日，中共中央政治局討論草案，周恩來在會上提出，統一戰線的原則是：以共同綱領為行動準則；建立聯合組織；在蔣承認此綱領的條件下，中共可承認他為領袖。聯盟的組織原則是：各黨各派各革命團體均可參加；聯盟中保持各組織獨立性，允許自由退盟，等等。26 日，周恩來攜《草案》飛赴西安，同張沖談判，提出在確定共同綱領的基礎上由國共兩黨共同發表宣言。

1　《蔣介石日記》（手稿本），1937 年 3 月 26 日。
2　根據蔣 1937 年 3 月 31 日日記，蔣周當天曾在杭州第二次見面，但《周恩來年譜》無記載。
3　《關於談判方針的意見》，《周恩來軍事文選》卷 1，第 598 頁。
4　《中共中央文件選集》（10），第 523—524 頁。

周恩來回延安後，曾於 4 月 11 日致電蔣介石："歸膚施後述及先生合作誠意，現黨中央正開會計議綱領及如何與先生永久合作問題。"電稱，會後即將南下見蔣。蔣介石當日收到電報，仔細琢磨，"恩來之電何意？"不過，他當然感覺到了事情在進展。4 月 28 日日記云："共黨之態度與方針，當以誠意感召之。"此後，他反覆研究對共方針，逐漸形成了一套想法：

> 第一，中共不能公開活動。5 月 12 日日記云："共黨方針與處置之步驟及辦法，不予公開為宜。"
> 第二，命中共取消黨名，改編組織。5 月 13 日日記云："對共黨應使其取消名稱與改編組織，如此則擬積極指導，否則不許其公開。"
> 第三，"誓行三民主義"。
> 第四，承認"領袖地位與權責"。
> 第五，軍隊改名國軍。[1]
> 第六，領導人出國。

5 月 20 日日記云："對共黨辦法：甲、首腦出去，不能留隊；乙、其他從寬。"

5 月 25 日，蔣介石又確定"對共方針"7 條：甲、寬給其經濟；乙、嚴限其軍額；丙、政治從寬；丁、區域宜嚴，不能使之獨立；戊、其間各省軍閥藉口中央容共叛變時，則共黨武力是否共同討逆？己、勿准有各黨各派字樣；庚、領袖權責。[2] 29 日，蔣介石確定，共產黨"如其要公開，則應取消其黨名。"[3] 31 日，蔣介石再次確定"對共條件"4 條：甲、國民大會前，（共產黨）宣傳與組織停止活動；乙、應防軍閥與倭寇藉口容共為名攻擊中央，故暫不公開；丙、組織國民革命會，雙方各推代表五人；丁、共黨宣言中須提停止宣（傳）組（織）一節。[4] 這是蔣介石在日記中第一次提出要建立一個新的組織——"國民革命會"。不過，在同一天寫作的《本月反省錄》中，蔣介石卻將這一新的

1　《蔣介石日記》（手稿本），1937 年 5 月 17 日。
2　《蔣介石日記》（手稿本），1937 年 5 月 25 日。
3　《蔣介石日記》（手稿本），1937 年 5 月 29 日。
4　《蔣介石日記》（手稿本），1937 年 5 月 31 日。這一天的日記中，蔣介石還稱："共黨已有取消黨名之表示。"

組織定名為"國民革命同盟會"。同時，蔣介石還寫下了幾條原則："甲、組最高幹部會議或團，各派五人至七人；乙、手續。各先取消原有黨籍，重填盟約、誓書；丙、領袖最後決定權；丁、幹部先推定，改為圈定制。"據此可知，蔣介石對這一新組織的設想為：它是國共兩黨的聯合組織。參加者須先"取消"原有的國民黨或共產黨黨籍，才能成為這一新組織的成員。

在《本月反省錄》中，蔣介石再次確定"對共方針"10條："甲、經濟從寬；乙、政治次之；丙、軍事嚴定限制；丁、主張堅決反對，不能遷就；戊、行動須令一致；己、區域與軍官僅施監察亦可；庚、勿准聯合各黨各派主張；辛、勿准宣傳；壬、改黨名，誓行三民主義；癸、領袖權責。"上述10條，部分條文，如"改黨名"，"誓行三民主義"等已屢見於其日記，可見其關心重點所在。

五、廬山談判，中共同意成立"國民革命同盟會"，蔣介石既想利用共產黨，又害怕共產黨

6月4日，周恩來到廬山，與蔣介石見面。其後，二人多次會談，蔣介石日記有如下記載：

6月5日："對共警告：甲、不能提不必做之言、不能做到之事。乙、絕對服從與一致，不得擅自宣傳。丙、不得任意活動與組織。丁、對第三國際之限制。"

6月6日："共黨對第三國際關係由領袖主持負責。"

6月7日："一、共黨首要應離軍區或出洋。二、民族統一綱領與聯盟組織之不當。三、第三國際與蘇俄關係之方式。四、共黨宣言中應停止活動，則政治犯可赦免。五、共同組織。六、軍額與特區問題。"

6月8日："一、共黨必欲將收編部隊設立總機關，此決不能允許也。二、勸共黨減低目標，注重實際，恢復社會信用，改變觀念，並免領袖為難。"

6月9日："共黨尚欲設軍事總機關，余嚴拒之。"

上述日記，顯然都是蔣介石與周恩來談判時的記錄與想法。不過，蔣介石

一直不提周恩來的名字，只有到了6月12日，蔣介石在《本週反省錄》中才寫道："見周恩來，共黨問題大體可定。"

6月15日，周恩來致電中共中央，報告蔣介石在廬山的"最後表示"。關於兩黨合作部分，蔣的意見是："1. 成立國民革命同盟會，由蔣指定國民黨幹部若干人，共產黨推出同等數目的幹部組成，蔣為主席，有最後決定之權。2. 兩黨一切對外行動及宣傳，統由同盟會討論決定，然後執行。3. 同盟會在進行順利後，將來視情況許可擴大為國共兩黨分子合組之黨。4. 同盟會在進行順利後，可代替共產黨與第三國際發生關係。"

關於目前有關部分，蔣提出，紅軍可以改編為三個師，設政治訓練處指揮；陝甘寧邊區政府，由中央方面派正的官長，邊區方面自己推舉副的，由林伯渠擔任；中共領袖須離開部隊等。[1]

周恩來報告說，曾就蔣提出的同盟會的組織原則，紅軍編制與邊區政府，特別是指揮與人事等問題，與蔣爭論很久。周恩來堅持紅軍改編以後，三個師以上的統帥機關必須給以軍事名義。經與宋子文、宋美齡、張沖往返磋商，仍不能解決。6月18日，周恩來回延安向中共中央彙報。25日，周恩來起草與蔣介石談判的新提案，原則上同意組織國民革命同盟會，但要求先確定共同綱領，蔣介石依據共同綱領有最後決定權；如蔣同意設立軍事指揮部，紅軍即可改編；毛澤東不拒絕出外做事，等等。[2] 同時，周恩來又為中共中央書記處起草《兩黨關係調整方案》，其中提出，國民革命同盟會可負責調整兩黨關係，決定兩黨共同行動事項，但不能干涉兩黨內部事務，兩黨均須遵守共同綱領，但兩黨又均保留各自的組織獨立性及政治批評和討論的自由權。[3] 其後，周恩來並將草擬的國民革命同盟會綱領交給國民黨談判代表張沖，請他轉交蔣介石。

周恩來離開廬山後，蔣介石對國共合作問題又產生了一些新想法，其中最重要的是：對中共，既要"優容"，又要"嚴厲監督"；禁止共產黨"奪取群

1　《中央關於同蔣介石第二次談判情況向共產國際的報告》（1937年6月17日），《中共中央文件選輯》（11），第265—267頁。

2　《周恩來年譜》，第374頁。參見《中央關於與國民黨談判的方案問題致彭德懷、任弼時、葉劍英電》，《中共中央抗日民族統一戰線文件選編》（中），檔案出版社1984年版。

3　《周恩來年譜》，第377頁。

眾"；陝北政權歸"中央統一"；毛澤東出洋；取消"民主"與"各黨各派聯合"口號；"不得為外國而抗日（暗指蘇聯——著者）"，等等。[1] 當時，蔣介石正計劃於當年 11 月 12 日召開國民大會，頒佈憲法，實行憲政。他在思考會後是否允許各黨派活動等問題，為此寫下三條：1. 對共黨輸誠後之處置運用方案（自強）；2. 團體之組織機構，應以加強鬥爭為主；3. 研究國民大會後各黨派之活動範圍與對共黨防制及運用之方。6 月 20 日，又再次寫下："對共黨約束其宣傳，須根據三民主義為組織，須對團體公開，以生產、經濟、農村為對象。"這些地方，可見蔣介石既想利用共產黨，又害怕共產黨的影響和勢力的發展。

六、兩黨第二次合作形成，
蔣介石決定"對中共應放寬，使之盡其所能"

7 月 7 日，盧溝橋事件爆發。13 日，周恩來偕博古、林伯渠到盧山，向蔣介石提交《中共中央為公佈國共合作宣言》，鄭重向全國表示：孫中山先生的三民主義為中國今日所必需，本黨願為其徹底實現而奮鬥。同時宣佈：取消一切推翻國民黨政權的暴動政策及赤化運動；停止以暴力沒收地主土地的政策；取消現在的蘇維埃政府，實行民權政治，以期全國政權之統一；取消紅軍名義及番號，受國民政府軍事委員會之統轄，並待命出動，擔任抗日前線之職責。14 日，蔣介石會見周恩來，表示周所起草的國民革命同盟會的綱領可以討論。[2] 但是，第二天二人之間即出現衝突。其原因在：6 月盧山會談時，蔣介石曾提出，中共部隊三個師以上，可"設政治訓練處指揮之"。中共中央勉強接受了這一意見。但是，周恩來此次來盧，卻得知蔣介石改變主意，堅持中共部隊須直屬軍委會行營。7 月 15 日，周恩來致函蔣介石，說明前後"出入甚大"，"事難做通"，不僅使自己失信於黨內各同志，而且，"恐礙以後各事之進行"。[3] 蔣介石

1　《蔣介石日記》（手稿本），1937 年 6 月 17 日。
2　《周恩來書信選集》，第 135 頁。
3　《周恩來書信選集》，第 135—136 頁。

見信後大怒，不過，他仍然忍而未發。[1] 緊接著，蔣介石又因事對中共不滿。日記云："共產黨態度漸惡，惟有順受之。"[2] 所謂 "順受"，也就是接受中共的要求了。

7月22日，國民黨中央社播發《中共中央為公佈國共合作宣言》。次日，蔣介石在廬山發表談話，宣稱 "凡為中國國民，但能信奉三民主義而努力救國者，政府當不問其過去如何，而咸使其有效忠國家之機會"。[3] 25日，中共中央決定，中共（包括地方組織）可以在一定的共同綱領和完全平等的原則之下，和國民黨組織國民革命同盟會、群眾運動委員會一類統一戰線組織。這樣，經過艱難的長期談判，國共兩黨重新攜手，第二次合作形成。[4]

12月10日，日軍向雨花台、紫金山等處進攻，南京危急。蔣介石進一步思考對共方針："放任乎？統制乎？保守乎？" 他決定，為全局計，讓那些 "能與共黨合作者共同抗倭"，同時決定，從速開始與共產黨的新一輪談判。[5] 次日，他在日記中寫道："控制共黨，勿使搗亂。"

很長時期以來，日本侵略者一直企圖誘惑蔣介石 "防共"、反共，這一時期，蔣介石對此頗有清醒認識，日記云："敵以共產主義為第一對象，希冀利用本黨與本人為其作劊子手，使我國內自相殘殺，成為第二之西班牙。此乃最為殘苛之悲境，應切戒而力避之。"[6]

12月13日，南京淪陷。21日，周恩來、王明、博古與蔣介石在廬山會談，周就中共的一系列建議，如成立國共兩黨關係委員會，商定兩黨共同綱領等作了說明。蔣介石表示，所談極好，照此做去，前途定見好轉，已告陳立夫等，同你們商量今後兩黨關係。[7] 他在日記中寫道："與共黨代表談組織事，此時對共黨應放寬，使之盡其所能也。"[8] 讓中共 "盡其所能"，這是蔣介石處理和中

1 《蔣介石日記》（手稿本），1937 年 7 月 16 日。中云："為收編共軍事，憤怒甚盛，但能忍也，故猶未發耳。"
2 《蔣介石日記》（手稿本），1937 年 8 月 28 日。
3 《中共活動真相》（1），第 285 頁。
4 《中共中央文件選輯》（11），第 46 頁。
5 《蔣介石日記》（手稿本），1937 年 12 月 10 日。
6 《蔣介石日記》（手稿本），1937 年 12 月 11 日。
7 《周恩來年譜》，第 403 頁。
8 《蔣介石日記》（手稿本），1937 年 12 月 21 日。

共關係中最開放、最勇敢的決定，但是，當中共在敵後大量擴展武裝力量，建立抗日根據地時，蔣介石卻又害怕起來。

12 月 26 日，國共兩黨關係委員會成立。陳立夫、劉健群、張沖、康澤為國民黨代表，周恩來、王明、博古、葉劍英為共產黨代表。同日，蔣介石得悉德國大使陶德曼轉來的日方談判四項條件，其第一條就是要求中國政府放棄"親共、抗倭、反滿"政策，"共同防共"，蔣介石覺得"無從接受，亦無從考慮"，斷然加以拒絕。[1]

七、同題異旨，蔣介石想"合併融化"，共產黨想"獨立自主"

儘管國民黨和共產黨在組建國民革命同盟會的問題上取得一致，但是，雙方對這一組織的性質、任務的理解卻大不相同。蔣介石希望通過這一組織"合併"國共兩黨，而共產黨卻希望它只是兩黨間的一種"統一戰線"。1938 年 1 月 13 日，蔣介石決定"對共黨，主張消化而不可排斥"。[2] 30 日，決定"容納各派組成大黨"。[3] 2 月初，蔣介石命邵力子與周恩來商談，催促共產黨併入國民黨。[4] 很快，蔣介石就得知共產黨不贊成此議，他決定："此事宜緩處。"[5] 同月 10 日，周恩來會見蔣介石、陳立夫。蔣介石表示，為了"集中力量來應付當前關係國家民族生死存亡的大戰"，國民黨"竭誠盼望各黨各派能夠合而為一，並且為實現這個舉國一致的新黨起見，雖具有光榮悠久歷史的'國民黨'名義亦可以取消。"他說："國共兩黨應即消泯一切形跡，確實作到團結一致。"又說："我始終認定我們要對外戰勝，要革命成功，就只能有一個黨，一個團體。"

早在 1937 年 9 月 1 日，毛澤東就在中共中央一級積極分子會議上提出，黨要從"現在地位"發展到"實力領導地位"，要在戰爭中建立"工農資產階級民

1　《蔣介石日記》（手稿本），1937 年 12 月 26 日。
2　《蔣介石日記》（手稿本），1938 年 1 月 13 日。
3　《蔣介石日記》（手稿本），1938 年 1 月 30 日。
4　《王世杰日記》第 1 冊，第 176 頁。
5　《蔣介石日記》（手稿本），1938 年 2 月 5 日。

主共和國，並準備過渡到社會主義"。他更特別著重提出，是"資產階級追隨無產階級，還是無產階級追隨資產階級"，也就是"國民黨吸引共產黨，還是共產黨吸引國民黨"的問題。[1]毛澤東這裏所提出的，是一個在抗戰中發展、壯大共產黨，掌握領導權，按中共的目標建設中國的重大問題。蔣介石建議兩黨合併，將在事實上取消共產黨，自然中共絕對不能接受。因此周恩來向蔣委婉地說明，此舉事實上有困難，"與其兩黨合併，無形中不免醞釀摩擦，不如兩黨各仍其舊"。他建議，由蔣提出"共同綱領"，"促使兩黨聯合"。周並以孫中山的"民生主義就是共產主義"為據，說明"兩種主義信仰，不僅現在沒有矛盾，而且一直可以發展下去，永遠不致衝突"。[2]陳立夫提出，在兩黨之外共同組織雙方都可以參加的三民主義青年團。由於事關重大，周恩來與王明於當日立即將會見情況報告中共中央，聲稱蔣介石一個黨的思想仍有，但目前並無強制執行的意思；對八路軍態度尚好。[3]2月18日，蔣介石再次與周恩來等談話，日記云："上午與共黨代表談話。此輩幼稚而無誠意，何能成事，但敗事有餘耳。"

　　蔣介石原擬在即將召開的國民黨臨時全國代表大會上討論並決定兩黨合併問題，對國民黨進行"改組"。[4]最初，他情緒急躁。2月22日日記云："共黨問題應速進行解決，此其時也。"25日，他接見蘇聯駐華大使，特別告訴他："余對內主國共合併，對外擬與俄再進一步之合作。"3月1日，中共中央致函蔣介石及臨時全國代表大會全體代表，明確表示："只許一黨合法存在，同時不承認其他黨派合法並存的辦法，既為事實所不許；取消現在一切黨派而合併為一黨組織的辦法，亦為事實所不能。"

　　中共中央重提建立"民族革命聯盟"的主張，各黨派共同參加，而又各自保持其政治上和組織上的獨立，其任務是擬定統一戰線綱領，共同遵守；同時，由各方代表自上而下地成立統一戰線組織，規劃抗日大計，調整各黨派、各團體之間的關係。中共中央表示，將派代表列席國民黨的臨時全國代表大會，預先邀請國民黨選派代表團出席中共第七次全國代表大會，"以示兩黨同

1　《中日戰爭爆發後的形勢與任務》，《毛澤東文集》卷2，人民出版社1993年版，第9頁。
2　《委座召周恩來談話記錄》，台北《近代中國》第161期。
3　《周恩來年譜》，第412頁。
4　參見《王子壯日記》第4冊，台北"中央研究院"近代史研究所2001年版，1938年3月23日，第423頁。

志兄弟般友愛與團結"。[1] 這是此前、此後都不曾出現過的熱烈語言。

這一時期，蔣介石雖然很想"積極剛強"地推行"一黨制"，但是，他還不想蠻幹。3 月 25 日日記云："對共黨主感召而不主排斥。對各黨派主聯合，使之就範，而不加強制。"次日日記云："團結黨內，統一國內，使之堅強，是對敵國最大之打擊。"由於中共方面堅決而明確地反對"合併"，蔣介石只好改變辦法與態度。[2] 3 月 29 日，國民黨臨時全國代表大會在武昌召開，蔣介石在會上提出，對共產黨，"採寬容態度，逐漸導本黨以外各黨派人於法律之道"。[3] 在大會閉幕詞中，他也表示：要拿"以大事小"的道理來對待各黨各派，寬宏大度，至公至正，在三民主義的最高原則之下，接納各黨派人士。[4] 臨時全國代表大會後，蔣介石曾一度感覺"共黨問題較有進步"，不過，他有時也還認為共產黨"幼稚與梟（囂）張"。但從總體看，他還是採取克制態度。7 月 7 日，他因閱讀中共報紙動怒，在日記中寫道："戒之！"

八、毛澤東表示，國民黨有"光榮的歷史"，有孫中山、蔣介石"兩個偉大的領袖"

6 月 19 日，周恩來將與中共中央書記處商定後起草的同國民黨交涉的十條意見交給蔣介石，其內容包括保障各抗日黨派的合法存在等。9 月 29 日至 11 月 6 日，中共中央在延安舉行擴大的六屆六中全會。會上，毛澤東對國民黨和蔣介石都給予了很高的評價。他說："抗日民族統一戰線是以國共兩黨為基礎的，而兩黨中以國民黨為第一大黨，抗戰的發動與堅持，離開國民黨是不能設想的。國民黨有它光榮的歷史，主要的是推翻滿清，建立民國，反對袁世凱，建立過聯俄、聯共、工農政策，舉行了民國十五六年的大革命。今天又在領導著偉大的抗日戰爭。它有三民主義的歷史傳統，有孫中山先生、蔣介石先生前

---

1 《解放》第 36 期，1938 年 4 月 29 日。
2 《王世杰日記》第 1 冊，第 203 頁。
3 《王世杰日記》第 1 冊，第 230 頁。
4 《中國國民黨歷次代表大會及中央全會資料》（下），第 511 頁。

後兩個偉大的領袖，有廣大忠誠愛國的黨員。"[1] 毛澤東明確要求國民黨 "向廣大民眾開門，容納全國愛國黨派與愛國志士於一個偉大組織之中"，這個組織，毛澤東定性為 "革命民族聯盟"。他說："在國民黨四十多年的歷史中，每遇大的革命鬥爭時，總是把自己變為革命民族聯盟的。" 他特別提出，今天已經到了國民黨歷史上第三次變為革命民族聯盟的時機，為了反對日本帝國主義與建立三民主義共和國，必須也可能把它自己變為抗日建國的民族聯盟。為了保證和國民黨的長期合作，毛澤東設想了三種形式。一種是國民黨本身變為民族聯盟。在此形式下，各黨派加入國民黨而又保存其獨立性：所有加入國民黨的共產黨員身份公開，將名單提交國民黨領導機關；青年共產黨員則加入三民主義青年團，不組秘密黨團。一種是各黨共同組織民族聯盟，擁戴蔣介石為聯盟的最高領袖，各黨以平等形式互派代表，組織中央以至地方的各級共同委員會，執行共同綱領，處理共同事務。第三種是沒有成文，不要固定，遇事協商。[2]

九、蔣介石反對 "跨黨"，堅持 "合成一個組織"，擬約毛澤東面談

9 月 29 日，毛澤東和王明分別給蔣介石寫了一封信。信中，毛澤東向蔣介石表示："此時此際，國共兩黨休戚與共，亦即長期戰爭與長期團結之重要關節，澤東堅決相信國共兩黨之長期團結，必能支持長期戰爭，敵雖兇頑，終必失敗。"[3] 沒有等會議開完，周恩來就匆匆返回武漢。10 月 4 日，會見蔣介石，遞交毛、王函件，說明六中全會決定，建議四點：1. 停止兩黨的鬥爭。2. 共產黨員可以加入國民黨，或令其一部分先行加入；如情形良好再全部加入。3. 中共取消一切青年組織，其全體分子一律加入三民主義青年團。4. 以上參加者，均保留其黨籍。[4] 周同時說明，中共不在國民黨及其軍隊中發展組織。蔣很注意

1 毛澤東：《論新階段》，中共中央文獻研究室、中央檔案館編：《建黨以來重要文獻選編》第 15 冊，中央文獻出版社 2011 年版，第 603 頁。
2 《中共中央文件選輯》(11)，第 629—630 頁。
3 《毛澤東手跡》(影印件)，台北 "國史館" 藏。
4 《王世杰日記》第 1 冊，第 398 頁。參見蔣介石：《蘇俄在中國》第 14 節。

聽，要周將意見寫出給他。8 日，周將意見交蔣。14 日，周蔣再次見面。蔣答復周稱，關於中共黨員公開加入國民黨和三青團問題，須由國民黨中常會討論。三青團章程可以改變，中共黨員可加入。蔣要周先找三青團各領導人商談。11 月 6 日，中共六屆六中全會決議，認為國共兩黨合作的最好組織形式是共產黨員加入國民黨和三民主義青年團。[1]

第一次國共合作期間，中共黨員以個人身份加入國民黨，成功地對國民黨進行了改造，促進了北伐戰爭的勝利發展，但是，其間兩黨也發生許多糾紛，至 1927 年 4 月，終於分裂。現在，中共再次決定共產黨員以個人身份加入國民黨，蔣介石不能不認真思考。他開始閱讀中共書籍《黨的建設》。11 月 18 日，蔣介石日記云："共黨教育與經驗是由其國際百年來秘密苦痛幽囚中所得之教訓而成，故其紀律最嚴，方法最精，組織最密，任何黨派所不及……讀共黨之《黨的建設》一書，深有感也，能使其人趨向於民族國家之路則幾矣。"11 月 19 日日記云："對共黨防制之道，除改正本黨、重新本黨外，尚有他法否？應不使其取得合法地位為目前要點。"這兩段日記說明，蔣既充分認識共產黨在紀律、方法、組織等方面的優越性，但是，也還對共產黨存在著深刻的猜忌。一方面，他覺得，中共發表宣言，擁護三民主義，願意加入國民黨，"對敵必發生影響"[2]；但是，另一方面他又擔心，中共黨員加入國民黨，就如同神話小說《西遊記》所描繪的孫悟空鑽進鐵扇公主的肚子之後的情況一樣，會對國民黨"不利"。12 月 6 日，蔣周會見。蔣稱：1. 跨黨不贊成，中共既行三民主義，最好合成一個組織。2. 如果此點可談，擬約毛澤東面談。3. 如全體做不到，可否以一部分中共黨員加入國民黨而不跨黨。周稱：1. 中共實行三民主義，不僅因為這是抗戰的出路，而且因為這是到達社會主義的必由之路。國共終究是兩個黨；跨黨，我們不強求，如果認為時機未到，可採用他法。2. 加入國民黨，退出共產黨，不可能，也做不到。3. 少數人退出共產黨而加入國民黨，不僅失節、失信仰，而且於國家有害無益。蔣表示，如果合併事不可能，就不必約毛

1　《中共中央文件選輯》(11)，第 754、781 頁。
2　《蔣介石日記》(手稿本)。

澤東到西安會談。[1]

12月9日,蔣介石在重慶黃山官邸與汪精衛、孔祥熙、朱家驊等人談話,汪、朱都認為共產黨加入國民黨"可慮"。[2] 12日,蔣邀周恩來、王明、博古、吳玉章、董必武等人談話,力勸周等參加國民黨,"作強有力的骨幹","為國家民族共同努力"。[3] 他說:"共產黨員退出共產黨,加入國民黨,或共產黨取消名義,整個加入國民黨,我都歡迎,或共產黨仍然保存自己的黨,我也贊成,但'跨黨'的辦法是絕對辦不到的。"他並說:"此目的如達不到,我死了心也不安,抗戰勝利了也沒有什麼意義。""我的這個意見至死也不變的。"周等答以"一個組織辦法做不到",如"跨黨"做不到,可採取其他合作方式。蔣表示:"其他方式均無用。"[4]

十、周恩來明確答復:
兩黨合併"不可能",談判最終破局

盧溝橋事件爆發後,中共力量在各地迅速發展,八路軍軍力日益增強。彭德懷向國民黨要求將原來的三個師的編制擴展為九個師。[5] 蔣介石對此感到憂慮,視為較"敵寇"還要嚴重的"急患"之一。1939年1月6日日記云:"共黨之倡狂日甚,彼或認為其時已到乎?"[6] 同月16日日記云:"共黨發展迅速,其勢已日洶。"次年1月20日,國民黨籌備召開五屆五中全會,蔣再次約周恩來見面,重提國民黨與共產黨合併,周再次明確答復"不可能"。蔣要求周將此事再電延安請示,並在全會期間得到回電。他說,汪精衛出走,"更是兩黨團結的好機會,即暫不贊成統一也要有新辦法"。[7]

對於周恩來的拒絕,蔣介石很生氣,當日在反省錄中寫道:"中共匪性不

---

1 《周恩來年譜》,第437頁。

2 《王世杰日記》第1冊,第446頁。

3 吳玉章:《中共代表同蔣介石的一次會見》,《南方局黨史資料》(3),第175頁。

4 《陳紹禹等關於一個大黨問題與蔣介石談判情況向中央的報告》,《中共中央文件選輯》(12),第6頁。

5 《徐永昌日記》,1939年1月8日。

6 《蔣介石日記》(手稿本),1939年1月6日。

7 《周恩來關於與蔣介石談判情況及意見向中央的報告》,《中共中央文件選輯》(12),第6頁。

改，亦惟有以嚴正處之也。"[1] 1 月 21 日，國民黨五屆五中全會在重慶召開。24 日，中共中央致電五中全會，說明兩黨合作 "為現代中國之必然"，兩黨合併，"為根本原則所不許"。共產黨 "絕不能放棄馬克思主義之信仰，絕不能將共產黨的組織合併於其他任何政黨"。[2] 這是對蔣介石建議的明確而堅決的回答。1 月 26 日，蔣介石在國民黨五屆五中全會報告，聲稱對共產黨 "不遷就，不放任"，"用嚴正的態度來教育他，管理他，然後可以融化他，'以敵化友'，這是中國國民黨現在最緊要的政策。"[3] 29 日，國民黨五屆五中全會在《宣言》中聲稱："吾人絕不願見領導革命之本黨發生二種黨籍之事實"，這是對中共所提 "跨黨" 意見的明確拒絕。[4] 至此，兩黨關於合併的談判最終破局。

蔣介石佩服共產黨員的獻身精神，但是，他又極端害怕中共的組織力量。當時，他痛感國民黨的腐敗，希望共產黨員的加入能為國民黨注入新的血液，藉以振興國民黨的革命精神，加強抗日力量，這就是他何以一再要求兩黨合併或允許部分共產黨員加入國民黨的原因。[5] 但是，他又不能允許共產黨作為組織的存在及其發展，也擔心兼有雙重黨籍的共產黨員不能忠實於國民黨，這就是蔣介石之所以最終拒絕中共的 "跨黨" 合作方式的原因。

十一、國民黨制定《限制異黨活動辦法》，兩黨關係轉入多事之秋

當時，各地國共兩黨、兩軍之間的摩擦時有發生。2 月 1 日，葉楚傖擬具 "對共產黨應取態度之原則" 8 條。其中第 3 條規定："各戰區之國軍於暗中劃一地境線，不許第十八集團軍部隊自由越境，若不服制止，即將其消滅之。" 第 4 條規定："對第十八集團軍在晉、冀、察、魯各淪陷地區所造成之既成事實，如各地方之非法政權，一律不予以法律上之承認，保持中央對地方皆可任

---

1 《事略稿本》第 43 冊，台北 "國史館" 版，第 62 頁。
2 《中共中央文件選集》（12），第 17—18 頁。
3 《外交趨勢與抗戰前途》、《國民黨五屆五中全會速記錄》，台北 "國史館" 藏。
4 《中國國民黨歷次代表大會及中央全會資料》（下），第 547 頁。
5 蔣介石在國民黨五屆三中全會上曾說，孫中山因 "國民黨幹部腐老，容共以謀自新"，而他現在，其原因是 "為抗日"。見《徐永昌日記》，1939 年 1 月 26 日。

命官吏行使地方政權。"第 5 條規定："對第十八集團軍之行動,只給予臨時任務及攻擊目標,不劃給固定或永久區域,保持中央軍對任何地方,均可開入。"第 6 條規定："對陝甘寧邊區問題,必須取消非法組織,回復行政常規,然後予以解決。在未解決以前,對邊區周邊,仍嚴密監視之。"第 8 條規定："默許各機關及淪陷區之國軍採取任何方法肅清其內部之不良分子。"蔣介石批復稱:"可如擬辦理。"[1]同月 12 日,蔣介石約周恩來談話。3 月 10 日,蔣介石閱讀中共 129 師政委張浩 1937 年在抗大的演講,題為《中國共產黨的策略路線》,其中談到,"對於反革命頭子蔣介石,更是誓不兩立","必須將眼光放大些,所以才與反動的各階層合作"。蔣介石日記云:"《中共策略與路線》一書,幼稚卑劣,可歎!"他決定,今後採取"融化共黨政策"。[2] 4 月 14 日,國民黨中央黨部秘密下發《限制異黨活動辦法》,提出加強國民黨的意見 10 條,限制共產黨的意見 13 條。國共兩黨關係再次轉入多事之秋。

十二、兩次合作與分裂,歷史何其驚人地相似

在中國近代史上,國共兩黨有過兩次合作、兩次分裂。第一次合作的形式是共產黨員以個人身份加入國民黨,但是,仍然保留共產黨員的身份,受中共和共產國際的領導。當時,這種黨員被稱為"跨黨黨員",這種形式被稱為"黨內合作"。1926 年,蔣介石研究法國大革命和俄國十月革命的歷史,認為革命要取得勝利,革命勢力和革命指揮必須集中、統一,只能有"一個主義、一個黨",中國革命是"國民革命",其領導者只能是國民黨。他向蘇聯顧問鮑羅廷提出,國民黨是大黨,共產黨是小黨,為了革命勝利,小黨要做出犧牲,參加國民黨的共產黨員,應該退出共產黨,做一個單純的國民黨員。蔣介石此議,受到鮑羅廷和中共的拒絕,蔣介石自此逐漸走上"限共"以至"反共"的道路。[3]抗戰初期,兩黨實行互不包容的黨對黨的"黨外合作"。蔣介石建議兩黨合併,

---

1 《事略稿本》第 43 冊,台北"國史館"版,第 112 頁。

2 《蔣介石日記》(手稿本)。

3 參閱拙作《中山艦事件之後》,《蔣氏秘檔與蔣介石真相》,重慶出版社 2015 年版。

214

實際上是他 1926 年"一個主義、一個黨"主張的翻版。中共再次拒絕此議,捍衛組織獨立性,堅持自己獨立自主的存在和發展路線。

但是,由於兩黨在思想、理論、策略上存在的諸多分歧,存在著誰影響誰、誰領導誰的尖銳角力,也存在著各自不同的發展利益和發展需要,而兩黨間又缺乏一種中共曾經設想過的統一戰線形式的組織加以調節。這樣,兩黨間的摩擦、鬥爭就不可避免了,蔣介石在戰後發動反共內戰也就不可避免了。

國共之間的兩次合作與分裂,歷史何其驚人地相似!

論「恢復盧溝橋事變前原狀」與「抗戰到底」之「底」*

——兼述蔣介石如何對待被日本侵佔的東三省

* 本文錄自《找尋真實的蔣介石：蔣介石日記解讀》（1），重慶出版社 2015 年版；原載《中國文化》第 22 期，生活・讀書・新知三聯書店 2006 年 5 月出版，略有修訂。

抗戰時期，蔣介石在公開談話或與日方的秘密談判中，曾以"恢復盧溝橋事變前原狀"作為條件或"抗戰到底"之"底"。部分學者對此的解讀是，蔣準備放棄、出賣東三省，因此他們對蔣在抗日戰爭中的作用持嚴厲批判態度。但是，批判者實際上並不了解這一問題提出的過程及其來龍去脈，往往好從既定觀念出發，對之加以解讀、引申，因此，有關批判也就很難準確。

　　歷史學應該是一把最公平的秤。人們對某一個歷史人物的好惡可能因種種原因而不同，但是歷史科學應該力求還原歷史本相，並給予正確解釋，不離開歷史真實去有意拔高或貶低任何人，要做到愛之不增其善，憎之不益其惡，是其所是，非其所非。"恢復盧溝橋事變前原狀"是關涉蔣介石和當時國民政府對日抗戰的大問題，要重建科學的、真實的中國抗日戰爭史，必須研究清楚。

一、為《九國公約》布魯塞爾會議準備的預案

　　提出"恢復盧溝橋事變前原狀"這一問題，有其特殊的歷史環境，也有較長時期的發展過程。

　　1937 年 7 月，日軍製造"盧溝橋事件"，中國軍隊奮起抗戰。此後，中國政府一面堅決抵抗日本的軍事進攻，一面仍對和平解決抱有希望。7 月 10 日，國民政府外交部照會日本駐華大使館，要求該館迅速轉電華北日軍當局："嚴

令肇事日軍撤回原防，恢復該處事變以前狀態，靜候合理解決。"[1] 12 日，中國外交部長王寵惠接見日本駐華使館參事日高信六郎，要求：1. 雙方出動部隊各回原防；2. 雙方立即停止調兵。[2] 15 日，外交部再次照會日本使館，重申 12 日照會內容，要求日方"將此次增派來華之日軍悉數撤回，並將本案肇事日軍撤回原防，恢復事件以前之狀態，靜候合法解決"[3]。至此，恢復"事變以前狀態"還只是解決盧溝橋事變中雙方軍事衝突的方法，尚非解決中日兩國戰爭的外交原則。

7 月 17 日，蔣介石在盧山談話中提出：在和平根本絕望之前一秒，我們還是希望和平的，希望由和平外交方法，求得盧事的解決。但是，我們的立場有明顯的四點：（一）任何解決，不得侵害中國主權與領土完整。（二）冀察行政組織，不容任何不合法之改變。（三）中央政府所派地方官吏，如冀察政務委員會委員長，不能要求任人撤換。（四）第二十九軍現在所駐領土，不能受任何約束。蔣稱，這四點立場，是弱國外交的最低限度。蔣的這些主張，已經超出盧溝橋這一具體事件的範圍，發展為解決中日兩國間衝突的一般原則，成為後來提出"恢復盧溝橋事變前原狀"的思想基礎。

盧溝橋事件後，蔣介石和國民政府一如既往，將問題提交國聯，以爭取國際的支持和援助。9 月 13 日，國聯在日內瓦開會，會議將問題交給國聯遠東諮詢委員會。遠東諮詢委員會指責日本"訴諸武力"的行為，但拒絕宣佈日本為侵略者，建議在比利時的布魯塞爾召開《九國公約》簽字國會議討論。會前，列強的設想是，通過有關國家的共同幫助，"在中國和日本之間，以斡旋或調停的方法達成一項和平解決的辦法"。為此，列強希望在中日兩國軍隊之間達成停戰或停火，同時邀請日本參加會議，直接對話，勸導日本接受調解。當時，中國駐法大使顧維鈞通過其駐倫敦和華盛頓的同僚們已經了解到，有關國家"把重點放在先實現停止敵對行動，然後通過斡旋或調解取得迅速解決"[4]。

1　《外交部致日本駐華大使館》，台北"中華民國"外交問題研究會編：《盧溝橋事變前後的中日外交關係》，1996 年版，第 211 頁。
2　《王寵惠與日高信六郎談話記錄》，《盧溝橋事變前後的中日外交關係》，第 223 頁。
3　《外交部致日本駐華大使館》，《盧溝橋事變前後的中日外交關係》，第 212 頁。
4　《顧維鈞回憶錄》卷 2，中華書局 1985 年版，第 589 頁。

但是，現地"停戰或停火"對中國並不利。盧溝橋事變發生以後，日軍已經迅速佔領北平、天津以及河北省的廣大地區，上海也正處於日軍的包圍中。現地"停戰或停火"將意味著首先承認日本侵略者的這些"戰果"。

為準備參加《九國公約》會議，爭取對中國最有利的結果，中國政府曾在國內外的少數智囊人士中徵求意見，從而形成了一份文件，題為《關於九國公約會議之初步研究》。該文件提出，無條件的"先行停戰"對中國不利。文件稱：

> 會議之時，或先提出一要求雙方停戰，留出時間以便接洽……日本方面若不允停戰，應付極易，但慮日本方面軍事或到利於停戰之時，未嘗不可允許，果爾，中國方面地位極感困難，因中國方面立足在自衛二字，無拒絕停戰之理由……但先行停戰，除軍事上或有作準備之利益外，皆有害無益。

因此，智囊人士建議，中國外交人員應提早與英、美、法、蘇等國暗中接洽，"聲明如有先行停戰之要求，至少須附有'日本軍隊應迅速退還盧溝橋事變前原狀'一條件，否則事實上無異幫助日本壓迫中國也。此點為會議前應暗中請英、美等國諒解之一重要點"[1]。智囊人士的意見是正確的。如果"恢復盧溝橋事變前原狀"作為中日兩國軍隊之間"停戰或停火"的條件，那就意味著剝奪日軍在盧溝橋事變以來所取得的各種"戰果"（包括已經佔領的土地），是一個有利中國而且易於為國際社會理解和接受的方案。

當時，中日之間的最大問題是日本已經佔領了中國東北廣大土地，並且建立了一個傀儡政權——偽滿洲國。怎樣面對這一現實呢？智囊人士在另一份文件中提出：

> 吾人共同最後之希望，固在收復東三省暨其他一切失地，及廢除一切不平等條約，但若不先在一強有力中央政府統治之下，完成經濟、社會、軍事上之新建設，似尚不足以言此，故吾人認為：一、在此會議，不必堅持收復東三省失地及修訂條約兩問題；二、於日本要求，應慎重考慮，不

---

1 《蔣中正"總統"檔案·特交檔案·和平醞釀》，台北"國史館"藏。本文以下簡稱"蔣檔"。

必一概予以拒絕，且須以具體對策應付之。[1]

智囊人士認為，收回東北三省及其他一切失地，廢除一切不平等條約是中國的奮鬥目標，但這兩個問題的解決有賴於中國的強大，《九國公約》會議作用有限，因此，不應在會上提出它所無法解決的問題。

智囊人士的意見顯然得到蔣介石的肯定。10 月 21 日，陳布雷代表蔣介石致電顧維鈞，對出席《九國公約》會議的中國代表作出指示：1. 促動蘇俄參戰決心，並設法減免其未能決心之憂慮。2. 繼續運動各參加國政府及社會，加緊對日一致之經濟壓迫，務使國聯譴責日本之決議事實化。3. 向參加各大國請求戰費借款及軍械貸款。同時，陳布雷要求代表們於會前先向英、美、法、蘇等國說明 "最要各點"：

> 1. 調解方案未妥協前，無條件之先行停戰，於中國大不利，至少必須有 "日本軍隊應退還盧溝橋事變前原狀" 一條件。
> 2. 華北已成為中國國家最後生命線……不能容任日本所謂 "特殊化" 之組織存在。
> 3. 必須設法令日本將在中國之駐兵及軍事特務機關完全撤退。[2]

這樣，"恢復盧溝橋事變前原狀" 就成為中國代表參加《九國公約》會議的預案。

《九國公約》簽字國會議於 11 月 3 日在布魯塞爾召開。中國代表不僅會前做了相應的工作，而且也在會上提出了這一問題。11 月 6 日，顧維鈞偕中國駐德大使程天放會見美國首席代表戴維斯。此前，日本政府已經向德國駐日大使狄克遜提出，要求德國政府出面斡旋，因此，戴維斯詢問程天放：如果德國真想提出願意為中國調停，中國是否接受調停？什麼樣的條件中國方面可以接受？程天放當即回答："任何調停應有先決條件，即須恢復 7 月 7 日以前之狀態。"[3]

根據以上敘述可見，在提出 "恢復盧溝橋事變前原狀" 方案的同時，蔣介

---

1 《中日兩國在九國公約會議所採取之態度及應取之辦法》，"蔣檔"。
2 《應令顧大使等注意要點》，"蔣檔"。
3 《顧維鈞等致外交部》，《盧溝橋事變前後的中日外交關係》，1937 年 11 月 6 日，第 396—397 頁。參見《顧維鈞回憶錄》卷 2，第 617 頁。

石及其智囊人士並未準備放棄東北，而是準備將這一"老大難"的問題留待適當時機，以免干擾當前較易解決問題的解決。此後，蔣介石和國民政府在很長時期內一直採取這一策略。

二、陶德曼的"調停"與蘇聯的"支持"

1937 年 10 月，日本四相會議決定，以軍事和外交雙管齊下的辦法，迫使中國政府取消抗日政策，放棄抵抗。[1] 22 日，日本參謀本部派馬奈木敬信上校到上海，邀請德國駐華大使出面"調停"中日戰爭。11 月 2 日，陶德曼會見蔣介石，威脅蔣接受德國在第一次世界大戰期間的教訓，及時結束戰爭，不要落到"無條件投降"的悲慘下場。11 月 3 日，德國駐日大使狄克遜致電陶德曼，轉述日本外務省提出的 7 項和平條件：內蒙建立自治政府，與外蒙國際地位相等；沿"滿洲國"邊境至平津以南一線設立非武裝區；擴大上海的非武裝地帶；停止排日政策；共同反共；降低日華關稅稅率；尊重外國權益。日方同時聲明，如日本被迫延長戰事，則條件必數倍苛刻。[2] 同日，德國外長牛賴特訓示陶德曼，將上述條件轉告蔣介石並勸其接受。

11 月 5 日，陶德曼會見蔣介石及孔祥熙，轉告日本條件，再次警告蔣："千萬不可到了精疲力竭的時候再想主意。"蔣介石當即提出恢復盧溝橋事變前原狀問題。他說："只要日本不恢復原狀，他就不會接受日本任何條件。至於具體條件當然可以討論，但首先必須恢復原狀。"[3] 可見，蔣提出這一問題，目的仍在剝奪日本盧溝橋事變以來的"戰果"，抵制日方以其武力勝利為基礎所提出的新的侵略要求。蔣自感當天的談話很強硬，在當日記中自述云："敵陶德使傳達媾和條件，試探防共協定為主，余嚴詞拒絕。"[4] 12 月 2 日，蔣介石在會見陶德曼時重申："中國在華北之主權與行政必須不變，並須保持其完整。""如德

1　《日本四相會議關於處理中國事變的綱要》，《年表及文書》下卷，東京原書房 1978 年版，第 370 頁。

2　《德國調停案》，《外交部案卷》，東京原書房 1978 年版，00062A，0556。

3　ADAP, Series D (1937–1941), Bd. 1, No. 516. 中譯文參見中國史學會編：《抗日戰爭》，《外交》（上），四川大學出版社版 1997 年版，第 164 頁。

4　《蔣介石日記》（手稿本），1937 年 11 月 5 日。

國元首向中日兩方建議停戰，作為恢復和平之初步辦法，則中國準備接受此項建議。"[1] 當日，蔣介石決定將談判情況通知英、美、法、蘇四國。[2] 12 月 21 日，日本內閣會議提出"基本條件"（新四條），要求中國放棄容共和反抗日、"滿"政策；在必要地區設置非武裝地帶；在日、"滿"、華三國間，簽訂密切的經濟協定；對日本賠款。[3] 中國政府認為"上項條件無考慮之餘地"。28 日，蔣介石密囑楊杰，將上項條件密告蘇聯政府並聽取意見。[4]

當時，中國和蘇聯在反對日本侵略上有共同利益。10 月 22 日，蔣介石致電正在莫斯科訪問的中國軍事代表團團長楊杰，命其向蘇方詢問：如《九國公約》會議失敗，中國用軍事抵抗到底，蘇俄"是否有參戰之決心與其時期"[5]。11月，伏羅希洛夫、斯大林在會見楊杰和張沖時都表示，在緊急關頭，蘇聯將參戰。[6] 但是，蘇方的答復不過是一種表態。因此，當南京危急，蔣介石要蘇聯"仗義興師"時，蘇聯卻藉辭推脫了。12 月 5 日，斯大林、伏羅希洛夫致電蔣介石，聲稱"假使蘇聯不因日方挑釁而即刻對日出兵，恐將被認為是侵略行動，日本在國際輿論的地位將馬上改善"。斯大林等開出的"參戰"條件是，《九國公約》簽字國全部或其中主要國家的允許和最高蘇維埃會議的批准。電中，斯大林等表示，在上述條件未能滿足時，蘇聯將用種種途徑及方法，極力增加對中華民族及其國民政府的技術援助，同時，支持蔣介石在和陶德曼談判中的立場。電稱："日本如撤回其侵華中及華北之軍隊，並恢復盧溝橋事變以前的狀態時，中國為和平利益計，不拒絕與日本實行和平談判。"[7] 這樣，將"恢復盧溝橋事變以前原狀"作為中日談判的前提，就不僅是蔣介石和中國政府的主張，而且也成了蘇聯政府的意見。

1　《陶德曼 12 月 2 日電》，《德國調停案》，《外交部案卷》。
2　《困勉記》，1937 年 12 月 2 日。
3　《日本內閣會議議決的日本外務大臣致德國駐日大使復文》，《年表及文書》下卷，第 380 頁。
4　《王寵惠致楊杰電》，《德國調停案》，《外交部案卷》。
5　《蔣委員長致蔣廷黻轉楊杰養電》，《對蘇外交》，《蔣中正"總統"檔案》，台北"國史館"藏，第 46 頁。
6　《蘇中關係（1937—1945）》（俄文版）第 1 冊，第 111、121 號檔，第 138、156 頁。
7　《對蘇外交》，《蔣中正"總統"檔案》。

三、蔣介石在對日談判中一貫堅持的先決條件

陶德曼的"調停"因中國政府婉拒而失敗,但是,日本政府和軍方都仍然"戰和並用",一面軍事進攻,一面暗中談判。蔣介石對日本,事實上也採用同樣的對策。在公開的聲明和演講中,蔣介石多次批判與日本的談和、妥協活動,他對孔祥熙通過多種管道和日方的聯繫也常持嚴厲的批評、阻遏態度,但是,在日本多次伸出"和平"觸角時,蔣介石也曾"姑妄試之",小心翼翼地親自掌控過和日方的幾次秘密談判。在這些談判中,蔣介石始終堅持非"恢復盧溝橋事變前原狀"不可。它既是與日方的談判條件,也是談判的前提。

1938 年 9 月,蕭振瀛與和知鷹二在香港談判。9 月 23 日,蔣介石在漢口主持彙報會,決定"倭必先尊重中國領土、行政、主權之完整,與恢復七七事變前之原狀,然後方允停戰"[1]。27 日,蕭振瀛在談判中強調:"現在日軍進攻武漢,大戰方酣,中國方面不能作城下之盟,故目前最要之著,為停止軍事,恢復七七前之狀態。"[2] 當時,和知鷹二以同意"恢復盧溝橋事變前原狀"為餌,要求與中國簽訂軍事與經濟協定。28 日,蔣介石致電蕭振瀛,要求蕭向日方堅決表明:"原狀未復,誠信未孚,即未有以平等待我中國之事實證明以前,決不允商談任何協定。"[3] 10 月 8 日,蔣介石在對參加談判的另一人員雷嗣尚"面訓"時再次指示:"談判重點應集中於恢復七七事變前原狀。"[4] 19 日,何應欽又向蕭轉達蔣介石指示:"關於經濟合作與軍事佈置等事,必須待恢復原狀後,以能否先訂互不侵犯協定為先決問題。又無論何項合作,必以不失我獨立自主之立場而不受拘束為法則,請於此特別注意。"[5] 蕭與和知的香港談判中,中國方面曾準備了一份宣言,中稱:"中國所求者,惟為領土、主權、行政之完整,與民族自由平等之實現。日方誠能如其宣言所聲明,對中國無領土野心,且願尊重主權、行政之完整,恢復盧溝橋事變前之原狀,並能在事實上表現即日停止軍

---

1 《蔣介石日記》(手稿本),參見《事略稿本》(未刊稿),台北"國史館"藏。本稿正陸續刊行中。本文所引,凡注明冊數者為已刊,反之為未刊。
2 《此次談判經過》,"蔣檔",1938 年 9 月 30 日。
3 《9 月 28 日復蕭仙閣電》,"蔣檔"。
4 《面訓要點》,"蔣檔"。
5 何應欽:《致蕭振瀛皓午電》,"蔣檔"。

事行動，則中國亦願與日本共謀東亞永久之和平。"[1] 在這段文字下面，蔣介石曾經以紅筆加寫了一段：

> 我政府對於和戰之方針與其限度，早已屢次聲明，即和戰之標準全以能否恢復七七以前之原狀為斷。蓋始終以和平為主，認定武力不能解決問題也。

中方草擬的《停戰協定》規定："停戰協定成立之同時，兩國政府即命令各該國陸、海、空軍停止一切敵對行動，日本並即撤兵，在本協定簽字後三個月內（恢復）七七盧溝橋事變以前之原狀。"[2]

關於"滿洲國"問題，中方認為，此為"中日間之瘤"，此問題若不能成立諒解，預示未來解決之趨向，以後各項合作協定，均難簽訂成立，因此，蕭振瀛等提出"相機應付"的三條原則：（一）日方自行考慮，以最妥方式及時機，自動取消"滿洲國"，日本保留在東北四省一切新舊特權，但承認中國之宗主權。（二）中國承認東四省之自治，而以日本取消在華一切特權為交換條件（如租界、領事裁判權、駐兵、內河航行等等）。（三）暫仍保留，待商訂互不侵犯條約時再談。[3] 其中"待商訂互不侵犯條約時"為蔣介石親筆所加，可見，蔣介石主張先為其易，後為其難，將東北問題留待未來解決。

1939 年 1 月 9 日，蔣介石研究"和平原則"，確定："甲、領土、行政、主權之完整。乙、以《九國公約》與國際聯盟為保證有效。丙、非先恢復七七以前原狀無恢復和平之可言（以恢復七七戰前原狀為恢復和平之先決條件）。"[4] 同年，在軍統局人員杜石山與萱野長知、小川平吉等人的談判中，蔣介石仍然堅持"恢復盧溝橋事變前原狀"這一原則。當年 3 月 4 日，蔣介石致杜石山電云："萱野翁不辭奔勞，至深感佩。惟和平之基礎，必須建立於平等與互讓之基礎之上，尤不能忽視盧溝橋事變前後之中國現實狀態。"[5] 17 日，柳雲龍、杜石山在與萱野長知的會談中提出七項條件，其中第三條即為"恢復盧溝橋事變前狀

1　《中國宣言原文》，"蔣檔"。
2　《停戰協定原文》，"蔣檔"。
3　《關於"滿洲國"問題之考慮》，"蔣檔"。
4　《蔣介石日記》（手稿本），1939 年 1 月 9 日。
5　《小川平吉文書》（抄件），日本國會圖書館憲政資料室藏。

態"。同年 5 月，小川平吉通過杜石山致函蔣介石，要求蔣"快刀斬亂麻"，迅速解決中日談判問題。27 日，蔣未拆閱即將原函退回，並且禁止杜石山等與小川往來。小川從辛亥革命時期即和中國革命關係密切，蔣的舉動使小川極為生氣，宣稱將於 6 月 2 日回國，但蔣仍不加理會。6 月 2 日，陳布雷致張季鸞函云："如彼果延期回國，可知其前所稱欲回國者，全為裝腔。請注意，兄函中有休戰二字，以後如有接談時，應特改變，以我方於未恢復七七戰前原狀之先，決不允其休戰也，亦請注意。"[1] 陳布雷當時是蔣介石的侍從室第二處主任，代表蔣指導張季鸞的工作，此函當然代表蔣的主張。

在秘密談判中，蔣介石雖然提出以"恢復盧溝橋事變前原狀"作為先決條件，不過，蔣介石並未對此抱有過大期望。1938 年 9 月，武漢會戰正酣，蔣介石分析形勢，於 3 日自述云："倭寇軍閥不倒決無和平可言。惟有中國持久抗戰，不與言和，乃可使倭閥失敗，中國獨立，方有和平之道也。"[2] 5 日又自述云："敵將於武漢未陷以前，求得一停戰協定而罷兵乎？此則無異城下之盟也，應嚴防。"[3]

四、從談判先決條件變化為"抗戰到底"之"底"

對如何解決東北問題，蔣介石有一個漫長的搖擺、矛盾、反覆的過程。

1929 年，日本曾向蔣介石提出，希望取得在中國東北的"商租權"，即為了商業和農業需要，日本人可以在東北購買土地。蔣介石覺得可以藉此暫時緩和其侵略野心，擬予同意，但受到國民黨其他大員反對，未成。1931 年 12 月，蔣介石因丟失東北，在內外各方指責聲中下野。次年 1 月，日本陸相荒木貞夫以支持蔣介石復出為誘餌，要求蔣贊同日本在東三省的"商租權"，並且假意表示中國可以駐兵。蔣介石即明確表示拒絕。日記云：

---

1 《陳布雷致張季鸞函》，"蔣檔"。
2 《蔣介石日記》（手稿本），1938 年 9 月 3 日。
3 《蔣介石日記》（手稿本），1938 年 9 月 5 日。《事略稿本》引用本日日記時多出數語："如無國際變化或英美向倭壓迫，則中倭決無和議可言。即使敵國承允恢復盧溝橋事變以前狀態，亦決無實現之可能。國家存亡，革命成敗，皆在於我之能否堅忍不拔，勿為和議之說所搖撼耳。"

荒木甚畏共黨，丞願余主持國事，共同防共，而其商租權，是不欲明訂駐軍，以有限數，不致不能駐兵也等語誘余。倭奴卑劣，亦視余為可欺也，誠不知中國尚有人也。[1]

同年 5 月 16 日，蔣勉勵自己："對俄外交，當不能放棄外蒙；對日外交，不能放棄東三省。"[2] 隨後，他並制訂對朝鮮和東北的工作計劃，指派齊世英聯絡東北，滕傑、黃紹美聯絡朝鮮。[3] 6 月，蔣決定迅速派定東北義勇軍指導員，並致函張學良，囑其出兵熱河，一面與東三省各義勇軍打成一片，一面威脅山海關日軍。[4] 同月，他在牯嶺聽翁文灝談，東北三省煤礦，幾佔全國百分之六十以上，鐵礦佔百分之八十二以上，自悔此前決策錯誤，日記稱："驚駭莫名！東北煤鐵如此豐富，倭寇安得不欲強佔。中正夢夢，今日始醒，甚恨研究之晚，而對內、對外之政策錯誤也。"[5] 同年 9 月 13 日，他自記稱："預期十年以內恢復東三省。凡為中華人民血氣之倫，當以此奮勉。" 18 日，蔣介石在漢口，聽到日本人在租界鳴炮奏樂，慶祝佔領東北。蔣介石受到極大刺激，在日記中表示，期望能於 1942 年以前，"在中正手中報復國仇，湔雪此無上之恥辱"[6]。這些，都反映了蔣介石思想中確有捍衛東北主權的一面。但是，日本軍國主義者一施壓，中日兩國形勢一緊張，他又軟弱、動搖。1933 年 4 月 3 日，他回憶 1929 年的舊事時寫道：

> 民國十八年，明知應與俄復交，而老朽阻礙。倭寇欲東三省之商租權，余欲以此而暫緩其侵略野心，老朽目短，無識如番人，強持反對。及至蘇俄進攻吉林，張氏屈服，則倭寇野心益熾，致成今日內外交迫之局。及至胡朽事出，宋子文弄權，國益紛亂，是皆余自無主宰之所致也，何怨何尤，惟自承當耳。[7]

從這頁日記看，蔣在 1931 年 1 月拒絕荒木提出的在東三省的"商租權"後，至

1　《蔣介石日記》，1932 年 1 月 7 日。
2　《困勉記》，1932 年 5 月 16 日。
3　《蔣介石日記》，1932 年 5 月 29 日、31 日；參見《事略稿本》第 14 冊，第 517—520 頁。
4　《蔣介石日記》，1932 年 6 月 4 日、6 月 15 日；參見《事略稿本》第 15 冊，第 95 頁。
5　《蔣介石日記》，1932 年 6 月 17 日。
6　《蔣介石日記》，1932 年 9 月 13 日、16 日。
7　《蔣介石日記》（手稿本），1933 年 4 月 3 日。

1933 年 4 月，又有所動搖。不過，應該指出的是，這次動搖為時短暫。蔣介石寫下上述日記之後的第 22 天，他就又 "研究對倭戰略"，認為 "與倭決最後之勝負，惟在時間之持久耳"。[1]

　　日本侵佔東北，特別是扶植溥儀成立所謂 "滿洲國" 後，曾多次向中國政府提出，希望通過談判解決有關問題，但蔣介石大都拒絕不談。其原因，在於蔣認為這種談判只能使中國 "喪權辱國"，不如不談；即使談判成功了，日本政府並沒有控制、約束其軍方的能力，談了也等於白談。[2] 1937 年 7 月，盧溝橋事變爆發，蔣介石認為 "犧牲已到最後關頭"，決心應戰。他預估，再有兩年時間，將可恢復盧溝橋事變前原狀；十年後，不只收復東北全境，而且可以收回台灣，扶持朝鮮獨立，自信必 "由我而完成"[3]！8 月 5 日，胡適和陶希聖聯名給蔣介石上條陳，主張放棄東三省，承認 "滿洲國"，以此換得日本讓步，從根本上調整兩國關係。蔣介石即表示，日本沒有信義，"以為局部的解決，就可以永久平安無事，是絕不可能，絕對做不到的"[4]。次年 2 月 2 日，他在日記本中寫道："如去年乘國內統一，對倭形勢較優之時，急謀解決東北問題，或割讓，或策封保留宗主權，而不出於承認形式，非特勢所不能，即使解決一時，以彼倭少壯派軍人之侵略思想，與其政府之不能控制，不能守信，則一二年間仍必向關內侵佔，絕非根本解決之道也。"[5] 此後，蔣介石在 3 月 22 日、23 日的日記中都寫過類似的話。一言之不足而反覆言之，這就說明，在國民黨內部，持此說者非止一人。當時，蔣介石正籌備召開臨時全國代表大會，蔣在提前寫作的演講要旨中寫道："和戰問題，降不如戰，敗不如亡。若我不降，則我無義務，而責任在敵，否則敵得全權，而我全責。民不成民，國不成國，則存不如亡也。"並說："敵國政府，無權失信。若我放棄東北，徒長敵寇侵略之野心，永無和平之一日。"[6] 當年 9 月 18 日是東北淪陷的第七個年頭，蔣介石自我反省云："收

1　《蔣介石日記》（手稿本），1933 年 4 月 25 日。
2　《對日抗戰與本黨前途》，《"總統"蔣公思想言論總集》卷 15，台北中國國民黨黨史會 1984 年版，第 193 頁。
3　《蔣介石日記》（手稿本），1937 年 7 月 25 日。
4　參見拙著《楊天石文集》，上海辭書出版社 2005 年 5 月版，第 467—468 頁。
5　《民國二十七年雜感》，《蔣介石日記》（手稿本），1938 年。
6　《蔣介石日記》（手稿本），1938 年 3 月 23 日。

復失土，痛雪國恥，全在一身，能不自強乎？"[1]

不過，蔣介石雖然希望收復東北，但在相當長的一段時期內，他又不準備、甚至反對採用戰爭的手段。在國民黨臨時全國代表大會的演說中，他說："'兵兇戰危'，古人常說'不得已而用之'。凡是真正懂得軍事的人，一定不願輕於作戰，尤其自本黨當政以來，一向以和平為職志，決不願輕啟戰爭，這是一定的道理。"話題轉回現實之後，蔣介石表示："我們這幾年，一方面抱定保持我獨立生存的決心，同時對於和平，始終為最大的努力，也不但是東北問題，就是其他中日之間的懸案，我也常常表示，只要經過正當、合法的外交方式，只要無害於中國國家的獨立生存，我都可以負責解決。其理由就是保持和平為我們固有的理想，所以百事應著眼於民族久遠的利害，而不在乎計較一時的恩怨得失。"[2] 國民黨臨時全國代表大會是一次標示國民黨轉變政策、確立抗戰建國方針的會議。但是，即使在這時，蔣介石對解決東北問題的底牌也仍然是"經過正當、合法的外交方式"。

1939 年 1 月 16 日，蔣介石在國民黨五屆五中全會發表演講《外交趨勢與抗戰前途》，將這一解決東北問題的"底牌"表達得更明確。一方面，他堅決表示："外蒙有自治之可能，而滿洲完全是中國人，絕對不能獨立。"接著，他解釋"抗戰到底"之"底"時說：

> 我們要解釋"到底"兩字的意義，先要檢討這回抗戰起頭是在什麼地方，才可以得到結論。我們這次抗戰是起於盧溝橋事變。凡是一種戰爭，要有目的，要有限度的。
>
> 如果隨便瞎撞，會使國家民族自趨滅亡。我們這次抗戰的目的，當然是要恢復盧溝橋事變以前的狀態，如果不能達到這個目的，就不能和日本開始談判，假使能夠恢復盧溝橋事變以前的狀態，可以開始談判，以外交的方法，解決東北問題……若在盧溝橋事變以前的狀態沒有恢復，即與日本談判，便是我們最大的失敗。…… 這是我抵抗的機會，也是我們不能不抵抗的時候。這時候我們無論如何只有和他拚命。…… 若恢復了平津，我

1　《省克記》，1938 年 9 月 18 日，台北"國史館"藏。
2　《"總統"蔣公思想言論總集》卷 15，第 198—199 頁。

們再不以外交政治的方法與日本談判，也是自趨滅亡之道。[1]

在這一段演講中，"恢復盧溝橋事變前原狀"仍然是與日本談判的條件和前提。如前述，在特定條件下，這一主張有其正確的、策略性的一面，是一個有利於中國而不利於日本的方案。但是，蔣介石將收回東北的希望只寄託在"外交的方法"，說什麼"若恢復了平津，我們再不以外交的方法與日本談判，也是自趨滅亡之道"，這就有問題了。外交的方法，談判的方法，可以是方法之一，但是，要讓日本侵略者將已經進口的肥肉吐出來，在一般的狀況下，"外交的辦法"難於濟事。因此，還必須準備另一手，即武力收復，將日本侵略者趕出東北。然而，在蔣介石看來，這就是"自取滅亡之道"。顯然，這是危言聳聽。此事說明，自盧溝橋事變起，全面抗戰爆發已經一年半，但蔣介石的對日恐懼症仍然很嚴重，對將抗日武裝鬥爭進行到底，既缺乏信心，也缺乏決心，反映出蔣介石在對日鬥爭中特殊的軟弱性。

五、蔣介石對"抗戰到底"之"底"所作的新解釋

如前述，將"恢復盧溝橋事變前原狀"作為中日談判的先決條件是可以的，但是，作為"抗戰到底"之"底"則不妥。蔣介石不久改正了這一錯誤。

1939 年 7 月 7 日，蔣介石發表《抗戰建國二週年紀念告日本民眾書》，指責日本侵略中國，搶奪中國東北領土，建立偽滿洲國等行為："把一大群人看成奴隸了，反要說是給了自由；把中國一部分領土佔據了，反要說是建立了獨立國。"[2] 同日，蔣介石發表《告世界友邦書》，指出"今日國際間一切無法律、無秩序之無政府狀態，實由 1931 年之九一八，日本強佔我東北四省始作之俑所造成"。文告表示："在敵人未徹底放棄其侵略政策以前，我國抗戰，無論遭受如何犧牲與痛苦，決不有所反顧或中止也。"[3] 這裏"抗戰到底"之"底"就被說成日本"徹底放棄其侵略政策"，較之"恢復盧溝橋事變前原狀"前進了。當年

---

1 《國民黨五屆五中全會速記錄》，台北中國國民黨黨史館藏。
2 《"總統"蔣公思想言論總集》卷 30，第 80 頁。
3 《"總統"蔣公思想言論總集》卷 30，第 102—103 頁。

11 月 18 日，蔣介石在國民黨五屆六中全會上發表講話，批判國民黨內要求變更抗戰建國方針、及早結束對日戰爭的錯誤思想。他說："如果我們國家民族一天沒有得到獨立自由平等，抗戰就一天不能停止，而我們的犧牲奮鬥和努力，也就一刻不容鬆懈，更絲毫不容有徘徊觀望、半途而廢的心理，幻想苟且和平！否則抗戰失敗，國家滅亡，我們就作了中華民族千古的罪人！所以現在如有人以為敵人已無法進犯，他的侵略之技已窮，我們可以乘此機會與他講和，或者以為友邦都不可靠，不如自己早些設法和平，這就是陷入與汪精衛同樣錯誤危險的心理。"蔣介石主張："一面堅持抗戰，一面抓緊建國，再要埋頭苦幹三五年，非獲得徹底的勝利和成功，使敵人根本放棄其侵略政策，決不能停戰言和。"

講話中，蔣介石對抗戰到底之"底"作了新的解釋。他說：

> 所謂"抗戰到底"究竟是怎麼講呢？我們抗戰的目的，如何乃能達成？我們抗戰的目的，率而言之，就是要與歐洲戰爭、世界戰爭同時結束，亦即是中日問題要與世界問題同時解決。我在五中全會說明抗戰到底，要恢復七七事變以前的原狀，是根據以中國為基準的說法。若以整個國際範圍來論斷中日戰爭的歸趨，就一定要堅持到世界戰爭同時結束，乃有真正的解決。

他強調："如果哪一個國家想單獨調停或想藉此謀他一國的利益，不論出於何種方式，結果都必然失敗。"[1] 這裏，蔣介石所說中國"抗戰到底"的"底"就和世界反法西斯戰爭結合起來，擴大了視野，提升了要求，因而糾正了前說的錯誤。

蔣介石的這一變化和國際形勢的發展密切相關。蔣介石早就認為，中日戰爭是國際問題，它的解決也有賴於國際形勢的變化。1938 年 5 月 26 日日記云："不能引起世界大戰，恐不易使倭國失敗也。"[2] 7 月 27 日自記云："中倭戰事問題，實為國際問題，非有國際干涉，共同解決，則決不能了結。否則，直

1　《中國抗戰與國際形勢——說明抗戰到底的意義》，《"總統"蔣公思想言論總集》卷 30，第 474—479 頁。
2　《蔣介石日記》（手稿本），1938 年 5 月 26 日。

接講和，則中國危矣。"[1] 當時，蔣介石已在研究，如歐洲戰爭爆發，則中國將與英、法、俄共同作戰。日記云："速謀與英、法、俄進行共同作戰之計劃，以期中倭問題得到根本解決。"又云："向英、法政府懇切商談，使國際盟約中之制裁條款為有效條款，藉以號召多數國家共同制裁，且須同樣運用於歐亞三洲之戰爭。"[2] 1939 年 9 月 1 日，德軍進攻波蘭。同月 3 日，英、法對德宣戰，第二次世界大戰全面爆發。這一形勢使蘊藏於蔣介石心中的期待成為現實，因此，他才能在五屆六中全會的報告中，將中國的抗日戰爭和世界戰爭聯繫起來，並對中國抗戰目標作了修正和提升。

六、"最大之成功" 與 "最小限度之成功"

歐戰的爆發燃起了蔣介石的希望，使他敢於公開倡言，中國"抗戰到底"之"底"與世界戰爭之"底"同步。但是，歐戰最初並不順利，法軍和英軍相繼戰敗。1940 年 6 月，法國向德國投降，英軍撤出歐洲大陸。同月，法國宣佈封閉滇越鐵路。7 月，英日之間達成妥協，宣佈封鎖滇緬路。中國最重要的對外通道先後斷絕。蘇俄則因準備對德國作戰，拒絕對中國的進一步援助。在此情況下，蔣介石不得不繼續對日本採取戰與和的兩手策略，同時相應地將抗戰目標區分為"最大之成功"與"最小限度之成功"兩種類型。

1940 年 8 月，日軍積極謀劃南侵，向東南亞進軍，力圖結束對華戰事。在這一形勢下，蔣介石曾準備利用時機，爭取與日本實現於中國相對有利的談判。同月，在蔣介石指導下，張群、張季鸞與陳布雷等起草過一份《處理敵我關係之基本綱領》，中云：

> 最大之成功為完全戰勝，收回被佔領掠奪之一切，不惟廓清關內，並收復東北失土；最小限之成功，則為收復七七事變以來被佔領之土地，完全規復東北失地以外全國行政之完整，而東北問題，另案解決之。以上兩

---

1 《困勉記》，1938 年 7 月 27 日。《事略稿本》係於 1938 年 7 月 28 日條下。
2 《蔣介石日記》（手稿本），1938 年 9 月 18 日。

義，前者戰勝之表現，後者則為勝敗不分，以媾和為利益時之絕對的要求。

關於"最小限度之成功"，《綱領》提出："滿洲偽國"的土地，"被日本侵佔已久"，"在我國不能用兵力收回之過渡期間"，可以"扶助溥儀之偽政府，第一步使取得滿洲內政上自治之政權，使該地漢、滿、蒙人民先脫離被佔領地人民之境遇，第二步，與溥儀直接協商，先求得一過渡的解決之辦法"，最後與蒙古等地一樣，作為"聯邦之一，完全復歸於中國"。

《綱領》又將東北問題的解決分為甲案與乙案：

> 東北問題：1.甲案。現在不提，戰後另作交涉。2.乙案。現時先取得一種諒解，約期交涉。關於此點，我方又分兩案：（1）要求日本承認我國在東北之主權，而中國承認東北之自治。我中央派駐滿指導長官一人，常駐長春，代表中央，但不干預其通常施政。（2）要求日本先行改革滿洲制度，使溥儀之政府確有施政用人之自由，廢除日籍官吏制度，還政東北人民。此項改革完成之後，我中央得與溥儀之政府直接協商以求東北懸案之解決。
>
> 在此項協商開始以前，中日可訂臨時辦法，以便利關內外人民之交通與經商。我方尤當注意要求日本善遇我東北同胞，廢棄九一八以來仇視、賤視我人民之政策。

蔣介石等估計，和日本談判時，日本可能提出要中國承認"滿洲國"，因此《綱領》強調："我國應聲明不能承認。""東北問題，須待和平完全恢復後另案交涉，現在不能提議（但熱河不在東北範圍之內）。"

《綱領》規定："我國為被侵略國家，故和議之發起，必須出自敵方……應深切考查，其條件是否無背於我建國原則，而足以達到我最小限之成功，必須在確認為我作戰目的已得最小限之貫徹之時，始允其開始和平之交涉。"張季鸞等還在起草的初稿中提出召開停戰會議的原則："1.（日本）凡作戰而來之軍隊，完全撤退；2.凡所佔領長城以內及察綏之土地完全交還；3.<u>不平等條約定期取消</u>。"[1] 上述原則表明，"恢復盧溝橋事變前原狀"仍然是中日談判的一項前

1　有下劃線的文字為蔣介石所加。

提條件。

該方案先後有幾種稿子，名稱和內容都不盡相同。《中日恢復和平基本辦法》規定："日本政府保證永不將東北各省劃入日本領土，或採取其他行動使各該省在名義上或事實上成為日本之保護國。"《中日恢復和平協定要點》規定："東北問題即滿洲問題之懸案，於恢復和平後一年以內特開會議，另案解決。"《對敵策略的幾個疑點》規定："我國既不能收回（東北），又不容放棄，故利在延擱不決。"又稱："實質的收回，在將來為可能，此當在我國防完成，而敵人有求於我之時，或敵人在國際戰敗之時，因此，我又決不可自棄東北，以失去將來實質收回之根據。"上述資料表明，蔣的抗戰方案有"最大之成功"和"最小限度之成功"、"軍事"和"外交"兩種。當他著眼於"最小限度"時，也沒有放棄爭取"最大成功"的希望。

9月18日，蔣介石發表《"九一八"九週年紀念告全國同胞書》，明確宣告，將收回東北列為"抗戰到底"之"底"。文稱："我們到今天，還不能解放我們東北的同胞，收復我們的失土和主權，這就是沒有達到我們抗戰的目的，無以安慰已死的英靈。"他明確宣佈："我們九年來忍苦奮鬥，三年來奮勇抗戰的目的，就為要恢復我們國家的主權和領土，要解救我們三千餘萬的東北同胞。"又稱："我們四萬萬同胞和東北三千餘萬的同胞是一脈相承的黃帝子孫，是手足同氣、呼吸相通的兄弟。為了拯救國家，我們大家都負有相同的責任；為要解救我們水深火熱中三千餘萬的東北同胞，我們在關內四萬萬同胞更覺得犧牲奮鬥是自己的責任。""我們今天多抗戰一天，就是恢復我們國家獨立自由和達到我們雪恥復仇目的日子更接近一天，也就是收回東北和解救東北同胞的日子更接近一天。"[1] 9月29日，蔣介石在日記中寫道："東北被侵已足九年，但願為收回東北開始之日也。"[2] 次日，蔣介石檢閱舊日記中預期收回東北、台灣等地的文字時寫道："以天意與最近時局之發展及上帝護佑中華，不負苦心人之意與力測之，自有可能。"[3]

---

1 《"總統"蔣公思想言論總集》卷31，第220—228頁。
2 《蔣介石日記》（手稿本），1940年9月29日。
3 《蔣介石日記》（手稿本），1940年9月30日。

七、反對蘇、美兩國的妥協、錯誤主張，力保東北主權

　　歐戰爆發，英、法作戰不利，原為西方殖民地的東南亞成為"真空地帶"。日本眼紅該地的富饒資源，叫嚷"不要誤了公共汽車"，力謀冒險南進。這種情況，使英、美更多地關心中國戰場。1941 年 3 月，美國羅斯福總統發表廣播演說，聲明一定要"援華到最後勝利為止"。在此情況下，蔣介石的抗戰信心日漸增強。日記云："此後只要我能自強奮勉，則十年困難，四年苦鬥……不惟恢復失土已得有把握，而太平洋之和平，亦從此奠定，要在我之自力更生耳。"[1]但是，國際風雲變幻莫測，一個月之後，就發生蘇聯與日本簽訂《中立條約》事件。

　　當時，德軍進攻蘇聯在即，蘇聯為全力對德，避免兩面作戰，力圖穩住在東方的日本。1941 年 4 月，蘇聯與日本在莫斯科締結《中立條約》。蘇聯保證尊重"滿洲國"的領土完整和不可侵犯性，日本保證尊重"蒙古人民共和國"之領土完整。14 日，蔣介石自我檢討云："竟未想到其互認滿蒙之領土，此乃余對事理未能究其至極之過也。"[2] 15 日，國民政府外交部長王寵惠發表聲明："東北四省及外蒙之為中華民國之一部，而為中華民國之領土，無待言贅。中國政府與人民對於第三國所為妨害中國領土行政權完整之任何約定，決不能承認。"[3] 24 日，蔣介石密電各戰區將領及各省黨部、省政府稱："只要我能獨立自強，戰勝暴敵，則收回失土，恢復主權，勢所必至，理亦當然。區區蘇、日一紙不法之聲明，豈能永為我領土與主權完整之障礙！"[4] 同年 9 月 1 日，重慶國民政府在被日機炸毀的禮堂廢墟上舉行"紀念週"，蔣介石自勵云："此乃余前年所謂即在瓦礫中，亦在重慶國府原址作紀念週之決心也。安知吾於廿一年立志，欲於卅一年收復東北之志不能貫徹乎？"[5]

　　這以後接踵而來的消息有如噩夢連連。9 月 12 日，蔣介石得到情報，美日達成妥協，美國已同意日本佔領中國的華北與滿洲。蔣介石日記云："今日問

1　《蔣介石日記》（手稿本），1941 年 3 月 31 日。
2　《蔣介石日記》（手稿本），1941 年 4 月 14 日。《省克記》引本日日記時尚有二語："此過不改，必致誤國。"
3　《新華日報》，1941 年 4 月 15 日。
4　蔣介石：《蘇日中立條約之檢討》（機密），國防最高委員會檔案，台北中國國民黨黨史館藏，003/2081。
5　《蔣介石日記》（手稿本），1941 年 9 月 1 日。

題，權操在我，非美國默認所能解決。今日中國政府絕非甲午戰爭時之政府可比，在此不惟美國之自殺政策，乃為美國之不利，而於我抗戰政策根本不變之下，顧無損也。"[1] 18 日，蔣藉東北淪陷十週年之機，發表《告全國軍民書》，文稱："我們非完全驅逐寇軍於我們的國境以外，徹底消滅他侵略的野心，我們的抗戰，是決不能停止的。我們若非使東北同胞獲得真正的自由，東北的失地完全恢復，在我們神聖的抗戰，亦決不會停止的。""我們東北同胞與全國同胞的生命是整個的，東北四省的土地與全國的土地，也是完全整個不容有寸土分割的。我們整個民族和整個領土，是存則俱存，亡則俱亡，生則同生，死則同死，這是我們天經地義的道理。"[2] 蔣介石的這篇文章，明為"告全國軍民"，實為對國際的宣告。同年 12 月 6 日，蔣介石與拉鐵摩爾顧問談話，囑其轉告羅斯福總統："中國決不能放棄東北，否則新疆、西藏皆將不保，外蒙亦難收復。"[3] 此後，拉鐵摩爾即成為蔣介石這一主張在美國的積極宣傳者。[4]

1941 年 12 月，日本偷襲珍珠港，太平洋戰爭爆發，英、美對日宣戰，中國由單獨抗戰進入與同盟國聯合作戰階段，國際形勢對中國越來越有利，蔣介石保護東北主權的意識也就越來越強烈。

還在太平洋戰爭初起時，蔣介石就積極研究同盟條約，確定對英、對俄、對各國要求："東四省、旅順、大連、南滿，要求各國承認為中國領土之一部分。"[5] 1942 年 3 月，蔣介石設想，在日本"北進"進攻蘇聯之時，中國軍隊乘機與日本決戰，"收回失地，恢復舊有領土與民族固有地位，以為解放亞洲各民族之張本"。[6] 15 日，他甚至樂觀地設想，將於 1961 年之前完成自蒙古庫倫至東北滿洲里之間的北疆鐵路。同年 8 月 3 日，蔣介石與羅斯福總統代表居里談話，得知美國方面有人主張東北由國際共管，作為日本與蘇聯之間的"緩衝

1 《困勉記》，1941 年 9 月 12 日。此後，蔣介石也曾反對英國的類似態度。其 1942 年 12 月 21 日日記云："（英國）不僅明示日本在東三省保有其經濟權，而且以鄰國二字使俄國對我東三省有同等權利。嗚呼！其用心之險惡可謂極矣！"
2 《"總統"蔣公思想言論總集》卷 31，第 268 頁。
3 《民國三十年雜錄》，《蔣介石日記》，1941 年。
4 《中華民國重要史料初編——對日抗戰時期》第 3 編《戰時外交》（1），台北中國國民黨黨史會 1981 年版，第 680 頁。
5 《困勉記》，1941 年 12 月 18 日。
6 《困勉記》，1942 年 3 月 14 日。

國"。這對蔣介石說來，宛如"青天霹靂"，感到"國際誠無公道與是非可言，實足寒心"，[1] 但他立即聲明："中國東北為中國領土之一部分，絕無討論之餘地。此實為中國抗戰之基本意義。蓋我抗戰若非為收復東北失地，早可結束矣。"蔣要求居里盡一切可能糾正美國人的上述包含極大危險的錯誤觀念，讓他們明白，中國民眾之所以甘於忍受重大犧牲與各種困苦，支持抗戰，其原因就在於要收復東北。他並進一步向居里透露中日談判中的許多機密：日本曾表示，只要中國允許日本保留東北，可以接受中方的一切條件；又曾提出，中日共管東北亦可商量。蔣稱：這些都遭到中國政府的堅決拒絕。為了讓居里記憶明晰，蔣用三句話概括說：

> 1. 我等已作一切犧牲抵抗日本侵略，唯一目的在收復東北。
> 2. 我等之所以尚須繼續抗戰，因尚未收復東北。
> 3. 東北四省就歷史、法律、人種、事實各方面言，五百年來皆為中國不可分之一部。

蔣要求居里轉請羅斯福發表聲明，重申東北是中國的一部分。蔣強硬表示："倘此問題不解決，則平等、自由以及其他一切悅耳之名詞，皆無意義可言。"[2] 次日，蔣再次與居里談話，態度更為強硬，他說："倘和平會議席間，不能返我東北失地，仍為我不可分割領土之一部分，我人仍將繼續抗戰，即招致國家之毀滅，亦在所不惜。凡不承認東北為我領土之一部分者，皆為我仇。"[3] 5 日，蔣介石再與居里談話，仍然表示"整個東北為中國之一部，望羅總統早日聲明"[4]。在蔣介石的一再堅持下，美國政府於 9 月 18 日發表聲明，承認東三省為中國領土，蔣介石感到欣慰，日記云："此乃由余對居里所提問題之一也。"[5]

同年 9 月，羅斯福派威爾基作為總統特使訪華。30 日，蔣介石研究與威爾基談話要點，其第二條即為："東北為中國領土之一部，必須完全歸還中國。"[6]

1　《蔣介石日記》（手稿本），1942 年 8 月 3 日。
2　《戰時外交》（1），第 680—682 頁。
3　《戰時外交》（1），第 701 頁。
4　《蔣介石日記》（手稿本），1942 年 8 月 5 日。
5　《蔣介石日記》（手稿本），1942 年 9 月 18 日。
6　《蔣介石日記》（手稿本），1942 年 9 月 30 日。

11 月 9 日，因宋美齡赴美在即，蔣介石研究須與美國商討事項，其中包括長期同盟；東三省與旅大完全歸還中國；台灣歸還中國；外蒙歸還中國，予以自治等。[1] 這以後，蔣介石日記中頻繁地出現關於東北問題的記載。1943 年 3 月 1 日，蔣介石日記云："偽滿傀儡組織，至今恰九年矣。"[2] 5 月 4 日日記云："溥儀昨日到安東州，汪奸本日六十一歲生日，皆為國家之羞恥也。"[3] 25 日，蔣介石研究美國訪蘇代表戴維斯談話，日記云："其提及旅順為自由港一點，是越出余之主張矣。"[4]

八、在開羅會議上與英國爭論，要求明確聲明：
　　將東北、台灣等地歸還中國

太平洋戰爭爆發後，形勢急轉直下。1942 年 11 月，蘇軍在斯大林格勒戰區組織反攻，英、美軍隊在北非登陸。1943 年 9 月，意大利投降，世界反法西斯戰爭取得重大勝利。11 月 22 日至 26 日，美、英、中三國首腦在開羅會議，商討聯合對日作戰計劃及戰後如何處置日本等問題。

為準備參加開羅會議，蔣介石於 1943 年 7 月起草擬各項文件。當月 9 日，蔣介石研究與羅斯福會談後的共同宣言要旨，提出 "必須獲得無條件之勝利"，這就將中國抗日戰爭和世界反法西斯戰爭目標提到了一個前所未有的高度。[5] 8 月 9 日，蔣研究與羅斯福談話要點，其中第一個問題就是 "東北問題"。15 日，蔣介石研究戰後中國國防建設，自記云："東北收回後則維持其原有之工業與國防，以其餘力充實我本部之建設。"[6] 24 日，研究對美策略，認為 "戰後在台灣與旅順之海、空軍根據地應准與美國共同使用"[7]。11 月 9 日，蔣介石研究與羅斯福、丘吉爾談話要點，問題之一為 "東北"。14 日，研究與羅斯福商討日本無

1　《蔣介石日記》（手稿本），1942 年 11 月 9 日。
2　《蔣介石日記》（手稿本），1943 年 3 月 1 日。
3　《蔣介石日記》（手稿本），1943 年 5 月 4 日。
4　《蔣介石日記》（手稿本），1943 年 5 月 25 日。
5　《蔣介石日記》（手稿本），1943 年 7 月 9 日。
6　《困勉記》，1943 年 8 月 15 日。
7　《困勉記》，1943 年 8 月 24 日。參見《蔣介石日記》（手稿本），1943 年 8 月 15 日。

條件投降後的處理方案，確定"日本在九一八以來所侵佔中國地區所有之公私產業應完全由中國政府接受"。18 日，確定會談應注意之重大問題，其內容之一為"東北與台灣應歸還我國"[1]。22 日，再次研究會談要旨，"東北與台灣、澎湖應歸還中國"仍為重點之一。

在蔣介石指導下，軍事委員會為開羅會議所準備的文件提出：日本應自其在"九一八"起所佔領之中國及其他聯合國之地區撤退；將旅順、大連兩地一切公有財產及建設，以及南滿鐵路與中東鐵路無償交還中國；將台灣與澎湖列島交還中國；承認朝鮮獨立；賠償中國自"九一八"起一切公私損失。國防委員會所準備的文件提出："收復 1894 年以來日本所取得及侵佔之領土。" 11 月 23 日，國防最高委員會秘書長王寵惠在預擬的政府方面提案中提出：日本自"九一八"事變後自侵佔之中國領土，包括旅大租界地及台灣、澎湖，應歸還中國。

開羅會議開幕後，蔣介石在與羅斯福總統討論中提出："東北四省、台灣、澎湖群島應皆歸還中國。"[2] 討論確定的原則為：日本攫取中國之土地應歸還中國，應使朝鮮獲得自由與獨立，戰後日本在華公私產業完全由中國政府接收等。11 月 24 日，開羅會議公報草案提出，日本由中國攫取之土地，例如滿洲、台灣等，當然應歸還中國。討論中，英國代表賈次幹企圖將中國主權模糊化，提出將草案改為："日本由中國攫去之土地，例如滿洲、台灣與澎湖列島，當然必須由日本放棄。" 王寵惠認為，英國的這一修改，"不但中國不贊成，世界各國亦將發生懷疑"。他說："世界人士均知此次大戰，由於日本侵略我東北而起，而吾人作戰之目的，亦即在貫徹反侵略主義。苟其如此含糊，則中國人民乃至世界人民皆將疑惑不解。故中國方面對此段修改文字，礙難接受。"他表示："如不明言歸還中國，則吾聯合國共同作戰，反對侵略之目標，太不明顯。"美國代表支持王寵惠的意見，英國草案被否決。26 日，草案送請正在討論的羅斯福、丘吉爾和蔣介石審閱，得到一致贊成。會議定稿的公報宣稱："三國之宗旨，在剝奪日本在 1914 年第一次世界大戰開始後在太平洋上所奪得或佔

1　《蔣介石日記》（手稿本），1943 年 11 月 18 日。
2　《蔣介石日記》（手稿本），1943 年 11 月 23 日。

領之一切島嶼，在使日本所竊取於中國之領土，例如東北四省、台灣、澎湖列島等，歸還中國。"公報稱："我三大盟國將堅韌進行其重大而長期之戰爭，以獲得日本之無條件投降。"

這樣，中國對日作戰的目標就進一步提升，遠遠超出"恢復盧溝橋事變以前原狀"了。

1938年4月1日，國民黨召開臨時全國代表大會，蔣介石曾傳達孫中山的遺志："恢復高台，鞏固中華。"蔣解釋說："中國要講求真正的國防，斷不能讓高麗和台灣掌握在日本帝國主義者之手。中國幾千年來是領袖東亞的國家，保障東亞民族、樹立東亞和平是中國義不容辭的責任。為要達成我們國民革命的使命，遏止野心國家擾亂東亞的企圖，必須針對著日本積極侵略的陰謀，以解放高麗、台灣的人民為我們的職志。"[1] 現在，這些理想都已納入開羅會議宣言，實現在即，蔣介石很興奮。於1944年元旦發表《告全國軍民同胞書》，內稱："在這次開羅會議中，英、美兩國和我們中國一致同意，要剝奪日本第一次大戰後所奪得或佔領的太平洋上一切島嶼，要將日寇逐出於其以武力貪欲所攫取的土地，要歸還東北四省和台灣、澎湖等島嶼與我們中華民國，要使朝鮮自由獨立。……這不但使熱望歸還祖國懷抱的台灣、澎湖同胞聞而興奮，使我們淪亡十二年以上的東北同胞鼓舞奮發，使不堪日寇奴辱的朝鮮國民聞風興起，而且也是亞洲所有被日寇欺凌壓迫的海上、陸上一切民族，都感到解放之有期，共同為消滅敵人而奮鬥。這樣一個重大而有力的共同決議，可以說在十年以前我們只是一個志願，而到了今天已成為事實了。"[2]

九、國民政府為完全收回東北主權所作的鬥爭、讓步與代價

《開羅宣言》雖然明確宣佈，將東北、台灣、澎湖列島歸還中國，但是要將紙上的宣言轉化為現實並不是容易的事。其關鍵的關鍵是要擊潰日本的強大軍

---

1 《對日抗戰與本黨前途》，《"總統"蔣公思想言論總集》卷15，第187頁。
2 《"總統"蔣公思想言論總集》卷32，第50—51頁。

事力量。

依靠國民黨的軍隊嗎？1944 年 3 月至 1945 年 1 月，中國駐印軍和中國遠征軍雖然在緬北等地的戰鬥中取得勝利，挫敗日軍精銳師團，但是，卻在豫湘桂戰役中潰敗。自 1944 年 4 月日軍渡過黃河、進攻河南始，至當年 12 月佔領貴州獨山止，8 個月之內，日軍長驅 2 千餘公里，佔領中國 20 多萬平方公里土地。這一切，使羅斯福感到，國民黨的軍隊當時還不具備擊潰日軍的力量。倚靠美國人嗎？在太平洋戰爭中，美國軍隊和日軍實行逐島爭奪與越島作戰，已經付出了慘重的犧牲，羅斯福不願付出更大的犧牲。為了爭取世界反法西斯戰爭的徹底勝利，羅斯福企圖利用蘇聯紅軍的力量。1945 年 2 月，羅斯福、丘吉爾、斯大林在雅爾塔秘密決定，蘇聯在德國投降和歐洲戰事結束時，協助中國對日宣戰。但是斯大林提出，必須滿足蘇方下列要求：1. 外蒙古人民共和國之現狀應加以保存。2. 蘇聯應恢復以前俄羅斯帝國之權利，此權利因 1904 年日本之詭譎攻擊而受破壞者：（1）南庫頁島及其毗連各島應歸還蘇聯。（2）大連商港應闢為國際港，蘇聯在該港之優越權利應獲保障，旅順仍復為蘇聯所租用之海軍基地。（3）中東鐵路以及通往大連之南滿鐵路，應由中蘇雙方共組之公司聯合經營，蘇聯之優越權利應獲保障，中國對滿洲應保持全部主權。3. 千島群島應割於蘇聯。以上各條，除南庫頁島及千島群島的有關規定外，均嚴重損害當時中國的主權。蔣介石對斯大林所提條件強烈不滿，4 月 5 日日記云：

> 關於旅順問題，寧可被俄國強權佔領，而決不能以租借名義承認其權利。此不僅旅順如此，無論外蒙、新疆、或東三省被其武力佔領不退，則我亦惟有以不承認、不簽字以應之。蓋弱國革命之過程中，既無實力，又無外援，不得不以信義與法紀為基礎，而不能稍予以法律之根據。如此則我民族之大，憑藉之厚，今日雖不能由余手而收復，深信將來後世之子孫亦必有完成其領土、行政、主權之一日。要在吾人此時堅定革命信心，勿為外物脅誘，簽訂喪辱賣身契約，以貽害於民族，而得保留我國家獨立、自主之光榮也。[1]

---

1 《蔣介石日記》（手稿本），1945 年 4 月 5 日。

對於與斯大林達成交易的美國總統羅斯福，蔣介石也指斥其"賣華"、"侮華"，"畏強欺弱，以我中國為犧牲品之政策，實為其一生政治難滌之污點"[1]。他擔心羅逝世後，"美國對華政策恐將比現在更壞"，於 5 月 23 日致電時在美國的代理行政院長宋子文，轉告美國新任總統杜魯門，要求其向斯大林說明："美國必堅持其對遠東一貫政策，使中國之領土、主權與行政完整不受損害，凡在華領土之內，不能有任何特權之設置也。"[2] 6 月 3 日，蔣介石在重慶接見蘇聯駐華大使彼得洛夫，說明"本人希望蘇聯早日參加對日作戰"，"希望蘇聯能幫助中國的獨立、行政與領土之完整，希望恢復東三省領土主權完整與行政獨立"。他一方面表示，如蘇聯幫助中國恢復東三省領土，中國將在東三省的鐵路、商港等方面，給予蘇聯便利，蘇方如有軍港需要，亦可與蘇方共同使用。但是，蔣又以委婉語氣表示："我全國人民咸認不平等條約、領事裁判權及租界等事為國家的恥辱，一致痛恨，吾人為革命黨人，自應注意人民之心理與要求，而期其要求之實現。"[3] 這實際上又在提醒蘇聯，不要將新的不平等條約強加給中方。6 月 6 日，蔣介石指示宋子文，旅順至少限度必須中俄共同使用，"若俄提歸其獨佔，則我必須反對到底，決不許可也"[4]。11 日，蔣介石兩電宋子文，表示可以同意與蘇聯共同使用旅順，但"租界"地名稱"為我國之歷史恥辱"，"今後不能再有此污點之發現"，"此點非堅持不可"，"否則所謂東北領土主權與行政仍不完整，仍非獨立也"。[5] 12 日，彼得洛夫向蔣介石提出締結中蘇友誼互助條約的五項先決條件，其第一條即是"恢復旅順港之租借"，他表示，蘇聯是一個太平洋沿岸國家，需要有不凍港。蔣介石堅決反對，他從歷史角度說明，此例不可開，蘇聯不應使中國成為"不平等的國家"。[6]

6 月 30 日，蔣介石派宋子文訪蘇，會見斯大林，斯大林表示旅順可不用"租借方式"，但堅持中國必須承認"外蒙獨立"。宋子文根據蔣介石的指示，企圖將這一問題"擱置"。但是，斯大林的態度極為強硬，毫不讓步。7 月 6

---

1 《蔣介石日記》（手稿本），1945 年 3 月 15 日、4 月 13 日、4 月 30 日；參見《困勉記》相關記載。
2 《中華民國重要史料初編──對日抗戰時期》第 3 編《戰時外交》（3），第 547 頁。
3 《戰時外交》（3），第 549─550 頁。
4 《戰時外交》（3），第 554 頁。
5 《戰時外交》（3），第 558 頁。
6 《戰時外交》（3），第 561 頁。

日，蔣介石指示宋子文："若蘇聯能協助我對日抗戰勝利，對內切實統一，則為蘇聯與外蒙以及我國之共同利益與永久和平計，我政府或可忍此犧牲。"[1] 7 月 7 日，蔣介石兩次指示宋子文，在蘇聯保證中國東三省領土、主權及行政之完整，今後不再支持中共與新疆"匪亂"的條件下，可以同意蘇聯要求。7 月 10 日，蔣介石接到宋子文轉來的蘇聯方面所提大連、旅順、中東鐵路、南滿鐵路等多項條件，認為比 1898 年（光緒二十四年）清政府與沙俄所訂條約還要"苛刻"，日記云："明知其為討價，而寸衷刺激不堪，所受侮辱亦云極矣。"[2] 7 月 19 日，蔣介石接見蘇聯駐華大使彼得洛夫時再次強調："外蒙獨立，則於我國犧牲極大"，蘇聯必須同時"協助我東三省領土、主權與行政權的完整，及解決國內共產黨的問題，和新疆變亂的解決。必須這三點做到，我才可排除一切，解決外蒙問題"。[3] 他堅持："兩條鐵路和兩個海港的中國主權，一定要完整的。" 8 月 6 日，美國向日本廣島投下第一顆原子彈。8 月 8 日，蘇聯對日宣戰，數十萬蘇軍攻入中國東北。8 月 14 日，國民政府外交部長王世杰與蘇聯外交部長莫洛托夫在莫斯科簽訂《中蘇友好同盟條約》：中國政府承認外蒙古獨立；中東鐵路及南滿鐵路改名為中國長春鐵路，主權屬於中國，由中蘇兩國共同經營；大連闢為自由港，行政權屬於中國；旅順口由"兩國共同使用"，民事、行政權屬於中國旅順政府。在《條約》所附照會中，蘇聯政府承認"東三省為中國之一部分，對中國在東三省之充分主權重申尊重，並對其領土與行政之完整重申承認"。[4] 同日，日本正式宣佈投降。

蔣介石並非不懂得，中國的抗日戰爭必須首先建立在自力更生基礎上。1938 年 8 月 15 日，他就表示過："戰事只有自力為可恃耳。"[5] 但是，蔣介石在事實上無法做到，他還是只能將希望建立在外力上。當蔣介石決定接受斯大林的條件時，中國雖已躋身"四強"，但是，名強而實不強，外強而內不強。國民政府自身無力全部殲滅日寇，收回東北，爭取抗日戰爭的徹底勝利，不得不仰

1　《戰時外交》（3），第 594 頁。
2　《蔣介石日記》（手稿本），1945 年 7 月 10 日。
3　《戰時外交》（3），第 637 頁。
4　《戰時外交》（3），第 656 頁。
5　《事略稿本》，1938 年 8 月 15 日。

仗外力，而其結果是付出了巨大代價。

綜觀抗戰八年的歷史，蔣介石兌現了自己"抗戰到底"的諾言，他為此確定的"底"也逐漸變化，從"恢復盧溝橋事變前原狀"，發展為收復包括東北、台灣在內的所有失地，解放朝鮮等東亞被侵略民族，再發展為與盟國共同作戰，爭取世界反法西斯戰爭的"無條件之勝利"。這種情況，當然有蔣的個人作用在內。對於這種作用，人們應該承認而不應該抹煞。但是，我們又要看到，這種情況的發生，主要是中國抗戰國內外環境的變化，特別是世界反法西斯戰爭勝利形勢日益明朗的結果。

汪精衛出逃與蔣介石的應對 *

* 本文錄自《找尋真實的蔣介石：蔣介石日記解讀》（2），華文出版社 2010 年版；原載《南方都市報》（歷史專版），2008 年 5 月 13 日、15 日。

1938 年 12 月 18 日，上午 9 時多，汪精衞以赴成都演講為名，偕陳璧君、曾仲鳴等人潛離重慶。下午 1 時多，抵達昆明。當晚，向雲南省主席龍雲透露，將到香港與日本人商談 "和平條件"。19 日，匆匆轉飛越南河內。汪的出逃，固然有其自身的原因，但是，也和他與蔣介石之間在抗戰中形成的分歧有關。

一、汪蔣之間的和戰分歧

　　汪精衞與蔣介石之間的分歧源遠流長，複雜紛紜。其內容，大體分兩類：一為政見之爭，一為權力、地位之爭。抗戰爆發後，二人的分歧除權力、地位之爭外，主要集中於對日本的和戰態度上。

　　盧溝橋事變後，汪精衞即反對抗戰，認為抗戰必敗。盧山談話會上，他將神聖的抗戰說得愁雲慘澹，調子極為灰暗。他說："我們所謂抵抗，無他內容，其內容只是犧牲。" 盧山談話會後，汪精衞與周佛海等暗中成立 "低調俱樂部"，視主張堅決抵抗日本侵略為唱 "高調"。自 1937 年 8 月起，汪精衞即連續致函蔣介石，主張對日和談。8 月 4 日函稱："如認談判所開（條件）尚可接受，則負起和之責任。"[1] 8 月 23 日函稱："當悉力抗戰之時，不惟不宜塞斷（對日）外交途徑，且當力謀外交途徑之打開。"[2] 9 月 3 日，日本外相廣田弘毅發表談話，聲稱希望英、美、法等國出面勸說中國，按照 1932 年簽訂的《淞滬停戰協定》撤兵於該協定 "所定範圍之外"，"如是則滬戰可止"，國民黨中宣部禁止國內報刊發佈這一消息。汪精衛於 9 月 5 日致函蔣介石，要求中宣部開禁，斟酌發表，並由外交部發表針對性的談話。[3] 8 日，汪精衛再次致函蔣介石，要求蔣本人或命外交部邀請英、法、美使節，徵詢意見，說明中國立場與界線，使之相機行事。[4] 12 月，南京淪陷，國民黨內部出現一片主和聲，汪精衛覺得有機可乘，即向蔣進言，由他出面，"以第三者出面組織掩護"。這個所謂 "第三者"，即進攻中國的日本為一方，領導抗戰的蔣介石為一方，他自己則自居 "第三者"。蔣當即拒絕："此不可能之事也。"[5] 在此前後，汪精衛勸說蔣介石與日本言和，共達十多次。[6]

1938 年 3 月，蔣介石籌備在武漢召開國民黨臨時全國代表大會。他就設立 "黨魁制" 問題和汪精衛商量，汪精衛不贊成。[7] 22 日，蔣介石訪問汪精衛，討論日本託意大利出面非正式調停中日戰爭一事。當日，蔣介石日記云："世人只知戰時痛苦，妄想速和，殊不知和後痛苦更甚於戰時，而況為屈服不得已之和乎？"考察文意，這一天，蔣、汪之間可能有比較激烈的意見衝突。蔣在日記中所批評的 "妄想速和" 的 "世人" 應該就是汪精衛。25 日，蔣介石計劃利用臨時全國代表大會的決議和宣言，表達抗戰意志，對日本進行心理戰。日記云："大會決議與宣言如果有力，則其效果不惟可使敵適可而止，當能使敵知難而退也。"盧溝橋事變後，國共第二次合作，建立抗日統一戰線。在一段時期內，蔣介石對 "聯共抗日" 態度積極，日記云："對共黨主感召而不主排斥"，"對各黨派主聯合"。同時，蔣也決定自己當 "領袖"，"推汪為副"。26 日日

1　《蔣中正 "總統" 文物》，台北 "國史館" 藏，002-040100-00008-017。
2　《蔣中正 "總統" 文物》，台北 "國史館" 藏，002-040100-00008-013。
3　《蔣中正 "總統" 文物》，台北 "國史館" 藏，002-040100-00008-014。
4　《蔣中正 "總統" 文物》，台北 "國史館" 藏，002-040100-00008-015。
5　《蔣介石日記》（手稿本），1937 年 12 月 16 日。
6　西義顯：《日華 "和平工作" 秘史》，江蘇古籍出版社 1992 年版，第 104 頁。
7　《蔣介石日記》（手稿本），1938 年 3 月 11 日。

記云：“團結黨內，統一國內，是對敵國最大之打擊。”29日，國民黨臨時全國代表大會在武昌開幕，代表提案中大多主張在國民黨內設立總裁。蔣介石當日日記云：“此時設立總裁，至少可表示本黨不妥協之決心，與敵以精神上之打擊。”4月1日，大會推舉蔣介石為國民黨總裁，汪精衛為副總裁。蔣介石心情興奮，日記稱：“對總裁責任應當仁不辭，以救國與對外之道已無他法。此為最後一著，實與抗戰增加實力不少，而且確定黨國重心，無異於敵精神與其策略上一大打擊也。”但是，汪精衛卻因居於蔣介石之下，心情極度沮喪，見於形色。[1] 國民黨臨時全國代表大會通過了《抗戰建國綱領》等一系列文件，堅持抗戰，堅持聯共。4月1日通過的《大會宣言》聲稱：“此次抗戰，為國家民族存亡所繫，人人皆當獻其生命，以爭取國家民族之生命。”[2] 同日，蔣在大會《閉幕詞》中聲稱：“本黨同志要站在當政黨的地位，發揚這種固有的精神，寬宏大度，至公至正，在三民主義的最高原則之下，來接納各黨派人士，感應全國國民，使共循革命正道。”[3] 蔣的這些意見都和汪精衛相反，汪自覺“和平”希望毀滅，自此，對蔣徹底失望。

德國駐華大使陶德曼調停失敗後，日本政府惱羞成怒，宣佈“不以國民政府為對手”，要求蔣介石下野。其後，日本政府一方面轉託義大利，接替德國，在中日兩國間調停“和平”。同時，積極動員民國初年曾任國務總理的唐紹儀（少川）出面組織傀儡政權，與國民政府談判“和平”。1938年5月初，法學家羅家衡到武漢，見到汪精衛，談及由唐紹儀出面談判一事，汪即說：“在辛亥南北議和時，我們俱是在少川先生領導之下進行的。現在的局面，只有少川先生出來與日本談判才是辦法。現在日本不是較以前對華主張緩了一步麼？從前日本是不以蔣政府為對象的，現在日本僅主張不以蔣個人為對象了。只要少川先生出來與日本談判，蔣的下野，是不成問題的。我只要國家有救，甚麼犧牲都可以的……”[4] 這段話既暴露出汪精衛急於與日本謀和的面目，同時，也暴露出汪精衛對蔣介石失望，急於迫使其下野，取而代之的隱秘企圖。同年6月14

1　陳布雷：《回憶錄》(2)，二十世紀出版社1949年版，第78頁。
2　《中國國民黨歷次代表大會及中央全會資料》(下)，第463頁。
3　《中國國民黨歷次代表大會及中央全會資料》(下)，第511頁。
4　《南湖致剛父（胡鄂公致孔令侃）》，特交檔，1938年6月11日。

日，汪精衛的親信高宗武與日人西義顯在香港簽訂備忘錄，準備組織"第三勢力"。雙方心目中的"第三勢力"的領袖就是汪精衛。同月 20 日前後，意大利駐華大使授意汪精衛致函近衛首相，意圖在汪精衛和日本政府之間建立直接聯繫。[1] 同年 7 月，高宗武在汪精衛鼓勵下秘密訪日，會見陸軍大臣板垣征四郎、參謀次長多田駿以及近衛文麿首相等日方要員，決定"找尋蔣介石以外的人"，以"造成中日之間的和平"，而此人，雙方也都認為非汪精衛莫屬。[2] 影佐禎昭公然對高宗武說："可否請蔣委員長下野，由汪主席出任負責。"[3]

蔣介石並不了解高宗武在香港和日本的這些活動內幕，但是，他對高宗武擅自赴日的活動強烈不滿。6 月 24 日，蔣介石日記云："高宗武荒謬，擅自赴倭。此人荒唐，然亦可謂大膽矣。"[4] 他研究日本態度的反覆變化，認為和高宗武的赴日有關。7 月 22 日日記云："倭閥對我變更態度者，其果誤認吾內部之動搖，而與高之荒謬赴倭亦有關係也。"他當然了解高宗武此行和汪精衛之間的關係。25 日，蔣介石與汪精衛、張群討論高宗武的訪日報告，日記云："覺汪神情皆不自然，果有愧怍之心乎？"[5]

10 月 25 日，國民政府自武漢撤退，汪精衛更加喪失抗戰信心。11 月 18 日，梅思平、高宗武奉汪之命與日人影佐禎昭、今井武夫在上海重光堂簽訂《日華協議記錄》等文件。《記錄》規定雙方的"合作"條件有"締結防共協定"，"承認日本軍防共駐兵"，"中國承認滿洲國"等六條。其行動計劃為：首先由日本政府方面發表上述"合作"的條件，汪精衛等即發表聲明回應，"與蔣介石斷絕關係"，"見機成立新政府"。26 日，梅思平到重慶向汪精衛彙報，隨身攜帶與日方達成的協約以及近衛首相的第三次對華聲明草稿。29 日，汪急召陳公博到重慶，對陳說："中日和平已經成熟"，"中國的國力已不能再戰了，非設法和平不可了。""假使敵人再攻重慶，我們便要亡國。""現在我們已經無路可退，再退只有退西北，我們結果必為共產黨的俘虜。"[6] 他並向陳透露，準

1　《蔣介石日記》（手稿本），1938 年 6 月 21 日。

2　影佐禎昭：《漫談》，《現代史資料》(13)，《日中戰爭》(5)，第 360 頁。

3　《會晤影佐談話紀要》，台北《近代中國》第 129 期，第 125 頁。

4　《蔣介石日記》（手稿本），1938 年 6 月 24 日。

5　《蔣介石日記》（手稿本），1938 年 7 月 25 日。

6　陳公博：《自白書》，南京市檔案館編：《審訊汪偽漢奸筆錄》，江蘇古籍出版社 2004 年版，第 10 頁。

備離開重慶，以個人身份出面，與日本交涉。汪隨即召集周佛海、陳璧君、梅思平等會商，決定接受"重光堂協議"，電港通知。[1]當日下午決定：汪於12月8日赴成都，10日到達昆明，近衛首相於12日發表第三次對華聲明，互相呼應。

武漢失陷，蔣介石並未隨國民政府遷渝，而是到湖南部署繼續抗戰。10月28日，國民參政會第二屆會議在重慶開幕，蔣介石致電會議，認為日軍自進窺武漢以來，死傷30餘萬，計窮力絀，抗戰已入"第二階段"。他估計，"吾人預定覆滅敵人之計劃，必可實現於不久將來"。[2]11月7日，他在長沙主持軍事會議。25日，又在南嶽主持軍事會議。11月30日，視察桂林，設置軍事委員會委員長桂林行營，以白崇禧為主任，統籌西南抗戰。直到12月8日，蔣介石才到達重慶。這一天，本來是汪精衛預定的出逃之日，但因蔣的到來，汪不得不改變計劃。

12月9日，蔣介石在重慶黃山官邸約集孔祥熙、汪精衛、王寵惠、葉楚傖、朱家驊等人談話。汪精衛堅持對日主和，他表示：中國和日本都有困難。"中國之困難，在如何支持戰事；日本之困難，在如何結束戰事"，"故調停之舉，非不可能"。"日本果能覺悟中國之不可屈服，東亞之不可獨霸，則和平終將到來。"[3]蔣介石所言與汪精衛相反，日記云："下午，與黨政各同志談話，指示以後對倭方針，言明只要我政府不與倭言和，則倭無法亡我。並明告其只要我政府不與言和，則我政府即使失敗，國家必可因此復興。況政府至今決無失敗之理，且革命政府旨在主義成功，而不怕一時失敗也。"[4]當時，蔣介石正在謀求共產黨加入國民黨，兩黨合併為一個新的"大黨"。談話中，汪精衛詢及此事，認為"可慮"。[5]國民黨關於這一天的談話，蔣介石後來電告龍雲時也說："中此次在渝，並曾詳切面告汪先生等，以日寇之狡獪毒辣，若我有人向其謀和，則寇之猙獰面目必畢露，萬不可為。"[6]可以看出，汪主張與日本言和，蔣反對與日本言和。針鋒相對，涇渭分明。後來汪精衛回憶說："12月9日，軍

1 《周佛海日記》，1938年11月29日。

2 《"總統"蔣公大事長編初稿》，第1308—1310頁。

3 《中華民國重要史料初編——對日抗戰時期》第6編《傀儡組織》（3），第51—52頁。

4 《蔣介石日記》（手稿本），1938年12月9日。

5 《王世杰日記》第1冊，第446頁。

6 《"總統"蔣公大事長編初稿》，第1327頁。

事委員長蔣中正至重慶，（兆銘）復激切言之，卒不納。"[1]可見二人之間辯論的激烈。蔣這一天的態度使汪精衛等大為失望。陶希聖致函胡適說：

> 蔣先生 12 月 8 日到重慶。他的態度完全改變。對於國家處境困難，全不考慮。他的全部計劃在提攜共產黨。他說日本沒有兵打仗了。他對日本的和議，不假思索地拒絕。這樣的變動，以及客觀的困難，使汪先生及我們都感到一年半的努力進言都成了畫餅，更都成了罪狀。眼見國家淪落到不易挽救的地步，連一句負責的老實話都不能說。幻想支配了一切。我們才下決心去國。[2]

陶希聖的這段話，生動地描寫出蔣介石和汪精衛等人的兩種不同精神面貌。汪精衛等人，最初是在國民政府內部"主和"，現在，由於和蔣介石意見對立，只能到政府之外去"主和"了。

12 月 16 日，日本內閣成立興亞院，其目的在於加強對中國佔領區的統治，其總裁由日本首相兼任，副總裁由外相、藏相、陸相、海相兼任。在中國北平、上海、青島、漢口、廣州、廈門等地設有分支機構。此前 2 日，蔣因感冒未上班。16 日，汪精衛到蔣處探病，蔣當日的日記說："日本對中國之最後目的云者，乃滅亡中國之謂也。興亞院成為確定對華政策執行之樞紐者，乃以興亞院為中國之斷頭台。換言之，滅亡中國之總機關也。因此興亞院之成立，中國若要自取滅亡，俯首而上斷頭台則已，否則除抗戰拚命以外，再無第二道路矣。"[3]武漢會戰期間，蔣也曾幻想過以和平方式結束中日戰爭，但從這一則日記可以看出，嚴酷的現實終於使他認識到，擺在中國人民面前的只有抗戰一途。當時，日本特務土肥原約原天津市市長蕭振瀛到香港見面談判，蔣決定不准蕭赴港，對土肥原"堅拒不理"。[4]

關於汪蔣之間的和戰分歧，汪精衛在出逃後曾於 12 月 23 日致電蔣介石稱："在渝兩次謁談，如對方所提非亡國條件，宜及時謀和以救危亡而杜共

1　汪精衛：《曾仲鳴先生行狀》，《河內血案》，檔案出版社 1988 年版，第 202 頁。
2　《胡適往來書信選》（中），第 397—398 頁。
3　《蔣介石日記》（手稿本），1938 年 12 月 16 日。
4　《蔣介石日記》（手稿本），1938 年 12 月 17 日。

禍。"[1] 他在電告他的朋友、國民參政會副秘書長彭學沛時也說：他之所以離開中國，"係因中央不願考慮和議，及本黨有進一步容共之趨向"，故不得不"以去就爭"。[2] 汪所稱"進一步容共之趨向"，指的就是上述蔣介石企圖聯合共產黨，甚至與共產黨"合併為一大黨"的意見。這就說明，汪精衛不僅主張與日本言和，而且反對蔣進一步"聯共抗日"，因此不惜以出走作為向蔣抗爭的手段。當然，汪的出走，還有一條很重要的原因，他在致蔣電及致彭電中均未說明，這就是，他準備在重慶國民政府之外，另組政府。

二、汪精衛出逃與蔣介石的反應

汪精衛在離開昆明時，致電蔣介石稱：在飛赴昆明途中，因"飛行過高，身體不適，且脈搏時有間歇現象，決多留一日，再行返渝"。[3] 汪走後，龍雲才致電蔣介石報告："汪副總裁於昨日到滇，本日身感不適，午後二時半已離滇飛航河內。"[4] 到 21 日，才向蔣透露，汪精衛到昆明後，態度不像"昔日之安詳"，臨行時，才告訴自己，"謂與日有約，須到港商洽中日和平條件，若能成功，國家之福，萬一不成，則暫不返渝"。電中，龍雲還詢問蔣介石："（汪）在渝時與鈞座切實討論及此否？"

12 月 18 日這一天，蔣介石原本準備離開重慶，飛赴西安，召開軍事會議，但因得悉當日西安氣候不良，改變計劃。一直到 20 日，蔣才飛抵西安。21 日，蔣在西安主持軍事會議。到晚上，才得知汪精衛私自飛到昆明的消息，當即電汪稱："聞兄到滇後即感不適，未知近況如何，乞示復。"[5] 蔣模糊地猜測到汪此行的含義，日記說："聞汪先生潛飛到滇，殊所不料！當此國難空前未有之危局，藉口不願與共黨合作一語，拂袖私行，置黨國於不顧，豈是吾革命黨員

1 《龍雲轉呈汪自河內致蔣委員長如對方所提非亡國條件宜及時謀和以救危亡而杜共禍梗電之迴電》，《傀儡組織》（3），第 48 頁。
2 《王世杰日記》，第 455—456 頁；參見《張群以接汪自河內電為和平及防共問題以去就爭致蔣委員長之馬電》，1938 年 12 月 21 日。《傀儡組織》（3），第 46 頁。
3 金雄白：《汪政權始末記》（5），香港春秋出版社，第 32 頁。
4 《重要史料初編》，《傀儡組織》（3），第 46 頁。
5 《"總統"蔣公大事長編初稿》，第 1325 頁。

之行動乎？痛苦之至。惟吾猶望其能自覺回頭耳！"22 日，蔣介石得到龍雲的電報，這才比較具體地了解到汪此行的目的，日記云："不料其糊塗卑劣至此，誠無可救藥矣。"在國民黨和國民政府內部，汪精衛資格老，地位高，關係多，其出走是具有嚴重意義的大事，蔣開始估計其影響，在日記中特別寫下："汪去後，對黨政軍以及各地之關係，應特加慎重"，"外交與對敵或有影響乎？"當晚，蔣介石失眠，至次日晨 3 時才入睡。23 日，蔣繼續思考汪出走後的局面："廣東軍人，是否受汪影響？""政府內部，受汪影響之人幾何？"他決定，對汪表明態度。

同日，日本首相近衛發表第三次對華聲明，"闡明同新生的中國調整關係的總方針"，要求"日、滿、華三國應以建設東亞新秩序為共同目標而聯合起來，共同實現相互善鄰友好、共同防共和經濟合作"。這就是所謂"近衛三原則"。在聲明中，近衛要求中國承認"滿洲國"，允許日軍在華北及內蒙古駐兵，給予日本臣民"特別開發上之便利"。24 日，蔣介石決定駁斥近衛聲明。同日下午，蔣介石回到重慶，約集黨政首長會談。這一天，蔣介石在對汪精衛的態度上陷入矛盾。一方面，他仍有"挽救"汪的"政治生命"的想法，日記云："知汪確有整個背叛黨國奸謀，乃決心發表宣言，使其賣國奸計不售，亦所以挽救其政治生命。""彼雖有意害余，而余應以善意救彼，對於此種愚詐之徒，亦只有可憐與可痛而已。"但他一想起汪與自己過去的不良關係，又覺得不應援手，日記云："余向來以至誠待之，禮遇之如總理，而彼乃不識大體，不顧國家至此。若復與之合作，使之自拔，豈不愚拙之至乎！"25 日，蔣介石謁見國府主席林森，報告汪精衛通敵一事。

26 日，蔣介石發表駁斥日本首相近衛的長篇聲明，認為近衛所謂"東亞新秩序"和"日滿支"協同關係，"就是將中國全部領土變成日本所有的大租界"，"這樣一來，中國若不是變為他的奴屬國也就降為保護國，而且實際上就是合併於日本"。他批判近衛的所謂"經濟合作"，就是"要操縱我中國關稅金融，壟斷我全國生產和貿易，獨擅東亞的霸權"；所謂"共同防共"就是以此為名義"首先控制我國的軍事，進而控制我國政治文化以至於外交"。蔣稱：綜觀近衛聲明，"日本真正之所欲，乃在整個吞併我國家，與根本消滅我民族"。他號召中國人民"認定目標，立定決心，愈艱苦，愈堅強，愈持久，愈奮勇，全國一心，繼續努力"。[1] 蔣介石一向很欣賞自己的文筆，這次也不例外。29 日，他重讀此稿，"甚覺自快"，認為"足使敵知所警戒，變換威脅或計誘之妄念"。[2]

汪精衛的表現和蔣介石迥然不同。他贊成並擁護近衛聲明。28 日，他從河內致函蔣介石，認為日方的三項聲明，"實不能謂無覺悟"，要求蔣把握"不可再失之機"，以之作為"和平談判之基礎而努力折衝"。29 日，發表致國民黨中央黨部諸同志公開信，主張對近衛所提善鄰友好、共同防共、經濟提攜三點，"應在原則上予以贊同，並應本此原則，以商訂各種具體方案"。此函通稱《豔電》。《豔電》的發表，立即在國民黨中央和各地愛國將領、官吏之間激起了憤怒的聲討波瀾。

三、從勸汪赴歐到開除汪的黨籍

最初，蔣介石確曾企圖挽救汪精衛，至少，要儘量減少汪叛逃的影響。12 月 25 日，蔣介石致電龍雲，要龍對汪離開昆明前所述"與日方有約"等語保密，"勿為他人道"。[3] 蔣之所以如此，目的在於為汪精衛留出餘地。26 日，他在發表聲明嚴辭駁斥近衛的同時，還在為汪精衛打掩護，聲稱汪之赴河內，只是為了轉地療養。與此同時，蔣介石在思考，是否應該派人去河內勸說汪精衛，[4] 能否"以至誠感動之"。[5]

第二天，蔣介石召見汪精衛在重慶的朋友彭浩然，囑其轉電汪精衛，駐港不如赴歐。這一天，蔣介石自感心跳加急，精神極為不佳，但仍勉強辦公。同日，他再次致電龍雲稱：近衛聲明，"全為對汪之討價，彼竟不察，而自上其當。幸此時尚未失足，尚可為之挽救也"。[6] 又致電香港《大公報》的主筆張季鸞，要求該報在批評汪精衛時，不要把話說絕："務當為之寬留旋轉餘地"，"並

1 《傀儡組織》（3），第 38—41 頁。
2 《蔣介石日記》（手稿本），1938 年 12 月 29 日。
3 《事略稿本》，1938 年 12 月 25 日。
4 《蔣介石日記》（手稿本），1938 年 12 月 26 日。
5 《蔣介石日記》（手稿本），1938 年 12 月 27 日。
6 《"總統"蔣公大事長編初稿》，第 279 頁。

本於愛人以德之義，從輿論上造成空氣，防止其萬一失足之憾。"蔣特別關照，"不可出以攻擊語調。此中機微，兄所明悉"。[1] 28 日，他接受王世杰建議，通過王致電駐英大使郭泰祺及駐美大使胡適，請二人勸汪：1. 勿公開主和；2. 勿與中央斷絕關係；3. 勿駐港，但不妨赴歐。

汪精衛的《豔電》於 12 月 31 日發表於香港《南華日報》，南洋華僑代表陳嘉庚當日即致電蔣介石，指斥汪精衛"公然贊同日寇亡國條件"，要求蔣公佈其罪狀，通緝歸案，以正國法而定人心。旅美華僑於同一日通電支持，要求"凡主和者請一律以漢奸論罪"。蔣介石也激憤地在日記中指斥汪精衛，"通敵賣國之罪已暴露殆盡，此賊不可救藥矣，多行不義必自斃也"。汪出逃之初，他擔心連鎖反應；現在，則覺得是好事。日記云："此後政府內部純一，精神團結，倭敵對我內部分裂與其利誘屈服之企圖，根本消除，吾知倭寇不久必將對我屈服矣。"[2]

1939 年元旦，蔣介石在遙祭中山陵之後，召開談話會，討論汪精衛的《豔電》。下午，召開國民黨臨時中常會暨駐重慶中央委員會議，決定開除汪精衛黨籍，解除其一切職務。會上，曾有人主張明令通緝，因蔣介石反對而罷。汪精衛被開除，蔣介石當日日記云："實足為黨國之大慶也。"不過，他還沒有確定對汪的處置辦法。1 月 3 日，他在日記"注意"欄中寫道："汪以後之行動與處置。"這就說明，他還在思考中。

四、刺汪未中，汪精衛發表《舉一個例》

汪精衛被國民黨中央開除黨籍後，很沮喪，陳璧君等則很憤怒。1939 年 1 月 4 日，剛剛發表對華第三次聲明的近衛文麿於 1 月 4 日辭職，平沼騏一郎繼任首相，另組新閣。一時間，汪精衛與日方斷了聯繫，計劃到歐洲或其他國家旅行。7 日，龍雲致電蔣介石，報告從陳璧君之弟陳昌祖處所得汪精衛消息，建議由蔣派汪的親信一二人到河內，以私人名義勸汪回國，或在重慶，或在國

---

1 《事略稿本》，1938 年 12 月 27 日。
2 《蔣介石日記》（手稿本），1938 年 12 月 31 日。

內任何地方居住，避免與日本勾結。龍雲認為這樣做，可以使汪免於鋌而走險，"對外則團結之裂痕不現，對汪則以後無從活動，日人亦無從挑撥"。[1] 蔣介石得到龍雲此電後，誤認汪企圖"轉彎"，1月8日日記云："汪見無路可走，又想轉彎，卑劣已極，宜乎其生無立足之地也。"同日，蔣介石致電龍雲，表示"對汪事，此時只可冷靜處之，置之不問為宜"。他堅決否定讓汪回到國內的意見，認為日方將藉此造謠，國內外也會發生懷疑與惶惑。電稱："如為彼計，此時當以赴歐為上策，否則皆於公私有損。"[2] 11日，蔣介石致電宋子文，派鄭彥棻到越南勸汪。1月20日，又計劃派葉楚傖或陳立夫到越南。1月30日，蔣最後決定派原改組派成員、汪的老部下谷正鼎赴越，同時送去護照和旅費50萬元，勸汪去法國等地療養。谷轉達蔣的意見稱："不要去上海、南京另搞組織，免得為敵人所利用，造成嚴重後果。"[3]

在派人勸汪赴歐"療養"的同時，蔣介石也在做從肉體上消滅汪精衛的準備。1月17日，汪的親信、《南華日報》社長林柏生在香港被刺。1月26日，蔣介石日記云："派員赴越。"31日日記云："港越人員之行動注意。"這裏的"員"，應是軍統人員；"行動"，應指暗殺計劃。此後，蔣介石日記中，連續出現下列記載：

> 2月18日："汪偽真無賴無恥，吾未見卑劣狡詐之如此也。"
> 3月15日："注意：對汪陰謀之對策。"
> 3月18日："汪通敵賣國之謀益急，而其行益顯，奈何！"

終於，在越軍統人員於3月19日凌晨接到戴笠的"行動"命令。21日夜，軍統人員越牆進入汪在河內的住所，開槍射擊，但是陰差陽錯，誤殺了汪的助手曾仲鳴。3月22日，誤刺曾氏的第二天，蔣介石日記云："汪未刺中，不幸中之幸也。"

曾仲鳴之死使汪精衛更加仇恨蔣介石和國民政府。3月27日，汪精衛寫成《舉一個例》，除哀悼曾仲鳴之死外，其主要目的在於公佈國防最高會議第

---

1 《傀儡組織》（3），第50頁。
2 《傀儡組織》（3），第54頁。
3 羅君強：《偽廷幽影錄》，第17頁。

五十四次常務委員會會議記錄。該次會議由汪精衛擔任主席。據該記錄，1937年 12 月 6 日，國防最高會議在漢口中央銀行開會，由外交部次長徐謨報告德國駐華大使陶德曼的調停情況，其中談到 12 月 2 日下午，徐謨與蔣介石、顧祝同、白崇禧、唐生智、徐永昌會商日方所提和平條件。白稱：只是如此條件，那麼為何打仗？徐永昌表示：只是如此條件，可以答應。顧祝同也表示，可以答應。蔣稱：如此尚不算亡國條件。嗣後，蔣介石會見陶德曼，表示相信德國及感謝德國好意，可以將各項條件作為談判之基礎及範圍。汪精衛企圖以此說明，主和並非自己一個人，是"最高機關，經過討論而共同決定的主張"。他質問說：何以別人可以"主和"，而他汪精衛不行？

針對汪精衛的《舉一個例》，蔣介石於 4 月 6 日，草擬《駁汪言要點》。11 日繼續寫作修改。日記云："上午，手擬駁斥汪文，修改稚老最後一段。"他自述"甚覺痛快，因之心神興奮，幾不成寐"。據此可知，當日發表的吳稚暉的《對汪精衛〈舉一個例〉的進一解》實為吳、蔣二人的共同作品。

《進一解》一文指斥汪精衛"泄露職務地位上所管的秘密文件，已經夠犯罪；又把公家文件，隨意添改偽造。"但文章寫得過於冗長、晦澀，並不見精彩。蔣介石認為該文"必生效力，而對敵方與汪逆及國內未知抗戰利害之封建者發生影響為更大，其效已顯見矣。"[1] 蔣介石的這一估計，顯然過頭。4 月 17 日，蔣介石接見中外記者，再次揭露近衛"建立東亞新秩序"的實質，宣稱"在這種情形之下，絕對無和平的餘地，絕對不是什麼巧佞虛偽的投降理論所能動搖我們全國的決心於萬一"。[2] 這裏所指斥的"巧佞虛偽的投降理論"就是汪精衛的言論。

刺汪不中，軍統人員策劃再次行動。不過，都沒有得到下手機會。蔣介石開始考慮用其他辦法對付汪精衛。其 4 月 14 日日記預定辦法：一、對汪加以刑事處分；二、向法國政府交涉，使汪精衛回國，或不允其離河內。15 日，蔣介石邀約葉楚傖、王世杰、陳布雷、張治中等討論汪案。4 月 25 日，汪在日本特務的嚴密保護下，由河內到海防，秘密乘船前往上海。顯然，重慶國民政府與法國的引渡交涉沒有成功。

1　《上星期反省錄》，《蔣介石日記》（手稿本），1939 年 4 月 15 日。

2　《"總統"蔣公大事長編初稿》，第 1390 頁。

五、爭取龍雲站到抗戰一邊來

龍雲係雲南地方實力派，一貫以保持其地位和實力作為其決策的主要出發點。1938 年 4 月，龍雲與四川地方實力派劉文輝等致函已經投靠日本的偽北平臨時政府委員長王克敏，聲稱將聯絡四川、雲南、西康、貴州四省，組成反蔣聯盟，發起"和平運動"。汪精衛要投靠日本，也企圖聯絡龍雲與實力派軍人薛岳、張發奎等，割據西南，與蔣對抗。1938 年底，汪精衛發表《豔電》，全國紛紛聲討，但龍雲卻保持沉默。1939 年 1 月上旬，汪派內弟陳昌祖到雲南與龍雲晤面，出境時被軍統人員截住，在陳的皮匣中查獲龍雲致汪函，函中龍稱汪為"鈞座"，稱蔣為"重慶方面"。其中有"現日方雖內閣改組而政策不變，我方似存幻想，毫無其他辦法。不久大戰重開，靜觀如何應付。此刻鈞座暫守緘默，甚為得宜，至於鈞座所主張各節，將來必有實現之一日"等語。[1] 因此，蔣對龍的態度始終不放心。1 月 19 日日記云："滇龍對汪態度不明，此事關係重大，成敗存亡，全繫於雲南唯一之後方，不可不察也。" 20 日日記云："敵與汪勾結已深，而滇省是否受其影響，汪之背景何在，皆不得不研究也。" 26 日，蔣決定派白崇禧赴滇，防龍叛變，同時對龍進行安撫。蔣白之間常有電報往來。2 月 20 日，蔣介石日記云："志舟不安之心理，如何安之？"

1939 年 3 月 21 日，軍統行刺汪精衛未成，龍雲派警務處長李鴻謨去河內慰問。3 月 30 日，汪精衛託李帶親筆手書致龍雲，動員龍對《豔電》表態，同時要求龍允許自己回昆明活動。函稱：

> 今已三月有餘矣，未知先生佈置如何？弟非有奢望，但能得先生毅然表示同意於《豔電》主張，弟當即來昆明，聲明以在野之身，貢其所見，以供政府及國人之參考。先生對弟，只須以軍警之力，保護生命之安全及不干涉言論行動之自由，如此足矣。俟將來大局有所變化，再作第二步之進展計劃。

隨函並附港報所登《舉一個例》。此函表明，汪精衛仍想依靠龍雲，以雲南為

1　《雜錄》，《蔣介石日記》（手稿本）。蔣自記其時間為"廿八年 1 月 23 日夕"。

基地，控制西南，對抗重慶國民政府。在信中他力圖說明自己"回到內地"的好處："則聲勢迥然不同。各方趨附有其目標，國際視聽亦有所集。日本對弟，往來折衝，亦比較容易有效。"函末並稱："日本以一再遷延，已有迫不及待之勢。"[1] 由此可見，日本方面對汪已有不滿，以及汪急於有所表現的心理。

此函為軍統人員偵悉，拍成照片，上報蔣介石。蔣先後派李根源、唐生智赴滇防堵。4月22日，唐與龍雲談話，說明汪為人善辯多變，生性涼薄，對人毫無誠意，以及抗戰期間，忠奸不兩立等種種道理。24日再談，唐提出三項辦法：一、邀汪來滇（不作任何活動）；二、在雲南發表汪函，申言忠奸不兩立；三、正式呈請中央發表汪函。龍雲同意發表談話，擁護領袖抗戰到底，指斥和議，惟領袖之命是聽，但不願提及汪函。4月27日，蔣介石復電唐生智，聲明尊重龍雲意見，由彼考量決定，但蔣建議由龍雲復汪一函，表示不以汪函所言為然，同時對汪加以正言勸誡。蔣並代龍雲起草了復書。5月2日，龍雲在蔣稿基礎上，改成一稿，批評汪要自己"背離黨國，破壞統一，毀滅全民犧牲之代價，（違）反舉國共定之國策"。函告嚴詞指責汪精衛："此何等事，不僅斷送我國家民族之前途，且使我無數將士與民眾陷於萬劫不復地步。此豈和平救國之本，直是自取滅亡，以挽救敵寇之命運耳！"這樣，龍雲就拒絕了汪精衛的誘惑，堅決站到了抗戰一邊。函末，龍雲勸汪"立下英斷，絕對與敵人斷絕往來，命駕遠遊，暫資休憩，斬除一切葛藤，免為敵人播弄"。

雲南是西南大省、抗戰的重要根據地。假如龍雲跟著汪精衛走，對重慶國民政府將構成巨大威脅，中國的抗戰形勢必然更加艱危。龍雲的立場使動蕩的局面趨於穩固，對保證抗戰勝利有重要作用。至此，追隨汪精衛叛逃的只有陳公博、周佛海等一小撮人，不僅龍雲，汪精衛寄以希望的薛岳、張發奎等將領，誰都沒有跟著他走。民族大義畢竟是一道區別人鬼的重要分水嶺，在它面前，任何人都必須慎於舉步。

---

1 《河內血案》，第239—240頁。

龍雲與汪精衛出逃 *

* 本文錄自《找尋真實的蔣介石：蔣介石日記解讀》（4），三聯書店（香港）有限公司 2017 年版。

1938 年 12 月，汪精衛等一行乘蔣介石赴陝西召開軍事會議之機，自重慶出逃，經昆明飛往越南河內，叛國投日。在此過程中，汪精衛等人得到雲南省主席龍雲的充分支持和幫助。然而在事後，龍雲卻多方掩飾，企圖遮蓋相關史實。當時，蔣介石為團結龍雲抗日，未予深究；1949 年以後，史學界由於種種原因，也未深入探討。幾年前，我曾著《汪精衛出逃與蔣介石的反應》一文，闡述相關過程。[1] 2014 年 11 月，我參加"中華文化四海行——走進雲南"活動，在雲南大學發表了相關學術演講。此後，我在進一步的研究中，又發現若干新資料，有助於揭示龍雲與汪精衛的密切關係、龍為掩蓋真相而散佈的謊言及其在蔣汪、中日之間的兩面行為，從而有助於深入了解抗戰陣營的內部危機和當年堅持抗戰的艱難。

一、龍雲是汪精衛反蔣降日計劃的領頭羊

抗日戰爭爆發，汪精衛早有與日本議和、反蔣、自立的打算。1937 年 12 月 13 日，南京淪陷，中國抗戰面臨第一次重大危機。12 月 15 日，蔣介石召集

1　見《找尋真實的蔣介石：蔣介石日記解讀》（2），北京華文出版社、三聯書店（香港）有限公司 2010 年 6 月版。

高級幹部會議，會上，"主和、主戰，意見雜出，而主和者尤多。"[1] 12 月 16 日，汪精衛向蔣介石提出，"以第三者出而組織掩護"。[2] 所謂"第三者"，即是在以蔣介石為首的南京國民政府和日本當局之外，由汪出面"組織"另一政權，與日本議和。此議遭到蔣介石的否定。汪精衛表面未堅持，但暗中卻繼續為此努力。1938 年 10 月 21 日，廣州淪陷。10 月 25 日，武漢淪陷。日本加緊對汪精衛集團的誘降活動，汪精衛集團也加緊了與日本的勾連，逐步制訂叛降計劃。當時，其所依恃的基本力量即是龍雲等原西南地方實力派和廣東的張發奎等原反蔣派將領。

1938 年 8 月 29 日至 9 月初，梅思平與日本同盟通訊社上海分社兼華南分社社長松本重治在香港五次會談。梅思平稱："和平運動非請汪先生領導不可。""與汪先生共同行動的有雲南的龍雲、四川的將領、廣東的張發奎以及其他人，已經秘密取得聯絡。反對停戰、撤兵的人，在中國是不會有的。"[3]

同年 11 月 3 日，日本首相近衛發表第二次對華聲明，提出建設以日本為盟主的"東亞新秩序"，其成員包括中國、"滿洲國"，其目的為"實現共同防共，創造新文化"和"經濟的結合"。11 月 12 日、13 日，梅思平、高宗武與日本參謀本部的今井武夫在上海會談。20 日，在重光堂再談，簽訂《日華協定記錄》，決定成立汪精衛政權，將龍雲作為新一波"反蔣獨立"運動的領頭羊。其步驟是：1. 汪精衛等逃出重慶，日本公佈"和平條件"，汪精衛發表反蔣聲明，在國內及南洋開展"和平運動"。雲南省首先反蔣獨立，四川隨即回應。2. 在雲南及四川成立"獨立"政府，聯合廣東、廣西，共四省，建立汪精衛"新政府"。3. 由"新政府"宣佈"日華提攜"，闡明"建設東亞新秩序"的政策，聘請日人為軍事及其他教官。《協定記錄》規定和平條件為：雙方簽訂防共協定；承認日軍在中國駐紮；承認"滿洲國"；允許日人在中國內地居住、營業；經濟提攜，日本優先權等。雙方預定，汪精衛於 12 月 5 日前自重慶到達昆明。

11 月 26 日，梅思平將《重光堂協議》及準備發表的《近衛第三次對華聲明》

1　《困勉記》，1937 年 12 月 15 日。

2　《蔣介石日記》，1937 年 12 月 1 日。

3　松本重治：《上海時代》（下），日本中央公論社 1975 年版，第 311 頁。

草稿抄錄在絲綢上，縫在夾衣內，帶到重慶。11月29日，汪精衛與陳公博、周佛海等決定，分別往昆明集中。當時，蔣介石正在桂林組織行營，估計15日前不會回到重慶。汪精衛決定利用這一空隙，於12月8日，由重慶飛成都，12月11日，飛昆明。

12月5日，周佛海先赴昆明，聯絡龍雲，佈置一切，等候汪到。12月6日，周佛海得訊，蔣介石將於7日回重慶。實際上當日回重慶的是陳布雷，並非蔣介石。12月8日，蔣介石回到重慶。汪精衛取消當日飛赴成都的計劃，改派陳璧君之姪陳春圃先到昆明，和周佛海聯繫，等候汪精衛飛赴昆明的電報，以便通知龍雲；同時，預訂由昆明到河內的鐵路包廂，將全部叛逃人員送往河內。

近衛原擬12月11日在大阪演說，發表第三次對華聲明，但由於汪精衛改變逃離重慶時間，近衛遂決定將《對華聲明》延期發表。

12月9日，蔣介石在重慶黃山官邸召集孔祥熙、汪精衛、王寵惠等人會議，研究今後對日方針。蔣稱："只要我政府不與倭言和，則倭無法亡我"，"只要我政府不與言和，則我政府即使失敗，國家必可因此復興。況政府至今無失敗之理，且革命政府只（志）在主義成功，而不怕一時失敗。"[1] 汪精衛提出："現在中國之困難在如何支持戰局，日本之困難，在如何結束戰事。兩者皆有困難"，"故調停之舉，非不可能"。[2]

這一天，蔣介石、汪精衛之間激烈辯論。據汪自稱："復激切言之，卒不納。"[3]

12月14日，蔣介石因得了重感冒，終日臥床休養。15日，因感冒仍未工作。16日，汪精衛前往蔣介石處探病。汪精衛堅持日本所提非亡國條件，應及時謀和。

12月18日，蔣介石飛西安，計劃在武功召開軍事會議。汪精衛決定當日出逃。上午10時餘，汪精衛等一行自重慶乘機出逃，在昆明住一晚。與龍雲深

1　《蔣介石日記》，1938年12月9日。
2　汪精衛自述，見《汪精衛主張以近衛聲明為基礎與日談判上蔣總裁函》，《傀儡組織》（3），第51—52頁；《致中央常務委員會國防最高會議書》，《汪主席和平建國言論集》上卷，第5頁。
3　汪精衛：《曾仲鳴先生行狀》，見雷鳴：《汪精衛先生傳》，上海政治月刊社1944年版，第361頁。

談。19 日下午 2 時，乘龍雲所租歐亞航空公司包機，飛往越南河內。

關於蔣介石和汪精衛的分歧，除了抗日與和日、降日的分歧之外，同時伴生的還有聯共與繼續反共的分歧。關於此，陶希聖稱："蔣先生 12 月 8 日到重慶。他的態度完全改變，對於國家處境困難，全不考慮。他的全部計劃在提攜共產黨。他說日本沒有兵打仗了。他對日本的和議，不假思索地拒絕。""眼見國家淪陷到不易挽救的地步，連一句負責的老實話都不能說。幻想支配了一切，我們才下決心去國。"[1] 當時，蔣介石正主張聯合中共共同抗日，12 月 6 日，蔣介石和周恩來談話，提出國民黨和共產黨"最好合併為一個組織"，或者"一部分中共黨員加入國民黨而不跨黨"。12 日，又邀周恩來、王明、博古、吳玉章、董必武等人談話，力勸周恩來等退出共產黨，加入國民黨，保證他們會成為國民黨的強有力的骨幹，為國家民族共同努力。[2] 陶希聖所言蔣介石"全部計劃在提攜共產黨"，指此。

二、龍雲在回憶中說謊

關於汪精衛自重慶出逃，到達昆明以至離開經過，龍雲在《抗戰前後我的幾點回憶》一文中寫道：

> 在他未到雲南的前幾天，我接到國民政府文官長魏懷的電報說："汪主席將到成都和昆明演講，到時即希照料。"我接到電報後，以為汪先到成都，故未即作準備。後來他突然直接飛昆，已經到了機場，我才得報，去機場接他，把他招待在雲南警務處長李鴻謨的家裏。那天晚上恰巧我宴請美國大使詹森。我問汪："方便不方便參加？"他說："我不參加了。"當晚宴席散後已夜深，未與汪見面。次日上午，我去看他。他說："我明日要到香港。"我問他："到香港有什麼事？"他說："日本要派一個重要人員來香港和我見面，商談中日和談問題，我要去看看他們是否有誠意。"他說："我還要轉來的。"（我曾把他要去越南的事電告蔣介石）。他叫曾仲

1　《陶希聖致胡適》，《胡適來往書信選》（中），中華書局 1979 年版，1938 年 12 月 31 日，第 397—398 頁。
2　參見拙作《蔣介石建議國共兩黨合併》，《找尋真實的蔣介石：蔣介石日記解讀》（2），第 39 頁。

鳴到駐昆明的法國領事館辦理出境簽證。[1]

汪於 12 月 18 日自重慶到達昆明。據龍稱，當晚未見面，僅 19 日匆匆談了幾句，而且事後又電告了蔣介石，似乎並無很大不妥。

這一段回憶，由龍雲口述，龍雲秘書蔣家驊記錄、盧漢秘書馬子華整理成文，讀給龍雲聽，一字一句斟酌定稿。有的學者認為，"主要事實不會有明顯出入，應當是可信的"。[2] 然而，恰恰是這一段回憶，龍雲撒了好幾個謊。

據龍雲回憶，他雖然知道汪精衛要到昆明，但不知確切日期，所以事前無準備，但據汪的親信，被汪派到昆明打前站的陳春圃回憶：

> 記得汪精衛到昆明機場的時候，看見龍雲以外各廳、署、局長都來了，而且軍樂大作，……各條街的商店也零零落落的掛起了所謂國旗，可見是奉命歡迎的。

顯然，汪在昆明機場受到的不是草率接待，而是盛大歡迎，說明龍對汪的重視和努力溜鬚拍馬的情況。

當然，這只是一個小謊。

龍雲回憶的最大謊言是：18 日晚，汪、龍未接觸，未談話，只是 19 日上午，龍往見汪，才有所交談。事實是，18 日晚，汪、龍不僅見了面，而且作了深度交談。據陳春圃回憶，當晚二人會談之後，汪即與陳見面，首先敘述自重慶登機，巧遇空軍將領周至柔的險況，汪稱："上了飛機之後忽然發現周至柔（當時的蔣幫空軍司令）也同在機上，鬼知道他有沒有作用的，所以心裏一急，打定主意在昆明不多耽擱，越快走越好。"接著，汪向陳敘述與龍雲的談話內容。汪稱：

> 幸而現在沒有問題了。已把全部計劃毫無保留地告訴了龍雲，得到龍的贊同。我最後是這樣說的："好了，我現在把全盤經過透底告訴了你，你如果不同意，可以馬上打電報通知蔣先生，並把我扣留，那你可以立功。"龍雲聽了之後說："汪先生說哪裏的話，我完全同意。只是有一點，日本要

1　政協全國文史資料研究委員會編：《文史資料選輯》第 17 輯，1961 年 7 月版，第 59 頁。

2　謝本書：《龍雲傳》，雲南人民出版社 2011 年版，第 252 頁。

兩年之內撤兵，時間太長一點，最好改為一年。"接著我就講："如你同意，請替我定飛機，明天就飛河內。至於改為一年之內撤兵的意思很好，將來試試交涉看。"龍雲聽了之後就拍胸脯說："定機位的事情包在我身上，由省政府出面包一架專機，明天我親自恭送。"

據陳回憶，汪精衛說到這裏，"言下汪像是鬆了一口氣。"[1]

汪精衛在和日方交涉時，曾有"日本要兩年之內撤兵"之議，因此龍雲在和汪談話時表示"最好改為一年"。關於這一點，可從後來汪精衛的一次演講中得到驗證：

> 我於 17 日（應為 18 日——楊）到昆明的時候，雲南省主席龍雲問我道：聽說撤兵以二年為期是嗎？我答："是的，停戰以後，二年撤兵完了。"龍雲道："能否早些？"我答："我也想早點，但是能這樣已不易了。"[2]

將龍、汪二人的回憶對比，確證陳春圃所言可靠。

關於汪、龍二人 18 日的夜談，周佛海未參加，到 10 點鐘，周一直在等待談話結果。其日記記載說：

> 今後能否離昆，惟在志舟態度，大約不至留難。
> 今晚汪先生與志舟談話，結果必甚佳，因此刻尚未召見。否則，汪性急，必召商也。[3]

志舟，龍雲的字。周佛海是遵汪之命，先期到達昆明聯繫龍雲的人。18 日汪精衛到達昆明後，周於下午 5 時後應汪之召，與汪談話 30 分鐘，辭出後即致電香港報告。此後，即在寓等待汪、龍會談結果。他的這段日記證明，汪、龍當晚確有會談。

汪、龍 19 日的第二次談話也有周佛海的日記為證：

> 12 時赴汪處，適龍志舟亦在，同談一小時。與龍第二次晤談，覺其有

1　陳春圃：《汪精衛投敵內幕》，黃美真等編：《汪精衛集團投敵》，上海人民出版社 1984 年版，第 43—44 頁。
2　汪精衛：《十年來和平運動的經過》，轉引自蔣永敬：《抗戰史論》，台北東大圖書公司 1995 年版，第 393—394 頁。
3　蔡德金編注：《周佛海日記全編》，中國文聯出版社 2003 年版，1938 年 12 月 18 日，第 212 頁。

毅力，個性甚強，頭腦實際。

周佛海是"低調俱樂部"成員之一，長期對日主和，周佛海評龍雲"有毅力，個性甚強，頭腦實際"，說明龍當時必然同樣主和，而且堅決支持汪精衛。

關於汪、龍18日夜談情況，還有陳璧君回憶為證。陳稱：

> 到了昆明，周佛海已先在，汪與滇省長龍雲，詳談此行的意義，龍極贊成。我們欲候陳公博同行，周佛海懼，龍雲也願汪先行，乃謂汪："公博來，必送至河內。[1]

陳璧君和汪精衛同時自重慶逃到昆明，其所稱汪"詳談此行的意義，龍極贊成"，云云，必是汪、龍18日夜談後即時得到的第一手消息。

在汪、龍18日夜談中，汪將自己的"全部計劃""毫無保留"地告訴了龍，並以激將法要龍電告蔣介石，同時扣留自己。龍不僅拒絕向蔣報告，而且表示對汪的計劃"完全同意"，還主動包機，將汪一行人送往越南。這自然是知情不報，協助汪精衛叛變通敵的嚴重行為。龍之所以隱瞞該次夜談，其原因在此。

龍雲上述回憶，似作於1957年被錯劃為"右派"之後，不過，他編造謊言，隱瞞和汪18日夜談一事由來已久。1939年4月13日，當外界對汪、龍之間的曖昧關係有所懷疑的時候，龍雲即曾致電其上峰、第九戰區代理司令長官薛岳，託辭此前未將和汪精衛"面談"內容電告，是由於"忘未詳達"，因此有必要特別加以"補述"。該電稱：

> 當夜適美使亦到滇，省府開招待會。順便約汪聚餐，汪以病為辭，而次晨即離滇。
> 兄往送，問何以如此匆卒？答云："將往香港訪問日本某要人，洽商議和，如日果有誠意，即建議中央，以備採擇。兄意以為此種辦法亦尚不差，且有戰自必有和，故未加反對。

這段"補述"將汪精衛離開昆明的時間從下午2點半提早到"次晨"，特別強調其行色"匆卒"，目的在於表明，自己得知汪精衛赴港意圖之晚。如果承認18

1　陳璧君：《與日本謀和平我是僅存的罪魁禍首》，《汪精衛集團投敵》，第446頁。

日夜談時早已知悉一切。那末，緊接而來的問題必然是，當晚至次日上午的這一長段時間，為什麼不向蔣介石和重慶國民政府報告，龍雲就難免有故意縱放之罪了。而這一點，是龍雲必須規避的。

關於汪、龍 18 日、19 日在昆明的兩次談話，22 日，龍雲致其多年的助手和戰友，當時的第三十軍團軍團長盧漢的密電說得最為顯豁。電云：

> 汪先生前日到滇，昨赴港，願效昔日之李鴻章、今日之張伯倫，與日方直接商洽，不顧一切，力主和議，加入防共協定，因在渝受人攻擊，蔣汪之間，亦未盡同意，故謂成則返渝，否則不再返渝。云云。語氣憤慨，大有各行其志之慨。大局如此，兄聞之憂心如焚，黨內糾紛從此又開始矣。兄為杞人之憂，寢食俱廢，三日不能成眠，如似大病，故深望弟早日告痊也。[1]

李鴻章是屈辱、賣國的《馬關條約》的簽訂者；張伯倫是英國首相，1938 年 9 月與希特勒、墨索里尼等在慕尼黑會談，同意德國對捷克斯洛伐克的侵略要求。龍雲稱汪精衛"願效昔日之李鴻章、今日之張伯倫，與日方直接商洽，不顧一切，力主和議，加入防共協定"，說明他對汪精衛的叛逃、降日的目的完全清楚。二人在昆明的會談是深度會談，雖僅兩次，但汪精衛已經清晰地向他說明了主要之點。

百密必有一疏。龍雲儘管一再隱瞞他和汪的 18 日夜談這一關鍵情節，但是，他在 1949 年後字斟句酌所寫回憶仍然留下了一個明顯的破綻。龍稱，19 日上午見汪，當時汪表示："我明日去香港"。"明日"云云，這只能是 18 日夜談時的語言。因為 19 日當天上午，龍雲見汪時，汪等一行人已經決定下午即離滇赴越，怎麼可能會有"明日去香港"之語呢？。

---

1 《龍雲致盧漢密電》，雲南檔案館編：《滇軍抗戰密電集》，昆明 1995 年內部印刷本，第 213—214 頁。

三、一面敷衍蔣介石，一面暗通汪精衛，
密謀逼蔣北走陝甘

12 月 18 日夜，汪精衛向龍雲交底，詳談“全部計劃”，龍雲本應十萬火急，即時向蔣介石和重慶國民政府報告，但龍雲半字全無。19 日，汪精衛等乘坐龍雲代訂的包機離開後，龍雲才簡略電蔣：“汪副總裁於昨日到滇，本日甚感不適，午後二時半已離滇飛航河內。”[1] 對汪的叛逃投敵“計劃”仍然守口如瓶。汪在飛抵昆明後，曾致電蔣介石，告以“飛行過高，身體不適”，蔣介石接電後，曾復電慰問，詢問“近況如何”。21 日，陳公博續後到達昆明，龍雲因將蔣電交陳，聲稱“現陳公博繼續赴港，鈞座致汪馬電，因無從探轉，已交其攜往”。[2] 同日，龍雲再次致電蔣介石，報告汪到達昆明之事。該電仍然絕口不談 18 日夜談一事，聲稱“汪到滇之日，身感不適，未及深探”，至 19 日“臨行時，始道出真語，謂與日有約，須到港商洽中日和平事件，若能成功，國家之福，萬一不成，則暫不返渝。”龍雲故作天真，自稱此事“關係重大”，未識汪在重慶時“與鈞座切實討論及此否”？以此為萬一追究責任時預留推卸地步。

汪精衛既已到達河內，近衛遂於 12 月 22 日發表第三次對華聲明，提出“建設東亞新秩序”和“善鄰友好、共同防共、經濟合作”三原則。12 月 23 日，汪精衛在河內致電蔣介石，聲稱“在渝兩次謁談，如對方所提非亡國條件，宜及時謀和以救危亡而杜共禍。”[3] 24 日，龍雲根據汪精衛要求，將此電轉呈蔣介石。此後，汪精衛即在河內致電駐英公使郭泰祺等人，宣揚致蔣電所表述的與日謀和思想。27 日，陳公博、周佛海、陶希聖攜帶汪精衛聲明到達香港，計劃利用當地的《南華日報》為宣傳陣地。12 月 28 日，汪精衛致電蔣介石及國民黨中央，認為近衛聲明提出的三原則是日本的“覺悟”表現，是“不可再失之機”，建議以之為“和平談判之基礎”[4]。29 日，汪精衛發表《豔電》，建議國民政府立即以近衛聲明為根據，與日本政府交換誠意，以期恢復和平。[5] 30 日，汪

1 《龍雲以汪兆銘經滇飛往河內呈蔣委員長之電》，《傀儡組織》（3），第 46 頁。

2 《龍雲以汪兆銘將赴港呈蔣委員長電》，《傀儡組織》（3），第 47 頁。

3 《龍雲轉呈汪自河內致蔣委員長》，《傀儡組織》（3），第 48 頁。

4 《汪兆銘主張以近衛聲明為基礎上蔣總裁函》，《傀儡組織》（3），第 51—52 頁。

5 《汪精衛手書主和之豔電》，《傀儡組織》（3），第 52—54 頁。

精衛要求日方，每月向其提供活動費 300 萬元，進攻北海、長沙、南昌、潼關等地，同時徹底轟炸重慶，成為後來日本對重慶進行多年無差別轟炸的發軔。

1939 年 1 月 2 日，蔣介石致電龍雲，要龍報告所得汪精衛消息。1 月 5 日，龍雲復電蔣介石：

> 自抗戰開始後，汪先生一志主和，國人盡知。此次建議，不在渝就近詳商，而在異地突然發表，一般觀聽，不無驚疑。幸國人在委座領導之下，確知國策久定，毫不為其動搖。故汪之議論，對外雖屬奇聞，受敵愚弄；對內仍毫無影響，祈釋廑注。此後如有所聞，當隨時報告。[1]

汪精衛的《豔電》發表後，舉國譴責。12 月 26 日，蔣介石發表《嚴正聲明》，指斥近衛聲明是日本 "整個的吞滅中國，獨霸中亞，進而企圖征服世界的一切妄想陰謀的總自白"。31 日，陳嘉庚代表南洋華僑指責汪精衛為 "中華民族之國賊"，要求 "公佈其罪，通緝歸案，以正國法而定人心"。[2] 1939 年 1 月 1 日，國民黨中常會決議，永遠開除汪精衛黨籍，撤除其一切職務。同日，國民政府重申嚴懲民族叛徒令。國民黨中央宣傳部與軍委政治部發表聯合聲明，指責汪精衛 "客觀上" 顯屬 "投降敵人，出賣祖國"。1 月 3 日，顧祝同等將領致電林森、蔣介石，要求中央 "嚴予制裁"。龍雲 1 月 5 日致蔣電仍稱汪精衛為 "汪先生"，其言辭之溫和、譴責之疲軟無力，與當時全國敵愾同仇、憤怒聲討的氣氛大異其趣。

1 月 6 日，陳璧君的四弟陳昌祖到昆明，向龍雲報告汪精衛等到達河內的情況，聲稱自國民黨中央臨時會決議發表後，汪態度消極，陳璧君憤慨，正密商到歐洲或其他國家旅行。龍雲向蔣介石建議：

> 愚見此時最好由鈞座派汪之親信一二人到河內，以私人歡迎其回國，如能回渝最好，否則在國內任何一處居住，均可避免再與日人勾結，以免鋌而走險。對外則團結之裂痕不現，對汪則以後無從活動，日人亦無從挑撥。

電報中，龍雲並告訴蔣介石，他已當面告訴陳昌祖，蔣此次將汪出走一事提交

---

1 《龍雲以汪主和對內毫無影響電》，《傀儡組織》（3），第 49 頁。
2 《陳嘉庚以汪贊同日寇亡國條件請宣佈其罪，通緝法辦電》，《傀儡組織》（3），第 55 頁。

中央會議，"係不得已服從多數主張，但心中始終為汪留餘地"。龍雲請陳昌祖將此語轉告汪精衛，"切勿誤會"。[1]

1月10日，龍雲答書汪精衛，全函云：

> 昨者僕從過滇，藉聆雅教，無任欽佩。匆匆作別，耿耿於懷，引領樽輝，曷勝葵向。先後承賜函電，均已奉悉。我公此次建議重慶方面，未加採納，憂時之士，甚為失望。惟此種種條件，將來中日問題，總有議和之一日，必以此為根據。現日方雖內閣改組，而政策不變。我方似存幻想，毫無其他辦法。不久大戰重開，靜觀如何應付。此刻鈞座暫守緘默，甚為得宜。至於鈞座所主張各節，將來必有實現之一日也。惟為國珍重。龍雲謹啟，一月十日。[2]

本函對蔣介石未採納汪精衛與日本"議和"的主張表示失望，認為衡以種種條件，中日問題終必走上"議和"一途。1月5日，日本內閣改組，平沼騏一郎出任首相，近衛改任樞密院議長，函中所稱日方"內閣改組"，指此。由於近衛下台，汪精衛一度決定"暫守緘默"，龍雲對此表示肯定，但他全面肯定汪精衛對日本的各項主張，認為"必有實現之一日"。"曷勝葵向"一語，雖係客套，但充分表示出龍雲對汪精衛的傾倒及其政治主張的贊同。

龍雲此函，本託陳昌祖本人帶交汪精衛，但陳在出境時遭軍統特務截阻，搜出此函。1月19日，蔣介石讀到此函，了解到龍雲支持、暗通汪精衛的情況，在日記中寫道："龍雲態度如此，關係重大，今日抗戰，成敗存亡，全繫於雲南惟一之後方，不可不察也。"[3] 當夜，蔣介石苦思對策，不能成眠。次日日記再云："昨夜為倭敵與汪兆銘勾結已深，而滇省是否受有影響？究竟汪兆銘之背景何在？皆不得不徹底研究！"他決定派白崇禧赴雲南，對龍雲進行考察。

3月6日，老同盟會員、福建省政府委員、海軍人士林知淵在河內與汪精衛談話，汪坦言近況：1.正在起草一通宣言，預備發表。2.蔣介石將軍政大權交出，汪可擔保日本退兵，藉可著手整理中國。3.如前項企圖不成功，則以在

---

1 《龍雲自陳昌祖悉汪居河內情形致蔣介石電》，《傀儡組織》（3），第50頁。

2 《龍雲答汪兆銘》，台北"國史館"藏檔，002-080103-00009-010。

3 《困勉記》卷52，台北"國史館"2011年版，1939年1月19日，第649頁。

野方式聯絡各方有力者取得實際大權。4. 與滇龍往來密切，龍並勸其緩動，不必太急，且謂將來中央勢力必以川滇為抗戰根據地，待時機成熟，川滇聯合反口（蔣），則蔣介石只有往陝、甘走，大事成功。5. 在川時與川軍各將領亦有聯絡。6. 桂之李（宗仁）有拉攏之可能，正在接洽中，惟白健生（崇禧）難望合作。7. 廣東則由許崇智、張發奎負責，張雖不能合作，惟必要時可將張他調。8. 浙江已有人負責。9. 閩之陳儀已有接洽，並欲林（知淵）同負福建責任。10. 工作根據地擬設西貢。11. 覓定一省或數省為根據地，積極進行一切。12. 絕無往歐美之意，亦無往港滬之意，並稱安南政府對伊有良好之情感與保護。[1]

汪談話中所說"滇龍"，自然是龍雲。由此可見，汪出逃河內後，龍雲除通過陳昌祖與汪聯繫外，仍在通過其他管道暗通，向汪獻策，勸汪"緩動"，自己則準備聯合四川地方實力派，反對蔣介石，逼蔣放棄四川，北走陝西、甘肅。

林是老革命黨，於當年 1 月在香港受戴笠委派，到河內刺探汪精衛情況。汪與林為素識，不知林的身份與其來訪目的，為爭取林為自己效命，在福建與陳儀共同合作，因此談話較為坦直。事後，林知淵迅速將所談報告戴笠，戴笠轉報蔣介石。3 月 11 日，汪精衛要蔣交出軍政大權以及龍雲計劃逼蔣北走陝甘等重要情報就擺到了蔣介石的辦公桌上。

四、龍、汪的秘密聯繫與龍雲轉向汪精衛

抗戰初期，龍雲是積極的。七七事變爆發，龍雲曾致電蔣介石稱："時局至此，非集我全民力量，作長期抗戰之計，無以救危亡。"[2] 8 月上旬，他奉召到南京參加國防會議，對記者表態稱："身為地方行政負責者，當盡以地方所有之人力、財力，貢獻國家，犧牲一切，奮鬥到底，俾期挽救危亡。"[3] 他並在記者招待會上表示，日寇武器雖優，但"勝敗之歸宿，仍繫於精神之力量。"期間，

1 《戴笠電蔣中正》，台北"國史館"藏檔，1939 年 3 月 11 日，002-080103-00009-019。關於林知淵受戴笠之命前往河內探訪汪精衛的情況，參見林本人所著：《政壇浮生錄》，《福建文史資料》第 22 輯，1989 年版，第 102—103 頁。
2 《龍雲懇組建制部隊親率開赴前線電》，《滇軍抗戰密電集》，雲南省檔案館 1955 年版，1937 年 8 月 2 日，第 1—2 頁。
3 龔自知：《隨節入京記》，轉引自謝本書：《龍雲傳》，第 122 頁。

蔣介石要龍雲出兵兩個軍抗日，龍雲答以"雲南地方團隊素有基礎，出兵二十萬也可以辦到。"他表示先出一個軍。10月5日，以盧漢為軍長的第60軍在昆明誓師，官兵約4萬人。1938年4月21日，第60軍抵達徐州。這支軍隊武器精良，士氣旺盛，被稱為"南蠻兵"。在李宗仁、孫連仲指揮下投入台兒莊戰役，堅守禹王山制高點，取得重大勝利。60軍投入戰鬥者35,123人，傷亡18,844人。龍雲曾稱該軍"英勇作戰，望滇人繼續努力。"[1] 其後，龍雲又新編第58軍和新3軍，開赴前線，共投入兵力27萬。[2]

當雲南健兒在戰場上與日軍搏戰之際，龍雲對抗戰的態度卻已在暗中變化。1937年12月，日軍扶植的傀儡政權"中華民國臨時政府"在北平成立，王克敏出任行政委員長。1938年4月15日，龍雲與劉文輝親筆致函王，聲稱想在四川、雲南、西康、貴州四省地區發起反蔣"和平運動"，盼能得到聲援，並和日方取得聯絡，得到支援。該函由雲南省參事唐繼賢及省政府參議宋雲階於5月中旬送到北平，會見日軍特務機關長喜多誠一，商討對付蔣的軍事討伐辦法，雙方確定以日本駐河內領事館為聯絡點。[3] 當時，國民黨和國民政府的力量正在向西南地區發展，龍雲等企圖聯絡日本，藉助外力，對抗蔣介石，確保其地盤與實力。

1938年10月，日軍深入廣東、湖北，廣州、武漢兩大城市同時危殆，龍雲既對軍事作戰悲觀，也對國際援助絕望，態度急劇改變。10月20日為中國軍隊棄守廣州前一天，龍雲致汪精衛電稱：

> 信陽放棄後，日軍在大鵬灣登陸，相繼佔領惠陽，粵省軍備薄弱，於此可見。英方受其威脅，不置一詞。粵漢、平漢均已不通。前途危險，可以概見，而國際間始終持觀望態度，我則孤立無援。職邊疆遠寄，午夜思維，彌切憂慮，未識中央處此如何應付？鈞座高瞻遠矚，當茲千鈞一髮，國命攸關，今後一切，伏乞指示，俾有遵循。職龍雲。

---

1 《雲南日報》，1938年7月29日。
2 以上龍雲支援抗戰部分，參考謝本書：《龍雲傳》，第121—131頁。
3 《東京廣田致河內日領》，台北"國史館"藏檔，002-080200-00507-023。參見《龍雲、劉文輝等和平運動》，堀內參事官呈廣田電第718號，蔡德金：《汪精衛傳》，四川人民出版社1987年版，第272頁。

"信陽放棄"，指 1938 年 11 日中國軍隊在河南信陽慘敗。當時，中國軍隊遺屍 1 萬 3 千餘具，而日軍僅戰死約 550 名，傷 1,560 名。"大鵬灣登陸"，指 10 月 12 日，日軍佔領廣東東部沿海大亞灣等地事。當時，日軍為策應武漢會戰，切斷中國在海上與國際的聯絡通道，在華南大亞灣登陸。大亞灣位於廣東省東部紅海灣與大鵬灣之間，其中的三門島是從清朝至今的海上重要關口和軍事要塞，鄰近時為英國殖民地的香港。龍雲認為，大亞灣、大鵬灣等地陷落，英國在香港及鄰近海面受到威脅，英日之間定會發生衝突，但英國及其他國家居然毫無動靜，不置一詞，這使龍雲感到，中國在國際上已處於孤立地位。加上從北京到廣州這一貫通中國南北的鐵路幹線已經不通，使龍雲倍感中國戰局的危險，因而向汪精衛問計。

當時，蔣介石正在徵詢國民黨中常委及各省主席的意見。10 月 21 日，龍雲致電蔣介石，除重複致汪電所述內容外，特別強調中國所處的國際困境，電稱：

> 現在國際局勢，既然如此，不免令人失望。英法對我無益，顧慮尤多，粵漢、平漢兩路若再相繼阻絕，情形益陷於險惡。蘇聯助我，亦徒口惠難恃，在此千鈞一髮之際，對於國際上外交政策，有無另行考慮之必要？鈞座高瞻遠矚，胸中早有成竹，職對鈞座久矢忠誠，任何時期，任何艱違之下，亦惟知以身許國，冀上報知遇。因感鈞座推誠相與，遂言無所擇，謹電密呈愚見，仍候鈞裁。

龍雲認為英、法兩國不會幫助中國，蘇聯對華，僅停留於"口惠"階段，因此他向蔣介石提出"對於國際上外交政策，有無另行考慮之必要"。當時，美國尚在標榜孤立主義與中立主義，還不在龍雲的視野之內，其"另行考慮"的"對外政策"，只能是對日妥協。

對龍雲的電報，蔣介石似無應答，但汪精衛卻既有函，又有電，並且給龍雲寄去了兩人之間通訊的密電本。10 月 23 日夜，龍雲致電汪精衛云：

> 函電奉悉。電本已收到。復讀來示，過去一切錯誤，誠如所示，幻想誤國，言之痛心。事至今日，千鈞一髮，唯有亡羊補牢，望鈞座立定大

計，願以追隨而救危亡。[1]

汪精衛致龍雲的函電，未見，但從龍雲復電可知，汪精衛必然在其中以"幻想誤國"為詞，痛批蔣介石所作抗戰決策的"一切錯誤"。龍電所稱"望鈞座立定大計"，"願以追隨而救危亡"云云，表明他完全贊同對日妥協求和，已經完全站到汪精衛一邊去了。

根據資料，汪精衛對龍雲的工作抓得很緊。10 月 25 日，中國軍隊撤守武漢，汪有親筆航空書信致龍。28 日，又有電報致龍，談中國軍隊放棄廣州情形、工廠及公共建築的破壞。電云：

> 夫戰而焦土，人為謀之，不戰而焦土，何以自解？彼輩縱火之後，早已遠引，而人民結怨尤深，恢復之機斬斷無餘。[2]

電中所言"不戰而焦土"，指廣州守軍余漢謀在撤退前對廣州各公署、工廠及公共建築的破壞，意在指責國民黨軍事當局，引起龍雲對戰爭的恐懼和反感。果然，29 日，龍雲復電汪精衛，首稱"慨自中日戰爭開始以來，我軍事上失於統算。已無可諱言"，然後歷數中國軍隊自八一三淞滬抗戰以來的多次失敗，表示對戰局進一步發展的擔心。電稱：

> 最可慮者，敵雖短期內不能以侵粵之敵抽調西犯，萬一另派一部再由北海登陸直達滇黔，斷絕滇緬交通，或直搗桂林，以窺湘南，各省部隊今已調赴前方，後方空虛實甚。若敵竟冒險而來，恐至不堪設想。望鈞座對此加以考慮，並隨時申警軍事當局，思患預防，免一誤再誤，至大局陷於僵斃。誠如公言，純由依賴外力估量所望者過高，結果失望，致陷孤立。言念前途，至深悲憤。共匪為害民族國家，職深惡痛絕，當凜箴言，特別注意，仍望不吝教誨，時賜南針，俾有遵循，不勝感禱。

該電表明，龍雲對中國軍隊的作戰已全失信心，其所希望汪精衛"隨時申警"的軍事當局，應是當時正指揮對日作戰的蔣介石，所謂"思患預防，免一誤再

---

1 《龍雲致汪精衛》，台北"國史館"藏檔，118-010100-0048-006。
2 《汪精衛致龍雲》，台北"國史館"藏檔，1938 年 10 月 28 日，118-010100-0049-032。

誤"者，應是改變軍事上的對日作戰方針。蔣介石之所以當初決策作戰，原因在於估計國際社會不會聽任日本長期橫行，會在某個時期出面採取行動。"誠如公言"云云，反映出汪精衛對國際社會的援助已經完全絕望，也反映出龍雲對蔣介石堅持抗戰方針的極度不滿。"當凜箴言"云云，則反映出龍雲對汪精衛妥協降日方針的崇信和入迷。

10 月 31 日，汪精衛迅速發電龍雲，讚揚龍的見解和主張：

> 尊論洞見癥結，深佩遠謨。所指敵若另派一部由北海登陸，正弟所深憂。前函由粵而桂，由桂而滇之說，即為此而發。近晤廣西參政員諸君，亦懇切以此為言。公能未雨綢繆，豈惟滇受其賜，西南半壁復興基礎，亦獲磐石之安矣。[1]

本電強調雲南、廣西面臨的危險，以地方利益打動龍雲，要他"未雨綢繆"，保證"西南半壁"的平安。如何能做到此點？自然只有支持汪精衛的對日妥協計劃了。

1937 年，龍雲到南京參加國防會議，初識汪精衛，即認為汪是"當代的大政治家、大文學家、大哲學家"，自此，對汪始終"推崇備至"。[2] 1938 年，雙方多次秘密函電往來，思想上進一步共鳴。同年 8、9 兩月，汪精衛派褚民誼、陳公博、曾仲鳴、陳璧君先後到昆明訪問龍雲。陳璧君自 9 月 3 日至 27 日以視察錫礦為名，長住昆明二十餘天，龍雲曾以 4 萬元鉅款購買大廈一座贈陳，以為拉攏。[3] 陳璧君在與日本妥協，投日、降日等問題上，比汪精衛還積極。自然會以自己的思想、觀點影響龍雲。

龍後來致電蔣介石辯稱，與汪"素無關係可言"，"共面晤三次"，證以上述資料，自然是謊言。

---

1 《汪致龍雲》，台北"國史館"藏檔，1938 年 10 月 31 日，118-010100-0049-031。
2 高蔭華（高蔭槐）：《回憶錄三則》，《雲南文史資料》第 3 輯。高所述龍雲初見汪精衛時間為 1936 年，疑為誤記。類似的話，龍雲於 1945 年 11 月也對其秘書劉宗岳說過，見劉宗岳：《我所知道的龍雲》，《湖南文史資料》第 6 輯，第 178 頁。
3 《賀耀祖、戴笠呈蔣中正雲南軍事政治財政概況情報日報表》，台北"國史館"藏檔，002-080200-00510-095。

五、軍統刺汪，龍雲派親信攜款慰問，
汪企圖重回昆明活動

汪精衛等逃到河內後，一面發表宣言和文電，宣揚投日、降日理論，一面則積極聯絡各地反蔣力量，待機而動。

汪精衛是國民黨元老，第二號領袖，蔣介石擔心其出逃、降日的巨大負面影響，因此，初期方針為動員汪精衛赴歐洲休養，防止其與日本勾結，同時也防止其投日在抗戰陣營內部造成連鎖反應。1939 年 2 月 10 日，蔣介石備好護照及 50 萬元現金，派汪的老部下、原改組派成員谷正鼎到河內，勸汪赴法，為汪所拒。這以後，蔣介石和軍統確定以暗殺手段消滅汪精衛其人，陸續派人赴越，執行計劃。現存 1939 年 3 月 11 日戴笠致蔣介石電云：

> 即呈校座鈞鑒：頃據河內電告，某寓已有內線買通，較易進行，並阻止生勿親往，以免被對方發覺，生原定本下午搭輪前往，督促行動也。生笠叩。真午港。[1]

據此電可知，刺汪一事，軍統做了周密而細緻的準備，原計劃由戴笠親自赴河內指揮執行，因擔心被汪方發覺，臨時改變。

3 月 21 日，刺汪事件發生，但誤中汪精衛的秘書曾仲鳴及其夫人方君璧。其經過，史書多有記載，茲不贅述。3 月 28 日，龍雲派親信李鴻謨攜函，並攜款 5 萬元赴河內慰問汪精衛。[2] 龍函今不可見，但汪精衛於 3 月 30 日寫有致龍雲的長篇復函，中云："昨晤李主任並奉惠書，垂愛之殷，令人感奮。"李主任，即李鴻謨。可見，龍雲此時對汪的叛國行為，並無一絲譴責之意，仍然脈脈深情，並且予以鼓勵。

龍函向汪諮詢 "國際情形" 與 "中日情形"，因此，汪精衛在復函中首述世界大勢，說明對歐戰或世界大戰之不可期待，英、日矛盾之不可期待，繼述日方對蔣介石之不信任，拒絕與蔣 "議和"。在回顧 1938 年 12 月出逃昆明時與

---

1 《戴笠致蔣介石》，台北 "國史館" 藏檔，1939 年 3 月 12 日，002-080103-00009-019。
2 《河內總領館電外交部》，台北 "國史館" 藏檔，1939 年 4 月 5 日，001-103100-0003。

龍雲的深談經過時，函稱：

> 知先生心事光明，故前此晤面，敢坦懷以告；惟知先生環境困難，故急遽離去，不留痕跡，以待先生之從容佈置。今已三月有餘矣，未知先生佈置如何？

從“坦懷以告”等語看，在 12 月 18 日的夜談中，汪不僅談了自己的叛國降日計劃，而且也討論了龍在雲南的回應動作，所以汪在信中催問：“未知先生佈置如何”？

汪函的重點部分是希望龍雲發表贊同《豔電》的聲明，然後接納汪本人再來昆明，以“在野”身份，繼續發表主和言論，以供政府及國人參考。汪精衛要求龍雲，“以軍警之力，保護其生命之安全及不干涉言論行動之自由”，“俟將來大局有所變化，再作第二步之進展計劃”。函中，汪精衛著重說明重來昆明的必要：

> 弟蟄居河內，非有所長，然寄人籬下，言論行動，不能取信於國人；若回到內地，則聲勢迥然不同。各方趨附有其目標，國際視聽亦有所集，事半功倍。日本對弟，往來折衝，亦比較容易有效。此弟三個月前不敢求之先生，而今日始求之先生，未知先生能有以應之否？

三個月前，汪精衛等急匆匆地離開昆明，目的是自河內轉往香港，與日本勾連；現在何以要轉回昆明呢？其原因在於汪出逃後，原先設想的西南、華南各省將領、官員紛紛響應的局面並未出現，繼之以近衛下台，平沼上台，政策一時未定，日汪關係處於低潮，汪有被遺棄之感，不得不轉而希望回到昆明，以之為基地，內聯國內妥協、動搖將領，外與日本勾連，討價還價。

汪精衛寫此函之際，江西南昌為日軍攻陷。汪一面在香港《南華日報》發表談話，歌頌南昌失陷是“日軍的大勝利”，一面則在致龍雲函中大肆宣揚失敗主義和戰爭恐怖，函稱：

> 今日之事，不在我之丟不丟，而在日本之要不要，日本如要，我只有以丟了事，再加一筆，以燒了事，至矣盡矣，蔑矣加矣。中國今日已為一

受致命之傷，不能復動，人能在其何處，再加一刀二刀，無乎不可。[1]

函末，汪精衛特別加寫了一段"又及"，暗示蔣介石正在逼迫龍雲走上"無價值之犧牲"的抗戰道路，威嚇說："屆時，先生之於雲南，亦惟有先燒後去、或先去後燒之兩個辦法。本可為一絕好之救國根據地，乃如此蹧蹋，當亦先生之所大不忍也。"汪精衛要龍雲當機立斷，先發制人，立即搶在重慶國民政府對雲南採取措施之前，向日本妥協求和，函稱："先生固宜有從容佈置之餘裕，然先生佈置，彼亦佈置，其佈置或較先生為快，且必較先生為辣，先發制人，後發制於人，惟先生裁之。"

同函附汪在香港報紙發表的《舉一個例》，於 3 月 31 日交李鴻謨帶回。

4 月 13 日，蔣介石調雲南耆宿、雲南通誌館館長周鍾嶽（惺甫）到重慶擔任國民政府內政部部長。龍雲將汪精衛 3 月 30 日函交周帶到重慶，於 4 月 16 日面交蔣介石。[2] 關於此，龍雲在《抗戰前後我的回憶》中寫道：

> 我曾派李鴻謨去越南看汪，汪將遇刺經過以及谷正綱來往的事情告訴李鴻謨，我才知道這些情形。汪精衛寫了一封信交給李鴻謨帶給我，告訴我他遇刺的經過及他準備接受廣田三原則的意圖，並且要我回應他的《豔電》主張。我看了信後，就將此信送重慶給蔣介石看。蔣介石看後，派唐生智將原信帶到昆明，叫我將此信在昆明各報發表，我即照辦了。[3]

"谷正綱"，應為谷正鼎。"廣田三原則"，應為"近衛三原則"，這些地方，應為龍雲記憶錯誤，並非有意說謊。

關於汪函送交蔣介石的經過，軍統方面一直宣稱是"查獲"，"被戴先生的工作人員偵查到，拍成照片，呈報中央"。[4] 上述資料可以確證，此為謬說。

---

1 《軍事委員會侍從室呈蔣中正：陳璧君致汪兆銘及汪致龍雲函照片》，台北"國史館"藏檔，1939 年，002-080103-00009-022。
2 周鍾嶽：《惺庵回顧錄四編》，《雲南文史資料》第 8 輯，1965 年 5 月版，第 150—151 頁。
3 龍雲：《抗戰前後我的幾點回憶》，《文史資料選輯》第 17 輯，第 59 頁。
4 《河內血案》，檔案出版社 1988 年版，第 238 頁。

六、龍雲被迫公佈汪精衛來信，
同時暗中聯絡日本特務機關

龍雲派李鴻謨去河內慰問汪精衛，3 月 31 日，李鴻謨回昆。4 月 1 日，龍雲致電蔣介石報告，說明"因不明真相，乃派員前往慰問及視察確情"，同時也向蔣彙報汪的反應："言語間，對於中央不無誤會，或因此而更趨極端，亦未可知"。4 月 8 日，蔣復電云："汪在河內被刺，幸兇手當場拿獲。此事當可水落石出，論理不應發生誤會。至其更趨極端一節，此非今日之事，乃其預定計劃，中絕不敢臆斷妄測，而其通敵乞降，則事實昭彰，彼固已自認不諱，但有痛惜而已。"[1] 4 月 8 日、9 日，蔣介石兩日日記均將研究"滇龍動向"列為工作要點，同時考慮宣佈"汪逆罪狀之利害"和"引渡汪逆之交涉"兩項問題。

實際上，蔣介石此時已確知龍雲傾向汪精衛。4 月 5 日日記有"滇龍向汪之言應否宣告"的考慮。同日，中國駐河內總領事館向外交部報告龍雲向汪精衛贈款 5 萬元之事，蔣 6 日日記即記載，"滇龍送汪款項"。

4 月 13 日，龍雲將汪精衛 3 月 30 日函交周鍾嶽帶到重慶的同時，直接致蔣介石電云：

> 抗戰迄今，國家重要基地，已在西南，滇省目前對國家之關係，及所負之責任，不但職明了，一般民眾已深切了解。總之，在鈞座領導之下，任何艱難危險，苟一息尚存，始終不二。蓋滇省與我公同一命運，在此敵人力圖分化，汪氏被敵利用之時，吾輩軍人，不論任何職責，惟有立定腳跟，不為利害所動，確遵既定國策，以待鈞座從容應付，此即剝復之機，亦國家之幸民族之福也。[2]

此電自述雲南對於維繫抗戰全局的重要，表示對蔣和抗戰國策的堅定擁護，是龍雲此前從未有過的明確的"表忠信"。16 日，蔣介石日記云："滇龍態度已表明對中央之忠誠。"

---

1 《蔣中正致龍雲》，台北"國史館"藏檔，1939 年 4 月 8 日，002-020300-00003-017。
2 《龍雲呈蔣委員長》，《傀儡組織》（3），1939 年 4 月 13 日，第 116 頁。

龍雲自稱"我雖至愚，決不蠢"[1]。他是聰明人，熟知蔣介石力圖阻斷汪精衛和日本進一步勾連的心理，現在，汪既有回滇願望，便將這一問題交給蔣介石，由蔣處理。同時，他又由此感到，汪既自昆明出逃，現在又轉而要求回昆，說明汪此時尚未受到日方重視，正處於走投無路的窮蹙境地，反復權衡，終於決心向蔣靠攏，於是就有了上述"表忠信"。

這一時期，日機連日轟炸昆明附近及雲南蒙自等地，損失慘重，但不炸昆明。15 日，龍雲致電蔣介石稱："揣敵方用意，似含有威脅壓迫，使滇有所恐怖而生變化之舉。職意汪黨與日勾結，有此作用，亦未可知。"龍雲此電得到蔣介石批示肯定："此間觀察與兄全同，汪勾敵害國，事實太多，擬囑孟瀟兄不日來滇面詳一切也"。他決定派唐生智赴滇，意在命龍雲立即公佈汪精衛 3 月 30 日函，"宣佈汪之陰謀"[2]。

4 月 22 日，唐生智抵達昆明。當日，唐、龍第一次會談。唐生智向龍雲闡述汪精衛"善辨多變，生性涼薄"，"尤喜玩弄軍人"的特點，以自己與汪的交往中吃虧上當的經過打動龍，同時說明張發奎、薛岳等將領都不信任汪，此外，還正面講了一通"抗戰期間，忠奸不兩立"的大道理。最後，唐說明來意，要求龍雲公佈汪精衛 3 月 30 日信件。

4 月 24 日，唐生智與龍雲、盧漢再談。唐生智提出邀汪來滇、在雲南及中央公佈汪函等三項意見。龍雲再次表示，擁護蔣的抗戰主張，雖至最後一省一縣，決不稍懈。他說明之所以將汪函交蔣，其原因是蔣"為元首，為家長"，但他不同意公佈汪函，認為"既拒汪之請求，又發表其私函，私德上實多缺陷"。龍雲提出，邀汪來滇，與汪以相當自由，而負責干涉其對敵方及國際活動。唐認為，勸汪來滇安居，不作任何活動，恐汪不易接受。他在回復蔣介石的電文中為龍雲擔保說："志舟兄擁護鈞座抗戰到底，實出至誠，而顧慮東方倫理不願為已甚，心實無他，皆可由詞色中窺見也。"[3]

4 月 27 日，蔣介石致電唐生智，肯定龍雲所談，坦白誠摯，皆在情理之

1　《唐生智呈與龍雲盧漢洽談情形並請示答復汪函方式之敬電》，《傀儡組織》（3），第 118 頁。

2　《蔣介石日記》，1939 年 4 月 19 日。

3　《唐生智呈與龍雲盧漢洽談情形並請示答復汪函方式之敬電》，《傀儡組織》（3），第 118 頁。

中，人情與道理不可偏廢，如何處理汪函，尊重龍雲本人意見。他不再堅持公佈汪函的意見，提議由龍雲復汪一函，既批評其來信所言，又正言勸誡，使汪"不再作進一步之賣國行為"，尤須斷絕其買空賣空、挑撥離間、煽惑人心、藉敵自重等"妄念"。[1]蔣並且代龍雲草擬了一封致汪精衛的復函，嚴詞批評汪的種種行為，要求龍斟酌採用，公開發佈。

龍雲接到蔣所代擬的復汪函草稿後，與唐生智及部屬等反復研討，在蔣稿的基礎上增改文字，寫就新一稿答汪精衛函，嚴詞指責汪精衛對自己的煽惑：

> 至賜書，則欲雲背離黨國，破壞統一，毀滅全民犧牲之代價，反舉國共定國策，此何等事，不僅斷送我國家民族之前途，且使我無數將士與民族陷於萬劫不復地步，此豈和平救國之本，直是自取滅亡，以挽救敵寇之命運耳！

此函未對汪精衛回滇一事表態，而是要求汪在"被刺"之後，勿動於激憤，勿惑於左右，及早回頭，立下決斷："絕對與敵人斷絕往來，命駕遠遊，暫資休憩，斬除一切葛藤，免為敵人播弄，庶幾國家早能獲最後之勝利，而公亦克無損其歷史之令譽。愚直之見，敢附諍友之列，以盡最後之一言。知我罪我，唯公裁之。"5月4日，龍雲將復汪函通電各戰區長官，同時交各報發表。5月6日，龍雲致電蔣介石，聲稱唐生智南來傳達的"鈞命"，"自當遵照"。電文回憶此前蔣介石對雲南的訓示，有"與滇相依為命"之語，因而再次表態說："現在全滇人民對國家及鈞座，皆始終如一，無敢或渝，不能負國家，尤不能負公也"。[2]

龍雲發表復汪精衛函後，擔心日機報復，轟炸昆明，要求蔣介石撥驅逐機一隊，歸其指揮，同時要求歸還已在蔣介石手中的汪函。蔣介石為了安慰龍雲，任命其擔任航委會委員。

汪精衛致龍雲函雖未如蔣介石之意發表，但龍雲復汪函的發表畢竟意味龍、汪之間的長期曖昧關係的結束，宣佈和汪精衛的公開決裂。然而，十分出

1　《蔣委員長致唐生智》，《傀儡組織》（3），第119—120頁。
2　《龍雲致蔣中正》，台北"國史館"藏檔，002-080101-00041-001。

人意料的是，龍雲卻在此後連續派李鴻謨（希堯）及省政府辦公室主任黃秉忠（青波）二人再到河內，向日本在當地的特務機關請求諒解，通報情況，要求支援。據中國方面截獲的日本河內機關致東京有田八郎外相的電報稱：

> 龍雲於本月 2 日通電全國，發表其致汪精衛函，以消除各方對彼之疑惑。
>
> 此次龍所派密使之意，不外因發表致汪函之故，要求我方諒解。彼一方面對蔣頻示殷勤，一方面又與我方保持聯絡，其意義蓋為保全自己之地位，而備將於萬一也。[1]

這通電報顯示，龍雲雖然感到汪精衛已經勢窮力蹙，但是，日本帝國主義卻仍然是一隻威脅雲南、可以吃人的“老虎”，不能不派人聯絡。龍雲派出的代表還向日方表示：

> 龍雲單獨舉事，在事實上相當困難，且頗不利，故思與四川、貴州、西康各省取得聯絡，以雲南為中心而使西南各地全體舉動，關於與西南各省之聯絡，現已有進展。

龍雲的代表並稱：“西南各省代表於數日內即在此晤面，將舉行西南聯絡會議。”[2] 可見，龍雲 5 月初公開發表答汪精衛函，只是應付蔣介石和重慶國民政府的一面之計，而其聯絡西南地方實力派反對抗戰國策的活動仍在加緊進行。據日方情報，這次“西南聯絡會議”不久召開，到會代表 8 人，結果無所得。[3]

　　1940 年 3 月 30 日，汪偽國民政府在南京成立，發表《還都宣言》。5 月，滇軍第 1 集團軍正在江西前線與日軍血戰，龍雲乘該集團軍代總司令高蔭槐回昆述職之機，要他將軍隊撤退至湘西，以便響應汪精衛的號召，通電主和。龍雲對高發表了一通對日妥協、投降的理由：“兩國戰爭，不能戰，也要能守；守既不能，非和不可。”“亡國怕什麼，中國不是沒有亡過。”他從歐洲德法戰爭的歷史講到中國史：

1　《鈴木致東京有田》，台北“國史館”藏檔，渝 2011 號，1939 年 5 月 21 日發，002-080101-00041-001。

2　《毛慶祥呈傳龍雲舉行西南聯絡會議之情報》，台北“國史館”藏檔，002-080101-00041-001。

3　《7 月 18 日河內發東京外相電》，台北“國史館”藏檔，002-080200-00522-011。

南宋偏安之局，不是秦檜主持，早被岳飛拚完了，那還會有南渡後又延長百多年的國脈。真正愛國要算秦檜，岳飛不過武人好功，風頭主義，只圖一人享英雄之虛名，不管天下生靈塗炭。[1]

此前，中國軍隊在第一次長沙會戰中獲勝，龍雲評論說："你不看歷史，也應看看形勢。第一次長沙之戰，勉強守住了，但是必爭之地，日本若加兵進攻，必然不保，蔣介石的兵必丟起就走，將你隔在江西，那時你退不退呢？"由於高蔭槐堅決反對龍雲的意見，龍雲大發脾氣，拳擊桌案，曾將茶水震潑滿台。

高蔭槐（1889—1975），號蘊華，雲南昆明人。滇軍重要將領，與龍雲關係密切。抗戰中參加台兒莊、武漢保衛戰、湘北、贛北、贛東等重要戰役。歷任第 30 軍團副軍團長、第 1 集團軍代總司令兼新 3 軍軍長，為抗戰勝利做出過重要貢獻。他的這段回憶揭示了極為重要的史實。

龍雲等長期經營的西南反蔣活動終於有了進展。1941 年 11 月，張群親自告訴蔣介石，劉文輝、閻錫山、龍雲等聯絡，將在 "國策變更" 後推張群為領袖。所謂 "國策變更"，自然是改變抗日方針；推張為領袖，自然是發動某種形式的 "政變"。蔣得知有關消息後，在日記中寫下 "痛心盍極" 四字。[2]

據高蔭槐回憶，日方曾擬任命龍雲為南方九省長官，龍雲的對日妥協求和活動長期持續進行。龍曾派木向東、趙康節等人到香港、上海、南京等地，聯繫日本間諜和陳公博等人。汪精衛也曾派其表弟梁臯宇到昆明，被龍雲委為佛海縣縣長，設有秘密電台，以便與汪精衛通訊。[3] 不過，由於世界反法西斯戰爭的全局日漸向好，龍雲雖然和日方勾連不斷，卻始終沒有決然投敵，繼續留在抗戰營壘中，並為爭取勝利做了若干有益工作。1945 年 1 月，周鍾嶽針對龍雲 "有異志" 的傳言，曾特別致函蔣介石說："倭寇潰敗，在指顧間，凡有常識者所盡知，豈志舟而見不及此，如果有二心，則去之如腐鼠耳。"[4]

地方實力派的命根子，一是地盤，一是軍隊，牢牢保有了這二者，才有可

1　高蘊華（蔭槐）：《回憶錄三則》，《雲南文史資料選輯》第 3 輯。
2　《蔣介石日記》，1941 年 11 月 15 日。
3　高蘊華（蔭槐）：《回憶錄三則》，《雲南文史資料選輯》第 3 輯，第 38—40 頁。據羅卓英密報，高蔭槐等第 1 集團軍在湘贛境將領長期 "不直滇省當局之所為"，高 "對滇省與國防前途，尤抱關切"。見《羅卓英密陳高蔭槐奠定滇局之意見由》，台北 "國史館" 藏檔，002-080101-00041-002（1940.5.30—1941.8.26）。
4　《周鍾嶽致蔣中正》，台北 "國史館" 藏檔，1945 年 1 月 20 日，002-080101-00041-003。

能獨佔一方，稱雄稱霸。有些地方實力派，如桂系的李宗仁、白崇禧，在民族危機深重之際，能夠以民族、國家大義為重，投身抗戰；有的地方實力派，則將私利或派系利益置於首位，將是非、正義、民族、國家等觀念視為次要，無足輕重，甚至可以棄如敝屣。他們對抗戰的態度隨時而變，隨境而異。有時參戰、助戰，有時觀望，有時動搖，有時則兩面鈎掛，甚至伺機投敵。當時的重慶國民政府，不僅需要外抗強敵，而且需要對付內部的反側力量，妥善處理動搖分子，以及隨時可能反戈投敵的分子，其處境是極為艱難、極為危險的。

七、蔣介石對龍雲的警惕、爭取、教育和防範

雲南是西南大省，在南京、武漢相繼失守，國民政府內遷重慶之後，雲南成為舉足輕重的大後方，是四川以外的第二根據地。龍雲以軍力起家，號稱"雲南王"，統治雲南多年，根深勢厚，他的政治向背攸關抗戰全局與前途。為了維護和堅持抗戰，蔣介石雖明知龍雲其人不能信賴，仍不得不爭取其留在抗戰營壘之中。同時，鑒於龍雲和汪精衛的密切關係，蔣介石又不得不對其警惕、控制和防範。上引蔣介石日記所稱抗戰的成敗存亡"全繫於雲南"並非虛語。[1] 為了準確掌握情況，籠絡龍雲，蔣介石曾先後派李烈鈞、白崇禧、唐生智等大佬赴滇視察，儘管他們向蔣介石所報大多是關於龍雲的正面消息，但蔣介石仍然在很長時期內心存疑慮，不斷在日記中提醒自己研究"滇龍動向"和"對滇龍之態度"。

一方面，蔣介石力圖對龍雲"示之以誠"，"示以德意"，甚至"以逆來順受之道處之"，謀求感動龍雲、安撫龍雲，使龍雲不懷異志。[2] 其日記云："彼如有人心，當能知感也。"[3] 1944 年 11 月，龍雲六十大壽，蔣介石贈以壽詞，肯定龍雲"翊輔黨國，歷久而彌見貞恆"，"鎮撫滇南，南顧無憂"。[4]

蔣介石所做，第一是裝糊塗，不去深究龍雲和汪精衛、日本以及和西南地

---

1 《蔣介石日記》，1939 年 1 月 20 日。
2 《蔣介石日記》，1942 年 12 月 7 日、1943 年 10 月 27 日、1944 年 3 月 4 日。
3 《蔣介石日記》，1941 年 8 月 31 日。
4 《蔣中正致龍雲 60 壽詞》，台北"國史館"藏檔，002-080200-00300-035。

方實力派之間的曖昧關係。

第二是不斷加強對龍雲的形勢教育。現存蔣介石致龍雲電中，有幾件特長電報，如 1939 年 8 月 27 日《望艱苦奮鬥完成抗戰使命電》、1940 年 9 月 29 日《分析國際形勢變化與我國抗戰關係電》等。這些電報，為龍雲詳細剖析國際形勢，勸勉龍雲 "不可觀望於國際間縱橫迷炫之跡象，而自分其心志"，宣稱 "我之國策，早經決定，於抗戰之目的，必當貫徹於最後勝利之日。"[1] 1940 年，日、德、意三國剛剛結成法西斯同盟，蔣介石即於第三天致電龍雲，告以 "三國同盟成立之日，即敵寇失敗之始"，"現在情勢日趨光明，責任益見重大"，要求龍雲教育官兵 "一體認識，加緊努力，殲除垂斃之暴敵，共竟革命之全功"。[2] 上述二電的長度，為蔣介石生平所發電文中所罕見，而且專發龍雲，充分顯示蔣介石對龍雲的重視和苦心教誡。

第三是儘量尊重龍雲的權力。1941 年 8 月 4 日，蔣介石指示參謀總長何應欽，凡屬昆明行營序列部隊，皆由龍雲 "全權指揮與負責部署"。[3] 1942 年 5 月 7 日，蔣介石致電軍令部次長林蔚，要他每日與龍雲通電話與電報，同時囑咐指揮滇西抗戰的第 11 集團軍總司令兼昆明防守司令部司令宋希濂應向龍雲報告及請示。[4] 在要求龍雲為抗戰效力時，電文寫得分外謙恭、熱情。例如，1945 年蔣介石為準備戰略反攻，擬補充兵員 27 萬人所致龍雲電：

> 茲特就商於兄，可否請兄近在滇省勉徵 8 萬至 10 萬壯丁，作為雲南最後一次之徵兵？今後中央在抗戰期間准不再在滇省徵兵，未知吾兄能否贊成此一大舉否？以為最後勝利之保障。如果承允諾，則於時間，於人員，皆得莫大便利。果爾，則吾兄不僅功在黨國，永誌不忘，而於私心感懷更難名狀。[5]

此電毫無上級對下級的命令氣派，完全是一副商量、請求口吻。

第四是儘量滿足龍雲的權力要求。自 1939 年 12 月起，龍雲為對付準備入

1　《抗戰時期之雲南——檔案史料選編》（上），重慶出版社 2015 年版，第 157 頁。
2　《抗戰時期之雲南——檔案史料選編》（上），第 201—202 頁。
3　《蔣委員長中正抗戰方策手稿彙編》，台北中國國民黨黨史會 1992 年版，第 198—199 頁。
4　《蔣介石電林蔚》，台北 "國史館" 藏檔，1942 年 5 月 7 日，002-010300-00048-014。
5　《蔣中正電龍雲》，台北 "國史館" 藏檔，1945 年 1 月 15 日，002-010300-00056-005。

滇的中央軍，要求擴展權力，擔任軍事委員會委員長昆明行營主任，蔣照准。1943 年 4 月，軍事委員會成立駐滇幹部訓練團，訓練遠征軍幹部，蔣自兼團長，任命龍雲為代團長，陳誠同為副團長。1945 年，中國陸軍總司令部在昆明成立，何應欽為總司令，蔣為了平衡，補任龍為副總司令。

　　1943 年 9 月，國民黨召開第五屆第十一次中央全會，新疆盛世才、雲南龍雲都應召到會，蔣介石極為高興，視為 “內政已完全統一” 和 “封建勢力之消失”，他親自和盛、龍二人談話，在日記中寫道：

> 　　今日新疆省主席盛晉庸，雲南省主席龍志舟皆應召來渝，參加本黨全體會議，此為國府成立以來未有之盛事，其一本已加入俄共實際已為俄共之附庸，新疆全土已入俄共之囊中。其一為汪偽所欺弄，三年以前幾乎已陷於寇偽陰謀之中，而今皆能坦然應召，遵命到會⋯⋯此為民國以來未有之盛事，可知國家與中央之威聲比之十二年前不啻提高倍蓰矣。[1]

盛世才、龍雲到會，顯示國民黨前所未有的團結。然而，蔣介石不了解，這只是一時的幻象。

　　另一方面，蔣介石對龍雲的某些動搖表現和 “抗命” 行為也常有不滿。其 1940 年 3 月 15 日日記甚至批評龍雲 “不明事理”，“彼必以抗戰失敗為快，而勝利為憂”。[2] 蔣介石始終不能釋懷的是龍雲和汪精衛的關係。1942 年 3 月，蔣介石在昆明，談到汪精衛，龍雲仍稱 “汪先生”，引起蔣介石極度不快，在日記中寫下 “可歎” 二字。[3] 直到 1944 年 11 月 10 日，汪精衛在日本名古屋病死，蔣介石心中的一塊石頭才終於落地，在日記中寫道：“滇龍與一般游離分子通敵無由”，“汪死而滇龍心定”，“昆明之憂可以減少”。[4]

　　龍雲和蔣介石之間，長期存在著政治、軍事以至經濟上的控制和反控制的鬥爭。為了防禦日軍入侵，控制雲南，控制龍雲，蔣介石陸續派遣中央軍進入雲南，龍雲或反對，或藉詞推託，或限制駐地，或要求將已調入之軍調離。這

1　《蔣介石日記》，1943 年 9 月 4 日、13 日。
2　《蔣介石日記》，1940 年 3 月 15 日。其 1942 年 3 月 7 日日記也有相同記載：“滇龍之狡狹鄙陋，夜郎自大，時時希望敵強我敗，其用心誠不堪復問矣。”
3　《蔣介石日記》，1942 年 3 月 4 日。
4　《蔣介石日記》，1944 年 11 月 11 日；《本月反省錄》。

些，蔣介石本已不滿。1943 年 10 月，中共中央南方局派華崗到雲南，對龍雲進行統戰工作。1944 年，龍雲秘密加入中國民主同盟，自此，龍雲逐漸投入反獨裁、爭民主的鬥爭。這就更使蔣認為龍雲"驕橫跋扈"，"目無中央"。1945 年 3 月 24 日，蔣介石在《上星期反省錄》中寫道："龍雲之驕橫不道，殊非想像所能及，玀玀之終為玀玀，夜郎自大，乃意中事，無足為奇。"當年 1 月 28 日，滇西、緬北戰役勝利結束，中國遠征軍、駐印軍和美軍在雲南邊境的畹町舉行會師典禮，龍雲即匆匆忙忙要求中央軍隊自昆明和滇西撤出，引起蔣介石憤慨。其 3 月 28 日日記云："龍雲必欲以中央軍隊撤出昆明與滇西方足其所望，此為抗戰與建國計，何可能也？"這些地方表明，龍、蔣矛盾一直在激化、發展中。蔣介石逐漸在醞釀、準備，適當時機解決龍雲問題這個心頭大患。

附記：台灣所出《中華民國重要史料初編——對日抗戰時期》之《傀儡組織》（3）收龍雲 1938 年 12 月 18 日致蔣介石電。其中有"昨夜及臨行時兩次電詳陳"語，有學者據此認為，龍雲迅速及時地向重慶國民政府彙報了汪精衛的動態，實際上此語為誤譯。參見《事略稿本》第 42 冊第 703—704 及 713—714 頁。

中國抗戰的三個艱危時刻 *

* 本文錄自《找尋真實的蔣介石：蔣介石日記解讀》（2），重慶出版社 2018 年版；原載《安徽師大學報》（人文社會科學版）2015 年第 4 期。2015 年 6 月 16 日，浙江大學人文學院舉辦了楊天石與陳紅民兩位先生的學術對談 "抗日戰爭中的蔣介石"，作為季我努學社 "抗戰大講堂" 的第二場演講。本文為楊天石先生演講部分，重慶出版社在編輯過程中略有刪節，文內標題為其所加。

中日戰爭，是國力、軍力相差懸殊的兩國之間的戰爭，因而艱難異常，險象叢生。本文特舉出其中三個時刻，簡略陳述其艱危之狀，以見前人之竭蹶應對與最終取得勝利之不易。

一、淞滬戰敗，南京淪陷，國民黨高層多數主和

自 1937 年 8 月 13 日開始的淞滬抗戰，中國政府調集七十餘萬軍隊，與日軍血戰三月，終以敵強我弱等原因，被迫撤退，又以決定匆促，指揮無方，形成潰敗。日軍違反軍事常例，在血戰之後並不休整，火速進攻南京。12 月 13 日，日軍佔領南京。首都淪陷，這在中國歷史上是很少有的、悲劇性的重大事件，中國政府主要領導人蔣介石立即通電，聲稱中國軍隊退出，"絕不致影響我政府始終一貫抵抗日本侵略原定之國策，其惟一意義，實只有更加強全國一致繼續抗戰之決心"。[1] 此後的一段時期，中國政府主要領導人堅決拒和，一面拒絕德國大使陶德曼的調停，一面則堅決抵制國民政府內部的主和派。

12 月 15 日，蔣介石召集高級幹部會議討論，當時的情況是："主和主戰，意見雜出，而主和者尤多。"[2] 司法院院長居正此前就表示："如無人敢簽字，彼

---

1 《為南京淪陷通電》，《"總統"蔣公大事長編初稿》卷 4（上），總第 1198 頁。
2 《困勉記》，1937 年 12 月 15 日。

願為之。"[1] 國防最高會議副主席汪精衛本來對抗戰就信心不足，這時更加缺乏信心。16 日，他向蔣介石提出，"想以第三者出而組織掩護"。[2] 顯然，汪企圖拋棄抗戰國策，在國民政府之外另立政府。代理行政院院長孔祥熙這時也從"傾向和議"發展為"主和至力"。[3] 12 月 18 日，蔣介石日記云："近日各方人士與重要同志皆以為軍事失敗，非速求和不可，幾乎眾口一詞。"[4] 當時，德國駐華大使陶德曼的調停正在繼續，蔣介石擔心日方有可能提出比較"和緩"的條件，誘使中國內部發生爭執與動搖。12 月 26 日，蔣介石得悉日方提出的新議和條件，發現較前"苛刻"，認為"我國無從考慮，亦無從接受"，內部不致糾紛，心頭為之一安，決心"置之不理"。[5]

12 月 27 日，蔣介石召集國防最高會議常務會議討論，主和意見仍佔多數，監察院院長于右任等甚至當面批評蔣介石"優柔而非英明"。[6] 會上，蔣介石堅持拒和方針。28 日，蔣與汪精衛、孔祥熙及軍事委員會秘書長張群談話，聲稱"國民黨革命精神與三民主義，只有為中國求自由與平等，而不能降服於敵，訂立各種不堪忍受之條件，以增加我國家、民族永遠之束縛。"[7] 次日，再與于右任、居正談話，表示"抗戰方針，不可變更。此種大難大節所關，必須以主義與本黨立場為前提。"[8] 蔣介石認為，與日本議和，外戰可停，而內戰必起，國家定將出現大亂局面。其日記稱："今日最危之點在停戰言和。"[9]

1938 年 1 月 2 日，蔣介石下定破釜沉舟的決心："與其屈服而亡，不如戰敗而亡。"[10] 他再次決定，堅持既定的抗戰國策。應該承認，南京淪陷，中國政府、中國軍隊處於最困難的時期，但卻是蔣介石的抗戰精神表現得最堅決、最熱烈、最煥發的時期。

1938 年 1 月 16 日，蔣介石決定，通知陶德曼："如倭再提苛刻原則，則拒

1　《王世杰日記》，1937 年 11 月 21 日。
2　《蔣介石日記》（手稿本），1937 年 12 月 16 日。
3　《王世杰日記》，1937 年 12 月 2 日、27 日。
4　《本週反省錄》，《蔣介石日記》（手稿本），1937 年 12 月 18 日。
5　《蔣介石日記》（手稿本），1937 年 12 月 26 日。
6　《蔣介石日記》（手稿本），1937 年 12 月 27 日。
7　《蔣介石日記》（手稿本），1937 年 12 月 28 日。
8　《蔣介石日記》（手稿本），1937 年 12 月 29 日。
9　《蔣介石日記》（手稿本），1937 年 12 月 30 日。
10　《蔣介石日記》（手稿本），1938 年 1 月 2 日。

絕其轉達。"[1] 17 日，蔣介石日記云："拒絕倭寇媾和之條件，使主和者斷念，穩定內部矣。"[2]

早在 1937 年 11 月 20 日，蔣介石就發佈遷都重慶的命令，宣示進行持久抗戰。日記云："老派與文人動搖，主張求和。彼不知此時求和，乃為降服，而非和議也。"蔣介石這一時期拒和，是因為他明白，日軍大勝，中國軍隊大敗之際，談和，其屈辱條件，只能超過"城下之盟"。由於蔣介石的清醒與堅持，中國抗戰度過了第一個艱危時刻。

二、廣州、武漢淪陷，汪精衛出逃，龍雲計劃附逆

1938 年 10 月 12 日，日軍 3 萬人在廣東大亞灣登陸。21 日，佔領廣州，迅速控制鄰近地區。自此，中國南方自海外獲得物資的補給線被切斷。27 日，在東、南、北三個方向被包圍的情況下，中國軍隊撤離武漢，南京淪陷之後形成的中國行政、軍事中樞被迫再次轉移。

武漢會戰期間，汪精衛雖被選為國民黨副總裁，但其求和、妥協之心依然如故。南京淪陷時，他向蔣介石提出"以第三者出而組織掩護"，此時，則背著蔣介石，暗中聯絡雲南龍雲、四川劉文輝、廣東張發奎等人，謀劃組織第三勢力，取蔣自代，與日本謀和。武漢失守之後，汪精衛對抗戰更加沒有信心，認為"中國國力已不能再戰了，非設法和平不可了"，"假使敵人再攻重慶，我們便要亡國"。[3] 他派親信與日本代表在上海密談，決定聯合雲南、四川、廣東、廣西四省反蔣勢力，成立以汪精衛為首的"新政府"。

中日兩國國力、軍力懸殊，對此，蔣介石有清醒的認識。他之所以和汪精衛分道揚鑣，力主抗戰，其原因之一在於他對國際形勢變化和國際援助存有期待。武漢會戰期間，蔣介石曾指望將中日戰爭國際化，"在外則望英美聯合，激起國際干涉"，他甚至企望"與英、法、俄進行共同作戰之計劃"。[4] 為此，他

1　《蔣介石日記》（手稿本），1938 年 1 月 16 日。
2　《蔣介石日記》（手稿本），1938 年 1 月 17 日。
3　陳公博：《自白書》，南京市檔案館編：《審訊汪偽漢奸筆錄》，江蘇古籍出版社 2004 年版，第 10 頁。
4　《蔣介石日記》（手稿本），1938 年 9 月 18 日、11 月 11 日。

在撤出武漢後，迅速於 11 月 4 日召見英國大使卡爾，長談 4 小時，次日，再談 1 小時餘。談話中，蔣介石為卡爾剖析日本侵佔廣州，其主要目的在於"打擊英國"，"完全奪取英國享有一百年來歷史的地位，而一躍為東亞之盟主"。他要求英國切實援助中國，並和美國一起在"遠東採取聯合行動"，但是，任憑蔣介石說得口乾舌燥，卡爾或推託美政府不願參加，或僅表示"彼個人對華尚有深切之同情"。[1] 國際援助無望，加強了主和派與日本妥協的決心。12 月 9 日、16 日，汪精衛兩次在重慶與蔣介石辯論。汪力主"和平"，而蔣介石則力言："只要我政府不與倭言和，則倭無法亡我。"[2] 汪精衛見說服蔣介石無望，於 12 月 18 日自重慶出逃，企圖經越南河內，轉赴香港，與日本謀和。

日本原來態度頑硬。1938 年 1 月 16 日，近衛首相發表第一次對華聲明，驕橫狂妄地宣稱，今後不以國民政府為對手。11 月 3 日，近衛發表第二次對華聲明，放軟調子，聲稱"國民政府果能放棄過去之指導政策"，則日本"當亦不予拒絕"。12 月 22 日，近衛發表第三次對華聲明，以甜蜜的語言提出"互相善鄰友好"等"三原則"，企圖誘引抗戰陣營中的動搖分子。汪精衛立即發表《豔電》，擁護近衛聲明，要求蔣介石把握"不可再失之機"，蔣介石則逐條揭露近衛的"三原則"，號召中國人民堅持抗戰國策，"認定目標，立定決心，愈艱苦，愈堅強，愈持久，愈奮勇"。[3]

汪精衛出逃河內，路經雲南昆明時，曾與雲南省主席龍雲兩次長談交底，龍雲不僅支持汪精衛等出逃，而且同意其妥協計劃。在軍統謀刺汪精衛未成後，龍雲不僅派人慰問，而且出款資助。此後，龍雲一面敷衍重慶國民政府，一面則潛通日本和汪精衛，聯絡西南反蔣勢力，待機發動政變，改變抗戰國策。[4] 龍雲成為與山西閻錫山同時存在於抗戰陣營內部的待爆彈。這樣，重慶國民政府就面臨著外有強敵、內有反側的艱危局面。幸賴蔣介石和重慶國民政府，掌控、處理得宜，汪精衛的出逃未能引發出更大、更多的連鎖反應，龍

1　《事略稿本》第 42 冊，第 534—539、542 頁。

2　參見拙作《汪精衛出逃與蔣介石的應對》，《找尋真實的蔣介石：蔣介石日記解讀》（2），華文出版社 2010 年版，第 79 頁。

3　《蔣委員長對〈近衛聲明〉發表嚴正聲明》，《中華民國重要史料初編——對日抗戰時期》第 6 編《傀儡組織》（3），第 38—41 頁。

4　《鈴木致東京有田》，台北"國史館"藏，002-080101-00041-001。

雲、閻錫山等也未敢公然叛變，一直保留在抗戰陣營內部。

汪精衛發表《豔電》時，抗戰正處於低潮時期，在國民黨和重慶國民政府內部，同情《豔電》者頗不乏人。據記載，蔣廷黻、陳之邁等都"起相當的共鳴"，陳之邁甚至"大讚汪先生的膽量"。[1] 汪精衛也自認他的主張"乃人人意中所有，而人人口中所不敢出者"。[2] 但是，這些人震懾於蔣介石的威望和他當時所代表的民族抗戰精神，都不敢公然表態。關於此，國民黨中央黨務秘書王子壯在日記中充分肯定蔣介石"戰意之堅決"後寫道：

> 憑心論之，目前能以支持大局堅決不撓者，亦似只有彼一人，自余之文武大員，心盼速而不敢出諸口者，比比皆是，終以蔣先生之威望不能不絕對服從，忍耐痛苦，堅持到底。[3]

這一段話，比較準確地寫出了當時的情狀。

三、日軍進佔貴州獨山，美、英、蘇準備撤僑，
　　蔣介石決心與重慶共存亡

1944 年 4 月，日軍調集當時在中國戰場上的主要作戰部隊，發動豫湘桂戰役，企圖打通大陸交通線，拔除建設在中國南部、可以空襲日本本土的盟國機場。在此後的七八個月時間內，日軍先後侵佔河南、湖北、湖南、廣東、廣西等大片土地和 140 多個城市，攻克中國 7 個空軍基地和 36 個飛機場。其間，最為艱危的是 11 月間的桂柳會戰。當時，日本攻入作為中國抗日大後方的廣西。為了保衛桂林，蔣介石集中了"最新、最良之武器與器材"，但不幸與日軍交戰不到兩日，即告失敗，被蔣介石視為"抗戰以來未有之敗績"。他本來設想，日軍會到此為止，但日軍並不停步。11 月 24 日，日軍佔領南寧。12 月 2 日，進一步攻克貴州南部的重要戰略基地獨山，這就使僅距 60 公里的貴州省會貴陽

1　《陳克文日記》，台北"中央研究院"近代史研究所 2012 年版，第 341 頁。
2　汪精衛：《致孔祥熙函》，1939 年 1 月 4 日，朱子家（金雄白）：《汪政權的開場與收場》第 1 冊，香港春秋雜誌社 1959 年版，第 20 頁。
3　《王子壯日記》第 5 冊，第 217 頁。

受到威脅，重慶因之震動。中國戰區參謀長、美軍將領魏德邁向蔣介石提議，如貴陽失守，準備遷都昆明。蔣介石答稱，對此問題絕未考慮。[1]當時，中國軍隊的精銳集中於緬甸北部的遠征軍戰場，他已徵得美英聯合參謀團同意，擬從中抽調兩師歸國增援，不過，由於天氣不良，空運困難，英軍統帥蒙巴頓又提出抗議，使得蔣介石的這一計劃無法實現。他在日記中慨歎："情勢至此，前途等於絕望，苦痛悲慘，未有如此之甚者。"[2]蔣介石的計劃是，如日軍繼續進攻，則放棄貴陽，固守烏江，等待來自東、北、西三方面的主力部隊集中，再圖反攻，其日記稱："若至最後絕望之時，乃堅守重慶，決與此城共存亡"。策略既定，蔣介石自感"精神倍覺奮發"。12月3日，蔣介石召集軍令部、軍政部、衛戍總司令、憲兵司令等各方會議，查詢重慶防務情形，決定集結兵力於貴州北部的黃平、烏江等處，如日軍進攻貴陽，將在"盡力抵抗後引其深入，予以嚴重之打擊"。[3]

這時，蔣介石的意志出奇地堅定。12月4日晨，蔣介石與魏德邁談話，告以昨日所定計劃，表示決不退卻。[4]魏再次向蔣介石詢問政府遷離重慶的準備情況，蔣介石答稱："此為中華民族歷史與民族志節關係，不能討論。余雖被敵在渝包圍，亦決不離渝一步。"魏德邁表示，你既然不離開重慶，我也不離開你，願與蔣共患難，但他不以蔣的死守重慶為然，勸蔣"應以國家利益為重，不能不注重現實。"蔣介石仍然不為所動，在日記中寫道："彼並未了解中華民族殺身成仁之傳統精神也。"[5]當日，他核定《貴州作戰大綱》，數次與奉命到貴陽指揮的何應欽、自河南來援的湯恩伯等將領通話，反復叮嚀，雖"自覺瑣碎，但總使此心之安，而不致前方偶有疏失耳"！

在重慶的各國使館可不像蔣介石那樣鎮定。12月4日，蔣介石得悉，駐渝美國使館將於第二天下令撤退在渝僑民，這將嚴重動搖中國的軍心、民心。蔣介石十分意外，在日記中寫道："美國民族之浮躁，不顧聯盟利害及其對我戰局

1　《事略稿本》第59冊，第223頁。
2　《上星期反省錄》，《蔣介石日記》，1944年12月2日。
3　錢世澤編：《千鈞重負》（2）（錢大鈞將軍民國日記摘要），台灣中華出版公司2015年版，第918頁。
4　《千鈞重負》（2），第1029頁。
5　《蔣介石日記》，1944年12月4日。

之影響如何，思之沉痛，益感交友之難也。"他立即命宋子文與美國駐重慶使館交涉，撤銷此舉。

繼美國使館之後，英國駐重慶使館也準備下令撤僑，蘇聯使館則準備與英國使館一致行動。這使蔣介石更為痛心，日記云："嗚呼！所謂盟邦，所謂友軍者，其推波助瀾，不惟對我失敗與困迫之時不稍加協助，凡不急要之舉於彼無害者，而亦不願一為顧及，任令我民心更為動搖，社會更現恐慌也。"又云："情勢至此，誠歷人生未有之奇難矣。寒天飲冷水，點滴在心頭。世之子孫，若不知自強自立，何以湔雪此恨也。"他立即命人和英、蘇兩使館聯繫，中國政府負責保證其安全，兩國使館表示暫不撤退。[1]

豫湘桂戰役中，日軍遠離後方基地，深入中國西南腹地，實行遠距離進攻，千里奔波，消耗過度，至進入貴州，兵力不足，已成強弩之末。獨山淪陷後，中國軍隊迅速反擊，日軍決定後撤。6日，中國軍隊收復獨山北面的八寨。當日夜，收復三合。8日，收復獨山，日軍退出貴州。中國軍隊繼續追擊。13日，克復廣西南丹。14日，日軍反撲，雙方在廣西車河一線對峙，戰局遂趨於穩定。

日軍侵佔貴州獨山意味著侵略勢力攻入中國抗戰的大後方根據地，這是中國抗戰的又一個艱危時刻。美國參謀長聯席會議向羅斯福報告，如果日軍繼續西進，中國必然垮。[2] 12月9日，蔣介石在《反省錄》中寫道："八年以來抗戰艱危未有如今日之甚者，然而自信心如常，毫不覺有危險。即使敵寇深入貴陽，自信可從此轉敗為勝，亦不受中外逼迫形勢恐慌之影響。"[3]

以上三個時刻，都是中國抗戰的艱危時刻。蔣介石能處變不驚，履危不搖，堅持抗戰，應該給予足夠的肯定。

中日戰爭，不論從軍事上，還是從經濟上，日本都處於絕對優勢，而中國則處於絕對劣勢。處此情況下，蔣介石領導國民黨和國民政府堅持抗戰。對內聯共，實行第二次國共合作；對外聯蘇、聯英、聯美，倡議組織世界反法西斯

---

1 《蔣介石日記》，1944年12月7日。
2 參見郭汝瑰等：《中國抗日戰爭正面戰場作戰記》下冊，江蘇人民出版社2002年版，第1732頁。
3 《蔣介石日記》，1944年12月9日。

聯盟。終於在 8 年之後，取得對日戰爭的全面勝利。這是蔣介石為中華民族所立的一個大功。胡繩在其主編的《中國共產黨的七十年》一書中寫道："中共的宣言和蔣介石談話的發表，宣告國共兩黨重新合作和中國抗日民族統一戰線的形成。國民黨最高領導人承認第二次國共合作，實行抗日戰爭，是對國家民族立了一個大功。國民黨當時是執政黨，擁有二百萬軍隊，國民黨當時政策的轉變，對抗日戰爭的全面展開有著重要意義。"[1] 胡繩當時是中共中央黨史領導小組副組長，此書經過胡喬木逐字逐句的審查，給與高度評價。因此，蔣介石為中華民族立有 "大功" 這一說法具有權威性。

早在 1936 年 12 月 1 日，毛澤東曾經代表中國人民紅軍 20 萬人寫過一封給蔣介石的信，要求他 "停止內戰"，和紅軍共同抗日。毛澤東保證，屆時 "先生亦得為光榮之抗日英雄，圖諸凌煙，馨香百世"，並且保證，"天下後世之人，視先生為能及時改過救國救民之豪傑。" 簽名同署的有朱德、張國燾、周恩來、王稼祥、彭德懷、賀龍、任弼時、林彪、劉伯承、葉劍英、張雲逸、徐向前、陳昌浩、徐海東、董振堂、羅炳輝、邵式平、郭洪濤等共 19 人。[2] 今年，適逢抗日戰爭勝利 70 週年，世界反法西斯戰爭勝利 70 週年，重讀、正視這封信應該是有意義的。

1　中共中央黨史研究室著，胡繩主編：《中國共產黨的七十年》，中共黨史出版社 1991 年版，第 169—170 頁。

2　中央檔案館編：《中共中央文件選集》（1936—1938），中共中央黨校出版社 1991 版，第 115—117 頁。

日機大轟炸及其對蔣介石的「斬首行動」*

* 本文錄自《找尋真實的蔣介石：蔣介石日記解讀》（4），東方出版社 2018 年版；原載《世紀》2016 年第 2 期。

空襲是現代戰爭的重要手段。它可以超越空間障礙，炸毀敵方的軍事堡壘、軍隊、武器，以及城市、建築、居民群，造成巨大的破壞。日本在侵華戰爭中，依仗其空中優勢，經常發動對中國的空襲。其中，有一種空襲，以炸毀、炸斃中國的軍事、行政機構，特別是中國軍事和行政領導人為目標。這種空襲，現代軍事理論稱之為"斬首行動"。抗戰時期，雖然尚未出現這一術語，但是，蔣介石作為抗戰時期的中國政府和軍事機構的最高領導人，自然會被日機視為需要搜尋並加以炸斃的首要對象。

一、1938 年 5 月 13 日，徐州"四號房"

徐州會戰是南京保衛戰後又一次大的會戰。日軍為了打通津浦路，溝通南北戰場，進而窒息隴海路，威脅平漢路，準備進攻武漢，並於 1937 年 12 月下旬計劃進攻徐州。

1938 年 4 月 5 日，中國軍隊四面圍殲台兒莊東北之敵。6 日，中國軍隊在台兒莊北三角地區包圍日軍 2 萬餘人，殘敵萬餘人向北潰退。7 日，中國軍隊將台兒莊之敵肅清，取得空前大捷。自 4 月 28 日起，日軍將攻擊重點轉向徐州。當日，日機 32 架空襲徐州，投彈 200 餘枚，居民死傷百數十人。此後，日機對徐州的轟炸不斷增強。

5 月 10 日，日機五次襲擊徐州，投彈 220 餘枚，毀民房 4,000 餘間，平民死傷 300 餘人。11 日，日機分 7 批襲擊徐州，狂施轟炸。12 日，日機 5 架再襲徐州。13 日晨，日機 54 架分批襲擊徐州，投彈 300 餘枚，炸毀民房 500 餘間，平民死傷百餘人。記載稱："連日敵來徐州轟炸，已成瘋狂狀態。""警報竟日未解除。"當日，蔣介石日記云："敵機猛轟徐州車站與余嘗駐之四號房，幾成焦土，敵必欲殺余而甘心也。""四號房"在徐州。當年 3 月 24 日，蔣介石到徐州視察軍事。"四號房"可能即為其當時住處。從這天日記可見，蔣介石已經察覺，日本企圖利用空襲將自己炸死。

二、1938 年 8 月 12 日，武昌湖北省政府

南京淪陷前，國民政府宣佈遷都重慶，長期抗戰。實際上，大部分行政和軍事機構均暫遷武漢，因此，武漢就成了日軍在攻克南京之後的重要進攻目標，也就成了日本空軍的重要襲擊目標。

1938 年 4 月 29 日，蔣介石日記云："倭王生辰，倭機襲漢，被我擊落者十餘架。"這是武漢時期蔣日記對日機轟炸的首次記載。當日，日機 36 架空襲武漢。蘇聯志願空軍與中國空軍起飛迎戰，擊落日機 21 架。事後，蔣介石曾致電武漢市國民黨黨部祝賀。

5 月 12 日，蔣介石飛到鄭州部署軍事。26 日，蔣介石自河南前線返回武昌。7 月 12 日，蔣介石日記云："上午敵機轟炸武昌，死傷三百餘人。"當日，日機 68 架狂炸武漢，投彈百枚，死傷民眾 650 餘人。

同年 7 月 31 日，日本大本營陸軍部提出《以秋季作戰為中心的戰爭指導大綱》，要求奪取漢口，"摧毀蔣政權的最後的統一中樞"。此後，對武漢的空襲加強、加緊。8 月 3 日、6 日、11 日，多批次空襲武漢。8 月 12 日，日機 72 架轟炸武昌、漢口，投彈 350 枚，死傷民眾 700 餘人。其中，包括對湖北省政府蔣介石駐地的轟炸。據蔣介石日記記載：

上午十一時敵機六十架轟炸省府，余之位置共落大小炸彈萬餘枚。四

周各處皆被炸壞，而獨於我住處完整無恙，地下室雖被震動，然亦平安無事，死傷衛士廿餘人，人民四百餘，而獨得余夫妻免此奇災，豈非上帝保佑之力乎！

晚，移住中央銀行漢口分行。

據報導，當日日機投彈共 350 餘枚。蔣日記稱，其所在位置落彈"萬餘枚"，顯係憑個人感覺估計，不確；其衛士死傷至二十餘人之多，當是事實，可見日機當日轟炸之猛烈。此次轟炸，日機將蔣介石駐地所在的湖北省政府作為轟炸中心，其目標自然指向蔣介石。

三、1939 年 6 月 11 日，重慶黃山寓所

1938 年 10 月 24 日，蔣介石反復思考，於中國軍隊撤離武漢前一日，才離開漢口，轉赴湖南衡陽。11 月 25 日至 28 日，蔣介石在南嶽召開軍事會議，研究第二期抗戰轉守為攻的相關問題。12 月 1 日，到達廣西桂林，設立委員長桂林行營，以白崇禧為主任，統籌南方戰場。至 1938 年 12 月 8 日，蔣介石才自桂林到達重慶。

蔣介石抵達重慶之前，日本大本營即下達《關於陸海軍中央協定》，要求陸海軍航空部隊協同，"在中國各要地果敢地進行戰略、政略的航空作戰，挫敗敵人的戰鬥意志"。[1] 12 月 2 日，日本大本營參謀長閑院宮載仁親王發佈 345 號大陸作戰命令，宣稱要"攻擊敵戰略及政略中樞"，"特別要捕捉敵最高統帥及最高政治機關，一舉殲滅之"。[2]

蔣介石到重慶後，日本飛機的轟炸即追蹤而至。1938 年 12 月 26 日，日本航空兵第一飛行團第 60 戰隊和第 98 戰隊的重型轟炸機，共 22 架，自漢口出發，直飛重慶。當日，重慶濃雲密霧，日本第 60 飛行隊放棄攻擊，第 98 飛行隊則在雲層間隙中發現地面街市，便繼續投彈。重慶市民推測，天氣如此惡

1　日本防衛廳防衛研修所戰史室：《中國事變陸軍作戰史》卷 2 第 2 分冊，中華書局 1980 年版，第 71、187 頁。

2　〔日〕前田哲男著：《從重慶通往倫敦、東京、廣島的道路：二戰時期的戰略大轟炸》，重慶出版社 2015 年版，第 55 頁。

劣，敵機居然入川轟炸，當是"委員長來了重慶之故"。當時，蔣介石夫婦正住在緊鄰行政院的張群副院長寓所。據目擊者說："委員長夫婦很從容地在樓窗上往外觀看。"[1]可見，這一對夫婦面臨空襲，卻並不緊張。

此後，日軍對重慶的空襲愈益加強，目標日益集中於蔣介石所在的軍事委員會機關。1939 年 5 月 3 日，日本華中第一空襲部隊的攻擊機 45 架來炸，其主要目標即以"軍事委員會委員長行營"為中心。轟炸中，日軍首次使用燃燒彈。蔣介石當日日記云："敵機四十餘架，今日來渝軍委會附近投彈，市民死傷甚大也。"5 月 4 日，日機 27 架再次來炸，仍以"委員長行營"、重慶防空司令部等處為中心。由於日機再次使用燃燒彈，引起的火災比前一天更嚴重。蔣介石當日日記云："敵機今日傍晚來渝轟炸，延燒實為有生以來第一次所見之慘事，目不忍睹，天父有靈，盍不使殘暴之敵速受其災也？"5 月 3 日、4 日，日機連續兩日狂炸重慶市區，日方通稱為"5 月攻勢"。結果，重慶受災 7,000 餘家，死亡 5,400 餘人，受傷 3,100 人。它們雖是範圍廣泛的狂轟濫炸，但由於均以"軍事委員長行營"為中心，因此，其目標顯然在於炸斃蔣介石和中國軍隊的高級將領。

由於轟炸之後災情嚴重，5 月 5 日，蔣介石召集會議，勉勵黨政軍全體工作人員，努力從事難民救濟工作。會後，蔣介石召集各部主管談話，商討動員人力、物力，集中一切公私車輛、船隻，免費輸送難民。他宣佈，連他本人的用車也包括在內。當日，蔣介石手諭先撥 50 萬元急賑，繼命孔祥熙立撥 100 萬元用於緊急救濟。其日記云：

> 民眾遭此苦痛仍無一句怨恨抗戰之言，思之更難自安，對此無知純潔之同胞，其行動雖多難約束，然而其神情之可愛，使余銘感無涯，遭此慘殘不能忍受之艱難，惟見此更增余樂觀與勇氣矣。

日本侵略者此次對重慶的轟炸，不區分軍事目標和民用建築，軍事上稱之為"無差別轟炸"，日本則自稱為"戰略、政略的航空作戰"。其本意在離間重慶人民和重慶國民政府之間的關係，摧毀蔣介石和重慶人民的抵抗意志。蔣介石

1　《陳克文日記》，台北"中央研究院"近代史研究所 2012 年版，第 338 頁。

的這頁日記表明，適得其反。

5月6日，日本大本營海軍報導部長金澤正夫少將發表談話，威脅蔣介石和重慶國民政府，聲稱："時至今日，無論是逃往成都，還是其他什麼地方，我海軍航空隊優秀的轟炸機隊的能力都能把他們找到，遲早免不了我軍之空襲，號稱400餘州的中國，蔣介石沒有藏身之地乃是實情。"[1] 這一談話表明，日機的轟炸雖然目標廣泛，但念茲在茲的還是炸斃蔣介石。

蔣介石在重慶的住處有林園、曾家岩、北溫泉等處，最常住的則是長江南岸的黃山山莊，位於市中心的軍事委員會委員長行營實際長期未用。日機5月3日和4日的大轟炸，自然未能傷及蔣介石本人，日本軍方很快了解到這點，迅速將黃山山莊納入轟炸目標。1939年6月11日，蔣介石日記云：

> 正午過江到黃山休息。敵機黃昏時又襲重慶，其一部目標則在黃山寓所，有一炸彈適中寓所球場，余正在三樓觀空戰也。

這一天，日機27架於19時15分進入重慶市區，轟炸包括曾家岩國民政府在內的許多地方，共投彈116枚，燃燒彈17枚，重慶市民被炸死16人，炸傷124人。中國空軍和高炮部隊當即英勇阻擊，日機被擊落5架，其餘倉皇飛離。從蔣介石日記可知，他的黃山寓所也在日機的轟炸範圍之內。當日機向他的寓所——雲岫樓投彈之際，他正在三樓上觀看中國空軍與日機搏戰。

值得指出的是，蔣介石不僅觀察空戰，而且在研究空戰，並曾親自指揮空戰。蔣介石的性格特點是，只相信自己，事必躬親。他觀察空戰、研究空戰的結果是，覺得中國空軍指揮人員"遲鈍、無能"，於是便親自指揮。1940年5月18日，日軍開始實行"101號作戰轟炸"，將中國機場和軍事目標作為重點打擊目標。22日上午，日機50餘架來襲，採用一種狡獪的"新戰術"，蔣介石觀察、研究之後，"連夜思維破敵之道"，於28日親自指揮中國空軍迎擊，其日記云：

> 敵機百餘架今又來晝襲，以欺我驅逐機可用者，蓉、渝二地共有二十

1　《從重慶通往倫敦、東京、廣島的道路：二戰時期的戰略大轟炸》，第139頁。

架，三日來親自指揮，以最少飛機卒能與敵機始終周旋在四五小時，使敵機不能如計轟炸，每次皆倉皇盲炸，以致無大損失，此實精神克服物質之效也。

這則日記可以說明，部分重慶空戰是蔣介石親自指揮的。

同年 8 月 19 日，日機 120 餘架在驅逐機掩護下，分四批空襲重慶，其最後一批使用 "硫黃燒延彈"，因此，全市火光自午至晚，尚未滅熄。當日，蔣介石日記稱："二年來之轟炸，以今日為最猛烈也，不勝憂憤，未知被災同胞如何救護，思之但有苦悶。" 下午，蔣介石向下傳達他的研究心得，日記云："研究對敵驅逐機應戰之方法，指示一切，未知能否見效？惟盡我心力，聽之於天而已。" 21 日，繼續苦思 "救火、保民與抵禦大轟炸之法，以及對付驅逐機計劃"，自稱 "焦急熟思極矣"。

四、1940 年 2 月 22 日，廣西柳州羊角山

廣州、武漢失陷後，華南沿海的主要港口為日軍佔領，中國和海外的聯絡通道是雲南和廣西。一為滇越鐵路，自越南河內抵達雲南昆明，一為桂越公路，自廣西通越南。其中桂越線公路約佔輸入額的百分之三十。為了切斷廣西與海外的聯繫，日軍於 1939 年秋決定進攻南寧。11 月 15 日，日軍在廣西欽州灣登陸，桂南會戰開始。

11 月 24 日，南寧失守。12 月 6 日，日軍佔領南寧東北的險要崑崙關。同月 31 日，中國軍隊在第五軍軍長杜聿明指揮下，空軍、炮兵、坦克、步兵等多兵種協同攻堅，殲敵 4,000 餘人，擊斃日軍旅團長中村正雄，攻克崑崙關。日軍旋即增兵反攻。中國在賓陽地區集結了 30 餘師精銳部隊。不幸，日軍 "斬首行動" 奏效，中國第 38 集團軍總司令部被炸，指揮系統失效。1940 年 2 月 2 日，日軍攻佔賓陽，中國軍隊傷亡巨大。4 日，第二軍副軍長鄭作民戰死，崑崙關再度易手。

為了總結桂南會戰的經驗教訓，蔣介石於 1940 年 2 月 21 日自重慶飛經桂

林，轉赴柳州，計劃召開軍事會議。22 日，蔣介石抵達柳江南岸羊角山麓的農學院舊址，即以此為行轅。同日，柳州軍事會議開幕。蔣介石講評此戰失敗原因，訓話約兩小時。參加者有蘇聯軍事顧問、張治中、白崇禧、張發奎、李濟深、陳誠、商震、薛岳、余漢謀、李漢魂等人。當天下午，突來日機二十餘架，對羊角山猛烈轟炸。蔣介石意識到敵機係為自己而來，急忙披衣，避入防空洞，敵機轟炸更烈。其情況，蔣介石日記記載道：

> 正午約俄顧問同餐。警報稱敵機廿七架，又稱卅架。過一時，未聞機聲，乃午睡至二時十五分。初醒，即聞機聲，乃命衛士查機聲何來。余忽警覺敵機必來炸余，急速披衣，整裝外出，其匆促情狀無異西安事變之初。當出外時，世和稱敵機已由頭上飛過，似不緊要。

1936 年 12 月 12 日，張學良、楊虎城發動西安事變，兵圍臨潼，蔣介石慌不擇路，匆匆出逃。日記稱“其匆促情狀無異西安事變之初”，可見日機飛抵羊角山時蔣介石的慌亂忙迫之情。不過，蔣介石的侍衛王世和卻認為“似不緊要”，蔣介石不以為然，立即招呼張治中（文白）等與會將領進入防空洞躲避。日記繼續寫道：

> 余知敵機如來炸柳，其目標必在余也，乃即與文白等入後山之上層防空洞內。不到五分時，敵機二十餘架正向我防空洞上投彈。此時未知衛士同人死傷之數，甚念。頃得報稱，住室尚未炸中。余又戒同人敵機第二次必繼續來炸，不三分時，敵機乃低空俯衝，來炸者卅餘架，其振蕩比第一次為尤烈。事後視察，其大部炸彈皆著洞上右方，約五十至百米突之山巔上。其僅傷衛士十二人，本身無恙，此已三時十五分時矣。

短短的時間內，日機兩次轟炸，命中率很高，均在防空洞“上右方”，“洞內振蕩甚烈，塵土滿洞，不辨面目”，可見，屬於重磅炸彈。參加會議的李漢魂在日記中記載：“本日日機六十七架大炸羊角山（委座行轅），委座衛士死傷數人，敵之諜報，亦良準也。”[1]

　　轟炸過後，蔣介石等改到其他地方繼續開會。日記云：

1　朱振聲編：《李漢魂將軍日記》（上集）第 1 冊，香港聯藝印刷有限公司 1975 年版，第 260 頁。

四時仍到交通（機械化）兵學校，召集將校會議，訓話一時半，身心如常，不覺其倦乏。此非上帝保佑，安得臻此。其比前年武昌被炸，與去年黃山被炸之程度，不可比擬。敵機皆知我即在之地與時，而其兇猛又如此，但總未為其所算，豈非天命乎？

蔣介石想起此前在武昌和重慶黃山時的被炸情景，也想起西元前 496 年孔子被困的情景。當年，孔子從衛國到陳國去，路過匡地（今河南省長垣縣西南）。匡人曾受到魯國貴族陽虎的掠奪和殘殺。孔子的相貌與陽虎相像，匡人誤以為孔子就是陽虎，所以將孔子圍困。孔子當時曾感歎道："天之未喪斯文也，匡人其如予何？" 羊角山的險情使蔣介石想起當年孔子被匡人包圍的故事，在日記一開始就寫了兩句話："天之未喪斯文也，倭寇其如余何？"

羊角山轟炸給蔣介石留下了強烈印象。這一段時期，蔣介石連續失眠 10 天，午睡常醒。24 日，他在《反省錄》中寫道："若此日酣睡，對敵機亦如平日之大意，則此次恐難倖免，豈非天命乎？"29 日再次寫道："敵大炸羊角山時，如用毒氣在此森林山洞之內，則其彈雖不中，而其效必大，豈不危哉！生死自有天命。""天命" 是孔子思想和中國哲學中的重要概念，它認為自然變化、社會發展、人的窮通禍福、生死存亡都由一種外在的神秘力量主宰，非人的因素所能改變。蔣介石將個人的 "生死" 委之 "天命"，因此，並不畏懼，也並不想刻意規避。

五、1940 年 7 月 8 日，曾家岩重慶國民政府

曾家岩是重慶國民政府所在地，自然成為日機的轟炸重點。1940 年 6 月，日機將曾家岩的國民政府建築炸塌，只有禮堂完整，蔣介石曾自誓："即使將來再被全毀，而國府地點決不遷移也。"[1]

7 月 8 日，國民黨在曾家岩國民政府禮堂召開五屆七中全會。上午，蔣介石對美國民眾發表廣播演講，修改《告日本人民書》時，日機突飛重慶轟炸。

---

1 《蔣介石日記》（手稿本），1940 年 6 月 14 日。

當時，蔣介石正在黃山途中，幸未遇險。下午，蔣介石到五屆七中全會發表閉幕講話，日機再次來襲，這一次，日機以重磅炸彈攻擊，彈落院中。蔣介石日記載：

> 下午，到國府開全會，閉幕訓話。本日敵機專炸我國府，彼知我全會仍在國府開會，而不被其轟炸所威脅矣。故其千磅之大彈適落於國府院內，而會場禮堂仍如故，無恙也。

日本方面既得知會議時間，也知道地點，於是以"千磅之大炸彈"專炸，而又落於"院內"，顯係有備而來。

同年 9 月 15 日、10 月 17 日，日機兩次空襲曾家岩，或未命中，或未造成重大破壞。蔣介石甚至有過國民政府的建築被炸，"其他各處人民之被炸可以減少"的念頭。[1]

日機對國民政府機關轟炸最烈在 1941 年。當年 8 月 31 日，日機 225 架分 7 批轟炸甘肅蘭州、雲南昭通、西康西昌、四川重慶等多地，其中，重慶國民政府禮堂全部被炸。當日是星期日，為了準備星期一照例舉行的"總理紀念週"儀式，重慶國民政府連夜在廢墟上搭建帳篷。9 月 1 日上午 7 時，蔣介石準時到會，其日記記載說：

> 7 時到國府紀念週，原有禮堂全部炸毀，四周只見瓦礫殘壁。昨夜搭建臨時帳篷，在禮堂原址舉行。此乃余前年所謂即在瓦礫中亦在重慶國府原址作紀念週之決心也，今果應矣。安知余於廿一年立志，欲於卅一年收回東北之志不能貫徹乎！

1932 年是"九一八事變"的第二年。當年 9 月 13 日，蔣介石在日記中自誓："預期十年以內，恢復東三省，同為中華人民血氣之倫，當以此奮勉。" 18 日，蔣介石聽到南京日人奏樂放鞭炮，慶祝"佔領偽滿"，自覺"如喪考妣"，在日記中寫道："但願上天佑吾中華民國三十一年以前，在中正手中報復國仇，湔雪此無上之恥辱也。"現在，蔣介石面對"瓦礫殘壁"，在"臨時帳篷"中舉行孫中

---

1 《蔣介石日記》（手稿本），1949 年 9 月 15 日、10 月 17 日；參見 1939 年 8 月 2 日。

山紀念儀式，再次想起 8 年前的 "收回東北之志"，期望有實現之日。

六、1941 年 8 月 30 日，重慶黃山寓所

1940 年日機對柳州羊角山的轟炸並未炸到蔣介石和國民黨的任何高級官員，但是，日本對重慶的轟炸仍在持續、加強，想對蔣介石採取 "斬首行動" 的計劃也仍在待機執行。繼 1939 年的 "100 號作戰轟炸" 之後，日軍於 1940 年發動 "101 號作戰轟炸"，1941 年又發動 "102 號作戰轟炸"。

1941 年可以說是日機恐怖空襲最兇惡的一年。有時，日機晝夜連軸地持續轟炸 7 天 7 夜，每次轟炸最長時間 5 個小時。從 5 月到 9 月，持續轟炸 5 個月。5 月 3 日、10 日、16 日，日機每天出動 30 至 60 架轟炸重慶。6 月 5 日，日機 24 架分三批偷襲重慶，空襲警報連續 5 小時，因而發生校場口防空洞窒息慘案，計死 1,115 人，傷 776 人。蔣介石日記稱："聞之悲痛無已，精神甚受打擊。" 6 月 7 日至 7 月 30 日，日機對重慶進行 19 次空襲。其中 7 月 28 日，日本陸軍、海軍航空部隊聯合，對中國大後方進行第五次大轟炸，即所謂 "102 號作戰轟炸"，前後持續 1 個半月。8 月 8 日至 14 日，日機連續 7 天 7 夜，對重慶進行疲勞式轟炸。蔣介石惦念在防空洞中避難百姓的艱辛，自稱 "時時懷念，為之不安"，表示 "不敢不勉"。[1] 自然，在這些轟炸中，日軍也沒有忘記對蔣介石採取 "斬首行動"。

1941 年 8 月間，日本第三飛行團團長遠藤三郎得到情報，蔣介石將在黃山寓所召開軍事會議，又從離任的意大利駐中國大使口中得知黃山山莊的房屋位置和屋瓦的顏色，立刻制訂轟炸計劃，命令第 60 戰鬥隊執行。8 月 30 日上午 11 時，遠藤率機自漢口出發。下午 3 時，27 架轟炸機入侵重慶黃山山莊上空。此前一年，日本研製出一種新式驅逐機——零式戰機。這種戰機以超硬鋁合金製成，爬升率高，轉彎半徑小，速度快，航程遠，其性能遠遠超過當時蘇聯的戰機，因此，迅速掌握制空權，中國驅逐機遠非對手，失去迎擊能力。儘管如

---

1 《上星期反省錄》，《蔣介石日記》（手稿本），1941 年 2 月 17 日；參見 1941 年 8 月 2 日。

此，當日來自地面的高射炮火仍然相當猛烈，使日機的轟炸受到阻遏。遠藤估計，蔣介石正在山莊，便從 5,500 米的高空投彈。炸彈下落時，蔣介石正和將領們在黃山防空洞的東口樹下開會。其險情，蔣介石日記稱：

> 余與軍事會報各同志在黃山防空洞東口新樹下談軍事近狀，忽聞機聲，乃入洞內再談。時約十分鐘，聞炸彈愈近，仍不以為意。不意連續轟炸，洞門為崩土塞沒，乃覺其目標即在本洞。乃妻在北洞口茅屋前讀法文，未與我同在一處，甚恐妻被炸，即向北口去尋。幸彼近來，此心始安。惟今日之危，甚於二十七年之武昌與去年柳州之羊角山矣。惟山岩甚堅，洞甚固耳。炸後出洞視察，洞頂山上樹木盡毀，岩土崩墜，衛士重傷者四人，死二人，即往慰問，血跡滿地，悲慘極矣。

這一次，日機的投彈仍然很準確、很猛烈，"三面洞口皆炸中堵塞"。在如此險惡的環境中，宋美齡卻仍然在"讀法文"，這在"空襲"史上恐怕是很少有的事情。

1940 年 5 月，黃山山莊修建防空洞，這本來是為蔣介石的安全著想，但蔣介石卻認為施工標準過高，嚴厲批評有關人員逢迎拍馬，糜費國帑，主張懲辦。日記稱："黃山新築防空洞費力、費料太大，侍從人員之諂奉奢侈，可痛可憾，此輩誠不惜人民與國家之苦痛者也。"[1] 他曾對張治中表示："這還了得！""太浪費，非辦他不可！"[2] 可見，他當時所想，並不是個人的安危，而是"人民與國家的苦痛"。不久，他又檢點個人生活，在日記中寫道："節欲、克己亦能實踐，不敢時忘人民痛苦與黨國憂患也。"

七、日機大轟炸下蔣介石的悲憫、自責、義憤 與民族感情

日本飛機對重慶及其周邊地區的大轟炸始於 1938 年 2 月，至 1944 年 12

---

1 《蔣介石日記》（手稿本），1940 年 5 月 31 日。
2 《張治中回憶錄》（上），文史資料出版社 1985 年版，第 304 頁。

月，長達 6 年 10 個月。其間，直接炸死 16,376 人，傷 16,453 人。以城區房屋計，自 1938 年至 1941 年，共約炸毀 11,824 棟，21,295 間。以社會財產損失計，直接損失 50 億元法幣，間接損失約 33 億元法幣。[1]

日機對重慶及其周邊地區的轟炸只是典型的例子，事實上，這種轟炸遍及於中國許多地區，其造成的中國人民的生命、財產的損失自然也遠超於上述數字。1940 年 7 月 22 日，蔣介石日記云：

> 本週敵機以氣候雲雨不能來炸重慶，乃炸成都及各縣城，其東南對奉化、嵊縣、諸暨以及湘、贛、桂等省非軍事區濫施轟炸，平民死傷，動以千計，房產焚毀猶在其次。此心痛憤憂慮，比直炸重慶為尤甚。敵真欲斷絕我同胞之生機，豈止傷害我民命矣。"

這則日記，表現出蔣介石對受炸災民的巨大悲憫，也表現出對造成災難的日本侵略者的強烈憤慨。早在 1938 年 8 月日機轟炸武漢時，蔣介石就曾在日記中指出，這種狂轟濫炸並不能達到威嚇中國人民的目的，"徒使我民眾仇恨，加增敵愾心而已"。[2]

毋庸諱言，這種轟炸也會造成相當的心理恐怖效應。1941 年 9 月 2 日夜，重慶大雷雨，風吼雷鳴，更增恐怖之感。蔣介石在日記中坦陳："自上週大轟炸以來，家人、傭工皆成驚弓之鳥，昨夜大雷雨，風聲雷聲亦現恐怖，可知轟炸威力之大。"在歷次轟炸中，蔣介石所住黃山雲岫樓雖未中彈，但也被震壞，以致當夜漏雨不停。蔣介石竟夕不能成寐，想到重慶和全國各地同胞歷年所受深重苦難，於 9 月 3 日寫下日記道：

> 住宅當時被震，夜雨方知其漏，幾不成寐。以此推想，重慶全市之同胞，乃至全國各城市被炸受難之同胞，其精神與體力之苦痛困難，更不堪設想矣。國民遭受此種艱危不止一項，而且四年有餘，為此殉難者已不計其數。然其為禦侮而死，固心安理得，瞑目以逝，而未死者尤其老幼孤寡，顛沛流離，其時何堪！

1　潘洵等：《抗日戰爭時期重慶大轟炸研究》，商務印書館 2013 年版，第 193、224—226 頁。
2　《蔣介石日記》（手稿本），1938 年 8 月 11 日。

蔣介石由全國人民的苦難進而想到自己的"責任"和"罪孽"，繼續寫道："全國同胞之被難遭劫，堅持四年，而對余並無有一毫之怨恨，且皆忍受而不辭者，究竟為何，乃皆信任余一人能為國家、為民族後世以求生存之故。余之責任，余之罪孽，能不自知求贖乎？嗚呼！倭寇兇狠殘暴，絕無人道，其能免於敗亡乎？"

日機的殘暴、放肆的轟炸不能嚇倒英勇無畏的中國人民，同樣，也未能嚇倒當時堅持抗戰的蔣介石等國民黨領導人。9月4日，蔣介石在日記中繼續歌頌中華民族在抗戰中所表現出來的偉大精神，認為"古今中外未有如我中華民族壯烈者"，"不啻泣鬼神而動天地"。他自承，目睹、耳聞、身受，得到教育，"感激心銘"，[1] 因此不無動情地寫道：

> 如此民族，若再不復興，則宇宙正氣滅絕，公理沉淪，豈復有人類生存可言乎？嗚呼！浩氣長存、中華永峙之基礎，全在此民族綿延一線之正氣乎！

人民教育了蔣介石，人民在空襲中表現出來的英勇無畏、不屈不撓、親愛團結、相互扶助的精神也感染了蔣介石，他曾在日記中特別敘述重慶人民在空襲警報中"抱孩扶老，負重行遠"的種種情狀，認為"下代國民應知今日其父母提孩避難之苦痛困迫，為空前未有之親恩"，"又應知今日抗戰忍痛，復興民族之艱險，亦為前史所未有，故為家為國，更應特盡忠孝之道，庶不愧為中華之子孫也"。[2]

盧溝橋全面抗戰爆發後，中華民族的優秀品格和民族精神得到空前的發揚。在日機大轟炸中，蔣介石自然也感受到了這種品格和精神，他為此驕傲。其日記記載云：

> 如此熱暑而又蒙如此慘炸，我民眾忍痛耐暑，冒死不懼，豈非世界最堅忍之民族乎！[3]

---

1 《蔣介石日記》（手稿本），1940 年 7 月 3 日。
2 《蔣介石日記》（手稿本），1940 年 5 月 29 日。
3 《蔣介石日記》（手稿本），1940 年 6 月 22 日。

又如：

> 徒憑滿腔熱忱與一身血肉，與倭寇高熱度之爆炸彈，與炮火相周旋，至今三年有半，若非中華民族，其誰能之！"[1]

這些記載，應該是日機大轟炸下蔣介石真實感情的流露。

八、美國援助，終獲制空權

戰前，日本是現代化的工業強國，年產飛機 1,580 架；中國則是落後的農業國家，年產飛機為零。戰爭開始時，中國僅有的二三百架作戰飛機，均為購自西方世界的舊貨，抗戰不久就毀損殆盡。

1937 年 8 月，中蘇簽訂《互不侵犯條約》。11 月，蘇聯秘密組織空軍志願隊來華助戰。這支隊伍穿中國空軍服裝，飛機塗中國標誌，多次參加南京、南昌、武漢等地的空戰。其規模，已逐漸擴大到六個戰鬥機大隊。至 1940 年 6 月，屢經惡戰，只剩下一個大隊。同月 2 日，蔣介石向蘇聯在華軍事總顧問要求，繼續援助。其日記云："對俄機，向總顧問直道並明言，望俄能濟我之急。此事斟酌、躊躇多日，而今始出之，乃不得已也。"接著，蔣介石就望眼欲穿地等待蘇機到來，時有"應交之飛機仍無消息"的焦灼。[2]有時，這種等待換來的結果竟然是失望。1941 年 3 月，一批蘇聯飛機來華，但均已陳舊。22 日，蔣介石歎道："俄機新來者皆為舊機，被侵略之國家可憐極矣！"同年 4 月 13 日，蘇聯與日本在莫斯科簽訂《蘇日中立條約》。6 月，蘇德戰爭爆發，蘇聯空軍志願隊回蘇。總計，志願隊在華期間，蘇聯共向中國提供各類飛機 1,250 架，輪流到中國作戰的飛行員、技師 3,665 人，為中國培養了大批飛行員，蘇、中兩國空軍共擊落日機 1,049 架。

蘇聯空軍志願隊撤離中國後，蔣介石只能寄希望於美國。

還在 1940 年 10 月，蔣介石就在重慶接見美國駐華大使詹森，要求美國給

1　《蔣介石日記》（手稿本），1941 年 2 月 17 日。
2　《蔣介石日記》（手稿本），1940 年 8 月 21 日。

予中國以"飛機和經濟援助"。[1] 10 月 20 日，蔣介石致電宋子文，要他向美方說明："我空軍消耗已盡，再無法起飛應敵，所以敵機敢在全國各地狂施轟炸，橫行無忌。"[2] 1941 年 8 月，蔣介石下令成立中國空軍美國志願大隊，通稱飛虎隊，以美國空軍上校陳納德為大隊指揮員。1942 年 7 月 3 日，飛虎隊解散，改編為美國空軍駐華特遣隊。1943 年 3 月 10 日，美國陸軍航空隊將"特遣隊"編入美國陸軍第 14 航空隊，陳納德升任少將司令，後任中國空軍參謀長。

美國長期實行孤立主義政策，一段時期內，美國雖同情中國抗戰，但援助不多。直到 1941 年 12 月，太平洋戰爭爆發，中國加入世界反法西斯聯盟，才比較多地得到美國的援助。不過，由於美國戰略重歐輕亞，中國得到的援助遠低於英國和蘇聯，有時，美國竟將援助中國的戰機轉撥其他戰場，使蔣介石一度極為憤怒。中國政府多次交涉，陳納德多次要求，美國對中國空軍的援助日漸增強，制空權逐漸為美國和中國空軍掌握，日機任意肆虐的年代成為過去，蔣介石被日方列入"斬首行動"計劃也才成為過去。

---

1 台北中國國民黨黨史會編：《戰時外交》(1)，第 101 頁。
2 台北中國國民黨黨史會編：《戰時外交》(1)，第 103 頁。

蔣介石與中國抗戰 *

——在中國現代文學館的演講

* 演講時間：2005 年 8 月 21 日；錄音整理：程麗仙。

各位女士，各位先生，各位同志：

很高興今天我能到這裏來作一個關於蔣介石和抗日戰爭的報告。我想這是歷史的進步。

蔣是 1975 年去世的，到今年已經 30 年了。中國有句古話叫"蓋棺定論"。蔣的棺早就蓋上了，但直到現在，對蔣並沒有定論，分歧很大。蔣在抗戰時期有幾個身份。一個身份是國民政府的軍事委員會的委員長，是領導軍事的。一個身份是國民黨的總裁，是領導整個國民黨的。在抗戰後期，他是國民政府主席，是領導當時的中國政府的。他還有個身份，中國戰區最高統帥，是指揮國際反法西斯戰爭的東方戰場的。對此人如何評價？特別是他在抗戰過程中的作用應該如何評價？這是認識中國近代史、認識抗日戰爭史一個必須解決的問題。今年以來，連戰、宋楚瑜、郁慕明相繼訪問大陸，兩岸關係、國民黨和共產黨的關係進人了一個新的歷史階段。在這個時候，我們來重新認識、重新討論蔣介石的評價問題，是應該的、必需的。

大家都知道，對一個問題的正確認識，不可能一次完成，也不可能由一個人或少數幾個人完成。對蔣介石這樣複雜的歷史人物的認識，應該是一個長期的百家爭鳴的過程。所以我今天的報告只能算是一家之言，是提供一家看法，請諸位思考、討論、研究，如有講錯的地方，歡迎大家批評。

我想講四個問題。第一個問題，講蔣介石在抗戰時期正確地執行了"聯共抗日"的對內政策。第二個問題，講蔣介石領導國民黨和國民政府抗戰，堅持到底，直到最後勝利。第三個問題，講蔣介石實行聯蘇、聯美、聯英的正確的外交方針，參加國際反法西斯戰線。第四個問題，講蔣介石在抗戰過程中的功與過。

先說第一個問題。大家知道，在中國近代史上國共兩黨有過兩次合作。第一次合作是從 1924—1927 年。蔣是第一次國共合作的參加者，在 1926—1927 年之間，蔣領導了北伐戰爭，推翻了北洋軍閥的統治。1927 年，蔣介石在上海發動清黨反共，從此開始了中國近代史上所謂的"十年剿共"時期，或者說"十年內戰"時期。從 1927—1937 年，國共兩黨生死搏鬥。同時，這十年也正是日本帝國主義不斷侵略中國的時期。在這十年裏，蔣介石提出了一個方針，就是"攘外必先安內"。我曾經寫過一篇文章，對這個政策提出了新看法。要攘外，要反對日本侵略，當然內部要團結，要統一，要穩定。如果內部不團結，不統一，怎麼可能攘外？從這個意義上說，這六個字有它合理的因素。蔣的錯誤在什麼地方呢？錯就錯在他安內的辦法，怎樣造成一個國內穩定、團結、統一的局面。是用武力消滅異己、消滅共產黨，還是採取談判的辦法、雙方讓步的辦法來求得統一呢？我覺得，蔣的錯誤就在於，他是採用武力鎮壓的辦法，採取剿共的辦法，來取得國內的統一。蔣在貫徹"攘外必先安內"政策的時候，他不是沒有矛盾，其內心也不是始終平靜的，例如 1933 年 1 月 20 日，蔣有段日記說：最近我想了一下，一個是倭寇，這是日本強盜；一個是赤匪（這是他對中共的誣衊）。必須要丟下一個，專門對付一個。"二者必捨其一而對其一"。蔣說，如果我專門對付"倭寇"，那麼國民黨、國民政府將來就有被推翻的危險；但是，"以天理與人情推之，今日之事應先倭寇而後赤匪也"。這就是說，從"天理"和"人情"兩個角度衡量，蔣認為還是應該首先對付日本侵略者。正因為他有了這樣的認識，所以從 1935 年底，他準備解決兩個問題，一個是對蘇，一個是對共，特別是對付共產黨的問題。正好此時，1935 年 8 月 1 日，中共和蘇維埃政府發表了一個宣言，這個宣言簡稱"八一宣言"。"八一宣言"是在莫斯科起草的，是受了共產國際第七次全會的影響。"八一宣言"主要內容是號召停止內戰，集中國力，召集一切願意參加抗戰的黨派、團體、政治家來談判，成立國防政府。1935 年的"八一宣言"，是中國共產黨提出抗日統一戰線最初的一個文件。蔣介石當時有位駐莫斯科使館的武官叫作鄧文儀。他看到了"八一宣言"，看到了當時中共駐莫斯科代表團團長王明的講話，迅速把這些信息通知了在國內的蔣介石。蔣介石認為這是一個可以抓住的時機，馬上召集高級幹部會議，決定要統一全國的力量來抗日。

此後，蔣介石通過幾個管道找尋和中共的關係，其中一條管道，也是最重要的管道，是通過宋慶齡。宋慶齡當時在上海找到了一個牧師叫董健吾。他的公開身份是宗教人員，實際上是共產黨員。宋慶齡派董健吾直接到陝北，會見了當時在陝北的周恩來，周又迅速把這個信息轉達給毛澤東和張聞天。張聞天和毛澤東決定抓住這個機會，和國民黨進行談判，所以在 1936 年 3 月，毛澤東和張聞天給董健吾回了一個電報，表示願意和國民黨談判。這是 1936 年國共兩黨聯繫的一個開端。有了這個開端，就有了 1936 年 11 月陳立夫作為國民黨代表，潘漢年作為共產黨代表之間的談判。陳、潘談判期間，1936 年 12 月 12 日，發生西安事變。在此之前，蔣介石正集中大軍進攻陝甘寧蘇區。這是蔣當時採取的兩手政策。一面企圖用談判的辦法來解決中共和中共領導的武裝，但同時又圍攻陝北蘇區。他認為，只要再堅持 5 分鐘，就可以消滅蘇區。那時，也確實是中共歷史上比較困難的時期。但就在此時，發生了西安事變。在西安事變中，蔣通過宋子文、宋美齡向周恩來提出，只要中共同意三個條件，國共就可以再次聯合。一個條件是取消中華蘇維埃政府，一個是取消紅軍的名義，一個是放棄階級鬥爭。只要中共接受這三條，同時服從委員長的領導，蔣認為就可以停止內戰，共同抗日。

西安事變和平解決，蔣介石被放出來了。他背棄了自己的一些諾言，但他表示停止剿共，實行抗日，這點他做到了。西安事變後，1937 年，談判就從原來的陳立夫和潘漢年之間轉移到了蔣介石和周恩來之間。1937 年全年，他們先在杭州談判，又在廬山進行了兩次談判。在這些談判裏，共產黨所要求的是一種雙方平等的談判，而蔣是採取一種收編、收容和給出路的不平等辦法。例如，1937 年 1 月 5 日，蔣介石在日記中表示："應與共黨以出路，而以相當條件收容之，但須令其嚴守範圍。"2 月 16 日日記稱："對內則編共而不容共。"

所謂"編共"，其內容主要有以下幾條：第一，蔣介石要求把中共的武裝納人國民黨掌握下的軍隊系統，不讓共產黨成立軍部或總部。第二，對毛澤東這樣的共產黨高級幹部資送出洋。第三，蔣介石要求中共承認國民黨的領導地位和其本人的領袖地位。第四，要求共產黨取消黨名，絕對服從，絕對一致，不能任意組織與活動。在 1937 年談判中，焦點是軍隊問題。1937 年 6 月 8 日，蔣介石和周恩來談話之後，在日記中說："共黨必欲將收編部隊設一總機關，自為統率，此決不能允許，應嚴拒之。"7 月 16 日日記云："為收編共軍事，憤怒甚盛，惟能忍而未發耳。戒之。"

1937 年盧溝橋事變之前的談判，蔣要收編中共的軍隊，要共產黨服從國民黨的領導，這自然是談不成的。盧溝橋事變爆發以後，8 月 1 號，蔣介石採取了一項具有重大意義的行動，他邀請毛澤東、朱德、葉劍英來南京討論國防問題。應該說，這是蔣介石跨出的非常重要的一步。中共中央收到邀請以後，毛澤東沒有離開陝北，而是派了三人去南京，即周恩來、朱德、葉劍英。他們到了南京後，主要討論兩個問題。一個是紅軍的改編，一個是陝甘寧蘇維埃政府的問題。應該說在這兩個問題上，中共做了讓步，蔣介石也做了讓步。這個讓步表現在，中共所領導的紅軍決定接受改編，稱為八路軍，後來稱為第 18 集團軍。中共把自己領導的紅軍歸到了國民政府軍事委員會領導下，稱為第 8 路軍，這是中共做出的巨大讓步。

第二個讓步，中共決定把陝甘寧蘇區改稱為陝甘寧邊區，作為國民政府行政院領導下的一個特殊地區。在決定改稱過程中，蔣介石也做了讓步。最初，他準備派一個國民黨員去做這個邊區的政府主席，但中共堅決拒絕。最後蔣介石做出讓步，同意中共的林伯渠擔任邊區政府主席。9 月 22 日，國民黨中央社播發中共的一個文件，即《中共中央為公佈國共合作宣言》。宣言裏，中共表示了 4 條。第 1 條，孫中山先生的三民主義為中國今日之所必需，本黨願為其徹底實現而奮鬥。第 2 條，取消一切推翻國民黨政權的暴動政策、赤化運動，停止以暴力沒收地主的政策。第 3 條，取消現在的蘇維埃政府，實行民權政治。第 4 條，取消紅軍的名義和番號，改編為國民革命軍，受國民政府軍事委員會之統轄，並且待命而動，擔任抗日前線之職責。

9 月 23 日，蔣介石發表談話，肯定了中共的這個宣言。中共的這個合作宣言的發表和蔣介石的談話，標誌著抗日統一戰線的形成。由於兩黨合作，因此就形成了我們大家所知道的抗日戰爭的兩個戰場：一個是國民黨所領導的正面戰場，一個是共產黨所領導的敵後戰場。這兩個戰場在抗戰過程中起到了互相照應、互相支持、缺一不可的作用。

　　在抗日統一戰線形成以後，蔣介石就開始調整國內政策。第一個表現是，蔣介石接受周恩來的建議，成立國共兩黨關係委員會。第二個是，國民黨中央監察委員會宣佈恢復毛澤東、周恩來等 26 位同志的國民黨黨籍。眾所周知，在第一次國共合作時，共產黨員是以個人身份加入國民黨的。所以毛澤東、周恩來在 20 世紀 20 年代都是國民黨人，而且毛澤東還擔任過國民黨中央的代理宣傳部長。在 1927 年 "清共" 的時候，國民黨把毛澤東、周恩來都開除了。現在，國民黨宣佈恢復他們 26 人的國民黨黨籍。第三個是，蔣於 1938 年在武漢召開了國民黨的臨時全國代表大會，制定了一個抗戰建國綱領。第四，蔣在武漢成立了國民參政會，在一定的意義上，開放了政權。第五，蔣想找尋一個新的國共合作形式。當時，他想把國共兩黨合併成一個大黨，名為 "國民革命同盟會"。中共對此提出，合併不好，希望採取新的辦法，即共產黨可以參加國民黨，而且可以參加國民黨當時剛剛組織的三民主義青年團。

　　蔣介石要求兩黨合併，一方面表現了他想取消共產黨這一意圖，但至少此時，他也希望兩黨有一個更密切的合作關係。所以說，從 1937 年盧溝橋事變開始，到 1938 年的 10 月中共中央召開六屆六中全會這個時期，是國共兩黨在抗戰中關係最密切的時期。因此國外有人說，這是兩黨的 "蜜月期"。此時兩黨比較一致，矛盾較少，糾紛較少。這一點，我們可以從毛澤東 1938 年在延安召開的六屆六中全會的講話看出來。毛澤東在這篇名為《論新階段》的文章中說："假如沒有國民黨政策的轉變，要建立抗日民族統一戰線，是不可能的。"他在講話中給了國民黨和蔣介石以前所未有的高度評價。例如毛稱蔣是民族領袖，是最高統帥。他說，在國共兩黨裏面，國民黨是第一大黨，是居於領導和基幹的地位。而且還說，國民黨有三民主義的歷史傳統，有孫中山和蔣介石前後這兩位偉大的領袖。這個評價應該說是空前絕後的。這篇文章，大家在《毛選》裏找不到，但可以在中央檔案館出版的《中共中央文件選集》裏找到。毛澤東之所以會講這段話，是因為這個時候，兩黨合作比較好，國民黨、蔣介石比較努力地抗戰，中共中央，包括毛澤東是比較滿意的，所以才給了這麼高的評價。這是我講的第一個問題，就是蔣介石執行了一條正確的對內政策——聯共抗日。後來，國共兩黨之間雖然也有限制和反限制的鬥爭、摩擦和反摩擦的鬥爭，但是，一直到抗戰勝利，兩黨之間的統一戰線關係始終維繫著。

下面講第二個問題，蔣介石領導國民黨和國民政府抗戰，堅持到底，直至最後勝利。

大家知道，從1931年"九一八"事變以後，蔣介石對日本長期採取妥協、退讓政策。蔣之所以採取妥協退讓政策，一個是因為他要剿共，貫徹"攘外必先安內"的政策；另外一個更大的原因，是因為蔣害怕日本的武力。他認為中國的國力和軍事力量都比不上日本。他有個思想，後來我們概括其為"三天亡國論"。他說，中國軍隊要和日本打起來，只能是有敗無勝。日軍在三天內就可以佔領中國沿江、沿海的要害地區，可以截斷軍事、交通、金融等命脈，從而滅亡中國。這就是蔣介石的恐日症。國民黨內部患有"恐日症"的人不少。盧溝橋事變爆發以後，國民黨的內部一片主和聲。例如，當時軍事委員會有一個常委叫徐永昌，還有國民政府軍政部長叫何應欽，他們都認為，儘管盧溝橋事變爆發了，但中國要抗戰至少還要有6個月的準備。當時的一部分學者，比如北京大學的校長蔣夢麟、著名教授胡適，他們也認為不能打。他們說，中國一和日本打，中國的精華、元氣就全毀了。胡適表示他要再做最後一次努力，他要給中國、給中日之間再爭取50年的和平。此時，胡適做了個非常大的舉動，他找到蔣介石的秘書陳布雷，通過陳布雷給蔣介石寫了一封信。這封信的內容，大家是絕對想像不到的。我曾經跟我們研究所的一位專家耿雲志教授開過一個玩笑。我說這封信，幸虧是最近兩三年才被發現的。如果它在20世紀50年代全國批胡適的時候被發現，那胡適肯定要被戴上一頂帽子——"賣國賊"。為什麼？胡適給蔣介石的信裏提了一個意見，說我們現在打不過日本，怎麼辦？胡適說，我建議放棄東三省，承認"滿洲國"，用這個辦法和日本一刀兩斷，保持彼此之間的和平。可以肯定地說，這是個餿主意！在國民黨的國防會議上，有人就罵，就是程潛——1945年起義的那位國民黨將領，他罵胡適是漢奸。另外一個國民黨元老居正說，應該逮捕胡適。

盧溝橋事變爆發的時候，中共很快發表聲明，表示紅軍可以開赴前線作戰。但是，像我們上面談到的，當時國民黨內部許多人士都認為抗戰條件還不成熟，部分學者和社會名流也認為還不是時候。在這個形勢下，蔣介石認為已經到了"最後關頭"，在廬山發表談話，發出抗戰的號召，其中有些話大家都很熟悉。他說："現在衝突地點已經到了北平門口的盧溝橋。如果盧溝橋可以受人壓迫強佔，那麼我們百年古都、北方政治文化的中心與軍事重鎮的北平，就要變成瀋陽第二（瀋陽是在'九一八'事變被敵人佔領的）！今日的北平，如果變成昔日的瀋陽，今日的冀察，亦將變成昔日的東四省（東三省加上熱河）。北平如果變成瀋陽，南京又何嘗不可變成北平！所以盧溝橋事變的推演，是關係中國整個國家的問題。此事能否結束，就是最後關頭的境界。"蔣提出："如果戰端一開，那就是地無分南北，年無分老幼，無論何人，皆有守土抗戰之責任，皆應抱定犧牲一切之決心。"因此，"廬山談話"是蔣介石改變妥協政策、號召抗戰的一個談話。蔣發表"廬山談話"的時候，國民黨內部不是沒有人反對。參加"廬山會議"的國民黨中有很多人士反對這個談話。最初，它不叫"廬山談話"，叫"廬山宣言"。為何改成"廬山談話"？就是因為有不少人反對在這個時候和日本人打。所以蔣做了個妥協，就是既要表明中國政府的態度，但又要減弱它的衝擊力量。所以改"廬山宣言"為"廬山談話"。

是不是抗戰的國策就此決定了呢？沒有！蔣發表"廬山談話"，作出抗戰號召以後，他對於和平解決中日矛盾還存有一線希望。將抗戰作為國策的標誌是淞滬之戰。盧溝橋事變是日本挑釁，淞滬抗戰的特點是中國政府、中國軍隊首先向日本軍隊進攻。當時蔣介石和國民政府的口號是，把日本在上海的海軍陸戰隊統統趕下海去。淞滬之戰是蔣介石在華北戰場之外開闢的第二戰場。淞滬抗戰，在真正意義上表明了國民政府已經把抗戰定為國策，標誌著中國人民全面抗戰的爆發。

淞滬抗戰失敗以後，蔣介石遷都重慶，做了長期抗戰的準備。淞滬之戰中，蔣介石調集了全國70多萬精銳部隊，打了三個月，應該說這場戰鬥打得很激烈。中國軍隊表現得很英勇，犧牲很巨大，70 多萬軍隊傷亡 30 萬。但淞滬之戰給了國內外一個良好的印象，讓國際上看到中國軍隊是能打的。由於淞滬抗戰，胡適也轉變了觀點。淞滬抗戰結束，胡適就對汪精衛等人說，中國軍隊還是能打的，我們還是把和平主張暫時放一邊。正是由於胡適這個轉變，蔣介石後來很快就派胡適去美國作駐美大使，讓他對美國人做宣傳，幫助中國抗戰。所以，淞滬抗戰儘管傷亡慘重，但是對國內外的影響是巨大的。淞滬抗戰失敗後，接著就是南京淪陷，南京淪陷後，國民黨內部更是一片主和之聲。汪精衛的叛變出逃在 1938 年年底，但實際上在南京淪陷後，他就已經產生了叛國的想法，產生了要另外組織一個政府的想法。此時，汪精衛找到蔣介石說，形勢很緊張，乾脆我來組織第三政府，挽救這個局面。另外，原來主張要逮捕胡適的居正此時也說，仗不能再打下去了。他說，如果沒有人敢出來同日本人談判，敢和日本人簽字的話，我居正可以出來。大家知道，國民黨裏還有個左派，叫作于右任，他也表示不能打，要和。而且在會議上批評蔣介石，說蔣太優柔寡斷。

南京淪陷助長了國民政府內部主張妥協的氣氛。在這個時候，德國駐華大使陶德曼出來調停。此時，中國的抗戰已經到了最艱難的時候。大家知道，南京的失陷就是國都的失陷，國都的失陷在中國歷史上都是代表著一個國家、一個政權的滅亡。在這個情況下，蔣介石表示：與其屈服而亡，不如戰敗而亡。應該說，此時蔣表現了一種不屈不撓的戰鬥意志。蔣還講了一句話，如果我們和日本人談和的話，外戰可止，但內亂必起，國家內部一定會產生矛盾。所以蔣介石批評了包括孔祥熙、汪精衛在內的主和派。另外，他拒絕了德國大使陶德曼的調停。此後，中日的秘密談判並沒有停止。從 1937 年年底，南京淪陷開始，到 1940 年 12 月期間，中日的秘密談判一直在進行著。

過去有些歷史學家，把中日的這些秘密談判看成是蔣介石準備妥協、準備投降的政策。但根據現在我們所能看到的資料，這些談判有兩種類型。一種類型是孔祥熙所主持的談判，確實有對日妥協的傾向，但蔣介石對孔祥熙主持的談判都是批評和制止的。蔣甚至對孔講了重話：說不能再談了，再談就是漢奸。蔣本人也指揮過幾次談判，這些談判具有策略上的意義，其目的或在於阻撓日本扶植汪精衛在南京成立偽政府，或具有試探、掌握情報的目的，最後都是蔣本人踩了剎車。蔣介石有個顧問叫端納，他在 1945 年有個講話，說蔣在 1938 至 1940 年間，至少曾經憤然拒絕過日本方面的“和平”要求達 12 次之多，這是事實。過去我們都以為，中日秘密談判都是蔣介石主動找日本人談的，現在史料證明，所有談判都是日本人提出來的。因為日本人佔領武漢、廣州以後，就陷戰爭的泥潭當中，其財政、軍事力量嚴重不足，故日本人採取政治上誘降的策略。這方面我就不詳細闡述了。

蔣介石指揮的正面戰場的對日作戰大致分為三個階段：第一階段是從 1937 年 7 月 7 日盧溝橋事變到 1938 年 10 月武漢撤退。此階段著名戰役有平津作戰、華北作戰、淞滬抗戰、南京保衛戰、徐州會戰，包括台兒莊大捷、武漢會戰。第二階段是從 1938 年 10 月武漢撤退到 1941 年 12 月太平洋戰爭爆發。此階段重要戰役有：南昌會戰、第一和第二次長沙會戰、南寧會戰、中條山會戰等。第三階段從 1941 年 12 月太平洋戰爭爆發到 1945 年日本投降，其中的重要戰役有：長沙會戰、緬北滇西之戰，等等。

這裏，我要著重闡述 1942 年 1 月的第三次長沙會戰。這次會戰是由國民黨將軍薛岳指揮，殲滅日寇 56,000 餘人。這是日本侵華以來最大的慘敗，被美國稱為自美國捲入太平洋戰爭以來，同盟國在遠東戰場之大勝。當時中國共產黨領導下的《新華日報》也肯定這是一次輝煌的勝利。另外一次重要的戰鬥是緬北、滇西之戰，這次戰爭從 1943 年 10 月一直打到 1945 年 3 月。前後 17 個月，中國軍隊挺進 2,400 公里，收復了緬北大小城鎮 50 餘座，解放了緬甸領土 8 萬平方公里，收復了雲南西部失去的土地 8 萬平方公里，殲滅日寇 4.8 萬餘人，中國軍隊傷亡 6.7 萬餘人。中國軍人在這場戰爭中的表現，讓美國記者非常感歎，稱之為世界上最優秀的軍隊，是世界上其他國家軍隊所望塵莫及的。我講這兩次戰役的目的，是希望大家不要只知道一個台兒莊大捷，在台兒莊之外，中國軍隊的勝利還有好多。

在整個抗戰中，有幾組數字向大家介紹一下。中國政府動員的正規軍和游擊隊是 550 萬人，一般的戰鬥有 38,931 次，主要的戰役是 111 次，大的會戰有 22 次，中國軍隊傷亡 338 萬。正面戰場上國民黨犧牲上將 8 人，中將 41 人，少將 71 人。在正面戰場上，中國軍隊消滅的日軍是 133 萬，佔日軍在二戰中傷亡總數 195 萬的 70%，這是日方的統計。正面戰場上，共殲滅日軍少將以上官員 44 人。

下面，我講第三個問題，即蔣介石實行聯蘇、聯美、聯英的正確的外交方針，參加國際反法西斯戰線。

首先講聯蘇，在蔣介石實行反共清黨以後，中蘇兩國在 1929 年斷絕了外交關係。日本對中國的侵略迫使蔣介石思考，要恢復中蘇邦交。當時，日本人也在拉攏蔣介石，企圖讓中國和日本聯合起來，共同反對蘇聯。蔣面臨著兩種選擇，他的決定是聯蘇制日。1932 年，即"九一八"事變後的第二年，蔣介石就派人和蘇聯談判，要恢復邦交。他認為，中蘇恢復邦交可以讓日本人膽怯，可以奠定中國雪恥復國的基礎。他把和蘇聯恢復邦交視為對日本的第一打擊。1935 年，蔣介石在著手解決和中共的關係的同時，著手解決和蘇聯的關係。當時蔣介石提出，在中蘇兩國間訂立中蘇互助條約。他的這一建議，蘇聯不感興趣。蘇聯認為，如果訂立中蘇互助條約，就會得罪日本人，因此不贊成蔣的建議，但是，蘇聯又希望中國軍隊能在中國戰場上拖住日本。長期以來，日本一直有侵略蘇聯的計劃，就是所謂北進派。蘇聯提出的建議是，訂立中蘇互不侵犯條約。雙方長期爭執，互不相讓，最後蔣做了妥協。盧溝橋事變以後不久，即 1937 年 8 月 21 日，中國政府和蘇聯簽訂了《中蘇互不侵犯條約》。此後，蘇聯給了中國軍事上有力的支援。例如，給中國提供飛機、大炮、彈藥，而且提供了空軍志願人員。大家知道，中國曾經和日本在武漢上空進行過多次激烈的空戰，其中有若干空戰，中國是勝利的。當時在武漢上空與日本作戰的中國空軍裏，就有蘇聯的志願參戰人員。除了空軍，蘇聯從兩個管道向中國提供武器、彈藥。一條是通過外蒙古、內蒙古、山西大同、太原到華中地區；另一條是從新疆、陝西、河南到中國的中部，當時蘇聯的運輸線就是這兩條。

剛才休息時，有聽眾問我，淞滬戰場開始的主戰場是在華北，後來蔣介石在上海發動淞滬會戰，主戰場從華北轉移到了華東，什麼原因？其中一個原因就是蔣介石要吸引日軍主力，保衛中蘇的這條運輸線。在華北作戰過程中，第一條運輸線由於大同的失守而廢棄，所以蘇聯的運輸線只有一條隴海鐵路。大同的失陷令蔣介石非常惱火，曾在日記中大罵閻錫山。戰爭初期，蘇聯除支援中國大量武器、彈藥外，還派出了軍事顧問。因此，蔣介石聯蘇制日的選擇是正確的。除了聯蘇，蔣介石還聯美、聯英。在我們今天看來，聯美、聯英好像是個必然的選擇。其實，並非如此。當時國民政府的內部有兩派，一派主張聯德，另外一派主張聯合英美。主張聯德的以白崇禧和孫科為代表。聯德派為何能夠存在而且一度曾佔優勢？懂得世界史的人都知道，20世紀30年代，在抗戰之前，中德關係是相當密切的：蔣介石的軍事顧問就是德國的軍事顧問；當時中國取得軍火的重要來源是德國。孔祥熙在1936年到歐洲轉了一圈，最大的成果是德國答應給中國提供軍火，在蘇聯給中國提供軍火之前，當時世界上唯一給中國提供軍火的是德國。所以國民黨內有一部分人主張聯德。

二戰中，英美主要有兩個戰場，一個是歐洲戰場，一個是亞洲戰場。英美是先歐後亞，打算在消滅德國後，再解決亞洲問題。蔣介石要爭取英美的支持，就必須反對他們先歐後亞的政策。經過長期的努力，特別是1941年12月日本人偷襲美國珍珠港，太平洋戰爭爆發之後，英美對日宣戰，中國政府很快宣佈對日宣戰，這樣，世界上26個國家包括中、美、英、蘇發表26國宣言，表示要用最大的財力、物力來和法西斯戰鬥，世界反法西斯陣營成立。此後，1942年6月，中美簽訂抵抗侵略的互助協定。1943年10月，中、英、蘇簽訂了一個關於普遍安全的宣言。此後，英美對中國的抗戰進行了經濟和軍事的支援。這兩天媒體報導的"飛虎隊"就是這時產生的。所以說，蔣介石聯蘇、聯合英美是正確的。

此外，還有一些不為人知的事。抗戰中，蔣介石還支持亞洲國家的獨立運動。亞洲有幾個國家長期處於帝國主義的殖民統治下。第一個大國就是印度，它是英國的殖民地，印度有個政黨叫國大黨，領袖叫尼赫魯。國大黨是要求擺脫英國殖民統治，實現印度獨立。印度還有一個提倡不合作主義的人物，叫甘地。蔣介石支持國大黨，支持尼赫魯，他為了支持印度自治和獨立的要求，曾經在1942年和宋美齡一起訪問過印度。這在我們今天看來也很簡單，當時卻會激怒英國。蔣介石不顧英國反對，訪問印度，會見了尼赫魯和甘地。另外，蔣還支持韓國的獨立。眾所周知，中韓一直有著著長期的友誼關係。1910年後，日本吞併韓國，大量的韓國流亡者、愛國者來到中國，將中國作為其反日的基地，蔣介石和國民政府幫助了他們。韓國人在中國組織了光復軍和義勇隊，他們的領袖金九，是中國政府在抗戰勝利後用飛機送回漢城的。而且，蔣介石把韓國獨立看作中國抗戰的一個目標。越南，很長時期是法國的殖民地，蔣介石支持越南獨立，通過人向羅斯福表示，中國不想獨佔越南，對此，丘吉爾不相信，斯大林也覺得很奇怪。東南亞國家中的泰國，當時和日本結成泰日同盟，參加法西斯陣營，但蔣介石支持泰國的愛國者，同意他們在重慶設立自由委員會，主張"無條件協助其獨立"。

由於時間關係，第三個問題，我簡單講這幾點。

現在講最後一個問題，蔣介石在抗日戰爭期間的功與過。

今天我們應當承認，蔣介石在抗戰中有功也有過。首先講他的功，在說這個問題前，我要首先介紹《中國共產黨的七十年》這本書中的一段話。該書是前些年出版的，主編是胡繩。胡繩同志有三個頭銜，一個是中國科學院的院長，是我的上司；一個是全國政協副主席；另一個最重要的頭銜是中共中央黨史領導小組的副組長。這本書其中有段話是這樣的："國民黨最高領導人（蔣介石）承認第二次國共合作，實行抗日戰爭，是對國家民族立了一個大功。國民黨當時是執政黨，擁有 200 萬軍隊，國民黨當時政策的轉變，對抗日戰爭的全面展開有著重要意義。"本書除了由胡繩主編外，還經由胡喬木同志從頭至尾每一個字的審查，最後胡喬木同志給它寫了個前言，高度評價了此書。我很坦率地說，我今天敢於在此做這個報告，有這段話作為支持（掌聲）。我前面說過，2002 年，我出過一本寫蔣介石的書，就有幾位"極左派"給中央領導寫信，控告我，要求嚴肅處理我，開除我的黨籍。後來我在網上發表了一個聲明，說鄙人還不是中共黨員。這些人是糊塗蛋，他們不知道我是否是黨員，也不知道我的書是在海外出版的，還是在國內出版的。他們甚至要求治我以叛國罪。所以說，胡喬木同志審查過的這段話，給了我很大力量。前幾天我在成都開會，碰到了這段話的執筆者金沖及同志。我說，我同意你的觀點，但你的這段話直到現在都還是超前的，有些人也許現在還不會同意。

所以，我們應該承認，蔣介石對抗戰勝利是有功的，對世界反法西斯戰爭的勝利也有功。抗戰勝利的結果：第一，是促進了不平等條約的廢除。太平洋戰爭爆發以後，蔣介石就認為，廢除帝國主義給中國的不平等條約的時機到了，他首先跟羅斯福派來中國的代表談話，要求美國首先、單獨、自動廢除對華條約中的不平等條款，而且指示宋子文，進一步要求美國政府取消諸如租界、內河航行、關稅等方面的不平等條約。正是在蔣介石的要求下，1943年1月，中美、中英簽訂《中美新約》、《中英新約》。第二，是促進了中國國際地位的提高。在抗戰後期，中國成為國際上的四強之一。蔣在日記中說道，國家的聲譽和地位實在是有史以來空前未有地提高。第三，是收復失地，洗雪國恥。經過抗戰，鴉片戰爭以來的國恥洗雪了，東北、台灣、澎湖列島收回了，丟掉的這些土地，隨著抗戰的勝利，通通收回了。所以說，抗日戰爭是中國近代歷史上第一次取得的完全勝利的戰爭。第四，促進了國際反法西斯戰爭的勝利。在1941年太平洋戰爭爆發之前，中國是抗擊日本法西斯的唯一戰場，而且中國戰場是世界反法西斯戰爭的東方主戰場。從1937年冬到1940年冬，日本在中國的陸軍佔其陸軍總數的78%，最高是94%。二戰的戰區是2,200萬平方公里，中國戰區是600萬平方公里。德、日、意的法西斯軍隊是1,100萬人，中國抗擊了其中的240萬人。從抗戰時間上看，美國是3年9個月，英國是6個月，但中國的抗戰長達14年。由於中國戰場的存在，拖住了日本北進的腳步，使得蘇聯避免兩面作戰，從而能夠集中力量對付德國。從1941年春到1944年秋，蘇聯先後從遠東地區調集了54萬人，5,000門大炮，33,000多輛坦克到歐洲戰場。而且，中國戰場延遲了日本向東南亞前進的計劃，牽制了日本南進的兵力，為英美——特別是美國贏得了時間，也為美國空軍轟炸日本提供了後方基地。由於中國戰場的存在，粉碎了德、意、日在中東會師的計劃。美國總統羅斯福曾經說過，假如沒有中國，假如中國被打垮了，你想一想，有多少師團的日本兵可以被調到其他戰場作戰，他們可以馬上打下澳洲，打下印度，並且一直衝向中東，日本可以和德國配合起來，舉行一次大規模的反攻，在近東會師，把俄國完全隔離開，吞併埃及，斬斷通向地中海的一切交通線。所以說，中國戰場的存在，有力地保證了世界反法西斯戰爭的勝利。因此說，蔣介石對世界反法西斯戰爭的勝利也做出了貢獻。當然，上述成績，自然不是蔣介石一人之功，而是全國人民共同奮鬥的結果，但是，他順應"天理"和"人情"，領導國民黨和國民政府抗戰，堅持到底，這些成績，自然也和他個人密不可分。

下面，我要講蔣介石的過錯。第一，片面抗戰與戰略上的失誤。淞滬會戰、南京會戰，特別是淞滬會戰，在幾十平方公里的地區聚集了 70 萬軍隊，和日軍打消耗戰。蔣介石錯誤地把希望寄託在《九國公約》簽字國在比利時開的會。後來，在南京保衛戰期間，又幻想蘇聯可以出兵，致使中國軍隊遭到沉重的損失。蔣當時的戰略思想，是持久消耗戰。但在實際上，他強調的是敵攻我守，要求固守陣地，這樣就消耗了自己。他提出要發動游擊戰，發動民眾，但始終發動不起來，所以他的抗戰被稱為是片面抗戰。他只懂得用國民黨的正規軍隊去抗日，不懂得像毛澤東在《論持久戰》中說的：戰爭的最深厚的偉力存在於民眾之中，也不懂得陣地戰之外還有運動戰、麻雀戰、游擊戰等戰術。第二，抗戰中期與後期的反共活動。蔣跟美國人說，他有兩個任務，一是要驅逐日寇出中國，二是阻止共產主義在國境內的蔓延。因此在抗戰過程中，蔣介石雖然和中共組成了抗日統一戰線，但他始終有反共活動，主要表現在：一是，制定了一個"限制異黨"活動的辦法，對中共的活動進行許多限制。二是，他對陝甘寧邊區進行軍事和經濟封鎖，在整個的八年抗戰期間，他始終把胡宗南的軍隊佈置在陝甘寧邊區周圍，不管抗戰形勢如何艱難險惡，胡宗南的軍隊始終用來對付中共。三是，發動皖南事變。在抗戰中，蔣介石一方面要限共、反共，但另一方面，他又不能全面反共，因為抗日的大局在前。第三，蔣在抗戰期間，始終堅持一黨專政，拒絕改革，頑固腐敗。當時，中國有幾種力量，都要求國民黨結束一黨專政的局面。民主黨派，如張瀾、黃炎培，都提出要結束國民黨的黨治局面，但遭到蔣介石拒絕。中國共產黨除要求堅持抗戰外，還要求實行民主政治，實行憲政，提出要成立聯合政府，各黨派平等，但蔣介石也都拒絕了。此外，當時的美國為了爭取反法西斯戰爭的勝利，出面調解國共矛盾，也要求蔣介石改變一黨專政的局面。抗戰後期，美國非常看好中共，對中共的抗戰活動，特別是游擊戰爭給了很高評價，對中共在陝甘寧建立的民主政府也給了很高評價。美國要求國民黨開放政權，成立國共聯合政府。1944 年 11

月，美國人赫爾利訪問延安，從延安帶回了毛澤東親筆簽字的"五項協定"，其中的第二項就是改組現在的國民政府為聯合國民政府，改組國民政府的軍事委員會為聯合的國民軍事委員會。但蔣介石都拒絕了。正是由於蔣介石在抗戰過程中，堅持反共，堅持一黨專政，這就埋下了他在抗戰勝利以後，又一次發動內戰的伏筆。正是由於他在抗戰中，拒絕改革，並且包庇孔祥熙等大官僚，抗戰勝利後，他的名聲雖達到了極點，但很快，不過三四年，他就在大陸失敗，退到台灣去了。

「飛機搶運洋狗」事件與打倒孔祥熙運動 *

——一份不實報導引起的學潮

* 本文錄自《找尋真實的蔣介石：蔣介石日記解讀》（1），重慶出版社 2015 年版；原載《南方週末》，2010 年 3 月 18 日。

一、從搶救“要員”的飛機上走下來幾條“洋狗”

1941 年 12 月 7 日，日軍偷襲珍珠港，太平洋戰爭爆發。同日，日軍向香港發動閃電式的進攻，形勢危急。當時，香港是英國殖民地，不少民國要人，包括國民黨中央委員在內的軍政大員、銀行家、文化人，如宋慶齡、何香凝、柳亞子、鄒韜奮、茅盾、陳寅恪、陳濟棠等都寄居當地。為了避免這些人成為日軍俘虜，重慶國民政府應各方要求，加派航班，力爭在日軍佔領之前將這些要人搶運到內地來。由於《大公報》社長胡霖（政之）也在香港，該社總編輯王芸生向蔣介石的秘書陳布雷提出要求，得到蔣的同意，將胡列入搶救名單。

12 月 10 日，從香港最後起飛的一架飛機到達重慶機場，《大公報》編輯部派人到機場迎接自己的社長，出人意料的是，不僅未見胡霖和其他要人的身影，相反，見到的卻是孔祥熙的夫人宋藹齡、二女兒孔令偉、老媽子、大批箱籠和幾條洋狗。次日，《新民報》日刊刊出採訪部主任浦熙修所寫現場報導，標題是：《佇候天外飛機來——喝牛奶的洋狗又增多七八頭》，但在四條相關新聞中夾雜著兩行文字：

　　△日來佇候於飛機場遙望飛機自天外飛來者大有人在，昨日王雲五先生亦三次前迎，三次失望。

　　△昨日陪都洋狗又增多七八頭，係為真正喝牛奶之外國種。

為什麼寫得如此簡略呢？主要是為了逃避重慶當局的新聞檢查，是一種不得已的辦法。

王芸生當日未去機場，但他聽到派出接機人員的彙報後，十分氣憤，也想將此事捅到報紙上。恰好，當時國民黨正在重慶召開五屆九中全會，12 月 20 日，會議通過了一份《增進行政效能，厲行法治制度以修明政治案》，其中提到"年來行政雖尚有進步，而仍不無疲玩遲滯之感"，推研其因，在於未能認真貫徹 1938 年《抗戰建國綱領》中的"嚴懲貪官污吏並沒收其財產"的有關條文。議案提出，今後要"厲行監察、檢察職權，修明政治，首重整肅官方"[1]。王芸生讀到這份議案後，當日寫成一篇社評《擁護修明政治案》，表示對國民黨中央全會議案的支持，中稱：

> 最要緊的一點，就是肅官箴，儆官邪。譬如最近太平洋戰事爆發，逃難的飛機竟裝來了箱籠、老媽與洋狗，而多少應該內渡的人尚危懸海外。善於持盈保泰者，本應該斂鋒謙退，現竟這樣不識大體。又如某部長在重慶已有幾處住宅，最近竟用六十五萬元公款買了一所公館。現在九中全會既有修明政治之決議，我們輿論界若再忍默不言，那是溺職；新聞管理當局若不准我們發表，更是違背中央勵精圖治之旨。

文中提到的兩個例子，一個指向當時的行政院副院長孔祥熙，一個指向當時的外交部長郭泰祺。自然，送審時檢查機關通不過，下令"刪扣"，但王芸生無視禁令，將被刪部分照發。[2]於是，12 月 10 日重慶機場上的那一幕就廣為人知了。

二、昆明學生上街遊行，
大喊"打倒孔祥熙！"、"槍斃孔祥熙！"

國民參政會是抗戰期間國民政府成立的包含各黨派成員的諮詢機構。會

1　《中國國民黨歷次代表大會及中央全會資料》（下），光明日報出版社 1985 年版，第 749—752 頁。
2　《王世杰日記》第 3 冊，台北"中央研究院"近代史研究所影印本，1942 年 12 月 22 日，第 215 頁。

上，聯大教授張奚若、羅隆基對孔祥熙常有質詢。會議結束後，張、羅回到昆明，也將消息帶到當地。12 月 24 日，昆明《朝報》轉載王芸生所寫社評，將標題改為《從修明政治說到飛機運狗》，"洋狗"事件遂被更加突出。吳晗當時在西南聯大任教，他在一年級的中國通史課上憤怒地說："南宋亡國時有蟋蟀宰相，今天有飛狗院長，可以媲美。"[1] 他的話，像是在一堆乾柴上點燃了火焰，不同政治傾向的學生都被動員起來。

1942 年 1 月 5 日，西南聯大新校舍的"民主牆"上出現"打倒孔祥熙"的標語。學生迅速編輯並出版壁報《吶喊》，發表《剷除孔祥熙》、《重燃五四烈火》、《告國民黨員書》、《告三民主義青年團團員書》等文章。留校中共黨員劉平御組織的平社繼起回應。《呼聲》、《正義》等壁報陸續出現。學生自治會主席郝純治和副主席竹淑貞等暗暗發動群眾。三民主義青年團團員鄒文靖、鍾正等找到教育系教授、三青團直屬分團部書記長陳雪屏，要求以聯大三青團的名義表示抗議，陳拒絕，鄒等即起草《討孔宣言》，宣稱"孔賊不除，誓不甘休"，簽名者共 26 人。

1 月 6 日下午 1 時，西南聯大學生鳴鑼號召，迅速聚集六七百人上街遊行。雲南大學、中法大學、英語專科學校、同濟附中、昆華師範等校的學生紛紛趕來參加，共約三千人。聯大一年級新生中的共產黨員齊亮、王世堂、高彤生（高志遠）以及原中共鄂西特委副書記馬千禾（馬識途）等都參加了遊行。學生舉著自製的"倒孔"、"討孔"、"剷孔"的小旗子，在鬧市遊行，高呼"打倒孔祥熙"的口號。土木系學生葉傳華用床單畫了一個大銅錢，肥頭胖腦的孔祥熙的頭鑽在四方的錢孔裏。該畫原來張掛在校內，也被抬進遊行隊伍作為前導，倍加引人注目。

學生們一邊遊行，一邊遍貼標語。根據國民黨當局收集的情報，標語計 24 條：

> 1. 黨國要員不如孔賊的一條狗。

1　西南聯大黨史編寫組：《中共西南聯大地下組織和群眾革命活動簡史》，雲南人民出版社 1994 年版，第 40 頁。

2. 擁護政府修明政治！

3. 打倒以飛機運洋狗的孔祥熙。

4. 孔賊不死，貪污不止！

5. 打倒禍國害民的孔賊！

6. 打倒國賊孔祥熙！

7. 請新聞檢查所勿扣倒孔之消息！

8. 各界參加，打倒貪官污吏孔祥熙！

9. 屈殺留港官員者是誰？

10. 香港危急，飛機不救要人，而運狼犬，孔祥熙罪惡滔天！

11. 請報界發表輿論！

12. 爭取民主自由，打倒孔祥熙！

13. 孔存款十七萬萬元在美國！

14. 打倒操縱物價的孔祥熙！

15. 打倒操縱外匯的孔祥熙！

16. 打倒發國難財的孔祥熙！

17. 要修明政治，必先剷除孔祥熙！

18. 打倒囤積居奇的孔祥熙！

19. 擁護龍主席，打倒孔祥熙！

20. 孔祥熙為一國的財政部長，不好好管理財政，專做囤積居奇生意，簡直是漢奸，我們非殺死他不可！

21. 香港危險時，政府派飛機去救黨國要人，帶轉來的是孔祥熙夫人及七隻洋狗、四十二隻箱子！

22. 槍斃孔祥熙！

23. 欲求抗戰勝利，先從倒孔做起！

24. 前方抗戰流血，後方民眾吃苦，發財的是孔祥熙。[1]

上述標語反映了學生的抗議焦點和政治訴求：集中於孔祥熙的貪污、操縱物價與外匯、發國難財、囤積居奇等方面，但其中最強烈的則是不積極搶救"黨國要人"，卻以飛機搶運"洋狗"。"要人不如狗"，這自然是一個易於激動人心、引起公憤的題目。

1　朱家驊檔案，台北"中央研究院"近代史研究所藏，301-01-06-050。

當夜，聯大學生回到宿舍，連夜編出名為《四十年代》的壁報，稱此次遊行為"一六運動"。同晚，召開全市學生代表大會，每校推出代表三人，馬千禾被推選為聯大倒孔代表會負責人。8日，聯大學生自治會倒孔運動委員會邀集校內明社等23個團體組成倒孔運動後援會，請教授及參政員將倒孔運動情況報告國民參政會駐會委員，要求撤去孔祥熙職務，沒收其財產。同日，昆明市學生聯合會發表討孔通電。

1月中旬，內遷貴州遵義的浙江大學學生繼起"討孔"，其情況與西南聯大相似。

三、原來是一篇不實報導

事實上，飛機搶運"洋狗"是一篇貌似確鑿而嚴重違離真相的報導。

《大公報》社評發表的當日，蔣介石聽說孔祥熙生病，曾前往探視[1]。同日，蔣介石嚴令交通部徹查真相，同時向《大公報》詢問消息來源，要求報社負責查明內容，窮究虛實。次日，《大公報》復函，說明"事屬子虛，自認疏失"[2]。12月29日，重慶國民政府交通部部長張嘉璈向報社寄來一封信，說明向中國航空公司調查結果：當日香港交通斷絕，電話不通，無法一一通知需搶救人員；因有空餘座位，故有航空公司人員搭機，並儘量裝載中央銀行已運到機場的公物，"決無私人攜帶大宗箱籠老媽之事"；至於四隻"洋狗"，則係兩位美國駕駛員見仍有餘位，順便攜帶到渝云云。函稱：

> 本年12月22日貴報社評《擁護修明政治案》文內，涉及此次香港來渝逃難飛機裝載箱籠、老媽、洋狗，致多少應內渡之人尚危懸海外等語，當以此事為社會視聽所繫，經飭中國航空公司徹查具報，據稱……是日香港與九龍間交通斷絕，電話亦因轟炸不通，其未來公司接洽之乘客，無法通知。在起飛前，時已拂曉，因敵機來偵之故，不能再待，惟飛機尚有餘

1　《蔣介石日記》（手稿本），1941年12月22日。
2　蔣介石：《致龍雲電》，《事略稿本》，台北"國史館"，1942年1月12日，002-0601-00160-012。參見秦孝儀等編纂的《"總統"蔣公大事長編初稿》，第1849頁。

位，故本公司留港人員因此亦有搭機回渝，並將在站之中央銀行公物儘量裝載填空，隨即起飛，決無私人攜帶大量箱籠、老媽之事，亦無到站不能搭機之乘客。至美機師兩人，因有空位，順便將洋狗四隻，計三十公斤，攜帶到渝，確有其事等情。查所稱各節，確屬實在情形，貴報社所述殊與事實不符，除美籍機師攜帶洋狗，殊屬不合，已由本部嚴予申飭外，相應函請查照，即予更正，以正觀聽，是所至盼。

函末蓋有"張嘉璈"本人印章。王芸生收到此信後，標上"交通部來函"五字，刊於 12 月 30 日報末。[1]

國民黨、國民政府本來就缺乏公信力。此函刊出後，人們大都視之為文過飾非的官樣文章，不予採信，有關消息繼續流佈。但是，也有人相信。例如黃炎培。他在 12 月 13 日的日記中寫道：

> 九龍失守，諸友好多未他遷。最後一批飛機兩架，一載航空公司職員，一載孔庸之夫人，攜像俱五十六件，狗九條，而許多待乘之客均不得乘，如蔣公開單指令離港之陶希聖、陳濟棠、蔣伯誠等以及中委十餘人均不得乘（後知狗非孔氏物，乃機師所有）。[2]

括弧中的話顯係後來所加。黃炎培當時是國民參政會參政員，不喜歡蔣介石和國民黨，也為蔣介石和國民黨所不喜。如果不是情況屬實，他是不會隨意加上這一句話的。

王芸生後來也採信了張嘉璈的解釋。1942 年 1 月 22 日，他在社評《青年與政治》中寫道：

> （本報）立言之意，全本愛國熱忱，闡明修明政治的必要，偶憑所聞，列舉一二事例，並非立論之中心，且關於飛機載狗之事，已經交通部張部長來函聲述，據確切查明係外籍機師所為，已嚴予申飭，箱籠等件是中央銀行的公物。本報既於上月三十日揭載於報，而此函又為中央政府主管官吏的負責文件，則社會自能明察真相之所在。

---

1 今《大公報》僅影印第一張 4 版，未影印第二張 2 版。此據王芸生、曹冰谷：《〈大公報〉評論飛機洋狗事件》，《孔祥熙其人其事》，中國文史出版社 1987 年版，第 363—364 頁。
2 《黃炎培日記》卷 7，華文出版社 2008 年版，第 193 頁。

王芸生不是一個屈服於壓力的人。當初，他敢於冒犯新聞檢查機關的"刪扣"，照原文發表社評；事後，他自然也不會輕易違心地承認官方的掩飾。

更重要的證據是宋慶齡 1942 年 1 月 12 日寫給宋子文的信件，中云：

> 《大公報》發表了一篇言語中傷的社論來歡迎我們，指責我們帶了大批行李和七隻餵牛奶的洋狗，以及一批僕從。事實是當時飛機上共有二十三人，你可以想像每個人能帶幾件行李。這篇社論雖然用詞巧妙，沒有點名，但指的就是我們。我想對社論作出回應，但別人勸我應保持尊嚴和沉默。與此同時，謠言傳得很廣，也很快。藹齡姐說，指控她的事很多，但現在她已不在乎去澄清這些謠言了。
>
> 我沒能帶上我的很多文件和其他無價文章，更別說我的狗和衣服了。當我到這裏來的時候，我發現我只帶了幾件舊衣服，那還是女僕燈火管制時黑底裏為我隨手抓來的。對一個每天寫東西的人來說，我甚至連一支筆都沒有。[1]

抗戰期間，孔祥熙一家在重慶上清寺范莊、南溫泉及化龍橋幾處均有公館，包括夫人宋藹齡、長女孔令儀、次女孔令偉等都住在重慶。但是，孔祥熙在香港沙遜街有房產，因此宋藹齡有時也住在香港。宋藹齡有心臟病。1941 年 12 月上旬，宋藹齡帶著孔令儀和管家趙惠芳自重慶到香港看病、治牙，適逢香港危急，便在匆忙中又逃離香港。12 月 9 日中午 12 點，宋慶齡和宋藹齡同在香港機場候機，直到 10 日凌晨 5 點才同機離港。事前，宋慶齡靠了女僕的幫助，臨時抓了幾件衣服，同樣，宋藹齡等也不可能攜帶大量行李，更不可能攜帶幾條"洋狗"。宋慶齡到達重慶後又和宋藹齡等同時離開機場，暫住孔家。如果有大批行李和幾條"洋狗"運回孔府，她不會不了解。在致宋子文函中，她認為《大公報》"帶了大批行李和七隻餵牛奶的洋狗"的指責是一種"言語中傷"，自然有力地說明，有關報導並不可靠，半是接機者的目擊，半是揣度。

關於"飛機運洋狗"一事，2006 年，宋氏家族的曹琍璿女士和胡佛研究院的郭岱君研究員曾詢問當時還健在的孔令儀。孔也是同機離港者之一。據她

1　宋子文檔，胡佛檔案館藏。此函多年來不為人所知，北京中國社會科學院近代史研究所學者張俊義第一個發現，並全文翻譯。見《百年潮》2004 年第 12 期，第 53 頁。

說："當時情況危急，香港到處風聲鶴唳，她們是最後一班飛機離港，連位子都沒有，行李也來不及拿。"關於那幾條"洋狗"，孔稱："狗是屬於外國人的。是令偉在機場等她們時，和老外聊天，逗他們的狗玩。三隻狗都不是令偉的。"[1]雖然事隔多年，孔令儀的回憶可能有不準確的地方，但上述回憶和宋慶齡事後給宋子文函所述大體一致。關於"狗"的主人是"外國人"，這一回憶也和張嘉璈的更正函一致。當日，孔二小姐的角色雖是接機，但人們熟知她平時愛狗，"和老外聊天，逗他們的狗玩"，自然會被誤認為是從香港運狗的主人了。

以上說明，當年張嘉璈的更正函所述是事實。然而，可惜的是，當時大部分人都不予採信。多年來，幾乎所有相關的歷史著作都在繼續宣揚，香港危急之時，孔家搶運"洋狗"。以訛傳訛，相沿至今。有些著作甚至繪聲繪色地描寫孔二小姐如何在機上持槍強迫其他"要人"為"洋狗"讓出位子，似乎作者當時在場一般。

新聞報導與歷史著作的共性都是必須高度真實，所述各事均需嚴謹地加以核查和考證。譽人之善，恰如其分；斥人之惡，也不增不減。不能因為某某是正面人物，就無根據地粉飾、溢美；也不能因為某某是反面人物，就不加分析，任意抹黑、抹醜。多年以來，人們從某種預設立場出發，對於揭露國民黨的資料常常未經核實就加以引用，因此錯訛就在所難免了。

四、昆明學潮平息，蔣介石和國民黨加強政治控制

飛機運洋狗事件發生時，正是中國抗戰發生重大轉機之際。

1941 年 12 月 9 日，中國政府正式對日宣戰。次日，蔣介石在重慶邀請英、美駐華大使及武官，討論中、美、英、荷、澳五國聯合對日作戰計劃，建議美國總統羅斯福召集同盟國首腦會議，討論全球反法西斯作戰戰略、設立聯合軍事參謀機構等重大問題。他雄心勃勃地夢想，在 1942 年年內擊敗日本。12 月 30 日，羅斯福提議組織中國戰區。1942 年 1 月初，蔣介石就任中國戰區統

1　曹珝瑢致筆者函，2009 年 12 月 5 日。

帥，負責指揮中國、安南、泰國等地的聯合國部隊。當時，中國軍隊正在與進攻長沙的日軍鏖戰，遠征軍正在準備自雲南進入緬甸，支援英緬軍對日作戰。在這樣的時刻，昆明發生學生運動自然是不很相宜的。

1 月 5 日，當聯大學生還在出版壁報、醞釀行動之際，聯大國民黨區分部書記、歷史系教授姚從吾即向國民黨雲南省黨部書記長趙澍報告，趙命調統室人員注意。6 日晚，趙澍致電國民黨中央組織部部長朱家驊報告，聲稱學生行為，"顯係有組織策動"，要求朱轉告教育部長陳立夫，請示方針。[1] 朱於次日晚電復趙澍："緬甸軍事重要，望速設法平息為要。"同時，由組織部人員致電聯大教授中的國民黨與三青團負責人姚從吾及陳雪屏，聲稱"校中學生對報載事件有所醞釀，係出誤會，請速勸導，萬勿擴大。"[2] 10 日，朱家驊再電趙澍稱："大敵當前，勝利第一。且南洋風雲日亟，滇省正在出擊之時，不容再有任何紛爭"。他要趙澍與姚從吾等商量，"剋速設法使之平息"[3]。陳立夫在接到朱家驊轉來的趙澍函電後，也急電聯大、雲大、中法、同濟四校負責人，要求他們"迅即制止"，同時要求朱家驊分電省黨部及各校黨部，共同防範制止，勿使擴大。[4]

趙澍的對策之一是嚴密封鎖消息。學生遊行後，趙即命警察在全市範圍內撕去或塗去學生標語，禁止各報登載相關報導。對策之二是闢謠。香港失守後，昆明傳言很多。如：吳稚暉全家在港被困自殺；郭泰祺、王寵惠、王正廷等在港，或被俘或自殺；陶希聖被日寇抓到後剝皮；等等[5]。這些傳言，自然更加強了學生對孔祥熙以飛機運送"洋狗"一事的不滿。趙澍針對傳言，命黨部所屬雲南通訊社發表消息，說明吳稚暉、郭泰祺、王寵惠、王正廷等人"均安居重慶"。該消息發表後，部分學生的情緒趨於緩和。對策之三是宣揚湘北大捷，轉移學生視線。當時，中國軍隊在長沙地區頑強抗擊日軍，日軍被迫退卻，中國軍隊乘勢追擊堵截，取得重大勝利。昆明學生準備以慶祝湘北大捷為

---

1 趙澍：《致中央黨部組織部朱部長》，朱家驊檔案，台北"中央研究院"近代史研究所檔案館藏，301-01-06-050。

2 一鶴、培林：《致雲南省黨部趙公望兄譯轉》，朱家驊檔案。

3 朱家驊：《復趙澍》，朱家驊檔案。

4 陳立夫：《致驪先吾兄函》，朱家驊檔案，1942 年 1 月 8 日。

5 趙澍：《致驪公部長》，朱家驊檔案，1942 年 1 月 7 日。

名，繼續發動反孔遊行，趙澍即命省黨部於 10 日召集各界祝捷大會，轉移學生情緒。9 日，昆明警備司令宋希濂到聯大報告。下午，學生從國民黨五屆九中全會的會議錄等資料中證實，吳稚暉、郭泰祺果在重慶，形勢更趨緩和。10日，討孔運動委員會貼出佈告，宣佈解散。此前，部分學生曾指責趙澍及雲南社發佈消息，為孔祥熙辯護，"別有作用"，"收孔祥熙賄賂 15 萬元"，甚至準備到雲南省黨部責問趙澍。至此，學生派出代表向雲南社記者致歉，倒孔運動平息。[1]

《大公報》社評對郭泰祺的揭露，大體屬實。第二天，蔣介石即在九中全會上宣佈其"另有任用"，以宋子文繼任外交部長。[2] 昆明學生掀起倒孔高潮後，蔣介石曾考慮令孔辭職，但他又不願向學潮低頭。1 月 9 日日記云："昆明聯大學生反對庸之，此事已成為普遍之風氣，不能不令辭去，但此時因有人反對而去，則甚不宜也。"[3] 在蔣介石看來，學潮的背後一定有複雜的政治背景，也一定有人挑動。10 日日記云："政客又想藉《大公報》整頓政治一文，在各處運動風潮，推倒庸之，應以澹定處之。" 這樣一想，令孔祥熙辭職的打算又打消了。11 日，蔣介石反復思考，字斟句酌，在頭腦作痛中起草致昆明行營主任龍雲的電文，聲稱根據所得確切情報，日本軍閥及納粹國社黨，"在北平、南京、上海、香港等地，收買無聊政客，陰謀以群眾運動，損害我國家威信，動搖我抗戰意志，已非一日"。電報嚴屬指責昆明學生，"甘為賣國反動派利用，實為民族莫大之恥辱"，要求龍雲愷切曉諭，使之明了幕後陰謀者的用心所在，切勿供人愚弄，破壞抗戰。電報最後嚴屬宣稱："當地軍政當局，有維持後方治安之現任，應依照野戰治安法令，切實執行紀律，勿稍寬假。"[4]

關於挑動風潮的幕後人物，蔣介石最初認為是國家社會黨的張君勱等人，其《上星期反省錄》云："反動派鼓動昆明各大學學生遊行示威，以庸之為其目標。文人政客之卑劣污陋，如張君勱之流可謂喪心病狂極矣。"[5] 1939 年 9 月，

1　趙澍：《致騮公部長》，朱家驊檔案，1942 年 1 月 12 日。
2　參見《王世杰日記》，1941 年 12 月 22 日、23 日。蔣介石曾在 23 日日記中，指斥郭"真是小人之尤者"。
3　《蔣介石日記》（手稿本）。
4　《事略稿本》，台北"國史館"，002-0601-00160-012。
5　《蔣介石日記》（手稿本），1942 年 1 月 17 日。

國民參政會一屆四次會議在重慶召開，張君勱領銜提出《請結束黨治實施憲政，以安定人心，發揚民力而利抗戰案》和《改革政治以應付非常局面案》，嚴屬批評孔祥熙所主管的行政院效率低下，要求更張人事。自此，張君勱即成為民主憲政運動的積極宣導者。昆明“倒孔”學潮發生，蔣介石懷疑張君勱在其中的作用，甚至懷疑張君勱有敵偽、日寇、納粹德國的背景。[1]其間，蔣介石曾考慮過動用“權力”，為此思考過三天，但認為尚非其時，決定通過張嘉璈與張君勱的兄弟關係對張進行勸說：“勿再作無聊舉動”[2]。當張君勱否認自己是昆明學潮的主使人時，蔣介石又懷疑張在昆明的“政治朋友”、國社黨成員羅隆基是主使者。1月12日日記云：“對國社黨之處治辦法須徹底，否則不如暫緩。”這段日記表明，只要時機合適，蔣介石是準備動用“權力”對付其他“異己”黨派的。不久，蔣介石下令封閉張君勱在雲南大理的民族文化書院，並利用張君勱到重慶參加國民參政會的機會，將其軟禁於重慶汪山，處於特務的嚴密監視中。[3]事後，蔣介石派康澤到昆明調查，證明學潮和國社黨無關。[4]當時的中共雲南省工委貫徹“隱蔽精幹，長期埋伏，積蓄力量，以待時機”的方針，也沒有在背後領導這次運動。[5]

昆明學潮和孔祥熙以“飛機運洋狗”的不實報導有關，但抗戰期間孔祥熙確有種種劣跡，受到各界人士的廣泛反對。連軍統骨幹唐縱都認為“孔之為人，莫不痛恨”[6]。學潮反映出當時社會公眾對孔祥熙和國民黨官僚階層的普遍不滿。這一點，蔣介石有認識。他在日記和《反省錄》中寫道：

> 驕矜自滿而不自知者是為政治者之大忌。不能齊家，何能治國，人皆由於自侮也，可不戒乎？[7]
>
> 戚屬恃勢凌人，驕矜自大，不知公私，不明地位，亦時令人憤悶。[8]

1　蔣介石：《致龍雲電》，《事略稿本》，台北“國史館”，002-0601-00160-012。參見唐縱：《在蔣介石身邊八年》，群眾出版社1991年版，第250頁。
2　《蔣介石日記》（手稿本），1942年1月13日。
3　參見楊永乾：《張君勱傳》，唐山出版社1993年版，第253頁。
4　唐縱：《在蔣介石身邊八年》，第253頁。
5　參閱李群傑：《抗日戰爭時期黨的建設和在黨領導下的雲南抗日救亡運動》，《雲南文史資料》第30輯，第9頁；熊德基：《我在聯大從事黨的地下工作的回憶》，《雲南文史資料》第34輯，第375—378頁。
6　唐縱：《在蔣介石身邊八年》，第253頁。
7　《蔣介石日記》（手稿本），1942年1月10日。
8　《上星期反省錄》，《蔣介石日記》（手稿本），1942年1月17日。

　　滇黔各校反對庸之夫婦之運動已醞釀普遍之風潮，此乃政客、官僚爭奪政權之陰謀，可謂喪心極矣。然而平時之不加自檢，驕矜無忌，亦為之主因也。[1]

　　這些地方，說明蔣介石不是沒有看到孔祥熙家族，特別是孔祥熙本人的問題，但是，他並沒有對孔祥熙和行政院採取任何措施，仍然怪罪於"國人"，特別是學生。日記云："國人與青年皆無辨別之智能，故任人煽惑，以致是非不彰，黑白顛倒，自古皆然。"[2] 其實，昆明學潮雖有幼稚、輕率的一面，但更多地反映出的卻是學生們愛國熱忱和嫉惡如仇的積極一面。蔣介石完全看不到這後一面，他就站到愛國學生的對立面去了。

　　當時，西南聯大既有國民黨，也有三青團的基層組織。風潮中，蔣介石感到這些組織都未能發揮作用，深感"無人已甚"之苦。學潮中，部分三青團員成為"倒孔"積極分子，國民黨雲南省黨部為了掌握"領導權"，也有意識鼓勵三青團員參加。關於此點，當時人回憶說："遊行回來，同學們又討論成立組織繼續搞下去，但跳上台最賣勁的是幾個三青團員，一些進步同學看到這情況，便紛紛退出，這個'討孔'運動也就偃旗息鼓了。"[3] 國民黨省黨部的這一招雖有效，但蔣介石卻極為惱火。1 月 24 日日記云："本週最使人憂憤者仍為西南聯大所鼓動之學潮，我青年團幹部糊塗散漫，一任反動派從中利用與主使而昏昧不悟，事事幾乎非余親自設計與擬稿不可，實足為本黨前途憂也。"25 日日記云："青年團幹部幼稚昏昧，是皆余不能善教之道，憤激悲傷何為耶！"26 日上午，蔣介石覺得三青團幹部"投機、官僚"，為此大發雷霆。下午，痛斥三青團書記長張治中"投機無智"。所謂"投機"，指的就是部分三青團員投入學潮。據張治中回憶，他當時曾草擬了一份改進和加強三青團的工作意見書，呈交蔣介石：

　　　　這時候，正好昆明發生"倒孔"運動，有人報告蔣，說這是青年團發動的。蔣非常氣憤，只在我的意見上打了許多圈、點、槓和問號，不加批

1　《蔣介石日記》（手稿本），1942 年 1 月 21 日。
2　《蔣介石日記》（手稿本），1942 年 1 月 9 日。
3　《雲南文史資料》第 34 輯，第 376 頁。

復，但另寫一張手條，大發脾氣，指責青年團幹的是反革命的工作。[1]

昆明學潮發端於不實報導，純粹自發，一鬨而起，自然有缺點，有不足，但本質上仍然是愛國運動和反貪腐運動。對有缺點、有不足的學潮，只能引導、教育，而不應敵視、鎮壓。蔣介石這裏指斥聯大的三青團員參加"倒孔"是"反革命的工作"，其矛頭所指當然是整個的昆明學潮。其 1 月 23 日日記云："對各大學共黨惡化分子應作肅清之整備；各大學校長與教授應徹底整頓。"這就為國民黨今後鎮壓學潮預埋了伏筆。1 月 25 日，他認為"事實真相，早已大白"，但有些城市還在因此發生學潮，懷疑背後有"漢奸、反動派"挑動，因此通令各省省主席、省黨部主任委員、書記長等，"切實制止學生之越軌行動"，"切實戒備，洞矚內幕，嚴防煽動"。[2] 以 1942 年年初的昆明學潮為標誌，國民黨和三青團的學校工作逐漸向以防共、反共為主轉化。

昆明學潮反對孔祥熙個人，並不反對正在抵抗日本侵略的國民政府。這本來是一個敦促國民黨進行徹底改革的警訊，但是，蔣介石卻主要視之為敵對勢力挑動，對內政危機漠然不覺。他處理郭泰祺雖然堅決、明快，但處理孔祥熙卻長期優柔寡斷。1 月 26 日，蔣介石召集國民黨和國民政府高級主管官員訓話，大講其"於安定中求改正"，"於寬大中求核實"，不得互相譏刺、攻訐，不得旁觀冷視，不得造謠生事，不准姑息腐朽，不得以中立態度自居，以及"成敗榮辱皆不能分離"等道理，然而，並無改革內政的任何實質性措施。[3] 27 日，重慶報載，"孔副院長病癒視事"，這使對國民黨和國民政府仍抱有希望的人大失所望。自此，國民黨的腐朽程度日益加深，逐漸步入膏肓。

附記： 本文寫出初稿後，承聞黎明教授賜示重要資料，得以修訂完善，謹此致謝。

---

1 《張治中回憶錄》（上冊），文史資料出版社 1985 年版，第 356 頁。
2 《事略稿本》，台北"國史館"，002-0601-00160-025。
3 《蔣介石日記》（手稿本），1942 年 1 月 26 日。

蔣介石親自查處孔祥熙等人的美金公債舞弊案 *

等人的美金公債舞弊案

—— 且看蔣介石如何反腐敗

* 本文錄自《找尋真實的蔣介石：蔣介石日記解讀》（1），重慶出版社 2015 年版。

一、孔祥熙等貪污鉅款

發行公債是吸收社會資金、解決國家財政急需的重要辦法。1942 年，抗日戰爭進入第五個年頭。國民政府為解決日益膨脹的財政需要，用美國對華五億貸款中的一億元作為基金，在西南、西北地區發行"同盟勝利美金公債"，每元折合國幣 20 元。人民以國幣購買，待抗戰勝利後兌還美元。當時宣傳稱："公債以美元為基金，本固息厚，穩如泰山；國人踴躍認購，功在國家，利在自己。"其手續是，蔣介石以全國節約建國儲蓄勸儲委員會主席名義，致函各省分會主任委員（省主席兼）、副主任委員（財政廳長兼），轉令各市縣勸儲支會正副主委，按規定指標向各階層攤派，照比率折繳國幣，上解省勸儲分會，向中央銀行分行兌換美金公債券。實際上，由國民政府財政部交中央銀行國庫局分發各地銀行銷售。

同盟勝利美金公債雖有美金作底，但各地人民均採取多購不如少購，少購不如不購的消極態度，發行情況並不很好。至 1943 年秋末，全國實際售出還不到預定計劃之半，約 4,300 萬美元。已購之人，也不很相信將來會兌還美金，因此大多在購得後即轉手求脫。在黑市上，美金公債券一元僅值國幣 17 至 18 元。但是，其後由於通貨膨脹，國幣貶值，美金公債券的價值逐漸提升，由美券一元可值國幣 30 元發展至可值 273 元。

由於美金公債券價格持續上漲，身為行政院副院長、財政部長和中央銀行總裁的孔祥熙，於 1943 年 10 月 9 日致函蔣介石，以"顧全政府之信譽"，"如不籌維辦法，將來再請援助恐有妨礙"為由，申請於 10 月 15 日結束美金公債的發售。他向蔣表示，"當督促行局主管人員妥為辦理，以期早日完成"[1]。屆期，財政部密函國庫局，命令立即停止銷售美券，各地尚未售出的美券，全數由中央銀行業務局購進，上繳國庫。

按道理，美金公債在銷售了一段時期後停止銷售，並無不可。但是，當時的國庫局局長呂咸卻從中看到機會，企圖乘機舞弊，損公肥己。他於 1944 年 1 月命債券科科長熊國清代擬了一個簽呈，中稱："查該項美券銷售餘額，為數不貲，擬請特准所屬職員，按照官價購進，用副國家吸收游資原旨，並以調劑同人戰時生活。"這份簽呈寫得冠冕堂皇，似乎既符合國家發行公債的目的，而且照顧到國庫局員工的利益。但是，當時美券一元的最高市價已經飛漲到國幣 250 元，而國庫局的同人卻可仍以 20 元的低價購得；尚未售出的美券五千餘萬元，其市價將達 125 億國幣。按照呂咸的辦法，這一筆天文數字的鉅款就可以成為國庫局少數"同人"的囊中財富。對於這樣一個損公肥私的簽呈，身為中央銀行總裁的孔祥熙居然批了一個"可"字，並且加蓋了"中央銀行總裁"的官章。[2]

事實上，"調劑同人戰時生活"也仍然是一句掩人耳目的官話。據後來在國民參政會上提案揭發的參政員陳賡雅說，呂咸取得合法手續後，於 1944 年 2 月首先孝敬孔祥熙美金公債券 350 萬元，其後，又用以票換票、買空賣空的辦法貪污美券近 800 萬元。兩項合計，共 1,150 餘萬元，折合國幣約 26.47 億元。[3]

1　《孔祥熙致蔣介石函》，台北"國史館"藏檔案，1943 年 10 月 9 日，特交檔案／財政／卷 2／金融，財政 2-3，3/48098-1。

2　據曾任孔祥熙官邸秘書處秘書，後任國庫局局長的夏晉熊稱："國庫局長呂咸看到郭（景琨）被捕，坐立不安，因為發給國庫局職員這筆美金公債，孔只是口頭同意，沒有證據，等孔一回國，呂咸寫了個倒填年月的簽呈，懇求孔補批。孔居然也照補。"見夏晉熊：《在孔祥熙官邸的見聞》，《孔祥熙其人其事》，中國文史出版社 1987 年版，第 23 頁。

3　陳賡雅：《孔祥熙鯨吞美金公債的內幕》，《中華文史資料文庫》卷 14，中國文史出版社版，第 383 頁。

二、國庫局同人檢舉，蔣介石開始密查

俗話說："若要人不知，除非己莫為。"孔祥熙、呂咸等人如此明目張膽地舞弊、貪污，自然不能做得天衣無縫，船過無痕。1945 年春，國庫局的幾個知情的年輕人開始向重慶國民政府秘密檢舉。3 月 19 日，蔣介石日記云："研究中央銀行舞弊案。"[1] 這一天的日記說明，幾個年輕人的檢舉已經為蔣介石知悉，他開始注意美金公債的舞弊案了。此後，蔣介石日記中連續出現相關記載：

> 3 月 29 日："昨晚約侍從第二處組長與俞財政部長聚餐。與俞談中央銀行美金公債不清之數，責成其徹底追究。"
> 3 月 31 日《本月大事預定表》："徹查美金公債案。"
> 4 月 3 日："追究美金公債。""處理戰務以及中央銀行美金公債案徹查計劃。""督促俞鴻鈞辦案。"

上述日記表明，蔣介石發現中央銀行美金公債賬目不清，開始重視，並且決定交財政部長俞鴻鈞徹底查究。

俞鴻鈞（1898—1960），廣東新會人。1919 年畢業於上海聖約翰大學。1937 年 7 月，任上海市長。1941 年 6 月任財政部政務次長，步入財界。同年，兼任中央信託局局長。1944 年 11 月，孔祥熙卸任財政部長，俞鴻鈞繼任。

俞鴻鈞雖然和孔家淵源甚深，但是，查究美金公債案出於蔣介石的"欽命"，自然不敢怠慢。從蔣介石的下列日記可見，調查有進展，蔣介石逐漸發現問題所在。

4 月 7 日蔣介石《上星期反省錄》云："美金公債與黃金舞弊案正在徹查中。""黃金舞弊案"是差不多與美金公債案同時發生的另一案件。1944 年 3 月，重慶國民政府宣稱出售黃金，收縮通貨。28 日，財政部預定自當晚起，每兩黃金售價由 2 萬元增加至 3.5 萬元。但財政部官員高秉坊等事先走漏消息，預知內情的達官貴人投機搶購，致使當日重慶出售黃金數字劇增，成為轟動一時的"黃金加價舞弊案"。4 月 20 日，財政部將該案移送重慶實驗地方法院

---

1 《蔣介石日記》（手稿本），1945 年 3 月 19 日。

審理。

俞鴻鈞接手美金公債案後，於 4 月 8 日向蔣介石提交了一份查賬報告，其情況是："美金公債自停止出售以後，所剩五千萬左右也幾乎售完。買主用的都是一些堂名、別名，位址含糊不清，有的甚至是南京、上海等淪陷區的地址。"[1]蔣閱後認為"其中顯有弊竇，應徹查"。當晚，蔣介石約陳布雷等人談話，"指示查賬手續"[2]。陳布雷當時擔任軍事委員會侍從室第二處主任，是蔣介石的親信。蔣介石向陳布雷等"指示查賬手續"，說明蔣進一步重視此事並且加強了調查力量。4 月 10 日，蔣介石滿有把握地在日記中寫道："考慮徹查美金公債案已得要領，不難追究也。"

要查，蔣介石碰到的第一個困難是，孔祥熙不在國內。1944 年 6 月，孔祥熙被派赴美，出席國際貨幣基金世界銀行會議。他患有膀胱結石病，會後即留在美國治病。1945 年 4 月 10 日，蔣介石致電在紐約的孔祥熙，指出在停售美金公債後，仍有 1,100 萬餘債券在繼續交易，應予追繳。電稱："擬查美金公債剩餘部分有壹千壹百餘萬元，預定戶在停售後，付價給券，不合手續，應即將此壹千壹百餘萬元之債券，飭令該行經管人員負責，全數追繳歸還國庫，不得貽誤，並將追繳之確數呈報。"4 月 11 日，孔祥熙復電稱："此事當時經過實情為何，弟不詳悉，已將鈞電轉主管局長迅剋遵辦，並嚴令責成負責，追繳齊全。俟弟病稍癒，即當回國親自處理。"[3]說"不詳悉"，不是不清楚，也不是很清楚，可進可退；至於"迅剋遵辦"，"嚴令責成"等語，都是老於官場的說法。

通過追查，蔣介石已經初步掌握案情，但是，孔祥熙不回國，調查難以深入。4 月 14 日，蔣介石日記云："美金公債舞弊案已有頭緒，須待庸之病痊回國也。"接到孔的復電後，蔣介石很失望，4 月 30 日日記又云："接庸之電，令人煩悶，痛苦不知所止。""中央銀行問題甚難解決也。"中央銀行長期掌控在孔祥熙手中，其勢力盤根錯節，蔣介石已經感到，美金公債舞弊案和中央銀行的問題比較棘手。

1　夏晉熊：《在孔祥熙官邸的見聞》，《孔祥熙其人其事》，第 22 — 23 頁。
2　《蔣介石日記》（手稿本），1945 年 4 月 8 日。
3　《央行發行美金公債舞弊案抄件》，台北"國史館"館藏檔案，1945 年 4 月，特交檔案 / 財政 / 卷 2 / 金融，財政 2-3，3/48099。

後來，蔣介石逐漸發現，有大量債券去向不明，曾經在《日記》"雜錄"欄中記下了一組數字："美金公債案：甲、各省市售出四千三百萬元。乙、國庫局交業務局五千四百萬。丙、預售戶有收據者只四千二百萬。丁、尚差數一千六百六十餘萬元。"這 1,660 餘萬美金公債的差額就是蔣介石要追查的地方。5 月 22 日，蔣介石因中央銀行業務局的黃金舞弊案發現重大嫌疑，電召孔祥熙速回。[1]

同年 5 月 5 日，國民黨在重慶召開國民黨第六次全國代表大會。19 日，選舉國民黨新一屆中央委員。長期以來，孔祥熙的貪瀆名聲早已流傳在外，口碑甚壞，但是，孔是蔣的姻親，宋藹齡、宋美齡都"護孔"，蔣在財政上也要依賴孔，因此，外間雖反孔，而蔣介石卻常加維護。選舉中，孔祥熙和糧食部長徐堪的票數都很低。後來選舉常委時，孔祥熙竟至於落選。蔣介石感歎地在日記中寫道："其信望墜落至此，猶不知余往日維持之艱難也。可歎。"[2] 同月 28 日，六屆一中全會開幕，任務之一是解決行政院的改組問題。1938 年 1 月，孔祥熙任行政院長，至 1939 年 11 月，蔣介石自兼行政院長，孔祥熙改任副院長。此後，社會"反孔"情緒更趨強烈，蔣介石不能不考慮"換馬"。六屆一中全會期間，蔣介石日記云："為庸之兄副院長職務亦甚煩惱，但為黨國計，不能不以公忘私也，苦痛極矣。"[3] 從這一頁日記不難看出，蔣介石既想甩開孔祥熙而又難於決斷的矛盾心理。次日，蔣介石宣佈，他本人和孔祥熙分別辭去行政院正副院長職務，改以宋子文、翁文灝充任。6 月 1 日，蔣介石考察幹部狀況，在日記中寫下了他對孔祥熙的考語："（庸之）不能為黨國與革命前途著想，而徒為本身毀譽與名位是圖。"[4] 至此，孔祥熙不僅在政治上失勢，在蔣介石心目中的地位也很不堪了。

1　《蔣介石日記》（手稿本），1945 年 5 月 22 日。
2　《蔣介石日記》（手稿本），1945 年 5 月 31 日。
3　《蔣介石日記》（手稿本），1945 年 5 月 30 日。
4　《蔣介石日記》（手稿本），1945 年 6 月 1 日。

三、陳賡雅、傅斯年聯合，向國民參政會提案揭發

　　國庫局的知情年輕人除了向國民政府秘密檢舉外，有些人又將所掌的舞弊情況提供給國民參政會參政員陳賡雅。陳原任雲南勸儲分會委員，兼主任幹事，負責雲南全省的美金公債推銷工作，熟悉情況。同年 7 月 7 日，國民參政會第四屆大會在重慶開會，陳賡雅根據所掌握的資料寫成提案，題為《請政府徹查三十一年度同盟勝利美金公債發行餘額大舞弊嫌疑案》，該案揭發：國庫局局長呂咸"利用職權，公然將該項未售出之債票，一方逢迎上司，一方自圖私利，以致不可究詰，構成侵蝕公款至美金一千一百五十萬餘元巨額之舞弊行為嫌疑。該項債票市價因之狂漲，由二十元遞漲至數百元，刺激物價，擾亂金融，莫此為甚。"[1] 該案共提出三筆可疑賬款。其中最重要的一筆就是，呂咸"藉推銷公債之名，簽呈中央銀行當局，慈惠購買美債餘額三百五十萬零四千二百六十美元。"這裏所說的"中央銀行當局"，指的就是孔祥熙。陳賡雅等提出，"如果舞弊屬實，國庫損失之巨，與官吏膽大妄為，可云罕見"，要求國民參政會送請政府"迅予徹查明確，依法懲處"。

　　7 月 10 日，司法行政部部長謝冠生到參政會報告。此前，參政員傅斯年也多次聽到該局美金公債的舞弊情況，即在謝冠生報告後提出口頭質詢。他說："中央銀行國庫局同人分購成都沒賣完的兩百多萬美金公債，因為分贓不均，便向主管當局告發，已經在查了。這比黃金透漏消息還要嚴重，因為國庫局事先呈請該行核准了'可'字。"他要求法院、檢察官"自動檢察"。傅斯年的發言引起大會震動，被稱為當天七個口頭詢問中最響的"一炮"。[2] 會後，陳賡雅向傅出示所擬提案，原原本本，既有數字，又有證據。傅為之大驚，立即簽名連署。這一提案也得到其他幾位參政員的支持，簽名者共九人。

　　王世杰時任參政會主席團主席，他得知陳賡雅等人的提案情況後，便出面做工作。王稱："此案提出，恐被人藉為口實，攻擊政府，影響抗戰前途，使仇者快意，親者痛心。同時，案情性質尚屬嫌疑，若政府調查事實有所出入，恐

1　國防最高委員會檔案，台北中國國民黨黨史館藏，003/3202/7215。見美國胡佛研究院藏微卷，Reel 29.6。

2　子岡：《疲勞的參政會》，重慶《大公報》，1945 年 7 月 11 日，第 2 版。

怕對於提案人、連署人以及大會的信譽都會有損的。為此，擬請自動撤銷，另行設法處理。”陳答以證據確鑿，請不必代為顧慮。接著，陳布雷又以新聞前輩的身份訪問陳賡雅，對陳說：“這提案資料的搜集，可謂煞費苦心，準備在大會上提出，當然也很有價值。不過，有個投鼠忌器問題，就怕一經大會討論，公諸社會，恐使英、美、蘇等友邦更認為我們真是一個貪污舞弊的國家，對抗戰不繼續予以支持，那麼，影響之大，將不堪設想。”陳布雷建議陳賡雅將議案改為書面檢舉，由參政會主席團負責人親交蔣介石，認真查辦。當年 5 月，美國財政部長毛根韜曾嚴屬指責中國在抗戰期間的各種經濟失策與舞弊，國民政府的國際信譽大受影響。陳賡雅覺得王世杰、陳布雷的說法有道理，便同意了。該項提案因此未提交大會討論。

傅斯年性情剛烈，嫉惡如仇。除了在陳賡雅的提案上聯署外，7 月 15 日，他在陳案的基礎上又草擬了一份提案，題為《徹查中央銀行、中央信託局歷年積弊，嚴加整頓，懲罰罪人，以重國家之要務而肅官常案》。這份提案已經超出美金公債這一個案，而是要求對孔祥熙所掌握的財政金融系統進行一次總清算。連署者達 21 人。[1] 該案稱：

> 中央銀行實為一切銀行之銀行，關係國家之命脈。然其組織直隸國府，不屬於財政部或行政院。歷年以來，以主持者特具權勢，道路雖嘖嘖煩言，政府並無人查問……其中層層黑幕，正不知幾許。

這裏所指 “特具權勢” 的主持者，當然就是孔祥熙。傅斯年等提議：1. 由政府派定大員，會同專家、監察院委員、參政會公推的代表，徹查其積年賬目與事項，有涉及犯罪嫌疑者，一律移送法院。2. 改組——使中央銀行改隸財政部或行政院，取消中央信託局。兩者歷年主持之人，在其主持下產生眾多觸犯刑章之事，應負責一齊罷免。其有牽涉刑事者，應一併送交法院。[2] 對此案，17 日的重慶《大公報》立即作了報導，還特別強調：“其中國庫局職員私購美金儲券一案，情節重大。”[3] 該案經參政會大會討論，決議修正通過，送請政府迅速切實

1　國防最高委員會檔案，003/3578/7609。

2　《國民參政會第四屆第一次大會紀錄》，國民參政會秘書處 1946 年編印，第 183—184 頁。

3　《傅斯年等提案》，重慶《大公報》，1945 年 7 月 17 日，第 2 版。

辦理。

17 日以後，傅斯年幾次會見揭發弊案人員中的兩位青年人，得知他們的揭發動機至為純潔，也得知更多舞弊情況，並拿到全部證據。這兩位青年人揭發說：呂咸其人，"平日在局中，一切用度取給於公，其所行為，儼然孔公館之縮影，彼更使人隨便寫不合手續之賬，亦不以為諱。因習為故常，更恃靠山也。"他們也將此案發現經過向傅作了傾訴："局中青年愛國之士久感不安，並因記賬等事與呂氏心腹衝突者。""故有七八人常在商議，並有債券科科長熊國清之親筆信稿為其中一青年所拾得（此人今已出洋）。彼輩見之，大為駭異，遂星夜另託一人抄出最重要之賬兩紙，共推一人向政府密告。"他們還告訴傅斯年，其中有人已多次受到警告、恫嚇。為了預防可能出現的危險狀況，已立下遺囑。傅斯年聽了這幾位年輕人的敘述，深為感動，安慰他們說："諸君愛國熱情，不避險難，至可佩。我雖前已同意不在大會提，但此事總當使之發生效力。"[1]

傅斯年在參政會上慷慨陳詞，堅決揭發貪污腐敗分子，使他獲得很大聲譽。有些人特意到參政會旁聽，就是為了看傅斯年一眼。還有素不相識的人打聽："傅先生今天發言不？"7 月 20 日下午 5 時，國民參政會閉幕式，傅斯年"唱了最精彩的壓軸戲"。他向會議主席團提交了一份書面報告，交由副秘書長雷震在會上宣讀。內容有三點："1. 國庫局舞弊證據已有一部分蒐集在手，已以之呈交主席團。2. 請法院提出公訴，傅自願為證人，並已得提供證據之友人之同意，願同為證人。3. 傅願絕對負法律責任，如無其事，亦願受反坐之罪。"[2]傅斯年的書面報告使全場激動、興奮。傅的好友羅家倫為傅捏了一把汗，會後問他說話何以如此肯定。傅稱："我若沒有根據，哪能說這話。"[3]

1　《傅斯年在本屆參政會大會中提案及詢問有涉中央銀行國庫局舞弊事說明書》（影印件），《傅斯年文物資料選輯》，第 123 — 124 頁。
2　高集：《參政會閉幕日速寫》，重慶《大公報》，1945 年 7 月 21 日，第 2 版。
3　傅樂成：《傅孟真先生年譜》，台北傳記文學出版社 1979 年版，第 55 頁。

四、蔣介石的質問與孔祥熙的答辯

陳布雷勸止陳賡雅在國民參政會上捅出美金公債舞弊案，但他不能不向蔣介石彙報，蔣介石也不能不及時處理這一問題。7月8日，孔祥熙回到重慶。7月11日，陳布雷告訴蔣介石，已有人在參政會提出美金公債舞弊案，蔣於是立即召見孔祥熙，將此案調查經過、事實、人證、物證，一一告訴他，"囑其好自為之"。蔣這時的態度還是要保護孔祥熙，不料孔卻"不肯全部承認"，以致蔣在日記中寫下"可歎"二字。[1] 次日，蔣介石審讀陳賡雅等揭發舞弊案的提案，研究有關情節，決定"全數追繳，全歸國庫"，同時決定或親自"負責解決"，或"任由參政會要求徹查"。日記云："此固於政府國際信譽大損，然為革命與黨國計，不能不如此也。"[2] 13日下午，蔣介石再次召見孔祥熙。這一次，蔣就不只是空口白說，而是向孔展示證據了："直將其人證、物證與各種實據交彼自閱。"但是，孔仍然堅決否認舞弊，甚至賭咒發誓。蔣介石看在眼裏，大不以為然，覺得孔不配做一名"基督徒"。面對這位與自己多年共事的老姻親，蔣介石不得不拉下臉來，"嚴正申戒"，孔這才"默認"。蔣介石見孔祥熙不再強辯，態度又轉為溫和，"囑其設法自全"，將主動權交給孔，要他自己尋找解脫辦法。當日蔣介石日記云："見庸之，彼總想口辯掩飾為事，而不知此事之證據與事實俱在，決難逃避其責任也。余以如此精誠待彼，為其負責補救，而彼仍一意狡賴，可恥之至！"[3] 蔣孔關係一向良好，認為孔"可恥之至"，這是很少有的現象。14日上午，蔣介石再次與孔祥熙談話，據蔣介石日記記載："彼承認余之證據，並願追繳其無收據之美金公債，全歸國庫也。"[4] 15日，蔣介石反省上週各事，非常感慨，在日記中寫道："傅斯年等突提中國銀行美金公債舞弊案，而庸之又不願開誠見告，令人憂憤不置。內外人心陷溺，人欲橫流，道德淪亡，是非倒置，一至於此！"[5]

孔祥熙一面在蔣介石面前承認有問題，但同時緊急佈置國庫局採取應付措

1　《蔣介石日記》（手稿本），1945 年 7 月 11 日。
2　《蔣介石日記》（手稿本），1945 年 7 月 13 日。
3　《蔣介石日記》（手稿本），1945 年 7 月 15 日。
4　《蔣介石日記》（手稿本），1945 年 7 月 14 日。
5　《蔣介石日記》（手稿本），1945 年 7 月 15 日。

施。據傳，傅斯年在國民參政會提出舞弊案的當夜，孔祥熙審問呂咸。盛怒之下，打了呂咸兩記耳光。[1] 其後，就組織 18 個人連夜造賬，對付審查。[2] 孔祥熙甚至向審查者出示蔣介石交給他閱看的檢舉資料。7 月 16 日，蔣介石審讀中央銀行的審查報告，再次召見孔祥熙。當日日記云："彼將余所交閱之審查與控案而反示審查人，其心誠不可問矣！"[3] 17 日，蔣介石約見俞鴻鈞及侍從室秘書、中央監察委員陳方，指示對舞弊案的"批駁要點"[4]。17 日，蔣介石接閱國民參政會通過的傅斯年等 21 人對中央銀行、實為對孔祥熙的"彈劾案"，蔣介石自稱"苦痛無已"[5]。

停售後的剩餘的美金公債既由孔祥熙、呂咸等人私分，自然交代不出購券人的真實姓名等資料。7 月 13 日，孔祥熙曾向蔣介石遞交《關於美金公債銷售情形之摺呈及節略》各一份，以購券人"無可查考"相推諉。孔稱"人民購買均係款債對交，至各戶戶名均係來人自報，按照售債向例，無須詳細記載"。7 月 19 日，蔣介石連致孔祥熙三函。其中第一函駁斥孔祥熙的購券人"無須詳細記載"的說法。蔣稱：

> 門市現款購債自可如此辦理，但既稱為認購戶或預售戶，而認購之戶一不繳納分文定金，二不填具認購單據，中央銀行亦不給予准許認購若干之證件，三無確實姓名住址之記錄，則停售之後，各認購戶究竟憑何證據向中央銀行交款取券？行方人員又憑何根據付給其債券？是否僅憑該認購戶口頭申報或人面熟悉，即行付給債券？此種情形，即一普通商號對私人定購些微貨物，亦決無此理，何況政府機關之國家銀行！辦理巨額外匯債票之收付，乃竟如此草率，何能認為合法有效？

蔣函進一步向孔祥熙提出質問：各有關購券人購券均在停售命令公佈之後，美債價格均已高漲，何能尚按最初的低價出售？函稱：

1　《國庫局同人致傅斯年函》（影印件），見《傅斯年文物資料選集》，傅斯年先生百齡紀念籌備會 1995 年版，1945 年 8 月 8 日，第 126 頁。
2　《傅斯年在本屆參政會大會中提案及詢問有涉中央銀行國庫局舞弊事說明書》（影印件），《傅斯年文物資料選輯》，第 123—124 頁。
3　《蔣介石日記》（手稿本），1945 年 7 月 16 日。"其心誠不可問矣"以下被蔣介石塗去約半行，必有更激憤的語言。
4　《蔣介石日記》（手稿本），1945 年 7 月 17 日。
5　《蔣介石日記》（手稿本），1945 年 7 月 18 日。

查認購各戶取券時期皆在三十二年十一月二十三日以後至三十三年六月一段時間，距三十二年十月十五日停售之期少則月餘，多則六七個月。其時美債價格高漲一倍至十餘倍之多，而認購各戶仍按國幣二十元折合美債一元之原價交款取券。以在法理上毫無拘束之認購，此時何得享此意外之特殊利益，而損失國家寶貴外匯？

蔣函最後嚴厲提出："此一期間，認購各戶所領去一千六百六十萬餘元之美金公債，必須由兄責成經辦人員，負責全數繳還中央銀行，限期嚴密辦妥。"在這段話之後，蔣又轉變語氣，特意寫了一段："此純為稍減當前情勢之應付困難，決非故意苛求。想兄當能深諒，務盼兄迅速處理，即日具報勿延為要。"

蔣介石的第三函則就孔祥熙所報賬目進一步查問。函云："查美金公債除去售出 4,310 萬餘元及國庫局繳交業務局 5,401 萬餘元外，尚短 287 萬 4 千餘元，此款著落如何？應即詳細查明具報。又據報三十三年八月十九日，國庫局曾收進美債 35 萬 5 千元，賬上僅列國幣 710 萬。該項債券下落如何，並盼查報。"[1] 7 月 21 日，蔣介石在《上星期反省錄》中寫道："庸之對一六六零萬美金公債總不願承認也。"[2]

21 日，孔令儀攜孔祥熙復函來見蔣介石，報告對陳賡雅等九人檢舉提案的調查情況，內稱：

> 美金公債券一千一百五十餘萬元（11,500,000 元），係由各地分銷處分三次解繳而來，其銷售情況為：
>
> 第一次，三百五十餘萬元（3,504,260 元），已由國庫局交業務局，並經業務局將債款國幣七千餘萬元（70,085,200 元）送交國庫。其中二百零二萬餘元（2,024,760 元）係以前認購各戶交款交割，餘數一百四十七萬餘元（1,479,500 元）係由中央銀行自購。
>
> 第二次，七百六十五萬元（7,650,660 元），由國庫局交業務局，當經業務局將應行繳庫債款國幣一億五千餘萬（153,013,200 元）送交國庫。
>
> 第三次，三十五萬五千元（355,000 元），由中央銀行同仁認購，共收

1 《事略稿本》，台北"國史館"館藏，1945 年 7 月 19 日。
2 《蔣介石日記》（手稿本），1945 年 7 月 21 日。

債款七百十萬元（7,100,000 元）。[1]

孔祥熙的這份復函對陳賡雅等人檢舉的 1,150 餘萬元美券的下落作了交代，仍然不肯承認這一過程中有任何舞弊不端行為。

孔令儀是孔祥熙的長女，自幼即深得蔣介石的喜愛。孔祥熙讓令儀來遞送報告，自有其考慮，但是，對令儀的喜愛和對舞弊案的查究是兩回事。當日蔣介石日記云："庸之圖賴如前，此人無可理喻矣！"[2] 面對如此棘手的美金公債案以及孔祥熙的強詞辯解，蔣介石深感苦惱，整夜 "為庸之事不勝苦痛憂惶，未得安睡"[3]。22 日下午，陳布雷向蔣介石彙報：孔祥熙曾表示，"恐此美金公債或落於外人手中"。蔣介石聽後，覺得到了此時，孔還不肯承認自己舞弊，深為痛憤。日記云："更覺此人之貪劣不可救藥，因之未能午睡。"[4]

蔣介石 19 日函中的兩個問題很尖銳，何以在決定停售以後繼續出售？何以在美券市值高漲後仍按最初所定低價出售？7 月 24 日，孔祥熙致函蔣介石，試圖回答：

（一）關於認購戶。孔函說明，發行美金公債歷時年餘，債券分散各地，不能預計何時到渝，故主管局對於認購各戶只能請其待券到後繳款交割，不能責其預繳價款，或交納一部分定金。後來各地陸續繳到債券，黑市市價雖然略漲，但認購在先，自不應以黑市價漲而不交割，致失國家銀行信用。孔稱："以今視之，手續誠不無可議，而證以當時情形，實非故意草率可比。"

（二）關於損及國家。孔函說明：當初發行美債，原意在於協助民生經濟、生產建設，戰後據以購進機器材料，藏富於民。因此，就整個國家言，並無損失。抗戰中，中國為美方在華人員墊付過大量經費，需要美方用外匯歸還，因此，"必須盡力設法壓制外匯黑市之上漲，方屬於國有利"。

（三）關於購戶。孔函說明：債券發行本屬無記名交易，向無記錄帳冊，僅記債券面額款項即可。券款交割之後，承購人在此戰時遷徙無常，自難尋找。

1　《事略稿本》，1945 年 7 月 22 日。
2　《蔣介石日記》（手稿本），1945 年 7 月 21 日。
3　《蔣介石日記》（手稿本），1945 年 7 月 22 日。
4　《蔣介石日記》（手稿本），1945 年 7 月 22 日。

（四）關於繳回停售後的餘額債券。孔函稱：鈞命雖限期繳回，但據主管陳復，限於事實，無法奉行。經再三籌慮，反復研討，都認為"此事處理設有不慎，影響國家信譽過巨"。孔建議，以"停付凍結"的辦法"秘密取消"，請蔣考慮決奪。[1]

孔祥熙的這封信，強詞奪理，不僅不承認有任何舞弊行為和任何不當之處，而且還企圖證明，以每券二十元的低價出售是為了"壓制外匯黑市"、"於國有利"云云。美金公債券由重慶中央銀行發往各地銷售。因此，孔函所稱"債券分散各地，不能預計何時到渝"的情況，只能發生在宣佈停售，命令各地將銷售餘額解送重慶之後。這時，既已停售，何能再次廣泛發行，接受認購？此外，孔函並以"限於事實"為理由，拒絕繳回停售後的餘額債券。蔣介石接讀此函後，決定不能讓孔繼續擔任中央銀行總裁了。他在日記中寫道："正午，發孔庸之辭中央銀行總裁職照准，其遺缺由俞鴻鈞補之命令。"以下蔣自塗約 16 字，當係對孔祥熙的極度憤怒譴責之詞。可能事後蔣覺得過於粗魯，所以又塗掉了。

五、蔣介石止步停損

7 月 24 日，蔣介石發佈命令，准予孔祥熙辭去中央銀行總裁一職。同日，又手諭孔祥熙：

> 該行經辦人員辦事顢頇，本應嚴懲。姑念抗戰以來努力金融，苦心維持，不無微勞足錄。茲既將其經辦不合手續之款如數繳還國庫，特予從寬議處。准將國庫局局長呂咸、業務局局長郭錦坤免職，以示懲戒為要。[2]

國庫局美金公債舞弊案不是"辦事顢頇"的問題，蔣介石這樣寫，是一種大事化小的提法，旨在為以後的進一步調查規定基調。

抗戰期間，孔祥熙長期兼任財政部長和中央銀行總裁，為從財政上支持抗

---

1 《事略稿本》，1945 年 7 月 19 日。
2 《事略稿本》，1945 年 7 月 24 日。

戰做了許多工作，"苦心維持"云云，則是對孔祥熙的撫慰。當時，宋子文很想安排自己的親信擔任中央銀行總裁，曾向蔣表示，中央銀行總裁必須由自己推薦，否則將不擔負行政責任，暗示將不出任行政院長。[1] 但是，蔣介石毫不為之所動。7 月 25 日，蔣介石召宋子文談話，告以"中央銀行總裁人選，非絕對服從余命令，而為余所信任者不可，以此二十年來所得之痛苦經驗，因此不能施展我建軍、建政，而且阻礙我外交政策莫大也。"孔祥熙在其兼任財政部長和中央銀行總裁任內，始終不肯將中央銀行的實際存款數字告訴蔣介石，致使蔣在 1944 年向美方"強制要求"援助，導致中美關係緊張，"幾至絕境"。蔣介石想起這一段歷史，對孔祥熙更加不滿，深悔撤孔不早。日記云："庸人不可與之再共國事矣。撤孔之舉，猶嫌太晚矣。"[2]

與俞鴻鈞接任中央銀行總裁的同時，宋子文則接任孔的"四聯總處"副主席。至此，孔祥熙在國民黨黨政系統中的重要職務，幾乎全部失去。7 月 28 日，蔣介石日記云："免除孔庸之中央銀行總裁之職，實為公私兼全與政治經濟之成敗最大關鍵也。"所謂"公"，指的是當時國民黨和國民政府的統治；所謂"私"，指的是蔣介石本人和孔祥熙之間以及和宋靄齡、宋美齡的關係。蔣介石要"公私兼全"，自然不可能有徹底的調查和公正的處理。31 日，蔣介石日記再云："免除庸之中央銀行總裁與改組行政院實為內政重大之改革也。"

傅斯年於 1938 年 3 月上書蔣介石，認為孔祥熙擔任行政院長"作來一切若不相似"。此後，傅斯年一直走在"反孔"前列。1938 年 7 月，1939 年 2 月、4 月，1944 年 6 月、9 月、11 月、12 月，傅斯年多次致函蔣介石，揭發孔的腐敗、貪污等問題，並且在國民參政會上大聲疾呼："辦貪污首先從最大的開刀。"[3] 至此，傅斯年算是大獲全勝，功德圓滿了。7 月 30 日，傅斯年會見蔣介石，蔣肯定傅的揭發，表示"極好"。8 月 1 日，傅斯年致函夫人俞大彩，高興地寫道："老孔可謂連根拔去（根是中央銀行）。""老孔這次弄得真狼狽。鬧老孔鬧了八年，不大生效，這次算被我擊中了，國家已如此了，可歎可歎。"[4]

1　《蔣介石日記》（手稿本），1945 年 7 月 19 日。

2　《蔣介石日記》（手稿本），1945 年 7 月 25 日。

3　參見拙作《傅斯年攻倒孔祥熙》，《抗戰與戰後中國》，中國人民大學出版社 2007 年版，第 515 頁。

4　影印件，《傅斯年文物資料選輯》，第 120 頁。

陳賡雅等九人的提案雖然沒有提交國民參政會大會討論，但是參政會主席團決議"逕請政府嚴查，依法辦理"。7月31日，參政會秘書處正式將提案簽呈蔣介石，建議密送國民政府，指派人員查明辦理。[1]同時，司法界對此案也關注起來。重慶地方法院向中央銀行發函詢問，最高法院總檢察署發公函向傅斯年要材料，"以憑參考"。檢察長鄭烈在報上發表通告，號召各界揭發腐敗、貪污分子。8月2日，鄭烈致函傅斯年，告以"此事以鄙意度之，決可成案，已交本署葉、李檢察官偵辦，弟親自主持"。鄭烈要求得到傅斯年的支持，函稱："滿腔熱血，不知灑向何地。此事如得公助，巨憝就擒，國法獲申，當泥首雷門以謝也。"[2]8月8日，傅斯年撰寫《在本屆參政大會中提案及詢問有涉及中央銀行國庫局舞弊事說明書》，敘述他了解的有關情況及提案經過，保證所述各節，"經斯年詳核，確信其為真，故可在參政會會外，負法律之責任"。末稱："深望政府嚴辦，以警官邪焉。"[3]

　　蔣介石不僅再次接到了國民參政會轉呈的陳賡雅等人提案，而且也了解到鄭烈主張徹底查究態度[4]。8月4日，他在《本星期預定工作課目》中列入"美金舞弊案之根究"一項。8月6日，他決定將此案交由國民政府主計長陳其采與中央銀行新總裁俞鴻鈞密查具報。同日，以孔祥熙官邸秘書處原秘書夏晉熊接替呂咸，出任國庫局局長。9日、10日，他在日記中兩次記載"處理美金公債案"、"處理美金券案"等字。但是事實上，他並不想徹底查清。8月16日日記云："晚檢討中央銀行美債案，處置全案，即令速了，以免夜長夢多，授人口實。惟庸之不法失德，令人不能想像也。"為了維護自己的統治，提高其行政效率，蔣介石願意在一定程度上和一定範圍內反對貪污、腐化現象，但是，徹底查下去，反下去，就會"夜長夢多，授人口實"，發生影響、危害自己統治，所以他要下令"速了"。17日，他約請司法部長謝冠生、俞鴻鈞及陳其采會商辦法。8月26日，陳、俞二人向蔣書面報告，將此案的性質輕描淡寫地定性

1　《函送陳參政員等提案一件，請查照轉陳辦理由》，國防最高委員會檔案，003/3202/7215。

2　影印件，《傅斯年文物資料選輯》，第121頁。

3　影印件，《傅斯年文物資料選輯》，第124頁。

4　《蔣介石日記》（手稿本），1945年8月2日："最高檢察官陳某力主徹究中央銀行美金公債舞弊案。"其中"陳"字，應為"鄭"字之誤。

為：“未按通常手續辦理，容有未合”，“亦有未妥”，而且，債票已經追繳，呂咸、郭錦坤亦已免職，云云。[1] 蔣接到報告後，未有新的指示，一場轟動一時的舞弊案件就此劃上休止符。

一個腐敗的政權是不能真正反腐敗的。

1945 年年末，國民黨元老張繼偕夫人到昆明舉辦書法展覽。他告訴陳賡雅說，監察院長于右任對此案也有彈劾，從孔祥熙等承認吐出款項多寡中，可以了解到，其分肥比例是：孔祥熙最多，佔七成；呂咸二成半；其餘所謂應行調劑戰時生活的經辦人，僅得微乎其微的半成。[2]

附記：本文收集資料過程中，承汪朝光教授、楊雨青副教授協助，特此致謝。

1　《關於追繳同盟勝利美金公債發行餘額撤懲主管人員之經過及現據查復情形報告表》，國防最高委員會檔案，003/3202/7215。
2　陳賡雅：《孔祥熙鯨吞美金公債的內幕》，《中華文史資料文庫》卷 14，第 384 頁。

蔣介石收復新疆主權的努力 *

* 本文錄自《找尋真實的蔣介石：還原 13 個歷史真相》，九州出版社 2014 年版；原載台北《傳記文學》2013 年 2 月號。

1942 至 1944 年期間，蔣介石利用機會，因勢利導，促使原來企圖獨立、加盟蘇聯的軍閥盛世才內向，從而收回新疆主權。其後，創造條件，將盛世才內調，消除其分裂、叛變的可能，確保新疆處於中國版圖之內。自 1945 年開始，蔣介石堅決反對以建立所謂“東土耳其斯坦共和國”為代表的新疆分離主義，支持張治中和平談判，成立新疆省聯合政府。這些舉動，和他此前領導抗日戰爭，以及日後的堅持一個中國，都表現了其維護中國國家統一和領土完整的愛國主義的思想和立場。

一、盛世才親蘇、附蘇，
蘇聯逼簽《租借新疆錫礦條約》

　　1933 年 4 月 12 日，新疆發生“四月革命”，推翻原省主席金樹仁，盛世才因掌握兵權，被各方推舉為新疆臨時督辦。此後，他依靠蘇聯紅軍的援助，先後擊敗張培元、馬仲英等部，成為力量獨大的新疆統治者。

　　盛世才依靠蘇聯力量上台，自然實行親蘇、附蘇政策。1934 年 9 月，盛世才派財政廳長胡壽康等向蘇聯借款。次年 5 月，以新疆土產公司名義與蘇聯駐新貿易公司名義，簽訂 500 萬金盧布借款合同。1936 年簽訂《聘請蘇聯專家待遇合同》。自 1935 年起，蘇聯的地質考察團、礦務考察團紛紛自伊犁入新，陸續開採獨山子（克拉瑪依）油礦、伊犁溫泉縣鎢礦、阿山金礦，均無條約或文字根據，全憑盛世才口頭承諾。1938 年 1 月，盛世才請求蘇聯紅軍騎兵一團及空軍隊一隊駐紮新疆東部的哈密，通稱"紅八團"。這是一支配備飛機、坦克、大炮的超強武裝，掌控自甘肅進入新疆的通道，其目的在防止中央軍入新。自 1938 年起，蘇聯在迪化西部的頭屯河建立鐵工廠，以裝配農具為名，製造飛機。1939 年 9 月，盛世才召開全疆代表大會，公開表示"國內有國民黨政治集團，共產黨政治集團，新疆有六大政策集團"，"不是國民黨天下，也不是共產黨天下。"[1] 他推行"反帝、親蘇、民族平等、清廉、和平、建設"的所謂"六大政策"，宣稱其"不只是解放新疆四百萬人民的燈塔，亦是解放全中國四萬萬五千萬人民的最光輝的燈塔"。[2] 他把新疆政府和中國共產黨、國民黨合稱為"中國三大政治集團"，以國共兩黨以外的"第三領袖"自居，而且把自己與斯大林、羅斯福、邱吉爾、蔣介石、毛澤東一起並稱為"世界反法西斯陣線六大領袖"。

關於蘇聯勢力控制新疆的情況，當時人報告說："督辦署中有中將軍事顧問，全省軍事無顧問之允諾，盛不敢獨斷獨行。""財政廳亦由蘇聯財政顧問主持一切。無論何項支款，皆須以先取具顧問簽字為要式。""新省一切施政大計，亦莫不由蘇聯政治顧問主持。""蘇聯顧問之在新疆，純為新疆之指導者，亦即為蘇聯在新疆之代表。新疆雖名為中國領土之一部，實已為蘇聯所把持。盛世才雖名為督辦，亦實與傀儡無異。"[3] 原蘇聯外交官、歷史學家列多夫斯基說："莫斯科利用它同新疆行政首腦盛世才（督辦）建立的特殊關係及中國中央政府對盛控制的薄弱，在經濟領域和其他領域謀取一些特權。""到 40 年代初，新疆在經濟上完全依附於蘇俄，在政治上受到莫斯科很大的影響。蘇聯在新疆貿易中居壟斷地位，在各個合資企業中起主導作用，擁有自己獨立經營的經濟實體。在新疆土地上，蘇聯駐有第八騎兵團。在涉及新疆的問題上，莫斯科避開中國中央政府，直接與盛世才督辦決定一切，簽訂貿易等協定。"[4] 這是符合

1　盛世驥口述：《我家大哥盛世才》，台北萬卷樓圖書有限公司 2000 年版，第 90 頁。

2　張大軍：《新疆風暴七十年》（7），台北蘭溪出版社 1980 年版，第 3966 頁。

3　《蘇聯對新疆之政治陰謀與軍事控制》，"外交部"檔案，台北"國史館"，020000002142A。

4　列多夫斯基：《斯大林與中國》，新華出版社 2001 年版，第 220 頁。

實際的。

　　早在 1934 年，盛世才就曾建議蘇聯政府"速於新疆境內實施共產主義並依次及於甘陝"，認為"推翻蔣委員長所領導之中央政府為救中國、救新疆唯一途徑"。[1] 1938 年 8 月末，盛世才以治病為名，秘密赴莫斯科，三次會見斯大林、莫洛托夫、伏羅希洛夫等蘇聯黨和國家領導人。斯大林等極為關心新疆的自然資源，包括石油、鉛、金礦的蘊藏情況，詢問"是否已經開採"，"是否準備建立什麼工廠？""新疆有沒有經濟發展計劃？"在離開莫斯科前夕，盛世才被批准加入聯共，黨證號碼 185911 號。[2] 盛世才表示："他不怕有任何義務，他將願意履行所有義務"[3]。1940 年 6 月 27 日，盛世才上書斯大林表示："我個人用六大政策領導著整個新疆經過非資本主義發展的道路向著社會主義的光明前途奔著，同時在客觀上也確實具備這樣的條件，能夠使新疆比中國其他各省先跳躍到社會主義新世界裏邊去"。[4] 1941 年 1 月，盛世才又進一步向蘇聯建議，使新疆"叛離中國"，"成立新疆蘇維埃共和國"，"加盟蘇聯"，他說："時機已經成熟，英帝國主義者及蔣委員長皆無能干預新疆事"，"蘇維埃之新疆將推動全中國踏上蘇維埃化之道路"。[5]

　　在當時的歷史條件下，斯大林還不便於公開將新疆納入蘇聯版圖，因此，沒有同意盛世才的要求。但是，斯大林對新疆豐富的資源，特別是礦產，卻早已垂涎。1940 年 11 月，蘇聯單方面擬就租借新疆錫礦條約，派巴枯寧、卡博夫等三人赴新，強迫盛世才一字不改，即予簽訂。該條約亦稱《盛蘇密約》，共17 條，聲稱"新疆政府予蘇聯政府以在新疆境內探尋、考查與開採錫礦及其副產有用礦物之特殊權利"。這些權利有：

　　　1. 探測與考查錫礦及其副產有用礦物之產地；

1　《莫洛托夫致盛世才函》，《事略稿本》第 50 冊，第 215—216 頁；參見《盛世才為密約上蔣委員長書》，《新疆風暴七十年》（7），第 4049 頁。
2　《盛世才回憶錄》，轉引自《新疆風暴七十年》（7），第 3957 頁。
3　俄羅斯聯邦總統檔案館，全宗：45，目錄：1，卷宗：323，第 32—41 頁。轉引自《斯大林與中國》，第224 頁。
4　《盛世才上莫斯科史達林報告書》，台北中亞出版社 1997 年版，第 368 頁。
5　《莫洛托夫致盛世才函》，《事略稿本》第 50 冊，第 217—218 頁；參見《盛世才為密約上蔣委員長書》，《新疆風暴七十年》（7），第 4050 頁。

2. 開掘錫礦及其副產有用礦物，煉造為精品；

3. 建築及裝置礦坑、洗礦工廠，利用一切自然資源，取得各種動力；

4. 建築電站；

5. 利用各式運輸工具，興修道路；

6. 利用各式通訊工具；

7. 無阻礙地運入所需裝備及材料；

8. 採製當地建築材料；

9. 自由僱用勞動力，由蘇聯聘來之工程師、技術人才、工人在新疆各地自由居住。

條約同時規定：

1. 蘇聯政府有權將開採錫礦之製成品運出，免徵關稅及他項捐稅；

2. 蘇聯政府為此設立的新錫公司可在新疆全境無阻礙地開設分所；

3. 新疆政府保證撥給新錫公司所需土地，居民遷出，不應遲延，撥出土地應與新錫公司的申請 "完全相符"；

4. 在第一個五年中，新錫將開採之 5% 繳納新疆政府，其餘年份，繳納 6%；

5. 新錫公司向新疆政府繳付代稅金，其數額等於運出產品價值的 2%；
……

9. 新疆政府不得干涉新錫公司之業務，不得加以考察、監督、檢查及稽核；

10. 新錫有權設立武裝保衛。

條約規定，有效期定為 50 年，不允許外國資本在新疆參加錫礦及其副產礦物之開採。

據盛世才回憶，當時情景如下：盛世才表示，此一文件，不僅須新疆省政府各部門同意，而且必須呈報中央政府批准。"只有在那時候，我方能在文件上簽署蓋章"。

盛世才表態後，巴枯寧以急促而帶有命令式的語調對盛說：

當我們正在準備離開莫斯科，前來新疆的時候，斯大林同志告訴我們說：

　　這一有關租借錫礦秘密條約的內容，除了盛主席之外，其他任何人，都不能給他知道。同時，亦只要盛主席在條約上簽署蓋章就行了。這一條約不應當告訴任何其他新疆省政府人員，更不應當呈交給中央政府。我們簽訂這合約的雙方必須在明天簽訂。或者，最遲在後天簽訂。

　　盛世才提出，這事不能如此匆忙，條約應當做某些修改。第一，條約的有效時限應是三年，而不是在原文中所訂立的五十年，充其量來說，條約的有效時期，應當與二次大戰的結束而同時結束。第二，只將產品的 5% 付給新疆省政府，比例太小，應當改為 20% 以上。第三，條約規定，新疆省政府無權檢查、監督、調查為開採礦產而建立的公司，應當修正。

　　盛世才的修改意見還沒有講完，巴枯寧打斷說：

　　我必須請你注意一事實，就是：在我們受命畀予這一任務時，斯大林同志對我們說，盛主席必須在這條約上簽署同意，同時，條約中一個字亦不能更改。

　　盛世才表示，蘇聯是一個 "致力協助東方落後民族的社會主義國家"，不相信斯大林同志 "對新疆採取如此態度"，要找斯大林同志 "磋商"，"問問他這些問題"。

　　這時，巴枯寧的同行者卡博夫講話了：

　　盛主席，你是將整個事情都誤解了。蘇俄不是一個侵略國家，蘇俄租借新疆錫礦的目的，就是用來抵抗法西斯蒂的侵略。此外，盛主席本人是一個全蘇共產黨的黨員，因此，你應當服從黨的命令。最後，你應當記到一件事情，就是，在馬仲英反叛的這一時期，有很多蘇俄人的血，為了新疆而流，同時在這一方面，蘇俄迄今尚未取得補償。

　　卡博夫的話沒有能說服盛世才，他反駁說："你方才又說，租借新疆錫礦的目的，係在打擊法西斯蒂主義，現在我想問問，這對付法西斯蒂的戰爭，是否會持續到五個十年之久？"

　　巴枯寧不願辯論，以 "忿怒與傲慢的語氣" 打斷盛世才的話頭，他說："斯大林同志派我來這裏，並不是討論理論；我們是來解決實際問題。""至於有關保持這條約的秘密，不使外人知道的理由，維持這條約的目前措詞，不能更改的理由，這一些，當你親自會見斯大林同志，或者你以後寫信給他之後，你就會了解得更清楚。"接著，巴枯寧聲稱："這一條約，是斯大林同志親手交給我的，同時，我認為他決定的每一件事情，都是對的。沒有任何人，敢根據理論上的立場來批評他，或者對他提出質詢。你是我所知道唯一膽敢這樣作的人。"說到這裏，巴枯寧以前所未有的強硬口吻說：

> 如果你的決定是否定的，那麼我們只請你在原來的文件上，簽上你否定的決定，如此一來，我們就可將此文件，交回給斯大林同志。

話說到這種程度，盛世才自然不能再說什麼。11 月 26 日，雙方簽字。巴枯寧要求加蓋新疆省政府和邊防督辦的官印，為盛拒絕。[1]

查證現存《新錫協定》原件，盛世才所言屬實。該件確實只有盛的個人簽字和蓋章，沒有新疆省政府和邊防督辦的官印。1942 年，盛世才在和蘇聯副外交人民委員德卡諾索夫談話時曾質問他："為什麼事前沒有協商，就將錫礦的租借事，強迫地加在我身上呢？難道這就是共產黨黨員之間的同志關係麼？難道說，斯大林就是這樣對待落後民族麼？是不是列寧的幫助亞洲人民政策，業已改變為了侵略政策？馬克斯主義的目的，究竟是在解放世界各民族，抑還是奴役他們？"[2] 可見，兩年過去了，這一條約仍然壓在盛世才的心頭。

蘇聯十月革命後，為發動世界革命，對外支持殖民地、半殖民地人民的民族解放運動，同時，發展、擴大蘇聯本國的利益，實行民族擴張主義和民族利己主義，從而形成了蘇聯對外政策的兩重性，即革命性和擴張性、利己性兼而有之。蘇聯對外政策的這種兩重性在不同時期、不同地域有不同表現。大體說來，列寧在世時，兩重性中的革命性比例較大；列寧逝世後，斯大林執政，擴張性和利己性的一面就發展起來。可以說，《新錫協定》就典型地暴露了蘇聯民族擴張主義和民族利己主義的這一方面。

1　《盛世才回憶錄》，轉引自《新疆風暴七十年》，第 4022—4033 頁。
2　《盛世才回憶錄》，轉引自《新疆風暴七十年》，第 4893 頁。

蔣介石 1923 年作為孫逸仙軍事代表團團長時，就對蘇聯黨和政府的民族擴張主義和利己主義有所覺察，第二年 3 月，曾向孫中山的戰友廖仲愷寫信，說明在觀察蘇聯時 "應有事實與主義之別"，"吾人不能因其主義之可信，而乃置事實於不顧"。所謂 "主義"，指蘇共支持殖民地、半殖民地民族解放運動等主張，所謂 "事實"，則指蘇共覬覦中國邊疆等企圖，"在滿、蒙、回、藏諸部，皆為其蘇維埃之一"。[1]

錫在地殼中只佔百萬分之二，是儲量較少的重要戰略物資。蔣介石原來對蘇聯逼迫盛世才簽訂《新錫協定》一事，毫無所知，及至 1942 年 7 月讀到盛世才轉來的全文後，大吃一驚。他在當月 11 日的日記中評論說："《新錫協定》比之倭寇強逼袁世凱簽訂 21 條者為尤甚。此種舉動，實較倭寇昔日在東北對張作霖所不忍為者。俄之毒狠，可謂帝國主義之尤矣。我國何不幸至此，東受倭患，西遭俄毒，而英國在我西南，百年來殺人不見血之陰謀，根深蒂固，最近猶加凌侮而未能死其野心也。"[2] 蔣介石對蘇聯國家性質的總體評價可以討論，但是，他指出《新錫協定》在掠奪新疆礦產資源時的 "毒狠"，確是不無道理的。

除《新錫協定》外，蔣介石對蘇聯在迪化郊外所建飛機製造廠也很不滿意。該廠係 1939 年 6 月孫科訪蘇時商定，原訂中蘇各出資金一半，但蔣介石覺得蘇機性能落後，態度消極，蘇聯遂單獨建廠，廠長、副廠長均為蘇聯人。1941 年 3 月 20 日，蔣介石在日記中寫道："俄在迪化擅設飛機製造廠，不許我所派代表入廠預聞，新疆已成為東北，當忍之。"

二、盛世騏離奇被殺，盛世才決定掉頭，投向重慶國民政府

1942 年 3 月 19 日，盛世才的四弟盛世騏離奇地被槍殺於家中。

盛世騏畢業於日本東京士官學校騎兵科，原任南京陸軍騎兵學校教官。1932 年到新疆，被盛世才任命為新疆邊防督辦公署衛隊團上校團長。1937 年 5

1　中國第二歷史檔案館編：《蔣介石年譜初稿》，檔案出版社 1992 年版，第 167 頁。
2　《蔣介石日記》，1942 年 7 月 11 日；參見《事略稿本》。

月，進入莫斯科紅軍大學，1941 年畢業，回新疆，被盛世才任命為陸軍機械化兵旅少將旅長。對於他的死，多年來眾說紛紜。或曰自殺，或曰他殺。關於他殺者，或曰盛世才本人，或曰盛世騏之妻陳秀英。從那時期以後，此事一直是難以說清的疑案。[1]

盛世騏被殺的第二天，《新疆日報》即以"國際大陰謀"為題報導消息。盛世才陸續逮捕、審訊五百餘人，包括陳秀英及新疆省政府官吏等多人在內。盛世才聲稱，此案有蘇共與中共人士參與，目的在於首先消滅盛世騏，砍去盛世才的左右手，然後於 4 月 12 日起事，推翻盛世才所領導的"六大政策政權"。其策劃者是蘇聯軍事總顧問拉托夫和蘇聯駐迪化領事巴枯寧等人。

盛世騏被殺案成了盛世才和蘇聯及中共關係逆轉的關鍵性事件。晚年，盛世驥回憶此事時說："案件發生後，大哥的態度一百八十度轉變，對蘇聯不再言聽計從，對中共防備有加，從而主動接近'中央'，親蘇政策變成反蘇政策。"又說："大哥觀察情勢，衡量利害得失後，唯一的辦法，就是回'中央'。他一面派二弟盛世英等人向蘇聯方面送證據，一面派五弟盛世驥和新疆駐國民政府代表張元夫到重慶，和蔣介石接觸。

張元夫是盛世才的好友。5 月 17 日，蔣介石接見張元夫，研究盛世才的心理與動向，蔣從張處得知：1. 俄軍千名強駐哈密，不允退出；2. 迪化飛機製造廠規模很大，且用俄軍守衛；3. 斯大林不批准盛世才入中共；4. 斯大林問盛是否滿洲種；5. 盛對俄甚危懼。蔣由此認為"盛思想與心理之轉變已可概見"，得出了"當不難導入正軌"的結論。[2]。在和盛世驥談話時，盛試探稱，大哥以為蘇聯對他充滿敵意，如果他繼續待在新疆，恐怕斯大林會對新疆更不利，透露盛有辭職離新之意。蔣介石要盛轉告盛世才："他的困難就是我的困難，現在國家有難，不能因為自己的困難而放棄。誰都不做這困難的事，這個國家不就完了嗎？"[3]盛世驥此行帶來了蘇聯政府所擬開採新疆獨山子油礦的密約，要求中央審核。這是以前從未出現過的情況，蔣介石認為，盛世才比之以往數年，"大有進步"，

1　至 1997 年，已和盛世才決裂多年的盛世才之妹盛世同堅持認為：既非自殺，也非盛世才所殺。參見蔡錦松：《盛世才外傳》，中共黨史出版社 2005 年版，第 283—287 頁。

2　《蔣介石日記》，1942 年 5 月 17 日。

3　盛世驥口述：《我家大哥盛世才》，第 176 頁。

是"最佳之現象",考慮如何"運用","使之徹底覺悟"。他設宴招待盛世驥,言談中,雖然感到這個年輕人"言行皆為共黨所迷",但是,還是聘請他擔任國民參政會參政員,並且和他講了一通"民生主義亦即社會主義"的道理。[1]

翁文灝時任行政院秘書長兼資源委員會秘書長,蔣介石將審核獨山子油礦開採草約一事交給翁文灝,要他赴新疆考察、研究。7月3日,翁文灝帶著蔣介石前一日寫就的親筆信,偕同空軍總指揮毛邦初、第八戰區司令長官朱紹良飛抵迪化。信中,蔣介石對盛世才表示:"當此國家存亡絕續之交,更為吾人安危成敗相共之時。吾弟之事業即為中正之事業,故中必為吾弟負責,以解除一切之困難也。"[2]同時,蔣介石致朱紹良一電,要他對盛"開誠懇摯,使之徹底了解中央對彼之熱望與扶持之精誠"。蔣估計,盛可能詢及新疆將來駐軍問題,蔣表示完全可照盛本人意見辦理,凡新疆範圍內無論軍政各事,均可全權賦予,便宜辦理。當時,新疆是中國對外聯繫、獲得國際援助的重要通道,保障這一通道對保障抗日作戰有重大意義,因此,蔣電稱:"中央對新所切望者,惟交通與運輸,此務望其能遵從中央意旨,並多予中央在新疆事權以方便,而不使外人見之,尚有中央與新疆之分別足矣。"[3]電末所言,不使外人感到"中央與新疆之分別"一語,含蓄地表達了國家統一的願望。

為了表示對盛世才的獎勵,蔣介石特別撥發輕重機槍一百挺。

次日晚,盛世才與翁文灝、朱紹良談話。盛表示:1.與蘇應親善;2.為顧國權,使新疆永久為中國領土;3.盼能有機會見委員長。[4]翁文灝當晚即將有關情況電蔣報告。7月16日,盛世才告訴翁文灝,蘇聯派代表到迪化來,商洽新疆重要問題,不願與中國中央人員商洽。盛稱,獨山子油礦問題,未得中央允准之前,決不由省與蘇簽訂協定。[5]

這樣,長期以來親蘇、附蘇的新疆地方當局擺出了想要回歸祖國、回歸中央政府的姿態。

1　《盛世才致蔣介石函》,《事略稿本》第50冊,第230頁。
2　《蔣中正三函釋文及注》,台北《傳記文學》卷53第2期,第24頁。參見《翁文灝日記》,1942年7月3日,第790頁。
3　《事略稿本》第50冊,第134頁。
4　《翁文灝日記》,1942年7月3日,第790頁。
5　唐縱:《在蔣介石身邊八年》,第292頁。

三、盛世才與蘇聯的爭執及反目

盛世才統治新疆期間，多次宣佈破獲所謂 "陰謀暴動案"，審訊之後，常常向斯大林彙報。1940 年，盛世才宣佈破獲 "帶國際性的九一八陰謀暴動案"，指控蘇聯駐迪化總領事歐傑陽克是 "幫助英帝國主義領導新疆陰謀暴動的主要組織者與領導者"，盛曾將審訊筆錄等文件 160 冊寄給時在莫斯科留學的盛世驥，要他轉交蘇聯最高領導人。1942 年 5 月 10 日，盛世才再次致函斯大林和外交人民委員莫洛托夫等，指稱蘇聯駐新疆工作人員巴枯寧等製造盛案，策動政變，建議由蘇方派員到迪化參與審訊。與此同時，盛又逮捕教育廳長李一歐、財政廳長臧登峰、和田警備司令潘柏南、行政長盧毓麟、新疆日報社社長王寶乾等幾十人。7 月上旬，蘇聯派外交人民委員副委員長德卡諾索夫作為特使到迪化，遞交莫洛托夫 7 月 3 日復盛世才函。

莫洛托夫復函指出，盛函 "毫無根據"，"殆皆基於某種挑撥性之謠諑"，"閣下左右，似有仇視貴國之帝國主義奸細匿跡於其間，彼等固極欲破壞中蘇關係及新省現狀"。莫函歷述盛世才過去所犯多項嚴重錯誤以及被蘇聯政府糾正、否定的經過，如：

1934 年，盛建議蘇聯政府迅速在新疆、陝甘等地實施共產主義，推翻中國中央政府。蘇聯政府認為盛的 "立場錯誤而有害"，曾向盛聲明，蘇聯政府斷不能同意在落後之新疆實施共產主義之政策，對中央政府，應矢誠擁戴，並與中央政府統一戰線，以與帝國主義奮鬥。

1936 年 12 月，張學良發動西安事變，盛曾力主 "無條件的援張"，且欲公開宣言，新省盡力支持張學良。蘇聯政府當即嚴斥張的 "暴亂行為"，"徒為日本之侵略為虎作倀"，"有損於中國人民之利益"，同時勸盛電復張學良反對，不能與彼 "結合作亂"，

1941 年 1 月，盛建議，使新疆 "叛離中國"，"成立新疆蘇維埃共和國"，"加盟蘇聯"。蘇聯政府堅決反對盛的建議。

函末，莫洛托夫要求盛世才 "就上述各節作出必要之結論，並求得問題之

正當解決，以期預防吾人關係之惡化"。[1] 與莫洛托夫函同時遞交的還有開採獨山子油礦有關文件。

在遞交莫洛托夫函及獨山子油礦有關文件的同時，德卡諾索夫多次和盛世才談話，批評盛世才濫捕多人的不當，勸盛放人。他要盛世才回憶過去蘇聯對新疆的援助與協助，恢復新疆與蘇聯和與斯大林的友誼關係，同時警告盛，蘇聯不會允許一位黨員，自動地脫離黨籍，隨意地、毫不受懲罰地攻擊馬克思主義。盛世才答以記得蘇聯的"好處"，"永遠不會忘記那些壞處"，盛自稱現在是一個"三民主義的忠實提倡者"，不擔心蘇聯方面將自己過去的歷史"出售給中華民國政府"。他說："事實上，我已經宣誓效忠的政黨領袖早就知道我以前是一個共產黨員"，"他不問我在改變信仰以前說了些什麼，或者做了些什麼。"[2]

這樣。盛世才就正式向蘇方宣佈，他的政治方向已經改變，並宣佈和蘇聯決裂。

7月23日，盛世才致電蔣介石表示，與蘇聯副外交人民委員的談話及答復蘇方文件，將於最近用"專稟秘密報告"。[3]

盛世才和重慶國民政府的關係似乎更熱絡、更加接近了。

四、蔣介石既爭取盛世才內向，又維持和蘇聯的友好關係

蔣介石很早就關注新疆動向。1933年6月，他派參謀本部參謀次長黃慕松到新疆宣慰，企圖以黃代盛。當盛世才與新疆臨時主席劉文龍聯合，逼迫甚至軟禁黃慕松時，蔣介石曾在日記中寫道："新疆盛、劉逼黃，又起風波，此等叛徒不顧國家，惟私利是圖，此時鞭長莫及，亦惟聽之。但亦始謀不臧，處置不當所致，戒之。"[4] 1940年3月，他在日記中指責盛世才為"亡國奴才"，"徒

1　《事略稿本》第50冊，第211—218頁。
2　《盛世才回憶錄》，轉引自《新疆風暴七十年》（9），第4892—4903頁。
3　《戰時外交》（2），第444頁。
4　《蔣介石日記》，1933年7月5日。

受外命，而欺凌本國，侮辱政府"。[1] 1941 年 9 月，他聽到友人為他介紹新疆情況，更加強了他鞏固新疆的決心，在《反省錄》中寫道："每聞友人為余述新疆天時、地勢與物產之豐富優容，輒為之神往心馳，夢深繫之。……新疆之於我中華民族存亡，實無異於我東北四省，而其資源之豐富與國防之重要，則尤過之而無不及也。能不令人夢魂縈懷乎。"

1941 年 12 月，太平洋戰爭爆發，中國與美、英、蘇結成反法西斯同盟，蔣介石成為中國戰區最高統帥部統帥。他企圖藉這一機緣，解決當時中國西北、西南邊疆的兩大難題：新疆和西藏。同月 29 日日記云："對新疆與西藏問題，應乘世界戰爭期間解決為便。" 1942 年初，其日記出現 "新疆、西藏收復之計劃" 字樣，1 月份所定《大事預定表》稱："對新疆與西藏統一之方略已定，但尚有所待也。" 顯然，蔣介石認為，解決外國勢力對中國西北、西南領土的窺伺、滲透與侵略，鞏固國防的時機已經臨近。這一時期，蔣介石並且已經有了派中央軍入疆的打算。

在盛世騏案發生後，盛世才從親蘇轉為反蘇，蔣介石決定因勢利導，既爭取盛世才內向，同時，繼續保持和蘇聯的友好關係。

為了抗擊日本侵略，蔣介石在 1934 年之後逐漸和蘇聯恢復外交關係，盧溝橋事變爆發後，蔣介石又和蘇聯簽訂互不侵犯條約。中國以其龐大的空間拖住了日軍北進的兵力，蘇聯政府也曾以軍火、飛機、飛行員和軍事顧問支援中國。這一時期，蔣介石雖然對蘇聯仍有戒心，也仍然多有不滿，但是，蔣介石仍然努力推進兩國之間的同盟。1941 年 11 月 7 日是蘇聯十月革命紀念日，當時，德軍已深入蘇聯國土，正在重兵圍攻莫斯科，蔣介石親到蘇聯駐重慶大使館，致以節日祝賀，並且照常設宴招待蘇聯援華軍事顧問，並演劇助興，其日記云：

> 我國於其被侵失敗之時，不惟不計較其既往，而且報之以道義，此為中華不畏不侮立國之精神，不能使之喪失。至於對方之如何感想與能否感召，則非余之所計也。[2]

1　《上星期反省錄》，1940 年 3 月 9 日。
2　《蔣介石日記》，1941 年 11 月 7 日。

蔣介石是個深受中國傳統儒學傳統浸潤的政治人物，蘇聯的衛國戰爭雖然遭受巨大挫折，國勢危殆，但是，蔣介石仍然力圖按儒學傳統原則行事。這一點，也同樣體現在抗戰期間他和英國、法國的關係上。[1]

1942 年 7 月 9 日，蘇聯駐華大使潘友新奉斯大林之命會見蔣介石，轉示莫洛托夫致盛世才函，強調盛世才過去對中國政府與今日對蘇聯政府的態度，"似皆有敵人為其背景，其左右更不能無敵人所派之間諜"。蔣介石不肯對盛世騏案以及盛蘇關係表態，僅表示，待詳細閱讀後再行辦理。他關照潘友新稱："貴國政府對於新疆之事，應與敝國中央政府交涉，不可與盛督辦逕行交涉。"[2] 當日，蔣介石對莫洛托夫函決定"置之不理，暫觀其以後之變化如何"。[3]

在潘友新大使將莫洛托夫致盛世才函轉示蔣介石的第二天，7 月 10 日，盛世才起草致蔣介石書，陳述十年來"親蘇之實際詳情"，要求朱紹良飛渝，面懇蔣介石，"察情見原"。函中，盛世才說明自己對馬克思主義"夙居信仰"，1938 年赴蘇，加入共產黨，以及被迫簽訂探採錫礦合同經過。該函重點指控蘇聯計劃在 1942 年四一二大會時舉行暴動，刺殺本人及軍政各機關忠實幹部，成立蘇維埃政權，脫離中國版圖。盛函稱，現已認識到"蘇聯國家確實離開馬克斯主義，走向帝國主義侵略道路"，"掛著馬克斯主義假招牌，以援助落後國家與民族為名，暗中進行其侵略伎倆"。盛函針對莫洛托夫函中所述各事逐一以辯解，聲稱蘇聯政府送達這一文件，"一面是恫嚇，一面是挑撥，而另一方面則是防制職與鈞座之接近"。

如果說，莫洛托夫致函盛世才，還是企圖在雙方之間解決矛盾，但是，將致盛函直接交給中國政府，大揭盛過去反蔣和要求加盟蘇聯的歷史，這就意味著蘇聯和盛世才的關係已經徹底決裂。

蔣介石閱讀盛函，認為"俄國在新疆全部陰謀根本暴露"，但是，當時中蘇兩國是共同抗擊世界法西斯力量的盟國，有著共同的利益，因此，蔣介石決

---

1 1941 年，英、法在對德戰爭中失敗，國民黨內一片"聯德"之聲，蔣介石在國民黨七中全會上說："我們一本立國仁厚的精神，英法雖敗，我們可能範圍還要幫助他，不能因為他敗，我們便兇狠起來。"參見拙作《跟德國還是跟英美站在一起？》，《找尋真實的蔣介石：蔣介石日記解讀》（2），華文出版社 2010 年版，第 135 頁。
2 《事略稿本》第 50 冊，第 210—211 頁。
3 《蔣介石日記》，1942 年 7 月 9 日。

定繼續維護中蘇同盟關係，同時，爭取新疆主權回歸。7 月 12 日，軍事委員會參謀總長何應欽約集程潛副總長、徐永昌、賀耀祖、周至柔等人研究，於 13 日擬就《收復新疆方略》。該《方略》第一部分分析新疆現勢，認為蘇聯雖有吞併新疆的陰謀，也有足夠武力，但在當時國際現勢下，公然以武力佔領新疆，於政略及戰略上均不利；盛世才外懼蘇聯威脅，內憂中共暴動，只有"依附中央"一條路可走，建議給予盛世才以"必要之支援"。第二部分《方針》，確定"為鞏固西北邊防之目的，應乘此中蘇同盟之時機，收復新省主權。"，但是，中央既無充分準備，又無確實控制餘力，只能利用盛世才的地位及力量，加以扶植，使之"中央化"，同時敷衍蘇聯，加強甘肅、青海西藏的軍備，伺機確實控制。第三部分為《實施要領》，分一、二兩期。第一期，為現在過渡時期，確定：1. "對蘇仍本睦鄰政策，並運用政略，遏止其對新採取斷然之行動"。2. 對盛以維持並利用其地位為主眼，在政治和經濟外交上，多方面予以善意之扶助。3. 軍事上，以保護油礦區為名，加強河西，特別是玉門附近的兵力；開闢南疆機場，以保護機場的名義，派遣中央軍一師駐紮；以柴達木屯墾名義，催促騎五軍進駐；迅速進行西藏控制方案，奠定西南邊防，策應新疆；劃南疆為師管區。第二期為收復主權時期：乘日軍北進攻蘇，或蘇對德軍事慘敗，或中國國際地位有利之機，向蘇聯提出解決兩國外交懸案，如取消承認偽滿、偽蒙，不得支持中共，撤退駐新紅八團及空軍、戰車等部隊，然後以中央軍有力部隊開入新疆各要點，以武力確實控制之。[1]

關於盛世騏被暗殺案，何應欽等建議對蘇方"似以不必提及為宜"。

當日中午，蔣介石與朱紹良研究，確定：第一，保全盛之地位；第二，使俄不惱羞成怒，留有迴旋餘地，不使蘇對盛絕望。當時，蔣介石最擔心的是蘇共鼓動新疆各地暴動，驅逐盛世才，在日記中提醒自己"預防"，同時確定三個步驟：1. 派兵入新，助盛平亂。2. 劃新疆歸入第八戰區。3. 與蘇聯交涉，解決新疆各案。

蔣介石讀到盛函後，決定因勢利導，爭取盛世才。7 月 17 日，他親筆復

1　《事略稿本》第 50 冊，第 252—260 頁。

函，交朱紹良帶回新疆。信稱："惟望吾弟特加保養，為國自重，只要吾人能肝膽相照，推成相與，則國家前途，個人事業，皆有無限光明。對外諸事，中當負責主持，請勿過慮。"[1] 朱面告盛世才，蔣介石不僅原宥盛的"既往一切"，而且"均為負責"。盛世才自稱"逖聽之下，銘感五內"。[2]

7 月 16 日，蔣介石在重慶黃山官邸召見潘友新，作了友好、熱情的談話。蔣首先對潘友新面交莫洛托夫復盛世才函表示感謝，甚至說自己"特別感動"，同時告訴潘，盛督辦亦已有文件報告。蔣稱："我中蘇兩國本同為革命國家，更為同患難之友邦。若論現時處境，情勢尤屬如是。"蔣再次強調：今後兩國凡有關新疆之事，深盼能由蘇方中央政府與中國中央政府"洽商協議"，不可再與新疆省當局逕行交涉。在談到派翁文灝赴新疆洽商獨山子油礦訂約等經濟事項時，蔣特別強調"只要一秉公平之精神，開誠商討，無不可解決之事"。蔣又進一步表示："我中蘇兩國既屬同盟，反抗侵略，即有共同一致之利害關係，故凡事皆可公平商議，無不可和洽解決者"。在談到莫洛托夫復盛世才函時，蔣稱：新疆問題完全為敝國內政問題，已指派朱紹良前往新疆調查，並督促盛世才與貴國"和善相處"。只在莫洛托夫函所稱盛世才左右有"敵人之間諜"一事上，蔣保證稱：決不致如此。[3]

在會談開始時，潘友新曾表示，黃山官邸清涼，如同另一世界，而山下近日天氣炎熱，晚間不能入睡，蔣曾邀請潘到山上的汪家花園來。7 月 18 日，蔣介石命卜道明，通知潘友新搬上黃山。[4]

外交無小事。蔣介石此舉，表明他一面保護和支持盛世才，但還是在努力維持中蘇友好關係。為了不讓蘇聯方面感到困窘，他甚至指示，不讓蘇方得知，中國方面已經得知《新錫協定》的有關秘密。

---

1 《蔣中正三函釋文及注》，《傳記文學》卷 53 第 2 期，第 24 頁。
2 《盛世才第二次上蔣主席書》，"外交部"檔案，台北"中央研究院"近代史研究所藏，1946 年 11 月 24 日，197.1/0005。
3 《事略稿本》第 50 冊，第 272—282 頁。
4 《蔣介石日記》，1942 年 7 月 18 日。

五、蔣介石出巡西北，努力收回新疆主權

盛世騏案發生之後，盛世才派盛世驥和張元夫赴重慶示好，自然被蔣介石視為收復新疆主權的好機會。在對盛世才加以撫慰、勉勵之後，蔣介石決定出巡西北。

8月15日，蔣介石、宋美齡夫婦自重慶飛蘭州。16日，蔣介石致電朱紹良、盛世才，告以將在此停留十日，詢問迪化機場有無外兵，要求朱到蘭一晤。此電暗含蔣介石有可能親赴迪化之意。同日，朱、盛復電，表示迪化機場並無外兵，盛世才則在18日復函中表示：本擬到蘭晉謁，但新疆情形複雜，請朱紹良到蘭，代為請示，再行決定晉謁辦法。19日，朱紹良到蘭，商量是迎蔣赴新，或囑盛來甘，都因迪化機場有蘇聯驅逐機駐在，覺得不妥，決定由宋美齡代蔣一行，"以壯盛膽，亦所以慰之"。[1]

朱紹良此來，攜帶和盛世才共同草擬的《條陳》一份，其中第一部分陳述1940年春，蘇聯駐迪化總領事嗾使維族組織維吾爾斯坦共和國等事，第二部分《充實國防意見》，陳述分外交、政治、軍事建議7條，蔣介石一一作了批示，或認為"可照辦"，或認為"可進行籌備"。[2] 他自己擬定的進行程序分5點：1. 先派第42軍由蘭州進駐安西、玉門，控制駐紮哈密的蘇軍第8團。2. 委派新疆外交特派員，將外交權收歸中央，使蘇俄在新疆的外交"納入正軌"。3. 肅清新疆共黨。4，令蘇軍離開新疆。5. 收回蘇聯在迪化建設的飛機製造廠。以上5點，蔣介石視為對蘇、對共的"第一步驟"。至於向新疆派遣黨務特派員、教育廳長、省府秘書長，蔣列為第二步驟，確定人選後，先令其入疆，與盛世才晤面洽商，再加委任，以資審慎。這一程序表明，蔣介石有收回主權的用意，但對蘇聯、對中共都還保持著警惕和敵對，對盛世才，則努力避免其疑慮。[3]

河西走廊是關內通往新疆的咽喉要道。這一地區長期為回族軍閥馬步芳、馬步青佔領。

8月21日，蔣介石調胡宗南所部楊德亮的第42軍開赴河西，配備戰車、

1　《蔣介石日記》，1942年8月19日。

2　唐縱：《在蔣介石身邊八年》，第124頁。

3　《事略稿本》第51冊，第77頁。

防禦炮、高射炮各一連。28日，在青海西寧接見馬步芳、馬步青兄弟，任命馬步青為青海柴達木屯墾督辦，令其率部由肅州（今酒泉）移駐該地屯，許以向西藏發展，使"藏政歸中央統治，不受外國牽制"。馬氏兄弟遵命離甘入青，中央軍接防成功，蔣介石認為這是"抗戰與建國開發西北大根據地之一重大事件"，打下了經營新疆、西藏的基礎，對於統一西北、收復新疆會起很大的效用。[1]

8月29日，蔣介石親筆書就致盛世才函："千里咫尺，未克面晤為念。今日內子飛新，代中慰勞，聊表拳拳之心而已。余託內子面詳，不盡百一。諸維心照。"[2]當日，宋美齡偕善於處理邊疆問題的蒙藏委員會委員長吳忠信等飛抵迪化。第二天，雙方舉行秘密會談，就允許國民政府軍隊進入新疆、籌備設置新疆省黨部等問題達成一致。為了消除盛世才失去權力的疑慮，增強其內向之心，吳忠信特別和盛世才長談兩小時，告訴他："中央對新絕對信任。此後新疆需要中央幫忙，中央即幫忙。如果不需要中央幫忙，則中央必一本過去政策，少加過問。"[3]31日，宋美齡攜盛世才復函飛返嘉峪關，盛函稱"所有尊夫人轉達鈞座一切意旨，均已敬悉。職今後唯有遵照鈞座一切指示，切實奉行，諸請勿念。"[4]這些往復函電顯示，蔣介石和盛世才之間的關係已經得到改善，但是，蔣介石覺得，盛世才其人"多疑不決"，"心神不安"，"神經刺激"，還必須有所警惕，"預防萬一之變"。[5]

9月5日，蔣介石聽取宋美齡的訪新彙報之後，認為盛對中央"已無恐惶之心"，決定"一以誠意待之，至其結果成敗，固不計也"。[6]9月13日，蔣介石在日記中寫了一段"預定"，其中大體規定了中國東北、西北、西南的領土、國界和國防重點：

中國應以天山與崑崙山為西部國防之鎖鑰，而以阿爾泰山與希馬拉

1 《上星期反省錄》及《本月反省錄》，《蔣介石日記》，1942年8月。
2 《事略稿本》第51冊，第118頁。
3 吳忠信：《主持新疆工作日記》，中國第二歷史檔案館編：《中華民國史檔案資料彙編》第5輯第3編《政治》（5），江蘇古籍出版社版，第313、331頁。
4 《事略稿本》第51冊，第118—119頁。
5 《蔣介石日記》，1942年9月2日。
6 《蔣介石日記》，1942年9月5日。

耶山為其屏藩，東部以鴨綠江與黑龍江為國界，而以長白山與內外興安嶺為鎖鑰。東以山海關外東三省為東範圍，西以玉門關、星星峽外新疆、西藏為西範圍，即以新疆為我國前門之廣場，而嘉峪關實為中華東西緯線之中心。

這一段"預定"，反映出蔣介石思想中的中國版圖承襲了清末以來的傳統，他不準備承認俄國、日本、英國等列強對中國領土的侵略與滲透。

在此後至 1943 年 3 月的一段時間內，蔣介石從黨務、行政建制、外交等方面，為收復新疆主權做了若干工作：

1. 將新疆劃入第八戰區。1942 年 11 月 28 日，任命盛世才為第八戰區副司令長官。這樣，盛世才就處於朱紹良的軍事領導之下。

2. 在新疆建立中國國民黨組織。首先，蔣介石發展盛世才夫婦入黨。其 9 月 29 日記有"查盛之黨證寄出否"的記載，可見他對這一問題的重視。1943 年 1 月 8 日，朱紹良與盛世才商洽，於 1943 年 1 月 8 日，恢復中國國民黨新疆省黨部。其書記長一職，蔣介石原來屬意梁寒操，盛世才不同意，遂以盛世才擔任。16 日，新疆省黨部成立。至 1943 年 9 月，成立縣黨部 34 個，預計至 1944 年 1 月，將全部成立。[1]最初，新疆省黨部僅有黨員 40 多人，至 1943 年，發展至 7,224 名。[2]

3. 設立外交部駐新疆特派員公署，以吳澤湘任特派員。自 1942 年 10 月 1 日起，將中蘇邊境的塔什幹、阿拉木圖、斜米、宰桑、安吉延等五個領事館的行政權交還中央，經費改由外交部撥發。

4. 設立新疆省監察區監察使署，以羅家倫為監察使。

5. 根據盛世才提議，取消新疆原來的"反帝軍"名稱，改為國民革命軍，將新疆陸軍軍官學校，改為中央分校，以蔣介石兼任校長，以盛世才為分校主任。[3]1942 年 4 月，國民黨在迪化成立中央訓練團新疆分團。前後舉辦十期，訓練人員數千名，僅當年就舉辦 3 期，培養幹部 580 餘人。[4]

1　《新新疆的展望》，《中央日報》，1943 年 9 月 28 日，第 2 版。
2　《新疆之亂》，香港明鏡出版社 2009 年版，第 116 頁。
3　《事略稿本》第 52 冊，第 347—346 頁。
4　《新疆之亂》，第 117 頁。

6. 向新疆派出幹部。12 月 21 日，蔣介石接見派赴新疆幹部，發表訓話，要求赴疆人員"自知所負責任之重大與黨國期望之殷切，兢兢業業，黽勉從事"。他特別提醒眾人"無分宗族、宗教，相親相愛，團結一致"，"融洽新疆同志"，"純粹以宣揚三民主義，實行三民主義為職責，不可有絲毫權利思想滲雜其間"，[1] 當時，重慶集中了數百名青年進行入疆前訓練，有 5 千多人報名願意入疆工作。

7. 藉修建甘新公路機會增兵新疆。[2]

當時，重慶國民政府還不可能對新疆採取更多措施，但是，上述機構的設立和舉措的採取，至少從形式上表明，新疆已成為中國的一部分。

中國領土不能容許外國武力駐紮。迪化飛機製造廠原由蘇軍守衛，蔣介石決定首先要求兩國訂立合辦合同，然後改用中國士兵守衛，再進一步交涉駐守哈密的蘇軍第八團的全部撤退問題。但是，這一時期，蔣介石感到，蘇聯對華政策正在好轉，因此決定暫緩要求蘇軍全部撤退。10 月 16 日，蔣介石接見即將回國的蘇聯大使潘友新，只表示希望儘快簽訂兩國合辦獨山子油礦與迪化飛機製造廠的合同。關於後者，蔣介石說："久已開工出品，而合同尚未簽訂，此事有礙敝國主權，殊覺授人話柄，實應及早改正"。[3] 此前，蔣介石曾數次致函斯大林，均未得復，蔣心中頗有不快，但他認為，此時蘇聯正受德國侵略，"彼勢不利之時更應以禮遇之心"，決定"待之如昔，不與深較"。[4] 因此，在談話中特別強調："貴我兩國誼屬同盟，現正協力抵抗共同之敵人。"[5] 顯然，蔣介石不願意因個別問題影響中蘇邦交的大局。

1943 年 2 月，蔣介石派傅秉常出任駐蘇大使，行前，召傅談話，全面指示對蘇方針，共九條：

（1）獨山子油礦等案，因係在中國境內，故應在中國辦理。

（2）現在及戰後，與蘇聯均應友好與合作。此種方針完全不變，因我

1　《事略稿本》第 52 冊，第 95 頁。
2　《事略稿本》第 52 冊，第 353—354 頁。
3　《戰時外交》(2)，第 536 頁。
4　《蔣介石日記》，1942 年 10 月 16 日。
5　《戰時外交》(2)，第 536 頁。

國與蘇方接壤及各種關係，均須如此。只要蘇聯不與我不好，我當然要與合作。

（3）對於新疆問題。主權必須收回，至其他經濟利便，我可與他，例如羊毛公司、伊寧鐵礦等。只在不損失我主權範圍內，在經濟上可與之合作。至於破壞我法律，有損失主權者，則不能有絲毫讓步。例如組織合作公司，我方資本應佔 51% 等，不能變更。希望蘇方能與我開始誠意友好，

（4）駐軍應由新疆逐漸提〔撤〕出。我於有意、無意之間□□相機提及，中央可為新疆後盾。

（5）飛機製造廠亦可由新疆提〔撤〕出。如先解決此案，該廠之紅軍守衛便可撤退。於交涉哈密紅軍撤退，便可引為先例。

（6）日蘇戰事必不可免。蘇雖勝德，日亦必攻蘇。蓋德崩潰，日不能獨存。故余應準備一切，以為應付。屆時我願與蘇合作，與訂軍事同盟亦可。

（7）對於外蒙領土及主權，我方應收回。經濟方面，可與蘇合作，如在新疆一樣。至於我方對於外蒙，絕對取寬大主義，力求助其自主，無派兵往駐之意。我方對於邊疆各民族之政策，可在最近出版之《中國之前途》見之，絕不採取徐樹錚對外蒙之壓迫方法。余（委座）見蘇外長 Chicherin 時，渠曾告余，謂外蒙人因徐樹錚事，甚怕中國人之壓迫。我黨現採取寬大輔助主義，對邊疆各民族絕對平等，不獨賦予，且扶助其自治。

（8）中共問題不必提。

（9）見史丹林〔斯大林〕、莫洛托夫各人，代委座致候，並賀其最近軍事上之勝利。[1]

從以上 9 條可以看出，蔣介石這一時期力圖貫徹與蘇聯的友好方針，甚至準備與蘇聯結成軍事同盟，以共同對付日本，但是，在維護新疆主權等問題上，蔣介石又是堅決的、不妥協的。經濟上可以與蘇聯合作，給予利便，但是，只要事關國家主權，就寸步也不準備退讓。

同年 2 月 9 日，蔣介石寫作《三十一年總反省錄》，當憶及盛世才內向及馬步青軍撤回青海等事件時寫道：

1　傅依鏵、張力校注：《傅秉常日記》，1943 年 2 月 4 日。

蘭州以西直達伊犁，直徑三千公里之領土全部收復，此為國民政府自成立以來最大之成功，其面積實倍於東北三省也。此不僅領土收復而已，蓋新疆歸誠中央以後，我抗戰之後方完全鞏固，日本更不能再有消滅我政府之妄圖，而俄國與中共之態度亦大為轉變，不敢復為抗戰之害。此非上帝賜予中華民族之恩澤，決不至此也。[1]

新疆當時是中國最大的行省，其面積是四川省的 4 倍，湖南省的 8 倍，安徽省的 12 倍，浙江省的 15 倍，將河西走廊及新疆的主權收歸中央，自然是一項重大成就。然而，後來的史實表明，蔣介石高興得太早了。

六、蘇聯勢力從新疆撤退

據盛世才自述，他在決定內向後，曾於 1942 年 10 月 5 日向蘇聯駐迪化總領普式庚遞交備忘錄，要求他轉交蘇聯政府，內稱：除外交官員，可給予在新疆居留之自由外，其他在新疆的一切蘇聯人，包括軍事顧問人員、軍事教官、財政廳及建設廳之蘇聯顧問、技術專家、工程師、醫生、紅軍駐哈密第八團整個部隊、阿爾泰與伊犁區的錫礦人員與探測人員等，都應在三個月內，一律撤離新疆省。普式庚抗議盛世才提交的備忘錄，聲稱"這些顧問人員、軍事教官和其他人等，都是新疆省政府聘任的，紅軍亦是來這裏幫助你鎮壓叛亂的。至於那些錫礦人員和工人，都享有在新疆的居留權，這是租借條約上所訂立的。"一直到 11 月 14 日，雙方談判五次，最後，普式庚通知盛世才，蘇聯政府同意送返上述人員，第八團亦將在新疆省政府規定的時間內撤走。[2]

蘇聯當時在新疆建有飛機廠和獨山子油礦，其專家和技術人員的撤離應由重慶國民政府決定，也不可能在三個月內完成。盛世才的這一回憶不見於他向蔣介石和重慶國民政府的回報，也不見於蘇聯方面的相關文獻，下引蘇聯駐迪化領事普式庚致盛世才的備忘錄更未提及此事。盛本人關於談判過程的回憶也

1　《三十一年總反省錄》，《蔣介石日記》，1942 年日記本之末。
2　《新疆風暴七十年》（9），第 5089—5103 頁。參見盛世驥《我家大哥盛世才》，第 179—180 頁。

有時間上的重大訛誤，因此，這一回憶的真實性可疑。[1] 現根據可靠的資料，將蘇聯力量從新疆撤退的過程整理如下。

1943 年 4 月 10 日，蘇聯駐迪化領事普式庚會見盛世才，口頭通知稱，接到蘇聯政府命令，通知新疆省政府事件如次：1. 所有在新疆地質考察團（新錫）的工作完全停止。2. 將所有考察團人員一律撤回及一切機器運回蘇聯。3. 在工作人員撤回及機器運回時，希望新省府予以便利與協助等語。

同月 15 日，普式庚緊急會見盛世才，向盛世才遞交《備忘錄》：

> 1. 前於 1938 年 1 月間，蘇聯政府應閣下之情，因哈密一帶不安寧以及運赴中國之貴重貨物缺乏必要的安全保障，乃決定將擴大騎兵團一團及空軍一支隊派往新疆哈密駐紮。當時督辦閣下曾認為此乃鞏固新疆局勢及保證予中國以實際援助之措施，閣下曾經過蘇聯總領事向蘇聯政府發表過斯項精神的聲明。目下既如閣下向蘇聯上校軍事顧問瓦西力也夫所稱，該團如繼續駐紮，僅能構成督辦閣下之重荷，蘇聯政府已決定將第八團由新疆撤回蘇聯。
>
> 2. 蘇聯政府同時並已下令將 1938 年經中蘇兩國政府之同意，為保障由蘇運華之軍需品而派赴新疆駐紮哈密之空軍隊調回蘇聯。
>
> 3. 督辦閣下知道，於 1940 年，應中國政府之請，並為中蘇雙方之利益曾開始建築飛機製造廠，並於去年完成。至於中國政府所進行之關於建築及經營飛機製造廠的談判中，曾預計該廠應由中蘇雙方出資建築，而出品應供中國需用。但是，與中國政府所進行的談判，由於非關蘇聯政府的原因，未能締結協定，致使該廠之一切用費，完全落在蘇方。因為這種關係，同時並因為新疆官方予該廠之工作製造各種可能的阻礙，蘇聯政府認為此後再任該廠處於此種狀態之中實為不宜。因此，蘇聯政府已決定取銷該飛機製造廠，並於最短期間，將工人、技術管理人員以及該廠之物資、機械一律由新疆撤回蘇聯。[2]

這份備忘錄承認第八團的撤退出於盛世才的要求，但是飛機製造廠的工人、技

1　盛世才在回憶中稱，1942 年 10 月 26 日，在他與普式庚第 5 次會談時，有二十多輛蘇俄坦克，不顧阻攔，越過伊犁邊境，盛曾為此向普式庚提出交涉，普答稱，係哈密蘇軍第八團的補充車輛。查蔣介石日記及盛世才致朱紹良電（《事略稿本》第 51 冊），蘇軍坦克越境發生於當年 8 月，當時，盛普談判尚未開始。

2　台北"國史館"檔案，002-020300-00042-105。

術管理人員的撤回則源於"新疆官方予該廠之工作製造各種可能的阻礙"。4月17日，盛世才將普式庚《備忘錄》摘要報告蔣介石，並派外交特派員吳澤湘及盛世驥到重慶彙報。22日，盛世才乘梁寒操回渝之便，致函蔣介石，報告蘇聯自動聲明放棄在新疆開採錫礦及飛機製造廠。[1] 28日，蔣介石約吳、盛二人談話，認為這是蘇聯"對新疆政治、軍事侵略政策之一大轉變"，其原因在於，日本進攻西伯利亞的徵兆已經很明顯，但是蘇方是否真能撤退，尚待觀察。

5月3日，蘇聯駐迪化總領事再次會見盛世才，提出：新疆當局對於蘇聯專家的工作，"予以最大的困難"，因此"蘇聯各種專家，都感覺沒有意思，所以蘇聯政府要召回一切專家，連顧問也在內"。1. 所有蘇方在新疆貿易機關，一律縮小範圍，其理由為地方政府不予協助，有限制商人直接與貿易公司訂定合同等情形。2. 獨山子油礦所有蘇聯技術、專家等人員及所有一切機器均一律撤運回蘇，其理由為新疆省政府不予協助，妨礙工作。3. 所有新疆聘請之蘇聯軍事顧問、教官及其他各方面一切技術專家全部召回，其理由為新疆省政府不給予工作條件，有不信任情事。[2] 普式庚最後表示，除醫生及需要算賬的財政顧問外，"所有其他專家，明天都停止工作。"這些地方，都沒有提及盛世才致普式庚的所謂三個月撤退的備忘錄。5月5日，蔣介石接盛世才電稱，蘇俄領事正式通報，獨山子油礦機器撤回蘇聯，撤銷蘇聯在新疆的商務機構，召回在新疆的全體軍事顧問。

在上述各事中，中蘇合辦迪化飛機製造廠和獨山子油礦對中國抗戰有利，自然需要留用蘇聯專家和技術人員。5月6日，蔣介石令外交部對蘇提出質問。當日，外交部次長吳國楨向潘友新提交《備忘錄》，表示中方對迪化飛機製造廠及獨山子油礦正在研擬合辦方案，對於蘇方的停辦決定"殊深詫異"。《備忘錄》表示：若蘇聯為自身目下作戰需要，中方可以同意，"若無此必要，則中國政府希望蘇聯政府能將飛機廠及油礦機件價讓。在共同作戰期間，關於技術方面之設施及人員之僱用，我方仍願與蘇聯合作"。[3] 5月7日，蔣介石致函盛

1 台北"國史館"檔案，002-020300-00042-106。

2 《蘇聯駐迪化總領事普式庚與盛世才談話紀要》，新疆省檔案，轉引自李嘉谷：《中蘇國家關係史資料彙編（1933—1945）》，社會科學文獻出版社1997年版，第431—435頁。

3 《戰時外交》（2），第449—450頁。

世才，告以如國際或俄、日無大變化，非萬不得已，蘇聯決不願撤去已裝置在新疆的器材，因此，不必擔心其撤去之速。關於新錫及其他專案，蔣介石特別指示：

> 若能早撤一日，則吾人應協助其早日撤回，不必強勉，亦不必有所顧忌，吾人所恃者惟理與法而已，惟恐其對於新錫機器不肯撤去耳。中意對新錫有關事件，總以根本撤銷，不必以此區區機器，而留一國家權利喪失之病源耳。[1]

如前所述，新錫協定嚴重侵害中國主權和利益，因此蔣介石惟恐其撤去之不速與不徹底。

在新錫之外，蔣介石最關心的是蘇軍在哈密的駐紮問題。5 月 21 日，蔣介石接盛世才電，得悉蘇聯軍隊已經離開哈密，立即致電朱紹良，詢問中央軍準備如何，如已完成，應急令開赴哈密。[2] 5 月 23 日，他在《上星期反省錄》寫道："俄駐哈密之部隊已撤退，此乃唯一之佳音。"[3] 同月，又在《本月反省錄》中寫道："俄國駐防我新疆哈密之第八團已完全撤退回俄，其在新疆所有霸佔之工廠、機關，皆亦全部拆回，此實我革命最大勝利，不啻補償東四省失陷而有餘矣。"[4] 不過，由於營房等建築物的出讓等問題，蘇軍的撤退一直拖拖拉拉。5 月 24 日，蔣介石批示侍從室："俄八團究竟有否全部離新，再電盛督辦查報。"[5] 6 月 16 日，蔣介石審閱盛世才函件，在日記中寫道："乃知俄軍在哈密尚有數百人未撤去也。"[6]

蘇聯方面從新疆撤退機構和人員的規模不斷在擴大。6 月 16 日。潘友新面見蔣介石，遞交《節略》，指責新疆當局對於蘇聯商業機構的活動"百般作梗"，"最近蘇聯各專家在新省所處之環境，實令人不能忍受"。蘇聯政府決定：1. 撤銷迪化飛機廠，將新省蘇聯工人職員及技術人員以及蘇聯設備運回蘇聯。2. 停

---

1 《事略稿本》第 53 冊，第 377 頁。
2 《事略稿本》第 53 冊，第 467—468 頁。
3 《事略稿本》第 53 冊，第 491 頁。
4 《事略稿本》第 53 冊，第 533 頁。
5 《事略稿本》第 53 冊，第 496 頁。
6 《蔣介石日記》，1943 年 6 月 16 日。

止獨山子油礦之採油及煉油工作，召回各專家，並將自有設備運回蘇聯。3. 縮小蘇聯駐新省商業機構之活動。4. 召回在新省之其他蘇聯專家。[1] 但是，這只是虛張聲勢，實際上，蘇方仍在以各種理由拖延撤退。直到當年 8 月，蔣介石還在《本月反省錄》寫道：“對新疆之撤退行動亦已停滯，是其對東方之侵略行動仍無放棄之象徵，上月之判斷，是余太淺薄之過也。”[2]

1943 年 8 月，國民黨決定於 9 月 6 日召開五屆十一中全會，討論抗戰後的建國問題，蔣介石決定召盛世才與雲南的龍雲參加。9 月 4 日，盛、龍到達重慶，蔣介石認為，盛“本已加入俄共，實際已為俄共之附庸，新疆全土已入俄共囊中”，而現在卻都能“坦然應招，遵命到會”，“對內對外，中央無形之聲威增加不可以道里計”，這是“國內統一與團結之表現”，是“國府成立以來未有之盛事”，“抗戰以來最足自慰與自豪之一事”。[3] 當晚，蔣介石就召盛世才便餐，詢問新疆現狀。7 日，盛世才在第二次大會上報告新疆黨政。9 月 9 日、16 日、21 日、28 日，又與盛世才談話多次。同日。《中央日報》發表社論《新新疆的展望》，肯定新疆 1933 年“四月革命”，包括盛世才推行“六大政策”以來的成績，表示“深信新疆在遵循三民主義的最高準繩之下，政治、經濟、文化各方面的進步，必更趨進步。”社論在引用蔣介石“建國的基礎在西北”的論述後，表示“西北的最大屏障，捨新疆莫屬”。[4] 蔣介石擔心這篇社論會“刺激俄國”，但考慮既已刊出，不能收回，決定不作處理，充分表現出蔣介石小心翼翼地維護對蘇關係而又不願“示弱”的心理。[5] 他估計，蘇聯在德軍退卻以後對中國的壓迫將加強，但他認為，有美、英存在，蘇聯一時還不敢“強用武力以佔我新疆”，關鍵之點在於中國“自強”。[6]

當年年末，蔣介石回顧自身工作，認為對內對外政策 22 項，已經著手並已發生效用者 12 項，“而以對美國，對新疆、西藏、青海之政策為最成功”，“內

1　轉引自《蔣介石致新疆邊防督辦盛世才電》，《中蘇國家關係史檔案資料彙編（1933—1945）》，第 437—438 頁。
2　《本月反省錄》，《蔣介石日記》，1943 年 8 月。
3　《蔣介石日記》，1943 年 9 月 4 日。
4　《中央日報》，1943 年 9 月 28 日，第 2 版。
5　《蔣介石日記》，1943 年 9 月 29 日。
6　《本月反省錄》，《蔣介石日記》，1943 年 9 月。

政則新疆行政與主權完整完全恢復"。[1]

七、盛世才內調

關於蘇聯力量從新疆撤退的談判，一直持續到 1944 年春。當年 1 月，蘇聯通知，其在新疆之各航空站，一律撤去，駐紮迪化飛機製造廠內的軍隊也已經撤去。不久，蘇聯方面通知中國，在新疆的獨山子油礦，願以平價相讓，最後，以 170 萬美金成交。[2] 至 5 月 21 日，新疆省政府與蘇聯駐迪化代理商務員馬爾科林簽訂買賣飛機廠合同，代價為美金 420 萬元。[3]

迪化飛機廠和獨山子油礦遺留問題的迅速解決，使蔣介石感到，蘇聯的"侵新政策"已經變更，這是中國外交政策上又一成功。[4] 因此，對蘇聯頗有一點感激之情。還在獨山子油礦成交時，蔣介時就致電新疆當局，在和蘇聯的物產價格交涉中，應以"克己"為原則。同時，蔣介石決定和蘇聯商討締結二十年互不侵犯協定問題。[5] 蔣介石完全沒有想到，蘇聯不會甘心吐出已在口中的美味，早就在醞釀新的舉動。

1943 年 5 月 4 日，聯共（布）中央政治局召開會議，討論新疆局勢。會議認為盛世才是忘恩負義之徒，決定推翻其在新疆的統治，剷除其同夥，代之以忠實的新疆土著居民代表組成的政府。會上，決定成立在內務部和國家安全部領導下的行政小組，執行聯共（布）中央的決定。會後，在哈薩克斯坦、烏茲別克斯坦、吉爾吉斯坦等地建立學校，培養並向新疆派遣起義小組指揮人員和宣傳鼓動人員。[6]

1940 年初，盛世才政府收繳阿山地區的民間槍支，激起哈薩克牧民暴動，盛世才派軍隊鎮壓，延續數年。1944 年 3 月，蘇聯飛機多架在奇台東北布爾

---

1 《感想反省錄》，《蔣介石日記》，1943 年。
2 《事略稿本》第 56 冊，第 279 頁。
3 《中蘇國家關係史資料（1933—1945）》，第 445—451 頁。
4 《事略稿本》第 56 冊，第 260、384 頁。
5 《蔣介石日記》，1944 年 3 月 11 日。
6 〔俄〕巴爾明：《1941—1949 年蘇中關係中的新疆》，巴爾瑙爾 1999 年版，第 71 頁；參見薛衛天：《中蘇關係史》（1945—1949），四川人民出版社 2003 年版，第 191—192 頁。

根附近轟炸、掃射中國政府軍，外交特派員吳澤湘及盛世才先後向蔣介石報告，盛並要求增補三萬兵力。[1] 蔣命外交部向蘇聯駐華大使提出警告，命朱紹良調兵防守，同時向美國總統羅斯福告狀。3 月 19 日，蔣介石認為蘇聯此舉，必有整個計劃，或乘機佔領全疆，或暗示中國政府撤換盛世才。他決定：1. 軍事方面，加派兩個師增援，並派一師進駐迪化。在軍事平定後，內調盛世才到中央工作，另派能幹人員代替。2. 外交方面，對俄國暫取和緩忍耐方針，不予破裂，使之留有迴旋餘地。他寫道：“蓋盛不離新，則新疆糾紛不能平定。”[2]

4 月 8 日，蔣介石決定派四個師入疆，手擬駐地方案，一個師駐玉門縣城至哈密之間，一個師駐奇台、鎮西之間，一個師駐烏蘇與綏來之間，一個師駐焉耆與吐魯番之間。另設軍部二個，一駐哈密，一駐迪化附近。同時要求構築強固工事，在三個月內完成。[3]

盛世才早就探悉，重慶國民政府有撤換自己的打算。4 月 17 日，盛世才突然逮捕新疆省政府秘書長劉效藜、教育廳長程東白、省黨部委員何耿光、新疆日報社社長宋念慈等十餘人。28 日，盛世才致函蔣介石，聲稱蘇聯企圖奪佔阿山區，為其侵新之根據地，其指揮官均為蘇聯與外蒙人；政治方面，也有整個陰謀計劃，自己已在省城破獲蘇方組織之游擊隊與共產黨的秘密組織，正在日夜加緊審訊，陸續逮捕。同時派人分赴南疆及阿山偵察，肅清內部反動分子。[4] 6 月 26 日，逮捕迪化教育界教師、學生等多人。

8 月 2 日，蔣介石開始研究改組新疆省政府的時間。8 月 9 日，他向潘友新表示，將更換盛世才。[5] 10 日，阿山區哈薩克族暴動者與外蒙古軍隊結合，力量進一步發展，蔣介石感到，“俄國必欲藉口驅盛侵疆”，遂將新疆省政府的改組列入《本星期預定工作課目》，同時決定調盛任農林部部長。

盛世才預感到自己的權力可能失落。8 月 10 日，盛世才電告蔣介石，十餘年來，時患神經與心臟衰弱病，“近來在俄共與中共指揮策動下之陰謀，組織

---

1 《事略稿本》第 56 冊，第 458 頁。
2 《事略稿本》第 56 冊，第 503 頁；《雜錄》，1944 年 3 月 19 日。
3 《事略稿本》第 56 冊，第 626—629 頁。
4 《事略稿本》第 56 冊，第 734—735 頁。
5 《美駐華大使高思致美國國務卿赫爾電》，《美國外交文件》1944 年中國卷，1944 年 8 月 16 日，第 804—805 頁。

龐大，手段毒辣，使用鉅款，收買黨政軍幹部及職之衛士、廚夫等，從事謀刺毒殺，企圖暴動，組織反動政權，職之精神深受刺激，舊病復發"，要求開去本兼各職，調委較輕工作，藉獲隨時親聆教誨，並得稍事治療。"[1] 11 日，盛世才以召集緊急會議為名，逮捕國民黨派駐迪化的重要官員，包括省黨部書記長黃如今等人在內，前後共約三百餘人。國民黨 1943 年派赴新疆的黨政人員幾乎一網打盡。12 日，盛世才聲稱這些人均為共產黨員，與蘇聯駐迪化總領事聯繫密切，企圖推翻現政權，建立新共產政權。蔣介自然不信，在日記中寫道："接盛世才電，將中央在新工作人員，皆被其逮捕，並將其本身最親信之文武幹部皆一律逮捕，而其廚房與舊傭、本家，皆以受反動謀刺嫌疑逮捕之，殊堪驚駭。此種荒謬案件，層出不窮，除為其本人有神經病發狂外，另無其他之想像可言。"[2] 當晚，蔣介石即與朱紹良、戴季陶、何應欽等討論新疆問題，認為盛前後所來各電，皆為其預定設計，決定"準備最後之軍事行動"。14 日，蔣介石派朱紹良飛赴迪化。15 日，蔣介石預定，令胡宗南準備率部開赴哈密，同時，外交上做好了通知蘇、英、美的準備。22 日，蘇聯駐華官羅申向蔣介石辭行，蔣就順便向他提起，盛世才將調離新疆，希望中俄外交今後勿再生隔閡。

盛世才自然不甘低頭。據說，他曾致電第 128 師長柳正欣，要他解決中央軍；也曾聯繫蘇聯駐迪化領事館，要求蘇聯出兵，許以阿山金礦、獨山子石油及 45 萬頭羊。[3] 但是，當時，國民黨在新疆的整個軍事力量大於盛世才，盛已經沒有反抗的可能。8 月 17 日，蔣介石接到朱紹良的電報，說盛"態度頗誠"。不久，朱紹良又親回重慶報告，說盛世才"實處於眾叛親離及恐懼猶疑之中，而患得患失，戀棧僥倖之心猶未斷也"。蔣介石決心首先打破盛世才不願離開迪化的心理。22 日，蔣介石約見盛世驥，要他轉告盛，準備調職，其生命及其在新疆的財產，將為之負責保護。23 日，蔣介石與朱紹良談話，先令其代理新疆省主席，以安新疆官民之心。26 日，蔣介石致函盛世才，同意他的辭職請求，告以新的任命。首稱："弟十年艱苦，為國家保持邊疆完整無缺，苦心毅力，實

---

1 《事略稿本》第 58 冊，第 50—52 頁。
2 《蔣介石日記》，1944 年 8 月 13 日。
3 《新疆風暴七十年》（10），第 5960 頁。

難言喻。民國以來封疆功績，未有如吾弟之盛者也。"函件同時表示，盛到重慶以後，"一切公私各事，中必為吾弟負其全責，主持一切，請勿顧慮。"關於陰謀案，蔣介石表示，將派徐恩曾重新調查，決不有所縱徇。[1]

盛世才反復無常。信發，蔣介石仍然惴惴。美國駐華大使高思向美國國務院報告說："我們非常懷疑盛和蘇聯恢復友好關係的可能性，也懷疑蘇聯會在此時開始他們對新疆實行積極控制的計劃。"[2] 9 月 2 日，蔣介石得悉，朱紹良已順利接任新疆代主席，盛世才決定於 8 日來渝，蔣才覺得石頭落地，在日記中寫道："此為近日來最佳之消息也。感謝上帝，保佑我新疆竟有歸還我中央之一日。"9 月 16 日，他在《上星期反省錄》中寫道："盛世才遵命到渝，此新疆政策第一步可達目的矣。"9 月 23 日，盛世才就農林部長職，蔣介石在日記中寫道："新疆問題完全解決，此為國家進步與統一之基礎。"次年 1 月 7 日，蔣介石在《雜錄》中又寫道："新疆問題十五年來幾乎已等於第二之東三省，完全成為俄國囊中之物，其不成為外蒙之第二者幾希。若非如此處置，則新疆之所以為新疆者，至今是否歸復於中國之版圖，實不可知。"[3]

盛世才為人自負，多疑、殘酷，富於政治野心，又善於見風使舵，變換自己的政治色彩，但是，萬變不離其宗，千方百計保持其權力和地位是其核心。他以武力起家，手上有槍桿子，在新疆經營多年，勢力深厚，並且多次有過叛離中國、加盟蘇聯的企圖，將新疆軍政大權掌握在這樣一個人手中，確實是危險的。在他拋棄蘇聯、內向中國的時候，蔣介石採取充分尊重、信任的辦法以安其心，而在暗中加強中央在新疆的力量，特別是軍事力量，這樣，當形勢改變，盛世才再盟異志之際，就處於有心無力的困境，只能乖乖就範。

八、支持和平談判

歷史證明，蔣介石對付盛世才一流軍閥遊刃有餘，但是，對付蘇聯這樣的

1　手跡，盛世驥：《我家大哥盛世才》，第 196—201 頁。
2　《美國外交文件》1944 年中國卷，第 805—806 頁。
3　《雜錄》，《蔣介石日記》，1945 年末。

大國、強國，就技遜一籌，遠不是對手了。

蔣介石在決定內調盛世才之前，就決定以國民黨內著名的"老好人"吳忠信接任新疆省主席。10 月 5 日，國民政府宣佈改組新疆省政府。10 日，吳忠信宣誓就職，提出增進宗族互信、保護宗教自由，安定地方以樂民居、維持幣信以利民生，以及"無苛政，無酷吏，無兇仇"等主張。他迅速平反盛世才時期的冤獄，釋放被錯捕的包爾漢、趙丹等二千餘人，同時，禁止刊登反蘇、反共文字，改善和蘇聯的關係，成立宣撫委員會，安撫地方，宣佈免去一切苛捐雜稅，停止徵兵、徵馬、徵駝。自然，盛世才的長期暴虐統治的影響難以在短期內消除。

新疆是個多民族地區，民族、宗教關係複雜，旁邊又存在一個長期實行民族擴張主義和民族利己主義的大國，這就決定了新疆局勢的多變性和複雜性。盛世才在任時曾以支援抗戰為名，開展"獻馬運動"，引起牧民強烈不滿。盛世才內調不久，伊寧地區即於 11 月 7 日發生暴動，起事分子大肆殘殺漢族軍民，姦淫漢族婦女。[1] 蘇聯立即在軍事、政治等多方面全力支持。蘇聯間諜列斯肯帶領蘇聯特種部隊進入迪伊公路，蘇聯軍官彼得·羅曼諾維奇·阿列克山德洛夫率領另一支蘇軍越界潛入伊犁，伊寧、伊犁等地先後失陷。1944 年 11 月 12 日，起事者成立"東土耳其斯坦人民共和國"臨時政府，以潛入新疆的原蘇聯烏茲別克人、伊寧清真寺大阿訇艾力汗·吐烈為主席，以曾在盛世才的督辦公署任少將參議的蘇聯軍人伊萬·雅可夫列維奇·帕里諾夫為游擊軍司令。[2] 臨時政府定國旗為綠底，中鑲黃色星月。1945 年 1 月 5 日，臨時政府通過由蘇聯領事館起草的政府宣言，其第一條規定："在東土耳其斯坦領土上，徹底根除中國的專制統治"，第六條規定，與"東土耳其斯坦的鄰邦蘇聯政府建立友好關係"。

還在伊寧暴動初起，蔣介石就估計其背後有蘇聯支援，其目的在於為未來索取中國東北的利權做準備。1944 年 11 月 13 日，蔣介石日記云："伊寧俄匪動亂，俄態日惡。彼之目的，乃在旅順為其東方海軍根據地，並希望經兒赴俄接

1　有關情況，參見焦鬱鎣編：《新疆之亂》，香港明鏡出版社 2009 年版，第 120—121 頁。

2　據吳忠信《主持新疆工作日記》第 353—354 頁記載，帕里諾夫曾任蘇軍駐哈密第 8 團團長，起事者的坦克、裝甲車、各色武器"多係蘇方供給"。又據同書第 274 頁記載，進攻新疆額敏與霍布克的總指揮為蘇聯前派新疆中將軍事顧問拉托夫，進攻者 30% 係蘇聯正式戰鬥兵。

洽，否則彼對新疆之擾亂必無寧日。" 1945 年 6 月末，宋子文率領包括蔣經國等人在內的中國代表團赴莫斯科，談判簽訂《中蘇友好同盟條約》問題。斯大林強烈威逼，提出中國必須允許外蒙古獨立等要求。會談中，談到新疆問題。7 月 9 日，宋子文向斯大林譯述蔣介石來電：

> 在最近一年間新疆發生叛亂，以致中蘇交通隔斷，商業貿易無法維持，吾人切盼蘇能依照此前約定，協同消滅此種叛亂，俾貿易交通可以恢復。至阿爾泰山脈原屬新疆，應仍為新疆之一部。

宋子文向斯大林談到"伊犁已為叛軍所佔領"，並表示："吾人願善待所有各民族"，"但吾人希望恢復叛軍所佔領之土地"。斯大林當時肯定"此為合法之願望"。[1] 7 月 19 日，蔣介石接見蘇聯駐華大使彼得洛夫，聲稱"必須蘇聯協助我東三省領土、主權與行政權的完整，及解決國內共產黨問題，使國家真正統一，和新疆變亂的解決。必須這三點做到，我才可排除一切，解決外蒙問題"。8 月 14 日，條約簽字。莫洛托夫代表蘇聯外交人民委員部表示："關於新疆最近事變，蘇聯政府重申，如同盟條約第五條所云，無干涉中國內政之意。"[2] 然而，條約歸條約，表態歸表態，蘇聯繼續支援新疆伊寧、伊犁等地的起事力量。

9 月 6 日，蔣介石得悉，伊寧起事力量繼續進攻北疆承化、烏蘇、精河等地，蘇聯並於 5 日出動飛機兩批各二架助戰，猛烈轟炸烏蘇。蔣介石對蘇聯感到失望、憤怒，日記云："如此報果確，則俄國不僅違反最近之盟約，而且失信於世界，誠不能列於國際之林矣。" 8 日，蔣介石向魏德邁及美國駐華大使赫爾利通報情況，美方勸蔣"以收復華中、華北及東北為第一要務，新疆問題暫置為第二要務"。[3] 蔣介石同意美方看法，認為蘇機對烏蘇、精河的轟炸已經證明蘇聯破壞中蘇同盟條約，無信無義，自卸其假面具，但中國方面仍應遵守條約，"對其一切挑戰非法行為皆應極端忍受，履行余所應行之條約義務"。[4] 他決定，一方面對新疆做政治與宗族改革的"積極之準備"，但決不刺激蘇聯，"即

1　《戰時外交》（2），第 612、618—619 頁。
2　《戰時外交》（2），第 656 頁。
3　《蔣介石日記》，1945 年 9 月 8 日。
4　《上星期反省錄》，《蔣介石日記》，1945 年 9 月 8 日。

使新疆全部淪陷，只可暫時忍受，不作積極之抵抗"。[1] 當時，伊寧等地的起事力量已經推進到瑪納斯河西岸，距離迪化只有 140 公里，不超過兩天路程，迪化守軍只有六個營，朱紹良、吳忠信慌亂不堪，朱甚至致電蔣介石，表示事態嚴重，前途莫測，準備一死殉國。9 月 13 日，蔣介石派一向主張聯共親蘇的張治中到迪化 "振奮士氣，安定人心"。張治中認為軍事解決毫無希望，便約請蘇聯駐迪化領事出面調停，蔣介石對此不以為然，認為此時採取此一舉動無異城下之盟。但是，他自己也沒有別的辦法，決定聽憑張治中處理，"如能確保迪化，新局暫得苟安，以便專取東北，尚不失既決之策略也"。[2] 9 月 24 日，蔣介石決定，向蘇聯彼得洛夫大使示意，可以同意伊寧方面的四點要求，"以地方自治方式准其自治"。[3]

蘇聯是個多民族國家，其中亞地區和新疆臨近，存在著和新疆同樣的民族問題。蘇聯當局本來是支持 "東土耳其斯坦人民共和國" 的，但是，在這一 "共和國" 建立之後，蘇聯當局擔心會在其中亞地區引起連鎖反應，因此改變策略，準備收起帶有 "東突" 印記的 "共和國" 旗號，而將重點放在實際控制方面。因此，蘇聯駐迪化領事接受張治中邀請，同意出面調停。10 月 14 日，張治中受蔣介石委派再到迪化，與伊寧方面派出的代表談判。伊寧方面的代表賴希木江、阿合買提江等三人佩戴 "東土耳其斯坦人民共和國" 的證章，要求中國政府代表同樣交驗證件，遭到張治中拒絕。張稱："我只能以中央政府代表的地位接見事變分子的代表。"

張治中與伊寧代表的談判幾經曲折，至 1946 年 1 月 2 日，雙方形成 11 條協議。1946 年 1 月 6 日，張治中回到重慶，向蔣介石回報，蔣介石表示同意，特別約宴黨政高級人員，對張治中表示慰勞。但是，蔣介石覺得讓步過多，對協議不全滿意，在日記中感歎說："條文如此，則新疆已非我國所有矣。""為適應環境與事實需要，即使名存實亡，以為將來收復便利起見，不得不有此一舉，只看吾自身能否憤悱自強耳，能不為之戒懼！"[4]

1　《蔣介石日記》，1945 年 9 月 10 日。
2　《蔣介石日記》，1945 年 9 月 14 日。
3　《蔣介石日記》，1945 年 9 月 24 日。
4　《蔣介石日記》，1946 年 1 月 7 日。

1946 年 3 月 29 日，國民政府發佈命令，新疆省政府主席吳忠信另有任用，以張治中兼理新疆省主席。當日，張治中向蔣介石辭行，談軍事、黨務、政治以及治理新疆方針，蔣介石很滿意，日記云："一般見解甚得吾心也。"[1] 6 月 18 日，國民政府改組新疆省政府，在 25 名省府委員中新疆各族人士 20 人，以張治中兼任省主席，阿合買提江、包爾漢為副主席。7 月 1 日，新政府成立，張治中稱之為"各民族聯合的民主政府"。接著，連續召開五次委員會議，通過包括政治、民族、外交、經濟、財政、交通、教育、文化、衛生等 9 章 86 條的《施政綱領》。其"政治"部分首列"實行民主政治，使人民有充分參與政治之權利"。其"民族"部分規定："各民族在政治上、經濟上、法律上、教育上一律平等。""促進各民族互相尊重，互相親善，互相扶助，實現精誠團結"。"經濟"部分規定"扶植自耕農，保護佃權，防止土地集中，以期達到耕者有其田之目的"。[2] 9 月 1 日，通過選舉法，各縣參議會相繼成立，縣長陸續選出。民選縣參議員中，維吾爾族佔 59.31%，縣長全部是本地民族人士。[3]

蘇聯一方面支持伊寧等地的暴動者，一面則抓緊機會，掠奪新疆三區的礦產。1945 年，蘇聯擅自採挖溫泉縣鎢礦，僱用礦工 3 千餘名，至 1947 年，礦工發展至 2 萬餘人，年產達 1 千餘噸。1946 年，蘇聯派工程隊到阿山富蘊縣開挖鎢砂和鑽石、金、綠松石等稀有礦石。蘇方自稱根據合同開採。這個所謂"合同"，就是盛世才時期簽訂並早已廢除的《租借新錫合同》。[4]

1946 年 6 月，"東土耳其斯坦共和國"臨時政府主席艾力汗·吐烈被蘇聯駐伊寧領事館秘密送回阿拉木圖。11 月，阿合買提江等新疆代表 18 人到南京出席國民大會，阿合買提江並當選為主席團成員。會議期間，以阿合買提江為首的三區代表 7 人向會議提交《請在中華民國內將新疆改為東土耳其斯坦共和國，給予高度自治》的提案。阿合買提江等建議採取的是蘇聯式的"共和國聯盟"的政體，蔣介石得悉，在日記中寫道："據報，新疆國大代表阿合買得江有

1 《蔣介石日記》，1946 年 3 月 29 日。
2 《張治中回憶錄》下冊，文史資料出版社 1985 年版，第 470—477 頁。
3 《張治中回憶錄》下冊，第 485 頁。
4 參見薛銜天：《中蘇關係史》（1945—1949），四川人民出版社 2003 年版，第 276—278 頁。1946 年 12 月末，蔣經國赴莫斯科與斯大林會談，斯大林仍提出，要共同經營新疆獨山子油礦及鎢礦，見吳忠信《主持新疆工作日記》，第 416 頁。

改新疆為土耳其斯坦共和國，自立國旗，要求中央軍退出新疆等提案。阿氏完全受俄國操縱，未知能以誠與義動之否？命經兒往勸其勿提，尚冀其能最後挽救也。"[1] 經過勸說，阿合買提江等撤回提案，但仍要求當面向蔣介石陳述願望。12 月 7 日下午，蔣介石召見新疆阿山區女代表哈德萬，認為她"明理知義，效忠國家"。[2] 8 日下午，蔣介石又親約阿合買提江談話，宣示"新疆各民族平等自由之實施辦法"，囑咐他特別注重"新疆與中央間之情感與互信，以建立團結之基礎"。[3] 但是，蔣介石這時已經嚴重喪失其公信力。22 日，阿合買提江要求答復其所提希望，這使蔣感到阿合買提江等人"挾俄凌上，背謬難馴"。[4] 28 日，新疆代表向蔣介石獻旗，蔣介石藉機訓示阿合買提江，"明告其政府對新疆除保衛國土、保衛人民利益之外，絕無其他企圖與所求也"。[5] 據張治中回憶，阿合買提江自南京回到新疆後，心情愉快，對許多人都說，他們這次到內地去很受歡迎，得到中央的重視，優禮有加。特別是蔣幾次接見了他，蔣經國還多次去看望他，大家對他們的同情與歡迎，是去南京前所意想不到的。[6]

國民大會期間，蔣介石曾在《上星期反省錄》中寫道，"新疆問題只要能維持現狀，忍辱耐心，因勢利導，乘機待時，如在三五年之內不發生激變，則必可恢復主權矣。"這時候，他對新疆問題的解決還是滿懷信心的。他完全沒有想到，新疆聯合省政府在張治中辭職後很快分裂，他自己也很快在和中國人民解放軍的交手中敗北，撤退台灣，歷史沒有再給他留下恢復新疆主權、維護國家統一的機會。此後，反對"東突"和"疆獨"的任務，自然地轉移到了中國共產黨肩上。在思想、理論和諸多政策上，國民黨與中共之間有著許多分歧，但是，在維護國家統一和領土、主權完整上，雙方卻是一致的。

1　《蔣介石日記》，1946 年 12 月 6 日。
2　《蔣介石日記》，1946 年 12 月 7 日。
3　《蔣介石日記》，1946 年 12 月 8 日。
4　《蔣介石日記》，1946 年 12 月 22 日、23 日。
5　《蔣介石日記》，1946 年 12 月 28 日。
6　《張治中回憶錄》下冊，第 493 頁。

論國民黨的社會改良主義

——對「百年老店」的新審視 *

* 本文錄自《找尋真實的蔣介石：蔣介石日記解讀》（1）‧重慶出版社 2015 年版；原載《中國文化》2008 年第 1 期。

中國國民黨是孫中山和許多志士仁人為"振興中華"而創建的革命的、愛國的政黨，蔣介石、張靜江、戴季陶等一大批人也曾追隨孫中山從事革命，獻身於國家和民族的解放事業。為什麼後來其中的部分人成了中國共產黨所領導的人民革命的對象？簡單的"投機"說或"叛變"說不足以作出令人信服的解釋，歷史學的任務在於根據史實，科學分析，理清事件、人物的發展、變化邏輯，找出合情合理的答案。

　　革命和改良是一個多世紀以來廣泛流行的政治辭彙。對它的涵義，歷來眾說紛紜。為了避免陷入無窮無盡的學理糾纏並便於討論，本文將根據多年來社會公眾約定俗成的普遍理解，先對這兩個政治詞語作最簡明的界定：採用暴力或激烈的方式徹底改變一種社會制度者為革命，採用非暴力方式以求對一種社會制度作溫和的、緩慢的改革者為改良。這樣的界定可能不十分嚴密，但兩者之間的區分卻是清楚、明白的。

　　從興中會創立至今，中國國民黨已經走過一百多年的歷史，有"百年老店"之稱。本文企圖對其進行"新審視"，並企圖從一個側面考察歷史上的國共矛盾。

一、孫中山思想中的改良成分

　　孫中山是革命家。為了拯救中國，孫中山堅決主張以暴力手段推翻清王朝和北洋軍閥政權。在這一點上，孫中山意志堅決，態度鮮明，不屈不撓，終生如一。但是，這並不意味著他在任何問題上都主張採取激烈的、革命手段和辦法。

　　孫中山主張土地公有，認為土地和空氣、陽光一樣都是大自然對於人類的普遍饋贈，不應為個人私有。早在辛亥革命前，他就提出，"不稼者不得有尺寸耕土"[1]。但是，在解決中國的實際土地問題時，他採取的是比較溫和的辦法。同盟會綱領中的"平均地權"的核心內容是"漲價歸公"，即土地原價歸地主所有，因工業、交通、商業發達所增長的地價歸全民所有。這一綱領承認地主的土地所有權，所剝奪的僅是因社會因素所增長的地價，因此，可以視為一個改良主義的土地改革方案。1924年，國民黨第一次全國代表大會提出："農民之缺乏田地淪為佃戶者，國家當給以土地，資其耕作。"[2]會後，孫中山進一步提出"耕者有其田"，但是，他並不主張仿效俄國的辦法，以革命的手段"推翻一般大地主，把全國的田土都分到一般農民"，而是主張"慢慢商量"，"和平解決"，採取讓農民得利，地主也不吃虧的"雙贏"方案。[3]孫中山也曾說過，對地主，可以照地價去抽重稅，如果地主不納稅，便可以把他的田地拿來充公，令耕者有其田。但是，他又擔心，"馬上就拿來實行，一定要生出大反動力"。[4]可見，他不願意、也不敢以強力改變地主的所有權，仍然屬於改良主義的範疇。

　　孫中山強烈地批判資產階級和資本主義，贊成資本公有，推崇馬克思為社會主義的"聖人"。但是，孫中山認為，社會主義、共產主義只能適用於高度發展的西方國家，連蘇俄都不夠格，中國自然更加不行。他說："照俄國人說，俄國現在的實業和經濟還沒有大發達，實在夠不上實行馬克思主義；要像英國、美國之實業經濟的那樣發達，才可以實行馬克思主義。"[5]又說："俄國

1　轉引自章炳麟：《訄書》，古典文學出版社1958年版，第120頁。
2　《中國國民黨第一次全國代表大會宣言》，《孫中山選集》，人民出版社1956年版，第593頁。
3　《在農民運動講習所第一屆畢業典禮的演說》，《孫中山選集》，第939頁。
4　《在農民運動講習所第一屆畢業典禮的演說》，《孫中山選集》，第939頁。
5　《民生主義》第1講，《孫中山選集》，第812頁。

之所以要改用新經濟政策，就是由於他們的社會經濟程度還比不上英國、美國那樣的發達，還是不夠實行馬克思的辦法。俄國的社會經濟程度尚且比不上英國、美國，我們中國的經濟程度怎麼能夠比得上呢？又怎麼能夠行馬克思的辦法呢？"[1] 因此，孫中山提出，中國只可"師馬克思之意"，而不可"用馬克思之法"。[2] 他不主張全面、徹底地剝奪資本家的所有權，而是主張"節制資本"，即發達國家資本，獎勵私人資本，允許老百姓自由興辦部分企業，政府加以獎勵並以法律保護。孫中山認為，他的這種主張和列寧的"新經濟政策"完全一致，所以他曾很高興地宣佈，他的民生主義就是列寧的"新經濟政策"。

在孫中山看來，資本主義和社會主義都是人類社會進化的"動力"，中國的出路是"調和"這兩種"動力"，利用外國的資本主義建設中國的社會主義。[3] 孫中山又認為，鬥爭的手段只適用於政治領域，在經濟領域，他強調的是階級合作、階級互助。20世紀20年代，孫中山看到了部分資本主義國家實行的社會改良與社會福利政策之後，生產力迅速發展，工人工資、勞動狀態、生活狀況都有較大的改善和提高。因此，孫中山認為，可以用和平的、調節的方法解決資本主義發展中出現的矛盾，這就是：第一，發展生產力，提高生產效率，用孫中山的話來說，就是"社會與工業之改良"；第二，將運輸與交通事業收歸公有，實行部分企業的國有化；第三，稅收實行累進稅率，多徵資本家的所得稅和遺產稅；第四，分配社會化，不由商人而由合作社一類的"社會組織團體"來分配產品。孫中山稱這四種辦法為"社會經濟進化"[4]。孫中山相信，通過"社會經濟進化"，資本主義還會有很強的生命力。他說："究竟資本家應該不應該推倒，還要後來詳細研究才能夠清楚。"[5] 孫中山的思想在國民黨第一次全國代表大會前後有變化，有發展，後人據此認為孫中山思想有新、舊三民主義之別，但是，他的社會改良思想並無重大變化，上述"社會經濟進化"的辦法並且是在國民黨一大之後提出並加以闡述的。

1　《民生主義》第2講，《孫中山選集》，第811頁。
2　《民生主義》第2講，《孫中山選集》，第843頁。
3　《建國方略之二》，《孫中山選集》，第369頁。
4　《民生主義》第1講，《孫中山選集》，第814—816頁。
5　《民生主義》第1講，《孫中山選集》，第823頁。

孫中山的上述思想和主張，明顯地不同於馬克思主義，不同於當時已在改變列寧 "新經濟政策" 的蘇俄，更不同於 20 世紀 20 年代中國共產黨人的社會革命理念。

二、國民黨和蔣介石對孫中山思想中改良成分的繼承

國民黨是孫中山建立的，以孫中山思想為旗幟。孫中山逝世後，戴季陶等人宣揚孫中山是 "中國道德文化上繼往開來的大聖"，聲稱 "先生的人格，以仁愛為其基本"，提出 "孫文主義"，其目的就是使孫中山的言論成為國民黨的長期指導思想，並以之和蘇俄以及中共的社會革命論相對立。1929 年，胡漢民等鼓吹將孫中山思想視為國家 "最高之根本法"，可以代替 "約法" 和 "憲法"，也是企圖進一步鞏固孫中山思想的無可動搖的權威地位。考察孫中山逝世後國民黨的實際活動和歷史文獻，可以看出，國民黨一方面繼承孫中山的革命思想，堅持以暴力推翻北洋軍閥政府，同時，他們也繼承了孫中山在社會改革問題上的改良主義思想。

蔣介石早年接觸過馬克思主義，表示過欣賞、贊佩之意，但是，他更為傾信的是孫中山思想，特別是其思想中的改良主義成分。在蔣介石與共產黨第一次合作期間，蔣介石講過，"必能包括共產主義始為真正之三民主義，同時亦必能容納共產黨，始為真正之國民黨。"[1] 但是，即使在那時，他也特別強調，二者之間，有方法與時期的不同，在現階段的中國，只有孫中山的三民主義才適合中國國情，中國革命必須以三民主義為 "中心"。[2] 他說，中國的商家、富翁的資產如果與歐美的大資本家比較起來，"算不得是資本家"，因此，"中國現在不是實行共產的時代"。只要實行 "平均地權，節制資本"，"不許大地主、大資本家再現於中國"，全國人民都將得到 "足衣足食的幸福"。[3] 他聲稱：孫中山的三民主義，即使千百年後也不能改變，國民黨以三民主義為基礎。"無論共

1　《為西山會議告同志書》（1925 年 12 月），《蔣校長演講集》，1927 年 2 月版，第 216 頁。

2　《校長第三次訓話》（1925 年 4 月 9 日），《蔣中正先生演說集》，1925 年 12 月版，第 70 頁。

3　《在汕頭市總商會的演說》（1925 年 11 月 16 日），《蔣介石年譜初稿》，檔案出版社 1992 年版，第 460—461 頁。

產黨或是哪一黨，加入了國民黨，就要信奉三民主義，要相信三民主義是我們中國革命的唯一的中心"。[1] 他有時甚至說，三民主義是救中國的"唯一的主義"[2]。後來，蔣介石更將孫中山思想稱為"盡善盡美唯一最高之革命指導原則"。因此，他的經濟思想和執政期間的經濟政策雖然各個時期不盡相同，但大體上仍然不超出"平均地權、節制資本"的範圍。

　　1927 年 2 月，蔣介石在和共產黨分裂前夕曾說："民生主義對於土地承認私有制，而共產主義完全是取消私有制。這一點原則上民生主義和共產主義是不同的。"[3] 這就是說，在蔣介石看來，國民黨承認私有制，而共產黨則反對私有制、消滅私有制。同年 4 月，蔣介石在南京國民政府成立會上稱，他和共產黨的分歧在於三方面：1. 我們是謀中國全民族的解放，所以要各個階級共同合作，不是要一個階級專政，使其他階級不但不能解放，而且另添一個最殘酷的壓迫階級。2. 我們認定中國民族當有處分自己之權，自己利害，只有自己知道親切，自己能通盤打算，"東交民巷的太上政府"斷不能代以"鮑羅廷的太上政府"。3. 我們既為解除全國的痛苦來革命，所以必須於革命過程之中，力謀減輕民眾所受的痛苦，我們希望軍事早日成功，從事建設事業，使社會有正當發展的道路可達，而共產黨則力謀將所有社會基礎破壞，用大破壞來造成大暴動，用大暴動來攫取政權。[4] 蔣介石所述三方面，第二方面涉及中蘇關係，不在本文考察範圍之內。其他兩方面曲解中共政策，但從中可以窺知，當時國共兩黨的分歧，一在於國民黨搞階級合作，將地主階級、資產階級都包容在"合作"之列，而共產黨則搞階級鬥爭，要打倒地主階級，將來條件成熟時還要消滅資產階級；二在於國民黨企圖維護社會既定秩序，"和平解決"社會問題，而共產黨則要搗毀舊的社會秩序，以"暴力"和"鬥爭"改造中國。1927 年蔣介石反共、"清黨"之後，兩黨各走各路，徹底決裂。中共轉入農村，"打土豪，分田地"，以暴力破壞鄉村的地主所有制；蔣介石和國民黨則竭力"剿共"，保護鄉村的地主所有制，同時企圖實行某種程度的"社會改良"。

1　《校長在本校特別黨部第三屆執行委員選舉大會演說詞》，《蔣中正先生演說集》第 155—156 頁。

2　《對於聯俄問題的意見》，《蔣校長演講集》，第 5 頁。

3　《事略稿本》第 1 冊，台北"國史館"2003 年 7 月印行，第 79 頁。

4　《革命文獻》第 16 輯，第 2815—2816 頁。

蔣介石和部分國民黨人有過解決土地問題的打算。1932 年 5 月 13 日蔣介石日記云："聽中外人士土地制度。"這段記載雖語義含糊，但說明，蔣在研究土地問題。6 月 2 日日記云："土地問題二說：一在恢復原狀，歸還地主；一在設施新法，實行耕者有其地主義。對於耆紳亦有二說：一在利用耆紳，招徠士民；一在注重貧民，輕視耆紳，以博貧民歡心。"蔣介石這裏實際上提出了兩條完全對立的主張，但蔣卻無所軒輊："余意二者皆可兼用也。"可見，他並不反對使農民得到土地。此後，他曾急切地找尋"平均地權"的"實施計劃"與"方案"，準備為此徵獎，並設立專門的研究委員會。6 月 26 日日記云："節制資本與平均地權二方案，應即確定，不可再緩也。"[1] 1932 年 9 月 30 日日記云："對農，以土地農有為目的。"直至 1942 年 4 月 23 日，蔣仍在日記中寫道："以耕地農有解決土地問題。"[2] 可見，經過較長時期的研究後，蔣介石終於確定了自己的土地政策，並且多年未變。與此相應，蔣介石也多次將"耕者有其田"或"耕者有其地"作為施政綱領。[3] 並且提出過部分具體辦法，如成立"集團農場"；"發行土地證券，扶助自耕農"；設立"土地銀行"，幫助佃農貸款購地；"提倡合作"，"發展合作社"等。[4] 其他國民黨人也設計過一些"耕者有其田"的方案。這些方案雖然最終也要觸動地主階級的土地所有制，但無例外地都是比較溫和的"和平解決"方式。張繼、吳稚暉等人指責中共領導的農民運動和土地革命是"奪產"或"搶產"運動，是"梁山泊強盜的老方法"，是"加些訓練，加些組織"的"'科學的'李自成、張獻忠方法"，"把國民黨直縮到太平天國以前"。[5] 蔣介石也特別強調："土地問題不能夠用暴力來解決。"[6]

1 《蔣介石日記》（手稿本），1932 年 6 月 26 日。

2 《蔣介石日記》（手稿本），1942 年 4 月 23 日。

3 《民國三十年大事表》第 17 條："耕者有其地與平均地權方案之制定。"第 51 條："土地政策（平均地權與耕者有其地）之推行。"見《蔣介石日記》（手稿本），1931 年卷首。《各部中心工作與政策》："平均地權實施方案之積極制定與積極推進並注重耕者有其地政策與制度之推動"，見《蔣介石日記》（手稿本），1942 年卷首。《民國三十三年大事表》："經濟政策與制度：耕者有其地，平均地權，節制資本……"見《蔣介石日記》（手稿本），1944 年卷首。《民國三十四年大事記》與此略同，見《蔣介石日記》（手稿本），1945 年卷首。

4 《蔣介石日記》（手稿本），1940 年 4 月 1 日，1940 年 9 月 2 日，1942 年 6 月 19 日；《民國三十三年大事表》，《蔣介石日記》（手稿本），1944 年卷首；《建國工作重點》，《蔣介石日記》（手稿本），1944 年卷末；《蔣介石日記》（手稿本），1945 年 9 月 30 日。

5 《初以真憑實據與汪精衛商榷書》，《吳稚暉全集》卷 9，第 875—876 頁；《民生主義實現之途》，《吳稚暉全集》卷 7，第 319 頁。

6 《中國經濟學說》，《先"總統"蔣公全集》，第 194 頁。

在解決城市工人階級和資產階級的矛盾關係上，蔣介石和國民黨也沒有提出超越孫中山的更多的辦法。1932年9月30日蔣介石日記云："對工，分配紅利，獎勵勞動保險，以增加生產為目的。對商，以保護私產，節制資本為目的。"[1] 同年10月23日日記云："當在社會主義路線上，謀盡消滅帝國主義，以養成中國社會資本主義。"[2] "社會資本主義"，這是一個全新的提法，蔣介石沒有在其他場合對之作過解釋。其內容，應是社會主義和資本主義的結合，是一種"改良資本主義"。1937年7月9日，蔣介石在廬山暑期訓練團講話，提出："解決民生的方法，是要以生產為主，同時注意到分配的平均。"他認為，必須首先實行下列幾件事，除"平均地權"外，就是"防止資本操縱，實施累進稅率"、"促進勞資合作，實施勞資仲裁"、"發達國家資本，保障私人企業"、"政府與人民協力解決生產及分配問題"等，這大概就是他所謂的"社會資本主義"了。[3] 到了1943年，蔣介石又曾將他的社會經濟理想名為"國家資本主義"，"以社會福利民眾共用為依歸"。[4]

國民黨建黨伊始，就以"全民黨"和"全民利益"的代表者自居，長期提倡階級調和、勞資合作。此後國民黨的多次代表大會或中央全會都以之作為指導思想。如1931年5月，國民黨三屆中央第一次臨時全會通過的《中華民國訓政時期臨時約法》規定："勞資雙方，應本調協互利原則，發展生產事業。"會議將"勞資互助調協"定為"國民生計根本政策"之一，主張在這一原則下，通過法律保護，"謀求農村與城市中勞資雙方的共同利益"。[5]

1935年11月，國民黨四屆六中全會通過《努力生產建設以圖自救案》，聲稱："我國近奉遺教，以全民主義立國，自不容有階級之爭。""亟宜採用勞資協調政策，對於勞資兩方之保護，無所偏倚。"[6]

1937年2月，國民黨五屆三中全會宣言稱，階級鬥爭是社會進化中的"病態"。所有工業生產的剩餘價值，不專為工廠內工人勞動的結果，凡社會上有

1 《蔣介石日記》（手稿本），1932年9月30日。
2 《蔣介石日記》（手稿本），1932年10月23日。
3 《"總統"蔣公大事長編初稿》，第1118頁。
4 《蔣介石日記》（手稿本），1943年3月17日。
5 《中國國民黨歷次代表大會及中央全會資料》（下），第946、958頁。
6 《中國國民黨歷次代表大會及中央全會資料》（下），第266頁。

用有能力的分子，無論直接間接，在生產方面皆有貢獻。因此，會議提出："務使社會利益，相互調和，平均發達，以馴至於共有、共治、共用之域，決不縱容階級鬥爭之謬說，以招致社會之擾亂；亦決不釀成貧富不均之厲階，以重貽將來之糾紛。"[1]

以上所引各次會議通過的議案、宣言，幾乎句句可以從孫中山思想中找到淵源。

三、一次改良主義的重要實踐

北伐後，國民黨宣佈其農村政策是："改良農村組織，整理耕地，制定最高租額之法律，增進農人生活。"其城市政策是："頒佈勞工法及工廠保護童工及女工。"[2] 1926 年 10 月，北伐軍進軍湘、鄂期間，為減輕農民負擔，動員農民支援北伐，國民黨在廣州召開有大量左派參加的中央和各省區代表聯席會議，通過《最近政綱》，規定 "減輕佃農田租百分之二十五"，統稱 "二五減租"。[3] 孫中山生前說過，農民 "由很辛苦勤勞得來的糧食，被地主奪去大半，這是很不公平的"。"我們應該馬上用政治和法律來解決。"[4] 1926 年的 "二五減租" 方案可以說是孫中山上述思想的具體落實。但是，它仍然是一個溫和的改良主義方案，當時各方，包括中共在內，均無異議。同年底，共產國際在莫斯科召開會議，以極其嚴厲的口吻批評中共在土地問題上軟弱，要求立即以激烈手段解決中國的土地問題。1927 年春，部分中共領導人接受共產國際的意見，著手按共產國際要求開展農民運動，在中共和國民黨內部都出現分歧，形成左右兩派的對立。同年，蔣介石等在江浙地區發動 "清黨"，成立國民政府。

南京國民政府成立後，繼續標榜實行 "二五減租"。1927 年 5 月，國民政府頒佈《佃農保護法》，規定 "佃農繳納租項不得超過所租地收穫量百分之四十"，"佃農對於地主除繳納租項外，所有額外苛例一概取消"，"佃農對於

---

1 《中國國民黨歷次代表大會及中央全會資料》（下），第 431—432 頁。
2 《敬告全國人民書》，《蔣校長演講集》第 299 頁。
3 《中央各省區聯席會議錄》（油印件）。
4 《民生主義》第 3 講，《孫中山選集》，第 849—850 頁。

所耕土地有永佃權"。[1] 根據這些精神，湖南、湖北、江蘇都曾制訂過相應條例，但是，真正實行過的只有浙江省。

1927 年國民黨"清黨"後，浙江黨政聯席會議曾公佈《最近政綱》，宣稱"減輕佃農佃租百分之二十五，遇有重災歉時，更得酌量減輕之"。1928 年，浙江省主席何應欽等人認為："佃農終歲勤勞，三餐難得一飽；業主一次投資，子孫坐收其利。事之不公，無逾於此。"[2] 同年由國民黨浙江省黨部和省政府聯席會議通過《浙江省十七年佃農繳租章程》，規定"正產物全收穫百分之五十為最高租額"，"佃農依最高租額減百分之二十五繳租"。這樣，佃農只須向地主交納收穫量的 37.5%，自己則可得 62.5%。《章程》同時規定："副產業之收入，概歸佃農所有"。《章程》一方面對地主撤佃作了比較嚴格的規定，但另一方面也限制佃農"不繳租"。[3] 同時頒佈的還有《佃業理事局暫行章程》，規定省、縣兩級設佃業理事局，由省縣黨部、省縣政府、省縣農民協會等三方組成，處理農民和地主之間出現的糾紛。省黨部在處理佃、業糾紛決議案中聲稱："浙江省本年佃農繳租實施條例，絕對不含妥協性。""土豪劣紳、惡田主及農人中之地棍、流氓，仍其本來面目，而有挾制壓迫他人之行為者，治以反革命罪。"[4] 既反對土豪劣紳、惡霸地主，也反對農民中的所謂"地棍、流氓"，力圖不偏不倚，站在中間。1929 年 2 月，國民黨浙江全省代表大會通過的宣言及決議案，繼續聲稱實行減租。會後舉行常務委員會，決定會同省政府，成立繳租章程討論委員會，討論施行辦法。

浙江省的"二五減租"幅度較大，佃農實際所得遠大於地主，因此，自始即受到城鄉地主階級的強烈反對。1928 年 10 月，董士鈞等以永嘉城鄉全體等眾名義上書，指責減租之舉"苦樂不均，倒置主佃名義"[5]。11 月，董松溪等以浙江全省公民代表名義上書，指責浙江省黨政兩方"高坐堂皇，罔知民間情狀"，"自黨部至處理佃業各機關，以逮於各農協會，均為惡化、腐化、無產暴民所佔

---

1 《土地改革史料》，台北"國史館"1988 年印行，第 33—34 頁。
2 《土地改革史料》，第 36 頁。
3 《浙江省十七年佃農繳租章程》，《土地改革史料》，第 37—38 頁。
4 轉引自萬國鼎：《二五減租述》，《中農月刊》卷 7 第 2 期，1946 年 2 月 28 日。
5 《土地改革史料》，第 50 頁。以下所引呈文，均見此書，不一一注明。

據"，"中小地主生平千辛萬苦，粗衣惡食，齒積蠅頭，購得薄田數畝，或數十畝，藉為一家數口或數十口養生之資者，莫不俯首貼耳"。同月，永嘉城區業主上書，指責佃業理事局"每袒於佃方，致業主所得不及佃農十之二三，不平太甚，眾怨沸騰"。1929 年 2 月，永嘉李芳等上書，攻擊"永嘉近日農運，已入階級專制狀況，流毒所至，中等之家立見傾覆"。同月，葉清等上書，聲稱"二五減租原為調劑勞資衝突，實行階級調和民生主義，應從全民利益著想。民等弱小業主，似此橫受佃農非法壓迫，心何以甘。"3 月，葉何氏等上書稱："受佃農之壓迫，求生不得，求死不能，夫豈訓政時期實現民生主義之良象！"同月，屈映光、張載陽、呂公望、周鳳岐聯名上書，攻擊浙江所訂繳租章程"尚欠平允"，"共黨乘機搗亂，勾結土匪、流氓，藉減租問題向業方肆行搶擄，殺人燒屋，大禍頻乘，勢急倒懸"。上述四人中，屈映光是北洋政府大官僚，張載陽曾任浙江省省長、北洋政府時期的陸軍上將，呂公望原為光復會會員，擔任過廣州軍政府參謀部長，周鳳岐原為孫傳芳所部師長，向北伐軍投誠後被任命為軍長，曾任國民黨浙江省政治分會臨時主席。他們的聯合上書，反映出浙江城鄉地主、官僚、士紳對"二五減租"及其相關規定的強烈不滿。

在城鄉地主、官僚、士紳的強烈反對下，浙江省政府當局終於坐不住了。1929 年 4 月，浙江省政府繼任省主席張靜江等人以"糾紛迭起"，"政府稅收逐年減少"為理由提出：

> 本省自前年試辦二五減租辦法以來，佃業兩方糾紛迭起，微特無成效可言，又並深受其害。初則佃農因收穫多寡之爭執起而抗租，繼則業主因減租影響收入，將田畝收回自種，紛紛撤佃，於是佃農之強悍者又群起反抗撤佃，往往霸佃不讓，而懦者即緣此失業。各地方凡遇此項情事發生，即有地痞、流氓從中把持唆煽，甚至土匪、共黨，亦即乘機騷擾，以此種種原因，遂致佃業兩方之生計，並皆不得安定。不獨佃農與地主不能合作，共謀農業生產之發達，且田價暴落，社會經濟發生急激之巨變，影響所至，竟致政府稅收逐年短少，尤以田賦為甚。[1]

---

1 《抄原提案》，台北中國國民黨黨史館藏檔案，3.3/26.12。

浙江省政府委員會隨即召開會議，認為減租辦法"洵屬有弊無利"，決定暫時取消，此後田租多寡，由佃、業雙方根據《佃農保護法》關於租額不得超過收穫總量的 40％ 範圍以內，自行協定。[1] 這樣，佃農應繳租額就又較此前的 37.5％ 提升了。

　　浙江省政府的決定受到強烈反對，浙江許多國民黨員、農會及其工作人員紛紛呈文國民黨浙江省黨部，如：

　　　　武義縣黨務指導員胡福指責浙江省政府："違背革命原則，莫此為甚。此等消滅民眾對本黨之信仰的議案，如不予以糾正，黨國前途，何堪設想！"[2]

　　　　國民黨鄞縣執行委員會常務委員趙見微分析說：二五減租，浙江推行已經兩年，成效漸著，基礎已立，糾紛所在，源於"土劣地主之反動"。"此後凡屬革命建設，誰能保無糾紛，一遇糾紛，即行取消，則所有革命建設必致無從進行"。他責問說："與其空言積極，繼續剝削佃農以增肥地主，何如實行政綱，努力解放佃農以取信國民？"

　　　　餘姚縣執行委員會常務委員蕭顯稱：此事緣起，在於"土劣因租既被減，心猶未甘"。他譴責浙江省政府的決定有"四不通"，"二不法"，聲稱這一決定"摧殘農運姑置不論，其如農民將對黨失卻信仰何"！

　　　　國民黨蕭山縣執行委員會常務委員周旦充分肯定二五減租的"偉大作用"，認為它可以"培養農民自修之抵抗力，消滅土劣壓迫農民之憑藉"。他表示，浙江農民"因得本黨之扶植，始稍稍有反抗之表示"，國民黨應該繼續前進，徹底解決"佃業兩方之糾紛"。他擔心，國民黨的政策自此改變，"擁護農工誠恐轉為壓迫農工"。

　　　　浙江省杭縣執行委員會常務委員李尹希指責省政府的決定，"不啻推翻本黨最高權力機關之決議案"，是"撕碎本黨之政綱政策反革命之行為。"

　　　　海鹽縣黨務指導委員顧佑民稱，二五減租"為解放農民第一步，本黨必須繼續努力。"

　　　　佃農代表塗俠等十人要求浙江省黨部：不可因困難而中輟，不可因噎而廢食。

1　《浙江省政府呈國民政府》，1929 年 4 月 30 日，台北中國國民黨黨史館藏檔案，3.3/26.12。
2　台北中國國民黨黨史館藏檔案，3.3/26.12。以下所引各呈文均同，不一一注明。

蕭山國民黨員陳蔭楠要求浙江省黨部出面糾正，呈文稱"黨部為最高機關，省黨部固具監督省政府權。而今省政府取消減租，違背政綱，大冒不韙，應直起糾正"。

這些呈文，維護原定的二五減租方案，激烈抨擊浙江省政府，反映出廣大農民和不少國民黨浙江基層工作人員的心聲。

鑒於廣大黨員紛紛反對浙江省政府的決定，國民黨浙江省黨部召開常務委員會討論。會議認為二五減租為黨、政雙方共同決議，不能由省政府單方取消，且亦與國民政府所頒佈之《佃農保護法》大相刺謬。常務委員會朱家驊等人向浙江省政府提出《復議理由書》，要求開會復議。《理由書》首先提出：國民革命必須"首先解放農民"，"以農民運動為基礎"；"黨的政策，須著眼於農民本身之利益"。接著，《理由書》陳述"二五減租"和孫中山宣導的"耕者有其田"政策之間的關係：

> 土地問題為民生主義之基礎，而農田問題又為土地問題之主要部分。農田問題設無適當之解決，則整個社會問題亦不能解決……總理遺教，實欲於最短期間內促進耕者有其田，而二五減租實為實現平均地權之捷徑。二五減租之基本觀念，誠為解放農民之最低限度之政策。

《理由書》批駁浙江省政府"由業佃雙方自訂繳租數量"的決議案，"實不啻驅農民於水深火熱之境，使任受地主之蹂躪"。《理由書》要求按照孫中山的遺教，"對抗稅者加以沒收土地之處分"，認為這樣做，"遲以五年，則土地泰半將為農民所有"。[1] 4 月 23 日，浙江省政府復函浙江省黨部，拒絕復議。《杭州民國日報》在省黨部的支持下，大量刊登社評和各地反對取消"二五減租"的文電。張靜江認為該報"妨礙省政府政策之推行，並損及省政府之威信，影響所至，尤關治安"，向該報提出警告。[2] 繼即勒令停刊，逮捕該報主筆。

4 月 27 日，朱家驊與另兩位常委葉溯中、陳希豪聯名向國民黨中央黨部申訴。朱等充分肯定浙江實行二五減租以來的成績："二年以來，因該項決議案

1　台北中國國民黨黨史館藏檔案，3.3/26.12。
2　《土地改革史料》，第 70 頁。

之實行，浙省農村經濟，率較他省安定，自耕農之逐年增加，農村小學學童之激進，工商業以農民購買力增加而繁盛等，皆為不可掩之事實。" 朱等嚴厲指責浙江省政府的做法只能引起 "各地貪污豪紳之益肆兇焰，貧苦農民之剝膚及髓"，"農村經濟之破產失業者之繁多，社會各階級之日趨尖銳化"，以致 "影響於整個社會之秩序"，為共產黨的發展提供 "好機會"。《理由書》稱：

> 以此而言民生，則日驅一千六百餘萬農民於絕境；以此而言建設，則徒增多一般貪污豪紳之發財機會，構血花於白骨之上，以為傷心慘目之點綴品。此種舉措，在各國專以驅騙貧苦民眾、延緩資產階級之壽命為職責、主張社會政策者亦不屑為，況夫實行三民主義，以冀達到世界大同之本黨！[1]

朱等要求國民黨中央迅速採取措施，糾正浙江省政府的錯誤決定。呈文稱："若中央對於浙江省政府此種違反黨義黨綱，僭越職權，以驅浙江千餘萬農民於絕境之取消二五減租不迅予糾正，嚴厲取消，則本黨之所謂主義，所謂民生，將毋如屠人念佛，為本黨仇敵所訕罵鄙夷，本黨同志所疾首痛心。黨國之威信無存，總理之遺教安在！" 在浙江省黨部向國民黨中央申訴的同時，蕭山縣農民協會整理委員會也同時致電，表示將 "率全蕭三十萬農民誓死力爭"，並公推代表三人到南京請願。[2]

　　國民黨中央接到浙江省黨部和浙江省政府雙方的呈文後，於 5 月 2 日召開第三屆中央執行委員會第七次常務會議，決定接受戴季陶建議：1. 核准浙江省政府的要求，取消《二五減租暫行辦法》，但認為浙江省政府只是因實行上的困難而暫時停止。並非取消二五減租之原則，要求浙江省政府修正文字，以除誤解。2. 已實行減租的地方，而又無糾紛者，不得再將租額復舊，以免再起業佃兩方的第二次糾紛。3. 浙江省政府應於今後兩年間，將鄉村自治機關組織完全，土地調查辦理清楚，並將二五減租之辦法規定詳密，以便施行。[3] 其後，國民黨中央派戴傳賢赴浙，召集浙江省黨部與省政府人員共同討論，制定《浙江

1　台北中國國民黨黨史館藏檔案，3.3/26.12。
2　《快郵代電》，台北中國國民黨黨史館藏檔案，3.3/26.12。
3　《中國國民黨第三屆中央執行委員會第七次常務會議記錄》，台北中國國民黨黨史館藏，1929 年 5 月 2 日。

省佃農二五減租暫行辦法》和《佃業爭議處理暫行辦法》，規定"土地收穫除副產應全歸農民所有外，由業佃雙方就各該田畝情形，以常年正產全收穫量百分之三七點五為繳租額，自行協定新租約"。在百分之四十和百分之二十五之間，取採了一個折中的百分比。

可以看出，國民黨浙江省黨部與浙江省政府的矛盾是"清黨"後國民黨內兩種力量之間的一次角力，實際上是堅持還是否定孫中山的"扶助農工"政策的鬥爭，也是南京國民政府是否真正貫徹其社會改良主義路線的重要考驗。國民黨中央黨部雖然在口頭上表示要堅持"二五減租"，但在實際上支持的卻是浙江省政府的"取消"辦法。這就表明，國民黨的政策正在向地主階級傾斜，其改良主義路線正在弱化。當時，浙江省政府委員陳布雷發表文章稱："實施減租之際，斷不可含有片面的示惠佃農之觀念。換言之，不能於二五限度以外，使田主再有所犧牲。"[1] 陳的言論明顯地表現出祖護城鄉地主階級的態度。但是，浙江城鄉地主階級仍不滿意。1931 年 11 月，樂清縣鄭邁等 53 人致電國民黨第四次全國代表大會及國民政府，繼續指責二五減租辦法"適以獎勵惰農，生產力因之驟減，糾紛又日甚一日"[2]。同月，樂清徐可樓等 51 人具呈，認為"勞資合作，階級乃能化合，而社會秩序始得維持。今平日感情極融洽之業、佃雙方，因減租各趨極端，已足影響治安"。12 月，樂清里長盧選臣等上書，認為二五減租使業佃雙方"爭長競短，各不相讓，因此發生絕大衝突，階級鬥爭已成不可免之事實"，"絕對有弊無利"。1933 年，上虞縣糜虞封等控告該縣農會幹事"額外減租，煽獲〔惑〕佃農，抗租不繳"，國民政府居然批示："應向該省主管機關呈訴。"[3]

在地主階級的強大壓力下，浙江省的二五減租運動逐漸成為具文。全省八十多縣中，只有少數縣的部分區、鄉有所動作，大多數縣份仍是一潭死水，不見波紋。浙江省之外，其他各省均未實行，大部分省份連裝模作樣的減租條文都沒有。國民黨僅存的改良主義火星只是閃爍了一下，就灰飛煙滅。抗戰勝

1　陳布雷：《浙江省二五減租之前途》，上海《時事新報》，1929 年 5 月 9 日。
2　《土地改革史料》，第 110 頁。
3　《土地改革史料》，第 127 頁。

利之後，國民黨重提二五減租，然而，死灰難以再燃，連些微的火星也難以見到了。

四、一輪又一輪的改良呼籲

浙江省的"二五減租"是南京國民政府成立後的重要改良主義實踐，它雖然夭折了，但是，此後的國民黨繼續標舉其改良主義綱領，出現一輪又一輪的改良呼籲。這些呼籲，仍然比較多地集中在土地問題上。

1936年7月，孫科、陳立夫、王用賓、傅汝霖、蕭錚、周佛海、夏斗寅、徐恩曾、洪蘭友等17人向國民黨五屆二中全會提出《請迅速改革租佃制度，以實現耕者有其田案》，要求調整"現有之租佃關係"，"庶幾佃農生活能日益提高，而農村亦可有逐漸復興之望"。其內容有：1. 由政府嚴定租佃條件；2. 組織土地金融機關，援助其取得土地。3. 佃農得備地價百分之二十至五十，其餘部分由政府擔保其分年攤還。4. 從速實行累進地價稅，使不自耕之地主逐漸放棄其土地，使佃農有取得所有權之機會。5. 政府應發行土地債券，徵收土地，轉讓（給）佃農及僱農。[1] 7月20日，決議交中央政治委員會詳細研究。

1939年6月，地政學家、國民黨中央執行委員蕭錚向重慶國民政府提出《實驗地政區辦法大綱》，要求在四川選擇一個地區作為"地政實驗區"，進行土地測量登記，耕地重劃，促進土地利用，增加生產，調整佃租制度，創立自耕農，規定地價與舉辦地價稅，樹立土地金融制度等方面的工作。同時，蕭錚又提出《沿新建鐵路沿線重要城鎮辦理地政綱要》，認為成渝、敘昆及滇緬各路沿線重要城鎮土地，今已逐漸漲價，將來地價更高，亟須規定地價，並頒佈沿線各地將來漲價歸公辦法，"庶不致國家以鉅款建設，而其利益反歸地主"。蔣介石閱後，於6月24日批示行政院秘書長張群稱："實行總理之土地政策確有必要"，"即希切實研究核辦施行"。[2]

1940年7月，蕭錚、張沖、陳果夫、程天放、谷正鼎、徐恩曾等向國民

1　台北中國國民黨黨史館檔案，5-2-12。
2　國防最高委員會檔案，台北中國國民黨黨史館檔案，003/885。

416

黨五屆七中全會提出《擬請設立中國土地銀行，以促進土地改革，實現平均地權，活潑農村金融，改善土地利用案》。其主要內容為：由國民政府特許，授予該銀行發行土地債券及徵收土地特權，官民合辦，資本總額定為 1 億元。其主要業務為：1. 實行照價收買政策，凡地政機關認為地主報價不實、應行收買之土地，由土地銀行以所發土地債券收買之。2. 實行耕者有其田政策，扶助佃農購置土地，或依法徵收土地轉發農民。3. 實行"地盡其利"政策，貸款給農地合作社或其他機構，供開墾荒地及土地改良之用。蕭錚等建議，土地債券可分地價債券及抵押債券二種，前者於徵收土地或扶助佃農購地時發行，直接交付地主補償地價，由借款農戶以地租方式分年攤還。蕭等並建議，以四川省為實驗區域。會議經濟組審查該案後，認為"本案關係推行本黨土地政策，至為重要，擬請大會通過，送國民政府限於半年內，成立土地銀行"。[1]

與蕭錚等同時，方覺慧、居正、何成濬、王子壯、焦易堂、夏斗寅等 12 人提出《確立民生主義經濟制度以奠定建國基礎案》，要求"節制資本以防資本獨佔"，"實施平均地權以安定農民生計"，具體措施有"提倡合作方式之集體農場"、"設立勞工主管機關"、"組織工廠議會"、"仲裁委員會"等。經濟組審查後認為："本案所提各點關係民生主義之推行至為重要，擬請交憲法委員會參考。"最後決定"交常務委員會參考"[2]。

1941 年 4 月，陸宗騏、譚平山、胡秋原、王雲五、羅文幹等向國民參政會第二屆第一次大會提出，"擬請政府切實推行合作耕種制度，以改進農業生產案"，提倡"以合作方式共同生產"。蔣介石批交農林部酌辦。[3]

1941 年 11 月，國民參政會參政員齊世英等 23 人向參政會提出《積極實施土地政策、改革租佃制度，以期根本解決糧食問題與社會問題案》。該案痛責"地主對於國家曾無絲毫之貢獻，而利用國難，坐致巨富"，要求：1. "凡現由佃農耕種之土地，悉令地主限期報價，由國家發行低利土地債券照價收買，分授佃農耕種。" 2. "佃農受田後，分年以穀繳還國家，國家逐年出售實物，即

1　國防最高委員會檔案，003/750。
2　國防最高委員會檔案，003/750。
3　國防最高委員會檔案，003/1535。

以所獲資金收回土地債券。"3."土地債券收回之日，佃農即完全取得其土地之所有權。"[1]

上述議案，都以實行階級合作、利益調和為特點，並不完全剝奪城鄉村地主階級的土地所有權。其中也有比較激進的，如1932年12月，孫科等27人向國民黨四屆三中全會提出《整理本黨實施方案》，要求"恢復本黨自來代表最大多數被壓迫民眾利益之立場"，徵收土地價值稅、土地分歸貧農；徵收資本收入累進稅、遺產稅；甚至提出建設國有資本，樹立社會主義經濟基礎等主張，其中"土地分歸貧農"就是比較激進的方案。[2]

上述議案並不只是少數黨員的意見，其中不少議案經國民黨的中央全會或代表大會接受，作出決議，成為共識。上述孫科等27人"土地分歸貧農"的建議經四屆三中全會討論通過，蕭錚等人的"成立中國土地銀行，以促進土地改革"的建議，也經國民黨五屆七中全會通過。其他如：

1935年11月，國民黨第五次全國代表大會提出"規定地價，調整土地分配，促進土地使用，活動土地金融，以增加農業之生產，而謀平均地權，實現三民主義"等主張。會議通過蕭錚等24人提出的《關於積極推行本黨土地政策案》，要求成立中央地政機關和中央土地銀行。[3]

1941年12月，國民黨五屆九中全會將"實施土地政策"列為四大要政之一。宣稱"全國土地應受國家之統制，由政府調整其分配，支配其使用"[4]。

1945年5月，國民黨第六次全國代表大會在其《土地政策綱領》中提出，對於地主出佃的耕地，逐步由政府發行"土地債券"，備價徵收，儘先歸原耕農及抗戰將士耕作。在《農民政策綱領》中提出："調節農地分配"，"規定標準地租"，甚至提出"徵收地主超額土地"。在《本黨政綱政策案》中提出："都市土地一律收歸公有，農地除公營者外，應以最迅速有效之方法，實行耕者有其田。"[5]這些方案，使孫中山的"耕者有其田"有了實施辦法。同會通過的《勞

1　國防最高委員會檔案，003/1872。
2　《中國國民黨歷次代表大會及中央全會資料》（下），第175—176頁。
3　《中國國民黨歷次代表大會及中央全會資料》（下），第295、317—318頁。
4　《中國國民黨歷次代表大會及中央全會資料》（下），第735、746頁。
5　《中國國民黨歷次代表大會及中央全會資料》（下），第926—927、936頁。

工政策綱領》除提出"工會得有全國性之聯合組織"外，也提出了一些改善勞工待遇的條件，如：取締包工剝削制度，工資以同工同酬為原則；各地並應分別規定最低工資率，工時以每日 8 小時，每週 48 小時為原則；應有連續 24 小時之休息。每年應有定期休假，休假期內照發工資等，甚至還提出，獎勵勞工入股，宣導勞工分紅制；提高勞工政治認識，扶助勞工參政[1]。

上述情況表明，國民黨在思想上、理論上贊成改革中國傳統的土地制度和社會制度，但是，國民黨是黨國體制，中央全會或代表大會作成決議後，要經行政機構研究，提出方案，還要經立法院審議，才能形成法律。有時，程序走到半途就停止了。例如，1939 年 6 月蕭錚提出的《實驗地政區辦法大綱》經蔣介石批示，轉到孔祥熙手上，孔以"需費浩繁"、當時"最重要之工作為兵役行政與生產"、《土地法》修正原則尚在"審議之中"等種種理由加以否定。[2] 又如，1941 年 12 月，國民黨五屆九中全會通過《土地政策戰時實施綱要》後，國民政府行政院飭由財政、農林兩部及地政署分別擬具實施辦法。1942 年 9 月，行政院召開經濟法制聯席會議，提出《非常時期土地徵收實施辦法》及《非常時期扶植自耕農實施辦法》，規定農地不得因出賣、贈與、繼承或分割等原因而"移轉於不自耕作之人"，農地所有人如"不自耕作，而將農地永佃或出租於他人"，得由政府依法徵收之。這當然是對不勞而獲的地主階級的沉重打擊。但是，行政院卻主張暫時擱置。1943 年 3 月 24 日，蔣介石以行政院院長名義致函國防最高委員會稱，辦法"關係人民權利義務至為重大"，"在此戰時，驟為社會經濟制度之重大變革，深慮影響全國之租佃關係，在推行之初，對於全國糧食生產，必發生不利之影響"，因此決定"暫緩制定"。[3]

可見，國民黨人提出的各種改良議案，即使作成決議，其命運無非兩種，或者在反復研究、審查及審議立法中夭折，或者僥倖通過了，但令者自令，行者自行。國民政府雖一再聲明，"如查有違反情事，應以命令強制遵守，不得稍涉寬縱"，但各地"仍係奉行故事，視若具文，佃農所受增高租額之剝削及違

1　國防最高委員會檔案，003/3180。
2　國防最高委員會檔案，003/885。
3　國防最高委員會檔案，003/2085。

約解租之痛苦，不僅毫未減少，甚且倍於往昔"。[1] 這樣，到了 1945 年 5 月，國民黨的六大《宣言》終於承認："過去對民生主義之經濟建設與平均地權、節制資本兩大政策，因種種障礙，未克實施，實為革命建國之最大缺憾。"其《對於政治報告之決議案》提出："在抗戰期中，農民出錢出力，貢獻最大，而生活最苦。乃自二十三年公佈《土地法》及二十五年公佈《施行法》，迄今已及十年，多未見諸實施。"[2]

國民黨第六次全國代表大會的《宣言》和有關《決議案》表明，國民黨在其大陸執政期間，除浙江省"二五減租"的短命實踐外，其改良主義只停留在紙面上、口頭上。

五、與共產黨競爭，再次提出改良主張

八年抗戰期間，中國人民的主要任務是和日本帝國主義決鬥，挽救民族危亡，在這一形勢下，要求國民黨人採取重大的社會改革行動並不現實。抗戰勝利之後，形勢改觀，國民黨人企圖繼續推行改良主張。它企圖重提減租政策，並曾企圖學共產黨之所長，改變其土地政策，藉以爭取農民。

抗戰中，國民黨與共產黨既是對日鬥爭的合作者，同時又是競爭者。蔣介石很希望國民黨能在這場競爭中獲勝，將共產黨比下去。1939 年 3 月，蔣介石在重慶開辦黨政訓練班，曾親擬問卷，要求學員回答。其問題有：本黨黨務為何如此消沉疲弱而不能及時振作？本黨為何不能與共黨抗爭，一切組織、宣傳、訓練皆比不上共黨？本黨黨員為何不肯深入民眾，做基層工作？本黨幹部辦事為何不切實際，不肯研究與負責？為何辦事不徹底，無成效？為何黨委變成官僚？為何民眾不信任本黨與黨員？本黨為何不能掌握青年？一般大學教員為何要反本黨？等等。[3] 將這些極其尖銳的問題坦陳開列，說明蔣介石對國民黨的弊病了解甚深，也說明他改造國民黨的心情相當迫切。1945 年 4 月至 7 月，

---

1 國防最高委員會檔案，003/1871。
2 《中國國民黨歷次代表大會及中央全會資料》（下），第 913、916 頁。
3 《蔣介石日記》（手稿本），1939 年 3 月 2 日、3 日。

中共在延安召開第七次全國代表大會，蔣介石以高度警覺的心情關注這次會議。[1] 他對會議通過的中共黨章的部分內容頗為欣賞，日記云："研究中共第七次全國代表大會經過、內容，對於其新增黨章黨員與群眾及下級與上級之聯繫一條，殊有價值。本黨誠愧不逮。若不急起直追，則敗亡無日矣。"[2] 正是在這種危機感和緊迫感的驅使下，國民黨重新撿起部分改良主義政策，以求挽回頹勢。

1945 年 9 月，蔣介石在《本月大事預定表》中提出："實行二五減租。"[3] 11 月 5 日，國防最高委員會與國民黨中央執行委員會常務委員等聯合開會，討論行政院所擬"二五減租辦法"。出席者普遍贊成為農民"減租"，但討論結果，都感覺難以推行。陳布雷稱："民生主義政策最具體的，也使農民得到一點實惠的，就是二五減租。本黨政策，向來對於農工似乎不大顧到，所以共產黨常常藉此煽動。"蔣夢麟則慨歎國民黨的縣長不行，鄉鎮長不行。他說："辦理時，如果不得縣長幫忙，很難辦得通。根本問題尤其在鄉鎮長，鄉鎮長、保甲制度不健全，不僅二五減租沒有辦法，任何制度都無法推行。"事實是，豈止"二五減租"，連不久前為慶祝抗戰勝利而宣佈的全國減免田賦一年的命令也無法施行。徐堪稱："免賦令下去以後，中央規定得很清楚，除了佈告以外，又去了四五次電報，事實上中央免了，地方上並沒有免，因為縣級公糧等等，縣政府依然在要，許多未經收編的軍隊也在要糧。"陳濟棠稱："廣東情形我最清楚，在過去人民沒有錢，天天抓人，押了追繳。現在免了一年，還是天天抓人，人民真是不堪苛擾。"[4] 討論來，討論去，委員們除了決定准予備案，由行政院申令各級政府徹底實施，由中央黨部及行政院分令各省市黨部、各省市政府隨時具報實施情形，"務期達到增進佃農利益目的"外，什麼具體解決的辦法也提不出來。[5]

有一些真正的貧苦農民曾經大膽上書，向國民黨當局反映問題。1946 年 6 月 28 日，四川省大足縣佃農蔣澤鄉等 10 人呈文國防最高委員會稱："國府立有

1　《蔣介石日記》（手稿本），1945 年 5 月 9 日。中云："看共產黨第七次全國代表大會政治報告文。"

2　《蔣介石日記》（手稿本），1945 年 7 月 16 日；參見《民國三十四年雜錄》。

3　《蔣介石日記》（手稿本），1945 年 9 月 30 日。

4　《國防最高委員會第 175 次常務會議速記記錄》，國防最高委員會檔案，001/9/12。

5　《國防最高委員會常務會議記錄》第 7 冊，台北中國國民黨黨史會 1996 年影印本，第 637 頁。

土地一法，用維佃農生計，殊經頒行十年以來，毫未見諸實效。”“多數地主對於契約，不管定有期限與未定期限，任意揭退。”“租佃委員會者，純希收租之人組織而成，以致國家善政，惠不及民，此非制度不善，實則人事不良所致。政府頒行一切法令，如對伊等稍有不利者，竟瞞上欺下，奸弊百出，以致普通佃農毫不知聞。”[1]同年 7 月 1 日，四川大足縣佃農張紫高等 21 人也具呈國防最高委員會，聲稱《土地法》十年前即已頒佈，“無如地主勢力浩大，竟視命令為弁髦，直至今日，未見實施”。呈文揭發，當地所謂“縣租佃委員會”呈報省政府的“二五減租”之辦法，“對地主之利益早已安排妥當”，“真是德深一尺，弊深一丈”。[2]可見，國民黨頒佈過的一些法令，用意雖或可嘉，但並未施行，或無實效，或者在施行過程中改變了性質。大足縣的這幾十位農民雖然給國民黨最高當局寫了信，但卻被束之高閣，自然，在這種情況下，他們很容易走上中共所號召的革命道路。

　　1946 年 10 月 24 日，國民黨向解放區大舉進攻之際，曾經頒佈過一份《綏靖區土地處理辦法》，其中第六條規定：“在變亂期間，農民欠繳之佃租，一概免於追繳。”第七條規定：“綏靖區內之農地，經非法分配者，一律由縣政府依本辦法徵收之。”第十一條規定：“依本辦法徵收之土地，由縣政府分配於現為耕作之農民，繳價承領自耕，但變亂之前原佃耕人有優先承領權。”[3]這裏所說的“非法分配”，顯指中共在部分地區實行的土地改革。20 世紀 30 年代，國民黨軍進攻蘇區，一概實行“田還原主”政策，強迫農民吐出勝利果實。現在國民黨則提出，將這一部分土地由縣政府徵收，“分配於現為耕作之農民，繳價承領自耕”，這是很大的政策改變。其後，江蘇省政府並以寶應、鹽城、東台等四縣為“土地政策”實驗縣。但是，很快就受到地主階級的強烈反對。1947 年 1 月 3 日，江蘇寶應縣地主成錫侯等一批“還鄉隊”成員上書國防最高委員會，要求“緩辦”，其理由為：一、“憲法為國家根本大法，業經於今年元旦公佈，對於人民自由財產等權利，予以保障”，“乃憲法甫經頒佈，政府即舉辦土地政

1　國防最高委員會檔案，001/60/4。

2　國防最高委員會檔案，001/60/4。

3　國防最高委員會檔案，004/145/452。

策，不顧人民之利害，所謂保障人民財產之權利者何在？”二、“吾邑自共軍盤踞四郊，已有三年”，“現在仍無田租之可收，更無動產之可用”，“對於苦難人民，不特不憐恤撫綏，並私人田產，而亦不令其自由處分”。

成錫侯等堅決反對國民黨效法中共，呈文聲稱寶應等四縣土地，“共軍僅於去年七八月間開始改革，草草分配”，“似不應繼續接辦，尤而效之”。[1] 同月31日，東台縣旅鎮同鄉會從報上得悉當局規定“凡業戶有田在八十畝者即予收繳公有”，立即致電國防最高委員會反對，聲稱：“吾東縣城於勝利之後始為共軍竊據，廣大鄉村雖多匪蹤，但‘分租’、‘分田’實行未久，地形既未變更，經界依然完整，地方一經規復，人民土地權利不難恢復原狀，即分得土地之佃農，亦莫不自動歸還原主，土地之無糾紛可見一斑。”電文為地主階級訴苦稱：“吾東有百畝以上之地主，為數甚罕，在共軍佔領期間，流亡異地，備嘗艱辛，此種忠貞不二之氣節，應表揚之不遑。及還鄉伊始，田園未及整理，而實驗之對象復以施行土地政策為主體，將使製造亂源者有所藉口，誠非善策。”[2] 經過地主們這麼一叫喚，自然，所謂“土地政策”的“實驗”就進行不下去了。

1948年8月，蔣介石在內戰戰場上一再慘敗，研究共產黨勝利的原因，他從毛澤東的《中國革命戰爭的戰略問題》一文得到啟發，認為其關鍵在於中共得到農民擁護，於是下達手令稱：“吾人必須打破其優點，為爾後發揮戰鬥力之要著；其對策應考慮土地政策，實行耕者有其田，並於收復區已分配之土地，承認其所有權，以爭取農民。”[3] 蔣介石的這一手令較之上述《綏靖區土地處理辦法》，顯然又大大向前發展了一步。但是，國民黨正依靠各地的地主“還鄉團”進攻中共的解放區，何能真正實行？

中國地主階級是一股歷史悠久、根深蒂固的強大社會力量。國民黨要反共，除了依靠地主階級外，別無他途。1931年6月，國民黨三屆五中全會訓令各級黨部稱：“對於地方上純正老成，辦理社會事業著有成績、鄉望素孚之人士，應與之切實聯絡，使其勸導當地民眾，共同組織，以增加剿匪工作之力

1　國防最高委員會檔案，001/60/7。
2　國防最高委員會檔案，001/61/4。
3　《土地改革史料》，第185—188頁。

量。"[1] 這是國民黨明確依靠鄉村地主階級以反對中國共產黨的宣言。1932 年 12 月 23 日蔣介石日記云："此時應積極剿匪,以求社會之安定。"[2] 當時的中國,鄉村土地大部分為地主佔有,中國要進步,要發展,就必須改變這種狀況。然而,蔣介石卻要"求社會之安定"。這樣,他就必然要從改良主義進一步蛻化為保守主義,以維護和保持舊的社會秩序。

國民黨在 1927 年"清黨"之後,其成員的階級結構發生重大變化。1940 年 11 月 8 日,唐縱訪問譚平山,談對中國政治前途的估計,討論從何處下手,挽救當時的政治危機。譚稱:"救國必先救黨","必須清理黨的成分"。他說:"國民黨的黨員大都是地主、資本家、小資產階級,與三民主義的精神正相反,何能望其執行三民主義之政策。"[3] 1949 年 7 月,國民黨非常委員會指出:"在上海、漢口、平、津及廣州的同志,都在有意無意之間和買辦、流氓妥協;在其他各省的同志,亦均與土豪劣紳結不解的政治緣。買辦、流氓、土豪劣紳本都是時代的渣滓,應在肅清之列,但由於一些同志的畏難苟安,不去肅清他們,結果他們的勢力就反而壯大起來,變成了各地的實際統治者。"[4] 這一段話,比較準確地反映出國民黨及其政權的階級基礎的變化。其結果是,國民黨黨員中的地主階級分子愈多,其實際政策的推行又要依靠地主階級和"土豪、劣紳",國民黨所有的改良、改革自然無從實行。抗戰時期,四川一度發生嚴重糧荒,國民黨內很多人主張查封地主囤糧,唐縱在日記中感慨地寫道:"查封的事情,大致不會實行。我們的政策,依然放在資本家、地主、土豪劣紳基礎上,米荒的基本原因,是無法解消的。"[5] 米荒問題無法解決,其他改良主張當然更無法貫徹。

蔣介石看到了國民黨黨員結構中的嚴重問題。1942 年,蔣介石曾設想將國民黨改名為"中國勞動國民黨","凡黨員家庭或本身必有勞農與軍人為社會服役者方能取得黨員資格"。[6] 這說明,蔣介石企圖對國民黨進行脫胎換骨的根本性

---

1 《中國國民黨歷次代表大會及中央全會資料》(上),第 1007 頁。

2 《蔣介石日記》(手稿本),1932 年 10 月 23 日。

3 唐縱:《在蔣介石身邊八年》,群眾出版社 1991 年版,第 173 頁。

4 《本黨同志今後的認識》,重慶《中央日報》,1949 年 7 月 25 日。

5 唐縱:《在蔣介石身邊八年》,第 156 頁。

6 《蔣介石日記》(手稿本),1942 年 10 月 14 日。

改造。他還曾提出，擬在三年內造就三萬幹部，每個革命幹部必須下鄉工作三年。[1] 甚至還曾提出，中學生畢業後，"必須任農村服務與社會行政工作"，才能考升大學。[2] 也曾效法毛澤東，要求黨員"為人民服務"，"使智識青年與工農相結合以推行地方自治及建設社會"。[3] 還曾提出："各級幹部必須由民眾產生。"[4] 這些地方，也說明蔣介石深知國民黨的痼疾所在，企圖有所變革。但是，蔣介石的這些願望都只停留在他的日記中，無法轉化為現實。退到台灣以後，蔣介石成立改造委員會，規定國民黨"以青年知識分子，農、工及生產者等廣大民眾為社會基礎"，要求地方黨部徵求新黨員時，"農工約佔百分之五十，青年及知識分子約佔百分之三十，生產者約佔百分之十"[5]。顯然，這是其大陸時期有關思想的延續。上世紀五十年代，國民黨在台灣推行三七五減租，繼而推行土地改革，也是大陸時期有關思想的延續。

改良並非是壞事。一個社會，能夠通過改良，不斷革故鼎新，避免與暴力革命伴生的對社會的巨大衝擊和破壞，推動社會生產和歷史有序發展，自然是好事。不斷改良，也就不斷進步。社會蒙發展之益，而無代價過大之虞。否則，不斷革命，天天革命，社會將無寧日，也會走向進步和發展的反面。

改良和革命是如影隨形的弟兄。歷史的常例是：改良受阻，革命就會滋生。原來的改良主義者，或者向前發展成為革命派；或者堅持原有立場，反對革命，甚至成為舊秩序的保護者。在近代中國，國民黨就發生了這樣的分化，一部分人轉而支持共產黨的激烈革命主張，而另一部分人，則始終堅持溫和的改良立場。自己的改良搞不下去，又反對別人以激烈的革命手段推翻現存秩序，其結果，自然是自己成為激烈革命的對象。

2004 年 7 月 19 日急就

2007 年 5 月 3 日至 5 日修改

2007 年 11 月三改

1　《蔣介石日記》（手稿本），1942 年 8 月 10 日。

2　《蔣介石日記》（手稿本），1942 年 10 月 23 日。

3　《蔣介石日記》（手稿本），1945 年卷首，2 月 11 日；《民國三十四年雜錄》，1945 年 1 月 21 日。

4　《蔣介石日記》（手稿本），1945 年卷首。

5　中國國民黨中央改造委員會：《怎樣去徵求新黨員》，第 3 頁。

附錄

商務印書館《抗戰大遷移》總序 [1]

紀念抗日戰爭勝利 70 週年前夕，商務印書館推出了《抗戰大遷移》叢書，共五本：

1. 唐潤明《衣冠西渡——抗戰時期國民政府內遷》；

2. 張守廣《篳路藍縷——抗戰時期的工業內遷》；

3. 孟國祥《烽火薪傳——抗戰時期的文博機構遷移》；

4. 王紅曼《伏線千里——抗戰時期的金融機構遷移》；

5. 常雲平、劉力《舉國征戍——抗戰時期的難民遷移》。

南宋以降，中國的經濟、文化中心逐漸向東南轉移。民國建立，孫中山、蔣介石定都南京，政治中心也自北京轉到南方。然而，東南一帶瀕海，有與海外交通、習染歐風美雨之利，繁榮富庶，人丁叢衍。然而，利弊相生，東南一帶地勢平坦，不是能攻易守之地。近代和古代不同，古代中國的外敵大多來自北方，而近代中國的外敵則大都來自海上。這樣，東南地區地理上的優勢便轉化為軍事上的劣勢，一旦外敵入侵，作為經濟中心的上海和政治中心的南京等地便立即暴露於敵人的炮口之下。南京，一向以龍盤虎踞著稱，但早在民國初年，孫中山就判定，中日之間必有一戰，南京不是可戰之地。1931 年 "九一八" 事變之後，日軍於次年 1 月進攻上海閘北，發生 "一・二八" 淞滬抗戰。當時，蔣介石就曾考慮 "遷移政府，與倭長期作戰" 問題，認為 "政府倘不遷移，則隨時遭受威脅，將來必作城下之盟"。兩天後，國民政府暫移洛陽辦公。1932 年 3 月 1 日，國民黨在洛陽召開四屆二中全會，決定以西安為西京，洛陽為行都。但是，洛陽雖處於中國中心，但屬於四戰之地，無險可守，並不能成為理想的戰時首都。12 月 1 日，國民政府遷回南京。

遷都，只是政治中心、軍事中心的轉移。1934 年 1 月，國民黨召開四屆四中全會，蔣介石向會議提出《確立今後物質建設根本方案》，其中提出：國家

1　本文錄自《找尋真實的蔣介石：蔣介石日記解讀》(4)，東方出版社 2018 年版。

及私人大工業今後避免其集中於海口；道路、航路之開闢，尤須首先完成西向之幹線，使吾國於海口外，尚有不受海上敵國封鎖之出入口；於經濟中心區附近不受外國兵力威脅之地區，確立國防軍事中心地。這一方案的提出，表明當時國民黨領導人在設計經濟建設計劃時，已經考慮到對日作戰的需要，並且考慮到向西部發展的問題。因此，蔣介石在為自己規定當年任務時，即列入"專心建設西南"一項。1935 年 2 月，他在廬山規劃國防工業方案，電令趕築西南各省公路。同年 3 月，蔣介石在重慶演講，明確提出"四川應為復興民族之根據地"。他特別致電孔祥熙，告以"我方軍事與政治中心全在四川"。1936 年 6 月，蔣介石對來華的英國經濟學家李滋羅斯表示："當戰爭來臨時，我將在沿海地區做可能的最強烈的抵抗，然後逐步向內陸撤退，繼續抵抗。最後，我們將在西部某省，可能是四川，維持一個自由中國，以待英美參戰，共同抵抗侵略者。"這一談話表明，在蔣介石心中，其抗日計劃已經非常明晰。同年 9 月，陳濟棠、李宗仁等發動的兩廣事變和平解決，蔣介石認為"集中對倭"的條件已經成熟。當時，中日之間的"調整國交"談判陷入僵局，日本態度強硬，戰爭有一觸即發之勢，蔣介石指示馮玉祥、程潛、朱培德等人擬具抗戰方案，首先進攻上海日軍，指示孔祥熙將上海的現銀、鈔票等迅速轉移到南昌等地，指示在南京的中央政府各部門做遷移準備。這就表明，差不多在盧溝橋事變爆發之前一年，國民黨、國民政府已經有了遷移的準備和計劃。

1937 年 7 月，盧溝橋事變爆發，繼之以淞滬抗戰。日軍以 28 萬人之眾，動用軍艦 30 餘艘，飛機 500 餘架，坦克 300 餘輛，大舉進犯。中國軍隊以落後的武器和血肉之軀英勇抵抗，血戰 3 個月。11 月 12 日，上海淪陷。11 月 16 日，國防最高會議決定遷都重慶。當晚，國民政府主席林森乘艦西上，行政、立法、司法、監察、考試等五院隨遷。20 日，國民政府發表遷都宣言，譴責日軍"分兵西進，逼我首都，察其用意，無非欲挾其暴力，要我為城下之盟"。《宣言》表示："此為最後關頭，為國家生命計，為民族人格計，為國際信義與世界和平計，皆無屈服之餘地，凡有血氣，無不具寧為玉碎、不為瓦全之決心。""此後將以更廣大之規模，從事更持久之戰鬥，以中華人民之眾，土地之廣，人人本必死之決心，其熱血與土地凝結為一，任何暴力，不能使之分離。”在此前後，各政府機關、工礦企業、金融機構、文化團體回應國家號召，前所未有地緊張動員，爭分奪秒，紛紛西遷，數以百萬計的民眾不甘於受日寇的欺壓、蹂躪，扶老攜幼，傾室流亡，形成了中國歷史上一次空前未有的大遷移、大搬家。這一遷移，動員之廣泛，規模之宏大，過程之艱辛，民族意志之剛毅，人民愛國熱情之昂揚，都是中國歷史，甚至是世界歷史所少見，或僅見的。它突出地表現了中華民族處危不驚，履險不畏，在艱難條件下不屈不撓的奮鬥精神，可歌可泣，可記可錄，值得中華民族子孫後代永遠銘記，作為驅動民族振興的永恆的精神財富。

多年來，當年的參與者和有心人為保留、記錄這段歷史做了不少工作，留下了不少資料，但是，研究和敘述這一段歷史的著作還寥若晨星，許多通史性的著作對此或語焉不詳，或草率帶過。現在唐潤明、孟國祥等先生的這五本書，以豐富的資料，全面、深入、翔實地敘述了抗戰時期，自政府機關、工礦企業、金融機構、文化教育團體以至廣大民眾的遷移史、流亡史，評述了這一遷移在粉碎日寇速戰速決陰謀，保存和發展抗戰實力，建設西南後方，奪取最後勝利等方面的重大意義，這就填補了抗日戰爭史的一段重要空白，是民國史、抗日戰爭史研究的深入和拓展，值得慶賀。

　　　　　　　　　　2015 年 5 月寫於北京東城之書滿為患齋

唐潤明《康心如與重慶市臨時參議會》序 [1]

　　唐潤明先生《康心如與重慶市臨時參議會》一書為人們解剖了民國時期的一個地方民意機構。

　　康心如（1890—1969）名寶恕，祖籍陝西成固，出生於四川綿陽，為辛亥革命時期革命黨人康心孚之弟。康心孚曾任中國留日學生會館總幹事，章太炎弟子，追隨孫中山革命，曾任南京臨時政府大總統秘書。康心如受其兄影響，於 1911 年加入中國同盟會，入日本早稻田大學讀書。南京臨時政府成立後，在成都籌設中華民國聯合會四川分會，創辦《公論日報》。1913 年和康心孚一起在上海創辦《雅言》雜誌。其後往來於北京與上海之間，參與創辦《民信日報》、《中華新報》，反對袁世凱復辟帝制。1921 年棄政經商，與美國人雷文合資創辦四川美豐銀行，任協理。1927 年北伐高潮中，得到國民革命軍第 21 軍軍長劉湘的支援，買下全部美股，使美豐銀行成為純粹的華資企業。康心如任經理，自此，美豐銀行的業務迅速發展。至 1932 年，康心如及其弟康心之、康心遠的股本已超過百分之四十。1935 年，重慶標誌性的建築美豐大樓落成。1936 年，康心如的個人股本接近百分之三十。抗戰期間，康心如任重慶銀行業同業公會主席，地位日益重要，各種社會兼職多達 141 個。其中，最重要的職務就是重慶市臨時參議會議長。中華人民共和國成立後，康心如任西南軍政委員會委員、財經委員會委員，全國工商聯執委，民主建國會中央執行委員。1950 年 4 月，美豐銀行停業。1957 年被錯劃為右派。"文化大革命"期間在北京病逝，當時，其"右派"一案尚未平反。終年 79 歲。2010 年，被確定為重慶歷史名人。

　　中華民國建立後，開始民主建設，於南京成立臨時參議院，同時擬於各省成立省議會。1927 年南京國民政府成立後，於 1928 年規定成立以市民代表組成的市參議會，任期 2 年，於市政興革事項，可向市長提出建議案，市長違法

1　本文錄自《找尋真實的蔣介石：蔣介石日記解讀》（4），東方出版社 2018 年版。

失職時，可向省政府及國民政府請求罷免。1932年國民政府明確規定"市參議會為全市人民代表機關"。抗戰爆發，國民政府有限度地加快民主建設步伐，於全國建立國民參政會，於省、市、縣設立臨時參議會。1938年7月6日，國民參政會第一次大會在漢口召開。同年9月26日，國民政府公佈《市臨時參議會組織條例》，規定：其目的為"集思廣益，促進市政興革"；凡中華民國之男子或女子，年滿25週歲，曾受中等學校教育（或同等教育），具有各該市籍貫，並曾在各該市公私機關或團體服務2年以上，或曾在各該市重要文化團體或經濟團體服務2年以上，著有信望者，得為市臨時參議會參議員。參議員定額為25名，由各該市政府及國民黨市黨部聯席會議就各該市住民中或各該市區內文化團體或經濟團體人員中加倍遴選候選人，再由市政府呈送行政院，轉呈國防最高會議核定。1939年5月5日，國民政府將重慶改為直轄市。5月23日，經國防最高委員會秘書長張群提議，以康心如等26人為重慶市臨時參議院參議員，再經重慶市政府與國民黨重慶市黨部等商酌，提出推薦名單118人。6月21日，市政府與市黨部召開黨政聯會議，推舉50人為候選人。7月29日，國防最高委員會第十一次常務會議選定，以康心如等23人為重慶市臨時參議會參議員，康心如為議長，以胡叔乾等13人為候補參議員。其後，國民政府指派龍文治為秘書長，康心如指派張友鸞為秘書，以重慶市政府在過街樓的舊址作為辦公及會議場所。10月1日，重慶市臨時參議會第一次會議正式召開。這是戰時中國最早而且是唯一的市級民意機構。

重慶市臨時參議會有參議員25人，其中，本市籍貫者11人，本市之外而屬於四川籍者11人，四川以外者2人；年齡最大者65歲，最小者35歲；國民黨員20名，非國民黨員5名；國外大學畢業者7人，國內大學畢業者6人。康心如等6人為金融界人士，溫少鶴等為5人為商界人士，胡仲實等為實業界人士，陳銘德等為新聞界人士，程愚為法律界人士，李奎安等為士紳，以金融界和商界人士為多。

重慶市臨時參議會於議長、副議長下設秘書處。會議期間，設三個審查委員會，分別負責審查民政、自治、保安、財政經濟建設、教育、文化等方面的議案。會議結束，設駐會委員會，處理日常事務。

重慶市臨時參議會前後兩屆，歷時 6 年 3 個月。自 1939 年 10 月 1 日至 1943 年 3 月 31 日為第一屆。共舉行大會 6 次，通過提案 193 件。自 1943 年 4 月 1 日進入第二屆，參議員由 25 人增為 30 人，計教育文化界 6 人，金融界 5 人，士紳 5 人，實業界 4 人，商界 3 人，新聞界 2 人，醫師 1 人，農界 1 人。康心孚因非重慶籍，本擬辭職，但經蔣介石圈定，仍任議長。第二屆臨時參議會共舉行大會 5 次，通過提案 198 件。1945 年 12 月，重慶市根據國民黨中央限期組建縣、市民意機關的決定，進行全市普選。1946 年 1 月 24 日，重慶市參議員選舉完成。同日，重慶市參議院正式成立，票選胡子昂為議長。康心如雖仍被選舉為參議員，但他堅持不就。

抗戰期間，康心如在艱難的條件下，主持重慶臨時參議會，在堅決擁護抗戰國策，批判汪精衛集團的賣國投敵行為，動員民眾堅持生產，推進重慶的城市建設以及地方自治、市民福利等方面，都做出了積極貢獻。

19 世紀末 20 世紀初，源自西方的民主觀念輸入中國，中國人民就接受這一理念，以之作為與封建專制主義做鬥爭的武器。孫中山當時就曾企望將中國建設成為世界上的 "頭等大民主國"。百年來，中國人在這一條道路上艱難前行，磕磕絆絆，有時進步，有時後退，有時則民主其表，專制其實。百年過去了，距離孫中山 "頭等大民主國" 的理想似乎還是 "路漫漫其修遠兮"，需要人們堅持所向，繼續前行。歷史學的責任之一就是記錄中國人在這一條道路上的每一次進步，肯定為這一理想做出過貢獻的歷史人物。唐潤明先生此書，根據重慶檔案館的豐富庫存，翔實地記述了重慶市臨時參議會的成立與議事經過，便於人們總結其成績、特點與局限，也有助於人們了解康心如這位金融家在政治方面的貢獻。相信它的出版，將促進近代中國民主發展與建設史的研究。康心孚先生的公子國雄先生及其哲嗣宏通先生多次希望我為本書寫序，我對於重慶地方史素無研究，雜務又多，但是，考慮再三，還是擠時間閱讀相關資料，寫了這篇小文，略表推進中國民主建設之寸心。

2013 年 10 月於北京東城之書滿為患齋

《美國國家檔案館藏中國抗戰歷史影像全集》序 [1]

戰爭是力的對峙，國與國的戰爭則是國力、軍力、心力（戰略戰術、人心向背）諸種因素的對峙。

70 多年前的中日戰爭爆發於兩個近鄰之間。這是強弱異勢、力量相差懸殊的國家之間的戰爭。日本，雖然是小國，經過明治維新，迅速成長為現代化的工業強國；而中國，雖然是大國，但由於種種原因，卻依然是落後的農業弱國。據統計，戰爭爆發前，日本的年工業總產值已經高達 60 億美元，而中國僅為 13.6 億美元；鋼產量，日本高達 580 萬噸，中國僅為 4 萬噸；石油，日本高達 169 萬噸，中國僅為 1.31 萬噸。日本年產飛機 1,580 架，大口徑火炮 744 門，坦克 330 輛，汽車 9,500 輛，年造艦能力 52,422 噸，而中國尚不能生產一架飛機、一門大口徑火炮、一輛坦克或汽車，除少量小型船艇外，不能造出任何一艘大型軍艦。

國力是軍力的基礎。戰前，日本總兵力為 448 萬人，中國總兵力約為 200 萬人；日本有作戰飛機 1,600 架，中國僅有 223 架，日本有艦艇 285 艘，中國僅有 60 餘艘。以步兵師而言，日本每師 21,945 人，中國僅 10,923 人；步槍射程，日本 3,000 米，中國僅 2,000 米；輕機槍，日軍每師配備 541 挺，中國每師僅 274 挺；重機槍，日軍每師 104 挺，中國軍隊僅有 54 挺；野山炮，日軍每師 64 門，中國軍隊僅 9 門。

當時，中日兩國的差距不僅表現在國力、軍力上，而且表現在國家的統一與分裂的歧異上。日本實行天皇制，國家統一，上下齊心，武士道精神弘揚；中國當時的南京國民政府號令範圍不出長江中下游的有限的幾個省份，廣東、廣西、四川、雲南、貴州、西康、山西、新疆等省都存在著各懷異志的地方實力派。1932 年，在日本帝國主義的操縱下，東北成立偽滿洲國。日本侵略者還企圖進一步在中國北方和西北成立"大元國"和"大夏國"。

1　本文錄自《找尋真實的蔣介石：蔣介石日記解讀》（4），東方出版社 2018 年版。

中日戰爭，就中國方面來說，是被侵略者，中國人民所進行的是衛國戰爭，有"人心"上的天然優勢；但是，就國力和軍力來說，中國則處於絕對劣勢。人們常說：不打無準備之仗與無把握之仗。面對長期準備、武裝到牙齒的日本法西斯，中國當然無法，也不應該匆促上陣。在進行一場決定國家存亡、民族興衰的大戰之前，不可以魯莽滅裂，必須有廣泛的動員與充足而縝密的準備，因此，一段時期內的猶豫，一定程度上的妥協、退讓，戰爭過程中的後退、失敗，以至大面積的國土淪喪，都是難以避免、可以理解的。關鍵是這種一定時期內的猶豫、妥協是否最終轉化為雄起、奮戰，其結局是屈服於對手還是將對手打翻在地，戰而勝之。憶當年，第二次世界大戰初期，英、法、美、蘇等強國面對德、日法西斯軍隊時，都曾有過不堪啟齒的慘重失利和敗績。英、法在西歐戰場上的表現不去說它了。以俄羅斯戰場論：德軍開戰兩個星期即長驅 500 公里；半年之內，即俘獲蘇軍 280 萬人。以亞洲戰場論：日軍進攻香港，英軍只守了 17 天，全部投降；進攻新加坡，僅 7 天，英、澳、印聯軍 10 萬餘投降；進攻菲律賓，僅 5 個月，美軍總指揮溫萊特將軍投降，近 10 萬美菲聯軍成為俘虜。了解了這些情況，人們就不會苛責當時中國這樣一個孱弱而四分五裂的國度！

要對外作戰，內部自然必須團結和統一。1935 年 8 月，共產國際號召各國共產黨"建立廣泛的反法西斯人民陣線"。中共發表《八一宣言》，呼籲中國各黨派、團體、各界、各軍組成國防政府和抗日聯軍，共同反對日本侵略。蔣介石抓住時機，於 1936 年 1 月派人到莫斯科和中共代表團談判。中共以民族大義為重，毅然改變政策，於 1937 年 2 月回應蔣介石在"西安事變"時的要求，提出四項保證：1. 在全國範圍內停止推翻國民政府之武裝暴動方針；2. 工農政府改名為中華民國特區政府，紅軍改名為國民革命軍，直接受南京中央政府與軍事委員會之指導；3. 在特區政府區域內，實行普選的徹底民主制度；4. 停止沒收地主土地政策，堅決執行抗日民族統一戰線共同綱領。兩黨經過長時間的多次、多線接觸，達成停止內戰、一致抗日的協議，1937 年 7 月，中共中央更進一步向國民黨提出《合作宣言》，鄭重表示：孫中山先生的三民主義為中國今日所必需，本黨願為其徹底實現而奮鬥；紅軍願受國民政府軍事委員會之統轄，待命出動，擔任抗日前線之職責。這樣，國民黨和共產黨這兩個冤家、仇敵終於化干戈為玉帛，實行第二次合作。以國共合作為核心，各地的地方實力派感於民族危機深重，陸續接受國民黨和國民政府的領導。中國由此出現了各黨派、各階級、各民族的全民抗戰的熱潮。

要戰勝比自己強大數倍以至幾十倍的敵人，還必須選擇正確的戰略與戰術。當時中國兩個最大的政黨——國民黨和共產黨都以持久戰作為方針。國民黨提出"以空間換時間，積小勝為大勝"，企圖以中國的廣大國土與日本長期周旋。中共領袖毛澤東則發表《論持久戰》，提出以依靠人民、發動人民為主要方針的一整套對日作戰思想。

在全民抗戰的熱潮中，中國出現了兩個戰場：正面戰場和敵後戰場。

正面戰場的主力是中國國民黨所領導的作戰部隊。這支部隊阻擋和遏制日軍進攻，承擔了和日軍主力作戰的任務。自盧溝橋事變、全面抗戰起，中國軍隊進入單獨苦戰階段。在武器低劣、缺少外援的情況下，中國軍隊進行了華北、淞滬、南京、徐州、武漢、南昌、隨棗、長沙、桂南、棗宜、豫南等諸多會戰。在這些戰役中，中國軍隊依靠大無畏的犧牲決心與血肉之軀，保衛國土，堅毅頑強，屢敗屢戰，不屈不撓，可謂一寸山河一寸血，其偉大精神與浩然之氣，足以驚天地、塞兩間、泣鬼神，足以證明他們無愧於先人，無愧為炎黃後裔。1941 年 12 月，太平洋戰爭爆發。1942 年 1 月，美、英、蘇、中等 26個國家在華盛頓簽署《聯合國家宣言》，世界反法西斯統一戰線正式形成，蔣介石出任中國戰區盟軍最高統帥。此後，中國軍隊進行了長沙、浙贛、鄂西、常德、豫中、長衡、豫西、鄂北、湘西等會戰。自 1942 年 2 月，中國遠征軍應邀赴緬甸作戰，開闢出與國內戰場同時並存的國外戰場。僅在緬甸北部，遠征軍殲敵 4.8 萬人，收復緬甸土地 13 萬平方公里，大小城鎮 50 餘座。在滇西，遠征軍殲敵 2.1 萬人，收復失地 8.3 萬平方公里。1945 年 4 月，廣西地區的日軍開始撤退，中國軍隊旋即反攻。7 月下旬，收復桂林。中國軍隊向前推進 350餘公里，全部收復桂柳地區。

這是中國軍隊從頹勢轉為優勢的轉折，是大反攻、大勝利的起步。據國民政府官方的不準確統計，抗戰中，中國政府動員的正規軍和游擊隊 550 萬人，一般戰鬥 38,931 次，主要戰役 111 次，大的會戰 22 次，中國軍隊傷亡 338 萬。犧牲上將 8 人，中將 41 人，少將 71 人。殲滅日軍 133 萬，佔日軍在＂二戰＂中傷亡總數 195 萬的 70%，共擊斃日軍少將以上官員 44 人。

敵後戰場的主力是中國共產黨所領導的作戰部隊。這支部隊在 1937 年 8 月的平型關戰役中初獲勝利，其後就揚長避短，發揮自己的獨特優勢，深入敵後，發動群眾，壯大力量，建立根據地，以游擊戰、破襲戰、地雷戰、地道戰等形式，騷擾和打擊敵人。1940 年 8 月至 12 月，八路軍的領導者不顧將敵焰引向自己的危險，毅然決然，在華北地區發動＂百團大戰＂，破壞日軍鐵路線，突破其＂囚籠＂政策，充分發揮了人民戰爭的巨大威力。4 個月期間，大小戰鬥 1,800 餘次，攻克據點 2,900 個，殲敵 4.5 萬人。在戰爭中，中共及其所領導的武裝得到快速發展。初期，八路軍、新四軍只有 4 萬餘人，而到戰爭勝利時，則已發展至野戰軍、地方軍共 120 餘萬人，根據地 230 萬平方公里，人口 1 億 3,600 萬人。敵後戰場的存在，有力地牽制和分散了日軍的兵力，保障和支援了正面戰場。

＂九一八＂事變後，國民政府即調整對外關係，將恢復中蘇邦交視為對日本的第一打擊。蘇聯為了讓中國拖住日本，防止其北進，避免在歐洲、亞洲同時作戰，因此是抗戰初期最早援助中國的唯一國家。例如，向中國提供貸款，提供軍火，派遣飛行員到中國參加空戰，派遣顧問為中國參謀等，但是蘇聯的援助是小心翼翼的、有限的、有時間性的，力圖儘量不觸怒日本。1941 年 4 月，為了確保蘇聯東部領土安全，蘇聯甚至和日本簽訂嚴重損傷中國主權的《蘇日中立條約》。1944 年，蘇聯又一度支持新疆的分裂政權，陷國民政府於前所未有的艱難局面。1945 年，蘇聯政府得到保證，將能收回 1904 年日俄戰爭中俄國已經喪失的利權，在美國投下原子彈、日本敗局已定的情況下，斷然出兵中國東北，給了日本精銳關東軍以最後的致命一擊。

英國為自身利益，力圖綏靖日本。1938 年 5 月，英國與日本簽署協定，將原由自己控制的中國海關權利轉讓給日本。1939 年，又與日本簽署《有田—克萊琪協定》，承認日本侵略中國合法。1940 年 6 月，將中國政府在天津的鉅額存銀交給日本監督。同年，居然應日本要求，一度封鎖滇緬公路這一中國接受外援的重要通道。只是在日本不斷侵犯英國在華利益的情況下，英國才逐漸援助中國抗戰。

美國長期被中立主義、孤立主義所包圍，不關心日本侵華，同時，則向日本大量出售廢鋼鐵、石油、銅、鉛、機床等戰略物資，助長其侵華實力。在一段時期內，美國甚至企圖放鬆對日本的經濟制裁政策，以此拖延戰爭的爆發。只是在中國政府的憤怒譴責和外交干預下，美國政府才放棄原先的"愚蠢"打算，對日本全面強硬。日本則認為美國已經成為重慶政府和蔣介石的代言人，偷襲珍珠港等地，爆發太平洋戰爭。自此，美國大量向中國提供經濟、軍事、外交和道義上的援助，幫助中國度過了最困難、最危險的時期。

中國自古以來就是多民族國家。在漫長的中國歷史中，以漢族為主體建立的政權曾經滅亡過兩次。但是，日本侵華，卻是中華民族之外的大和民族的軍國主義者對中華民族的野蠻侵略。當時，全國淪陷、部分淪陷省份 22 個，淪陷縣市 1,001 個，淪陷民眾 2.6 億人。中國，面臨著前所未有的亡國危機，中華民族經受著前所未有的深重災難。在這場戰爭中，中國被打死、打傷或被殘害的人口約 3,500 餘萬，財產損失 600 多億美元，戰爭消耗 400 多億美元，間接經濟損失 5,000 億美元。[1]

中國抗日戰爭之所以勝利，原因之一在於中國人民發揚古老、悠久、世代相傳的愛國精神、民族精神，不屈不撓，含大辛，茹巨苦，長期奮鬥。原因之二在於國共兩黨以民族利益、國家利益為重，在一定時間內，一定程度上拋棄曾經有過的血海深仇，毅然合作，從而形成"地無分南北，人無分老幼"的全民抗戰的局面。合作過程中，雙方雖有摩擦和反摩擦的鬥爭，限制和反限制的鬥爭，但直至抗戰勝利，這種合作始終維繫著，沒有破裂。原因之三在於國際分裂，在法西斯和反法西斯的兩大陣營對壘中，中國政府站隊正確。戰爭過程中，日本多次對中國政府誘降，德國也曾妄圖拉攏中國，締結軍事密約，夢想實現東西方兩支法西斯軍隊的會師。但是，中國政府不為所動，屹然兀立，堅定不移地與美國、英國、蘇聯結盟，為人類正義與和平奮鬥，因而得到同盟國

---

1 關於中國抗戰損失，諸說不一，此據軍事科學院軍事歷史研究部：《中國抗日戰爭史》下卷，解放軍出版社 1994 年版，第 625 頁。

的援助並與之同步獲得勝利。如果缺少了國際反法西斯戰線這一極為重要的條件，相信依靠自己的力量，中國的抗日戰爭最終也將勝利，但其歷程將會艱難得多，時間也將會向後推遲很多。

抗日戰爭是鴉片戰爭以來中國人從未取得過的完全的勝利。它使中華民族跳出了"最危險的時候"，洗刷了恥辱，廢除了不平等條約，收回了失地，中國人昂首闊步，進入世界四強，成為聯合國的發起國和常任理事國，中華民族由此出現了一條復興的康莊大道。這是中國人民世世代代永遠不能忘記的勝利，其歷史意義是怎樣估量也都不會過分的。

史學是人類最古老的學科。最初，人們口耳相傳，形成口頭史學，如神話、遠古傳說、遠古史詩等。後來，人類發明了文字，於是形成了以文字為載體的文字史學。近代以來，由於錄音、攝影技術的發展，又出現了以記錄聲音、形象為主體的音像史學。美國國家檔案館藏有大量照相兵和記者所攝有關中國抗戰的相片，它們全面、忠實地記錄當時的紛繁而豐富多姿的場面，真實生動，栩栩如生，活靈活現，其獨特的直觀效果與感人力量，都是文字史學所不可比擬的。深圳越眾投資控股有限公司應憲先生等一群"立志將歷史帶回家"的可敬人士，從大洋彼岸將這些照片複製回國，數達 8,000 餘幀，康狄先生等翻譯英文說明，編輯整理，化學工業出版社以睿智的眼光和宏大的魄力將這些照片編輯為 30 卷的皇皇巨著。這是音像史學發展中的大事，是文化出版界紀念抗戰勝利暨世界反法西斯戰爭勝利 70 週年的大事。我和南京大學張憲文教授同膺主編之職，感到在個人的生命史和學術史上，做了一件很有意義的事情。

一切在抗日戰爭中犧牲的烈士永垂不朽！

一切為抗日戰爭做出貢獻的人士都將受到中華民族永恆的紀念！

2015 年 2 月於北京東城之書滿為患齋

《國家記憶》（中國遠征軍作戰圖片集）序 [1]

1942 年春，中國遠征軍出戰緬甸，是抗日援英、保路衛國的偉大壯舉。本書所收，均為記錄這一壯舉的圖片，大部分為當時美國隨軍攝影人員所攝。

1941 年 12 月，日軍偷襲珍珠港，太平洋戰爭爆發。一方面，中、美、英、蘇等 26 個國家組成世界反法西斯聯盟，和日、德、意等軸心國家的鬥爭進入全新的階段；另一方面，日軍迅速南進，席捲太平洋和東南亞，控制包括菲律賓、泰國、馬來西亞、印尼等在內的許多地區。1942 年 1 月上旬，日軍由泰國大舉進攻緬甸。其如意算盤是，截斷自緬甸仰光至中國雲南的國際交通線，阻遏民主國家對中國的物資援助，加強對中國和印度的壓力，開闢進軍印度、和德國在近東會師的通道。

抗戰中，世界民主國家援助中國的南方通道本有香港至廣州、越南至雲南、越南至廣西等多條。至 1941 年，只剩下緬甸至雲南一線可用。其路徑為南起緬甸的南方港口城市仰光，沿緬甸中央鐵路北上，經同古、曼德勒、臘戍等地，與 1937 年 8 月趕修完成的滇緬公路相接。日軍侵入緬甸，這就嚴重威脅中國接受國際援助、補給物資的生命線，為中國勢所必爭。緬甸是英國的殖民地，從日本醞釀入侵緬甸起，中英兩國就不斷協商中國與英國共同防禦滇緬路問題。1941 年 12 月至 1942 年 1 月，中國政府調集精銳部隊 3 個軍 9 個師，共 10 萬兵力，組成中國遠征軍第一路，準備進入緬甸，與英軍協同作戰。該部初以杜聿明為代理司令長官，4 月 2 日，改以羅卓英繼任。

"槍，在我們肩上；血，在我們胸膛。到緬甸去吧，走上國際戰場。"當遠征軍高唱戰歌進入緬甸之後，迅即成為抗擊日軍的主力，先後在同古保衛戰、斯瓦阻擊戰、仁安羌解圍戰、棠吉收復戰等戰役中取得出色成績。其中，同古保衛戰是入緬甸後的第一戰。第 5 軍第 200 師戴安瀾部孤軍奮戰 12 天，以傷亡千人的代價，殲敵 5,000 多人。日軍橫田大佐不得不在日記中承認："南進以

1　本文錄自《找尋真實的蔣介石：蔣介石日記解讀》（4），東方出版社 2018 年版。

來，從未遭遇若是之勁敵。勁敵為誰？即頭頂青天白日徽之支那軍也。"仁安羌之戰，66 軍新編 38 師孫立人部以少數部隊擊敗日軍，解救英軍 7,000 人出險，孫立人因此被英國國王授予"帝國司令"勳章。但是，由於英軍早已決定放棄緬甸，退保印度，中英兩軍之間存在戰略分歧、利益矛盾等原因，遠征軍作戰失利。4 月 27 日，英軍全部撤往緬甸的主要河流依洛瓦底江西部，並繼續向印度撤退。29 日，日軍攻佔緬北重鎮臘戍，切斷中國遠征軍回國的退路，中國軍隊不得不決定撤退。5 月初，日軍相繼侵佔滇西邊境城市畹町、芒市、龍陵等地，推進至怒江惠通橋西側，中國守橋部隊炸橋自衛。兩軍自此隔江對峙，達兩年之久。

在緬北的遠征軍一部分隨中國戰區參謀長、美軍駐華總司令史迪威退入印度，第 5 軍第 96 師余韶等部則穿越 480 公里的野人山，跋涉峻嶺密林，戰勝毒蟲猛獸，艱苦備嘗，飢病交加，於 6 月 24 日退入雲南。北撤途中，戴安瀾將軍身負重傷，於 5 月 26 日臨近國門時去世。同古之戰前，戴安瀾就曾在致妻函中表示："孤軍奮鬥，決以全部犧牲，以報國家養育。"去世前，還喃喃自語："反攻！反攻！祖國萬歲！"得到蔣介石、毛澤東、羅斯福的哀悼和表彰。總計，遠征軍最初動員人數約 10 萬人，至 8 月初，僅餘 4 萬人左右。第 96 師原有 9,863 人，至此僅餘約 3,000 人。

退入印度的中國遠征軍第五軍新編第 22 師廖耀湘部和第 66 軍新編第 38 師孫立人部在藍姆伽集結，接受美國裝備和訓練，改編為中國駐印軍。1943 年春，中美工兵部隊在孫立人所率先遣隊掩護下開始修築中印公路。10 月，駐印軍新編第一軍鄭洞國部奉命從印度東北邊境的雷多出發，先後進入胡康（意為死亡）河谷與孟拱河谷，進攻緬北日軍。1944 年 4 月 28 日，中美混合支隊長途奔襲緬北戰略要地密支那機場。7 月 7 日為抗戰七週年，鄭洞國下令向密支那守敵發動全面攻擊，至 8 月 5 日，歷時 100 天，全殲守敵。自此，中國駐印軍完全掌握緬北的戰略主動權，陸續攻克八莫、臘戍等城鎮 50 多座，進軍 2,400 多公里，殲敵 33,000 人，收復緬甸失地 13 萬平方公里。12 月 27 日，中國駐印軍新 38 師孫立人部收復雷允，進入滇西中國國土。

在雲南的中國遠征軍於怒江前線穩定後即練兵、整訓，受訓幹部和士兵共約 1 萬人左右。1943 年 3 月 28 日，中國遠征軍司令長官司令部在楚雄成立，以陳誠（前）、衛立煌（後）為司令長官，黃琪翔為副司令長官，下轄宋希濂的第 11 集團軍和霍揆彰的第 20 集團軍，共 16 萬人，其中接受美械裝備的達 12 個軍。1944 年 5 月，遠征軍強渡怒江，反攻滇西日軍。首攻雄踞怒江之側的松山，日軍在此構築了龐大而堅固的防禦體系，以重兵據守，第 8 軍何紹周部 6 次圍攻，至 9 月 7 日，投入兵力總計 6 萬人，奮戰 100 天，才全殲頑敵。騰沖也久攻不下，蔣介石直接下令，必須在 9 月 18 日國恥紀念日之前奪回。13日，日師團長發出訣別電，進行自殺性反撲，全部就殲。此役中國遠征軍陣亡8,000 餘人，傷者近萬。1945 年 7 月 7 日，在此建有國殤墓園。龍陵，兩軍爭奪近 5 個月，是遠征軍滇西反攻中戰局最為複雜、耗時最長、動用兵力最多、殲敵也最多的戰役。總計，在前後 8 個月中，遠征軍以傷亡 67,400 人的代價，收復滇西全部失地 3 萬平方公里，殲滅日軍 21,000 多人。1945 年 1 月 28 日，中國駐印軍與中國遠征軍在芒友會師，中印公路在畹町舉行通車典禮。4 月 28日，侵緬日軍撤出仰光。

中國遠征軍赴緬作戰之際，正是日軍為打通大陸交通線、發動一號作戰之時，中國政府甘冒軍事大忌，在國內、國外兩個戰場同時作戰，其艱難竭蹶、各方支絀的情況可以想見。

中國遠征軍在緬北、印度、滇西的作戰是清末甲午戰爭以來，中國第一次出師援助友邦、抗擊侵略的正義軍事行動，它抵禦了日軍緬甸方面軍一半以上的兵力，解除了日本對中國西南國際補給線的封鎖，保衛了中國的西南大後方，並且協同盟軍阻遏了日軍對印度的進攻，收復緬甸全境，配合了盟軍在太平洋戰場的反攻，是中國人民對世界反法西斯戰爭的重大貢獻。1945 年 4 月，毛澤東在《論聯合政府》一文就曾指出："中國是全世界參加反法西斯戰爭的五個最大的國家之一，是亞洲大陸上反抗日本侵略者的主要國家。""中國在八年全面抗日戰爭中，為了自己的解放，為了幫助各同盟國，曾經做了偉大的努力。"應該承認，中國遠征軍在緬北和滇西的作戰，就是這種"偉大的努力"。

本書所收圖片，原藏美國國家檔案館，深圳越眾集團應憲先生等本著讓歷史資料回家的原則派人赴美收集、複印，黃麗平、孫粹女士等精心研究、佈展，定名"國家記憶"，曾在北京、深圳、福州、太原、昆明等多地展出，均獲好評。我很榮幸，曾應邀到深圳為展覽剪綵，此次由中信出版社付印，又蒙索序，因匆促為文如上。

2015 年 10 月於北京東城之書滿為患齋

對豫湘桂戰役慘敗歷史經驗的鄭重總結
——阮大仁等《一號作戰》書序

　　人類的經驗大致可分兩類，一類講成功，講勝利，稱之為正面經驗；一類講失敗，講挫折，稱之為負面經驗。人類的社會生活，既有成功和勝利，也有失敗和挫折，自然，兩者的經驗都應該總結。它們都可以增進和啟迪人類的智慧，使人類在人和人，在人和自然的鬥爭中，不斷勝利，或者多勝利而少失敗，以至於不失敗。一件事做成功了，總結其何以成功，自然可以鼓舞鬥志，增強信心，為做好下一件事提供依循和借鑒。一件事做砸了，千方百計，苦心竭慮，研究其何以失敗，自然可以知所當戒，避免重蹈覆轍，將下一件事做好、做成。古人云："失敗為成功之母。"如何將失敗轉化為成功？這裏的關鍵就在於不諱言失敗，不因失敗而灰心喪志，正確面對失敗，認真總結、研究，找出必要的經驗與教訓來。如此，下次做事，就可以做得穩妥一點，順當一點，成功的幾率大一點，以至於取得完全成功。否則，將事情做砸了，不總結、不研究，甚至不允許別人去總結、去研究，那就將始終糊塗，始終懵懂，遇到類似的情況和條件，就必然故態復萌，重犯舊誤。因此，歷史學家，特別是聰明、智慧的歷史學家一貫重視對負面史事的研究，十分注重總結負面經驗。

　　"一號作戰"是八年抗戰中由日本侵略軍方面發動的一次重大的著名的戰役，中國方面則稱之為豫湘桂戰役。該戰役起始於 1944 年 4 月 17 日，止於 1945 年 2 月初。歷時 9 個月，戰線長達 1 千 5 百公里。在所有日軍對華作戰的戰役中，歷時最長，規模最大。當時，美軍已在太平洋上的越島戰鬥中取得優勢和主動權，日本與南洋的海運通道已經處於美國潛艇和空軍飛機的封鎖之下，日益艱困。11 月 25 日，20 多架美軍 B-25 型轟炸機由中國的江西遂川機場起飛，奇襲日本海軍在台灣新竹的機場，威脅日本本土。在此情況下，日軍在中國大陸發動"一號作戰"，其目的在於：1. 打通平漢、粵漢、湘桂等大陸鐵路交通線，將在大陸作戰的日本派遣軍和在東南亞作戰的日本南方軍聯為一體，以陸上補給線支持南洋作戰。2. 摧毀從中國境內的遂川、南雄等地起飛，足以轟炸日本本土的中美聯合空軍基地。3. 摧毀中國政府軍隊的繼續作戰的意識與能力。為此，日本集結了在中國的華北、華中的 20 個師團，共約 50 萬人，馬 10 萬匹，機動車 1 萬 5 千輛，火炮 1 千 5 百門，投入作戰。為了補充兵力不足，日本並從中國東北調入大量原來用以對付蘇聯的特種部隊，計兵員 17 萬人，馬 8 萬 5 千匹。4 月中旬至 5 月底，日軍打通平漢線，佔領河南全境。5 月底。日軍南下湖南，佔領長沙、衡陽以及湘桂交界的全州。11 月初，日軍攻陷廣西的桂林、柳州，進入貴州，攻陷獨山、都勻。重慶為之震動。美軍統帥魏德邁建議蔣介石遷都昆明，而蔣介石則調集原在西北防共的政府軍到貴陽地區阻擊日軍，堅持與重慶共存亡。

在一號作戰中，中國政府軍隊中的第 10 軍，以不足 1 萬 8 千人的兵力，堅守衡陽 47 天，抗擊人數、火力都數倍於己的日軍，是少有而光榮的特例。其他部隊則均不堪一擊，連連敗退。河南（豫中）會戰，湯恩伯的部隊在 37 天內丟失了 38 座城市。整個"一號作戰"，國民黨損失 60 萬軍隊，丟失 146 個城市，失去 7 個空軍基地，36 個飛機場，丟失國土 20 多萬平方公里，堪稱前所未有的慘敗、大敗。

何以如此？

1. 日本在國力、軍力，包括武器裝備上本來就遠遠超過中國。在河南作戰、長沙衡陽作戰中，日軍大規模使用機械化部隊，充分發揮裝甲車的作用，而中國軍隊除手榴彈外，缺乏有效的反坦克武器，面對快速、機動的日軍裝甲部隊，中國部隊缺乏有效的對應武器。加之，湯恩伯部與河南民眾關係惡劣，民間有"寧願敵軍燒殺，不願國軍駐紮"之說。1942 年 8 月以後，中國雖然有部分軍隊在印度藍伽接受美國訓練，裝備得到改善，但中國大部分軍隊的武器仍然遠遠落後於日軍。

2. 中國統帥部判斷嚴重失誤。太平洋戰爭爆發後，日軍從中國大陸撤出大量精銳部隊，增強太平洋戰場，中國統帥部由此判斷日軍無力在中國戰場發動新的大規模的進攻，缺乏因應日軍發動"一號作戰"的準備。1944 年年初，蔣介石甚至認為，日軍已大量"抽調出海"，將自安慶以上地區撤出，中國軍隊的反攻時期已到，有過調集主力於長江北岸，首先收復宜昌和沙市的打算。2月至3月間，軍令部長徐永昌和蔣介石都曾估計日軍可能企圖打通平漢線南段，但都未預料到日軍會發動如此巨大規模的戰役。5月19日，徐永昌得知日本大量向華中增兵，但認為只是二三流部隊，量大而質不精，嚴重輕敵。

3. 在兩個戰場上作戰，兵力分散。1941年12月，中國政府根據《中英共同防禦滇緬路協議》，由第5、第6、第66軍，計9個師10萬餘人，組成"中國援緬遠征軍"，入緬作戰。1943年10月至1944年5月，撤至印度的中國駐印軍和在滇西的遠征軍發起緬北滇西作戰。這樣就使得對日戰場兵力分散，竭蹶拮据。衡陽作戰中，1944年7月17日，蔣介石曾以飛機向方先覺軍長投送手諭："余對督促增援部隊之急進，比弟在城中望援之心更為迫切。余必為弟及全體官兵負責，全力增援與接濟。"但蔣介石當時已無精兵可調，所命援衡的廣東余漢謀等各軍"皆不能如期"來援，加之盟軍總部參謀長史迪威與美軍飛虎隊陳納德的矛盾，史迪威拒撥汽油，無法對衡陽守軍構成有力的空中保護。這樣，第十軍就處於"單打獨鬥"、孤立無援的苦戰局面。對此，蔣介石一籌莫展，只能乞靈於上帝。8月6日夜，蔣介石禱告三次，發願第10軍全體受洗，勝利後建鐵十字架於南嶽之巔。這當然無濟於事。直到11月下旬，繼史迪威之後來華的魏德邁將軍才建議空運駐印新編第6軍的兩師軍隊回國，但其支持方向為雲南，而且，為時已晚，並未能參加"一號作戰"。

4. 主帥無能，將領怯弱，軍隊腐敗，作戰能力低下。自盧溝橋之戰開始，抗戰至此已進入第7個年頭。由於經濟困難，物價飛漲，軍隊經商走私，以致日趨腐敗，不是愈戰愈強，而是愈戰愈弱。作戰時，將領或怯戰避戰，或袖手旁觀，或不戰自潰。桂柳會戰中，日軍進攻全州，守軍第93軍全部美式裝備。蔣下令死守3個月，但軍長陳牧農竟燒毀倉庫，擅自撤離。桂林、柳州等地未經激烈搏戰，也很快失守。

蔣介石本人抗戰意志堅決，辛勞黽勉，但他只相信自己，遙控過多、干涉過多。河南作戰中，他曾自歎"自作戰方針至局部處置，皆非親自留心與處置不可，余幾乎身任蔣鼎文之參謀官矣。"作戰失敗後，他也曾自我檢討："此為畢生唯一之愧悔與無上之錯誤，不得不特以明余之罪惡與愚拙。"長沙作戰，佈置於嶽麓山的新式重炮、山炮、大量炮彈，完全喪失，他也承擔責任，認為是"余之罪也"。不過，統帥的個人特質、黽勉程度並不是戰爭勝負的決定因素。大量的歷史事實證明，蔣介石不是一個優秀的軍事指揮人材。

"一號作戰"，日軍大獲全勝，原定作戰目標幾乎全部達成。但是，美國第14航空隊及第20轟炸司令部由昆明、成都等地的機場繼續起降。6月至8月間，美機多次轟炸日本北九洲島、長崎等地的軍事和工業設施，黃河鐵橋在通車不久後就被炸斷，美國空軍完全掌握了制空權，日軍勞師遠征、精心構築的大陸交通線變得虛弱不堪。國民政府及其軍隊雖然受到沉重打擊，但由於與國際反法西斯陣線結盟，抗日之志未衰。不過，美國的羅斯福總統卻看出了國民政府及其軍隊的腐敗與低能，轉而將殲滅駐守中國東北日軍的希望寄於正在對德作戰中節節勝利的蘇聯紅軍。中國共產黨及其領導的八路軍與新四軍，由於日軍集中兵力，打擊國民黨及其軍隊，獲得了在敵後戰場大為發展的機會。

寫戰史難，寫多國參與作戰的戰史尤難，"一號作戰"的參加者有中、日、美三國，涉及的國家則有英國，立場各異，所述、所記自亦多異。加之人情通常喜言勝利與成功，諱言失敗與挫折，因此，寫本書，在資料收集與公正評價方面有諸多困難。阮大仁、傅應川、周珞三位學者一反常情，勇於攻關克難，以"治史自當回歸事實真相"為目標，選擇"一號作戰"為題寫書，廣泛而深入地研究資料，力求做出客觀、科學、公正的敘述與評價，精神和勇氣都可敬、可嘉。三人中，傅應川先生是軍事家，多年研究戰史；周珞先生為土木工程專家，長於資料掌控，嚴謹細緻；阮大任先生對"一號作戰"的研究始於1971年，40多年來，長期孜孜兀兀，不懈不倦，集中精力與興趣於這一課題。如今三人分工合作，集思廣益，共成此書，這就大有益於抗日戰爭史研究的推進與深入，值得慶賀。

2019 年 5 月 9 日於北京東城

《中日戰爭國際共同研究》序 [1]

戰爭是個大怪物，可怕的怪物。它毀滅生命、財產，製造不幸、災難、悲劇，吞噬、摧毀人類長期創造、積累的文明。古往今來，人類之間進行過的戰爭已難以數計，給人類帶來的災難也難以數計。以 1937 至 1945 年的日本侵華戰爭為例，據不完整統計，這次戰爭中，中國人犧牲 2,000 餘萬人，中國軍隊傷亡 380 餘萬人，中國軍民傷亡總數 3,500 萬人。如以 1937 年的美元計，中國財產損失 600 餘億美元，戰爭消耗 400 餘億元。這樣的戰爭難道不應該反對嗎？如果沒有這場戰爭，如此巨大的損失和犧牲自然可以避免，中國國家的面貌和中國近代的歷史也許是另外一種樣子。

自然，戰爭多種多樣。有正義戰爭與非正義戰爭之分。例如，一個國家為統治、奴役另一個國而進行的戰爭是非正義戰爭，而被侵略國家為維護自身的獨立所進行的戰爭是正義戰爭。又如，壓迫者、剝削者為維護一己私利而所進行的戰爭是非正義戰爭，而被壓迫者、被剝削者為維護自身的自由和生存所進行的戰爭是正義戰爭。兩種戰爭性質不同，不可以一概反對。當被侵略者、被壓迫者、被剝削者不得已而選擇戰爭這一形式以維護自己的權利時，理當得到應有的支持和同情。這是戰爭史的基本常識，也是全世界人民的普遍良知。不分是非，籠統地反對一切戰爭是錯誤的，絕不可取的。

然而，戰爭畢竟是一種無比巨大的破壞力量，能夠避免要盡量避免。如果人類能夠有其他方式解決自身發展過程中出現的各種各樣的矛盾和問題的話，那末，還是不用戰爭這種形式為好。中國古代的聖人老子說過："兵者，不祥之器，非君子之器，不得已而用之。"後來唐代的大詩人李白曾經根據老子的思想，加以發揮，寫過一首題為《戰城南》的詩，描寫一場鏖戰後的戰場慘景。詩云："烽火燃不息，征戰無已時。野戰格鬥死，敗馬嘶鳴向天悲。烏鳶啄人

---

1 本文錄自《中日戰爭國際共同研究》（四卷本，包括《戰時中國各地區》、《戰略與歷次戰役》、《戰時中國的社會與文化》、《戰時國際關係》），社會科學文獻出版社，2009 年 — 2011 年版。

腸，銜飛上掛枯樹枝。士卒塗草莽，將軍空爾為。乃知兵者是凶器，聖人不得已而用之。"可見，中國人民自古就熱愛和平，但是，並不一般地、籠統地反對戰爭，其原則是"不得已而用之"。儘管如此，中國人仍然希望有一天能夠消滅戰爭。毛澤東，這是一個大半生南征北伐，靠戰爭打下江山的歷史巨人。他當然深知戰爭的功用，但是，他也深知戰爭的殘酷，主張消滅戰爭。他說："戰爭——這個人類互相殘殺的怪物，人類社會的發展終究要把它消滅的，而且就在不遠的將來會要把它消滅的。"

消滅戰爭，就要研究戰爭。多年前，哈佛大學的傅高義教授聯絡中國學者、日本學者和西方學者，共同研究上一世紀的中日戰爭（1937—1945）。這是一場對中國、對亞洲、對美國，也對日本自身造成巨大傷害的戰爭，世界各國人民都應該記住它的慘痛歷史和經驗教訓，共同保衛和平。我很贊同傅高義教授的這一想法，積極參與其事。記得 2002 年在美國波士頓舉行第一次討論會時，論題是"戰時中國的各地區"。來自不同的社會背景和學術背景的東西方的學者圍坐一室，本著求真、求實的精神各抒己見。特別使我深有感觸的是，參加會議的中日兩國的學者各有十餘人，雖然有爭論，但氣氛融洽。這使我想到，當年，這兩個國家的士兵相互對陣、仇殺，而今，兩國學者友好相處，同席論文。歷史發生了多大的變化呀！會議閉幕的那天，我曾經當場寫作並朗誦了一首小詩：

> 曩時對陣兩相分，
> 而今同席共論文。
> 武戰何如文戰好，
> 鵝湖辯難為求真。

宋朝的儒學有"理學"和"心學"之爭，相互對立，形同水火。西元 1175 年（南宋淳熙二年），"理學"派的大師朱熹和"心學"派的大師陸九淵在江西信州的鵝湖寺相會，進行辯難。雙方唇槍舌劍，各不相讓，但是，所使用的武器僅止於唇齒和舌頭，目的是為了探求真理，辯論之後，友誼仍存。我覺得，這是一種很好的風氣，值得提倡。

有人群的地方，就難免有分歧，有爭論。或為意見之爭，或為觀念之爭，或為利益、權力之爭。怎麼辦？訴諸"武戰"嗎？不好！還是要用"文戰"，即討論、辯論、協商、談判、表決等方法為好。倘若世界上的所有人都能習慣於用這些"文戰"的方法來代替"武戰"，那麼，戰爭，這個人類互相殘殺的怪物也就消滅了，和諧世界也就出現了。

應該說明的是，當年交戰國雙方的學者以及其他各國的學者共同回顧、總結當年的那場戰爭，由於各自的背景、環境、視角不同，觀點自然會有所不同，甚至有很大不同，這是正常的，也是不難理解的。相信讀者會以寬宏的態度對待持有各種不同見解的文章，相信學者之間的交流、切磋以至"文戰"，會有利於對那一段歷史的全面、深入的認識。

還應該說明的是，這一項國際共同研究還在進行中。目前的新的研究課題是"戰時國際關係"，已有中、日、美、英、俄等國的許多學者決定參加。有關研究成果完成後將繼續結集出版。

《中日戰爭國際共同研究》再版後記 [1]

　　"中日戰爭國際共同研究"是國際歷史界的一個自由組合的群體。由美國哈佛大學傅高義、日本慶應大學山田辰雄和我三人共同發起。參加者除中、美、日三國學者外，還有加拿大、英國、德國、法國、俄羅斯、印度的學者。到目前為止，《中日戰爭國際共同研究》中文版一共出了四本，都是會議論文集的選編，其書名分別為《戰時中國各地區》、《戰略與歷次戰役》、《戰時中國的社會和文化》、《戰時國際關係》。今年 3 月，南方的一位讀者給我寫信，告訴我，《戰略與歷次戰役》、《戰時國際關係》兩本"在各電商已經售罄"，他想買。我上網一查，果真如此，可見，它們受到讀者的重視和喜愛。今年是抗戰勝利 70 週年，因此，我商請社會科學文獻出版社再版。社科文獻出版社經過調查和論證，同意我的意見。徐思彥女士經過精心研讀，建議刪去少數篇目，壓縮為三本。在美國芝加哥召開的亞洲學會年會上，社會科學文獻出版社社長謝壽光先生商請傅高義教授為新版作序，傅高義教授很快就寄來了再版序言。照道理，我也似乎應該寫一篇，但想來想去，我已經為中文版寫過序言，沒有多少新話可講，又忙，就決定保留原序，只寫篇再版後記。

　　除中文版外，《中日戰爭國際共同研究》還有英文本和日文本，分別由西方和日本學者各自從會議論文中選擇，不求一致。中國古代有所謂"萬物並育而不相害，道並行而不相悖"之語，這是一種寬大的、自由的學風，便於各說各話，求同存異，百家爭鳴。這是一種新的編選出版方式，有它的特殊的好處。

　　2002 年 6 月，"中日戰爭國際共同研究"在美國哈佛大學召開第一次會議時，我有感於當年兩國之間發生過長期、激烈而嚴酷的戰爭，現在兩國學者卻能夠聚首一堂，融洽、友好而又嚴肅、認真地研究這一場戰爭，曾經現場寫過一首"七絕"，在閉幕式上朗讀：

1　本文錄自《找尋真實的蔣介石：蔣介石日記解讀》（4），東方出版社 2018 年版。

參加中日戰爭研討會有感 [1]

曩時對陣兩相分，
同座而今共論文。
武戰何如文戰好，
鵝湖辯難為求真。

　　不想這首詩很受傅高義教授的肯定。2004 年 1 月，在美國夏威夷召開第二次會議時，傅高義教授居然將這首詩譯為英文，在開幕式講話中朗讀。最近，傅高義教授為美國報紙撰文《中國抗戰：學者之間的合作》，專門介紹 "中日戰爭國際共同研究" 這一群體時，又再次引述這首詩，並且說：

　　　　總而言之，這些來自曾經交戰國家的學者們一如既往為求歷史真相而孜孜以求。我們學者勠力同心，寄希望於各國領導人能夠借鑒中國抗戰研究的成果，並本著同樣的精神，通過協商的方式，尋求解決分歧之路。

　　傅高義教授的這段話，道出了我當年寫這首小詩的主旨，也道出了所有參與 "共同研究" 的歷史學者的心願。"武戰何如文戰好"，假如所有當權者都懂得 "武戰" 不如 "文戰"，用對話、交流、溝通、討論、辯論、協商、投票的方式來解決他們之間的分歧和利益衝突，戰爭，這個自古以來就綿延不斷，給世界帶來無窮災難的 "大怪物"，不就可以減少，甚至消滅嗎？前賢章太炎先生提出過 "俱分進化論"，認為 "善亦進化，惡亦進化"，十分高明，十分正確。例如，科學技術不斷進步，自然是人類發展進化中的 "善"，是大 "善"，然而，戰爭工具，"惡"，卻也在不斷進化。人類的 "武戰" 工具最早自然是拳頭、石頭、棍棒，後來進化為刀矛、弓箭，再進化為槍炮、坦克、艦艇、飛機，再進化為原子彈、氫彈、導彈，殺傷力、破壞力越來越大。因此，反對 "武戰"，以 "文戰" 代替 "武戰" 的迫切性也就越來越大。

　　在紀念抗日戰爭勝利 70 週年暨世界反法西斯戰爭勝利 70 週年之際，傅高義教授熱心支持本書的再版，再次引述拙詩，其意旨也在於斯吧！

1　2002 年 6 月，美國哈佛大學舉行中日戰爭研討會，出席人員中，有中日兩國學者 20 餘人。

應該說明的是，"中日戰爭國際共同研究"第五次會議於 2013 年 5 月在重慶召開，主題為"第二次世界大戰背景下的中日戰爭"，會議論文集尚未出版。第六次會議則將於今年 12 月在我國台灣地區召開。

重慶抗戰大後方歷史文化研究中心周勇先生支持第四、第五次會議的召開，莊建平、黃道炫、臧運祜、侯中軍四位學者分別協助我編選中文版的四本書，謹致深深的感謝。

2015 年 8 月於北京東城

策劃編輯　李　斌

責任編輯　蘇健偉

裝幀設計　a_kun

書籍排版　陳先英

找尋真實的蔣介石：
蔣介石及其日記解讀（五卷本）

II

內外政策與抗日戰爭

著　　者　楊天石

出　　版　三聯書店（香港）有限公司

　　　　　香港北角英皇道 499 號北角工業大廈 20 樓

　　　　　Joint Publishing (H.K.) Co., Ltd.

　　　　　20/F., North Point Industrial Building,

　　　　　499 King's Road, North Point, Hong Kong

香港發行　香港聯合書刊物流有限公司

　　　　　香港新界荃灣德士古道 220–248 號 16 樓

版　　次　2022 年 6 月香港第一版第一次印刷

　　　　　2024 年 6 月香港第一版第三次印刷

規　　格　16 開（170 × 230 mm）464 面

國際書號　ISBN 978-962-04-4980-2（平裝套裝）

　　　　　ISBN 978-962-04-5005-1（精裝套裝）

　　　　　ISBN 978-962-04-4982-6（第二卷）